Clio est la muse de l'histoire
Les auteures

Micheline Dumont est professeure d'histoire à l'Université de Sherbrooke depuis 1970, où elle poursuit des recherches sur l'histoire des femmes. Elle a publié de nombreux articles et participé à la rédaction de plusieurs ouvrages collectifs, dont *Maîtresses de maison, maîtresses d'école* (Boréal, 1983) et *Les couventines* (Boréal, 1986). Elle a en outre collaboré au *Dictionnaire biographique du Canada*.

Michèle Jean a été tour à tour conseillère en éducation des adultes au cégep Bois-de-Boulogne, présidente de la Commission d'étude sur la formation des adultes (1980-1982) et sous-ministre adjointe de la Main-d'œuvre et de la Sécurité du revenu du Québec (1984-1988). Elle occupe actuellement le poste de sous-ministre déléguée et de vice-présidente à Emploi et Immigration Canada. Elle a publié, entre autres, *Québécoises du XXe siècle* (Éditions du Jour, 1974) et coordonné la publication de *Apprendre: une action volontaire et responsable* (Rapport de la Commission Jean, 1984).

Marie Lavigne a enseigné l'histoire à l'Université du Québec à Montréal, puis elle a occupé au gouvernement du Québec diverses fonctions administratives notamment au ministère des Affaires culturelles avant d'être nommée présidente du Conseil du statut de la femme, poste qu'elle occupe encore à ce jour. Auteure de nombreux articles, elle a aussi publié en collaboration avec Yolande Pinard, *Travailleuses et féministes. Les femmes dans la société québécoise* (Boréal Express, 1977, 1983).

Jennifer Stoddart est avocate et historienne. Elle a enseigné l'histoire à l'Université du Québec à Montréal avant d'occuper des postes de direction au Conseil consultatif canadien sur la situation de la femme et à la Commission canadienne des droits de la personne. Depuis 1987, elle est directrice des Enquêtes à la Commission des droits de la personne du Québec, à Montréal.
Elle a publié, seule ou en collaboration, de nombreux écrits sur l'histoire des femmes qui ont paru, entre autres, dans la *Revue d'histoire de l'Amérique française, Labour/Le Travailleur, Atlantis, Canadian Legal History, Cahiers québécois de démographie*.

L'histoire
des
femmes
au Québec
depuis quatre siècles

Conception graphique de la couverture: Violette Vaillancourt
Illustration: *Femme pensive* par Monique Mercier (Acrylique sur toile, 1970)
Photo des auteures: Kèro
Conception graphique de la maquette intérieure: Johanne Lemay
Coordonnatrice de l'édition: Linda Nantel
Révision: Diane Martin et Nicole Raymond

DISTRIBUTEURS EXCLUSIFS:

- Pour le Canada et les États-Unis:
  LES MESSAGERIES ADP*
  955, rue Amherst, Montréal H2L 3K4
  Tél.: (514) 523-1182
  Télécopieur: (514) 521-4434
  * Filiale de Sogides Ltée

- Pour la Belgique et le Luxembourg:
  PRESSES DE BELGIQUE S.A.
  Boulevard de l'Europe 117
  8-1301 Wavre
  Tél.: (10) 41-59-66
      (10) 41-78-50
  Télécopieur: (10) 41-20-24

- Pour la Suisse:
  TRANSAT S.A.
  Route du Grand-Lancy, 2, C.P. 125, 1211 Genève 26
  Tél.: (41-22) 42-77-40
  Télécopieur: (41-22) 43-46-46

- Pour la France et les autres pays:
  INTER FORUM
  13, rue de la Glacière, 75624 Paris Cédex 13
  Tél.: (33.1) 43.37.11.80
  Télécopieur: (33.1) 43.31.88.15
  Télex: 250055 Forum Paris

Le collectif Clio

L'histoire
des
femmes
au Québec

depuis quatre siècles

 le jour,
éditeur

Données de catalogage avant publication (Canada)

Vedette principale au titre:

L'Histoire des femmes au Québec depuis quatre siècles

Réimpr. de l'édition de: Montréal: Quinze, c1982.
Publ. à l'origine dans la collection: Collection
Idéelles.
Comprend des références bibliographiques et un
index.

ISBN 2-8904-4440-6

1. Femmes — Québec (Province) — Histoire. I. Dumont-
Johnson, Micheline, 1935-   . II. Collectif Clio.
III. Titre.

HQ1459.Q8H58   1991   305.4'09714   C91-090844-3

Dépôt légal: 1er trimestre 1992
Bibliothèque nationale du Québec

ISBN 2-8904-4440-6

À nos mères,
Françoise, Hillary,
Juliette, Lucile.

Avant-propos
de l'édition de 1982

Anne, sept ans, était assise dans le coin de la cuisine et cherchait ses aïeules. Comme si elle récitait une comptine, elle énumérait: «Ma mère s'appelle Juliette; la mère de Juliette, c'est Rebecca; la mère de Rebecca, c'est Maria; la mère de Maria, c'est Émilie...» puis elle a oublié la suite.

— Dis, maman, c'est qui la mère d'Émilie?

— Dis, maman, elle faisait quoi la mère d'Émilie?

Comme des milliers d'enfants, Anne jouait à remonter le temps. Quand, à l'école, on lui apprendrait l'histoire, personne ne pourrait lui dire ce qu'Émilie, son arrière-arrière-grand-mère, avait fait. On ne lui parlerait que des grands hommes qui avaient marqué le cours de l'histoire. Si elle avait été assez audacieuse pour s'informer des femmes qui avaient participé à cette histoire, on lui aurait énuméré fièrement la petite liste des femmes célèbres, de Marguerite Bourgeoys à Thérèse Casgrain. Si elle avait osé demander si Émilie, son aïeule, faisait partie elle aussi de l'histoire, on lui aurait probablement répondu: «Pourquoi faudrait-il qu'Émilie soit dans l'histoire? A-t-elle fait quelque chose de spécial?» Pour les historiens, Émilie n'avait pas de signification historique. Elle avait simplement vécu sa vie et était donc historiquement «in-signifiante».

Si nous avons pensé à écrire une synthèse de l'histoire des femmes qui ont vécu au Québec depuis quatre siècles, c'est qu'aucune de nous quatre n'acceptait l'idée que les centaines de milliers d'Émilie n'aient pas été signifiantes. Nous n'acceptions pas non plus que les femmes soient ainsi désappropriées de leur histoire. Enfin, aucune de nous quatre n'acceptait qu'on nous fasse passer pour l'histoire collective de toute une population, ce qui n'était en fait que l'histoire de sa mâle moitié et de quelques-uns de ses plus illustres représentants. Les femmes elles aussi avaient fait l'histoire; il fallait les retrouver, identifier les points d'occultation et replacer les faits dans leur perspective véritable.

Pour intégrer les femmes à l'histoire, nous ne partions pas de zéro. Depuis une vingtaine d'années, les travaux en histoire sociale, rurale ou urbaine, et plus récemment les recherches sur l'histoire des ouvriers et des femmes, se sont multipliés. Il devenait important de rassembler les informations éparses que nous pouvions repérer soit dans les livres, les thèses ou les revues spécialisées, et qui n'étaient accessibles qu'à des «rates» de bibliothèque. Malgré les efforts des récentes générations d'historiens pour reconstituer l'histoire des anonymes, il reste d'immenses trous dans notre mémoire collective, particulièrement en ce qui concerne les femmes. Ainsi, le rôle historique des autochtones et des immigrantes a fait jusqu'à présent l'objet de très peu de recherches. La place limitée qui leur est donnée dans cette synthèse est tributaire de l'état actuel des connaissances et ne reflète donc pas la place qu'elles ont réellement tenue dans notre histoire.

Un problème similaire se pose pour les milliers de paysannes, d'ouvrières et de mères de famille qui n'ont rien fait de «spécial», si on les compare aux héroïnes, aux fondatrices de communautés religieuses ou aux féministes. Elles n'ont pas laissé d'écrits, ou si elles l'ont fait, on en trouve peu de traces. C'est donc souvent à travers les changements susceptibles d'affecter l'organisation du travail domestique, ou encore à travers les modifications dans la taille et la fonction des familles, qu'il a fallu imaginer leurs vies.

Reconstituer quatre siècles d'histoire, c'est un peu comme assembler une courtepointe. L'image qui ressort dépend des morceaux de tissu qu'on a et de la façon dont on a choisi de les assembler. Nous avons choisi d'assembler les divers morceaux de cette histoire en dehors des allées toutes masculines que l'on trouve habituellement dans les livres d'histoire, ces allées qui se nomment la traite des fourrures, la guerre, la responsabilité ministérielle, la construction des chemins de fer. Nous ne retrouvons aucune mémoire des femmes dans ces «dates importantes». Cette histoire se dessine donc sur un temps différent. Qu'en est-il des changements dans la façon de naître, de grandir, d'accoucher, de travailler? Ces questions ont davantage retenu notre attention que les changements de gouvernements... Nous étions également à la recherche de jalons qui fassent état de toutes les femmes, et non seulement des premières à pénétrer dans les bastions masculins. C'est pourquoi nous avons souvent choisi de reconstituer cette histoire à partir de traits communs dans la vie des femmes.

Il sera question de sujétion mais aussi de libération. Nous parlerons d'égalité (ou plutôt d'inégalité) mais aussi de différence. Nous parlerons de contrainte mais aussi d'accomplissement. Nous avons tenté de reconstituer le passé collectif des femmes tel qu'il était, mais en posant toujours la même question: pourquoi en était-il ainsi?

Si le rythme de la vie des femmes nous a semblé différent des étapes habituellement retenues dans les livres d'histoire, il n'en demeure pas moins que les femmes ont subi les événements de l'histoire dite générale ou y ont participé. C'est pourquoi, en début des sections de ce livre, nous avons rappelé les éléments d'histoire générale nécessaires à la situation temporelle de l'histoire des femmes. Enfin, comme il s'agit d'un ouvrage de synthèse, nous avons limité les notes (en fin de chapitre) à quelques citations de personnages historiques, des femmes surtout. La liste des travaux des historiennes et historiens sur lesquels nous nous appuyons se retrouve à la fin de chaque section.

Au terme de cette entreprise qui a duré trente-six mois (quatre fois neuf mois... mais c'est une pure coïncidence), nous aimerions raconter l'histoire de notre livre. Nous nous contenterons toutefois de l'essentiel. Joanne Daigle a fait pour nous de nombreuses recherches dans les archives pour éclairer les coins qui étaient vraiment trop sombres. Louise Dechêne, Alison Prentice, Paul-André Linteau et Agnès Bastin nous ont communiqué de nombreux et précieux commentaires. Solange Lettre, Nicole Brossard, Monique Roy et Suzanne Cloutier nous ont fourni encouragements et enthousiasme. Pauline Léveillée, Sarah Porter, Pauline Vaillancourt, Jacqueline Perrault et Louise Rousseau ont dactylographié les multiples versions du manuscrit. Nos enfants, nos conjoints se sont passés de nous de si nombreux samedis et dimanches que nous avons renoncé à les compter. À chacune, à chacun, nos plus sincères mercis.

Micheline DUMONT
Michèle JEAN
Marie LAVIGNE
Jennifer STODDART

Août 1982

Avant-propos
de la deuxième édition

Dix ans déjà depuis la parution de la première édition de ce livre! Dix ans au cours desquels nous ont été transmis de nombreux témoignages et commentaires des plus intéressants sur notre ouvrage. Plusieurs femmes nous ont remerciées de leur avoir fait connaître «leur histoire» et d'avoir ressuscité pour elles un passé qui les rendait fières de leurs ancêtres et renouvelait leur confiance dans le potentiel des femmes. Nous sommes heureuses de constater que nous avons atteint l'objectif que nous visions.

D'autres, par contre, ont souligné certaines lacunes de la première édition: nous n'avions pas assez parlé des immigrantes et des autochtones; nous avions oublié celle-ci ou celle-là; nous avions mal interprété tel ou tel événement. Nous avons pris bonne note de toutes ces remarques. En constatant au passage l'absence de publications sérieuses sur l'un ou l'autre sujet, nous voulions susciter l'exploration de certains secteurs; ici encore, nous croyons être parvenues à notre but, car la publication de nombreuses recherches dans différents domaines est venue combler cette carence. Plusieurs auteures nous ont même souligné dans leurs écrits ou verbalement que la lecture de notre ouvrage avait stimulé leur intérêt pour un champ de recherche en particulier.

À l'approche du cinquantième anniversaire du droit de vote des femmes, notre éditeur nous a suggéré de mettre à jour «le livre rose». Nous nous sommes revues pour y penser. Prenant tout de même le temps de nous raconter «nos histoires, à nous» et d'évoquer les transformations qu'avaient subies nos familles respectives depuis lors, nous nous sommes demandé si nous allions reprendre le collier.

Nous devions finalement décider de le faire. Pourquoi? Afin de pouvoir rendre compte des années 80, certaines affirmations ayant pu laisser croire que la démarche militante et collective des années 70 n'avait eu aucune répercussion importante, afin aussi de dérouler le fil d'Ariane des dix dernières années et de lui donner un sens.

Cette entreprise n'allait pas sans risque, bien sûr. La production des dernières années est impressionnante; allions-nous pouvoir en prendre la véritable mesure? Raconter l'histoire immédiate comporte toujours certains dangers. Saurions-nous les éviter? Nous habitions dans quatre villes différentes. Arriverions-nous à organiser correctement notre travail?

En dépit de tout cela, nous avons «plongé»!

Toutes les sections du livre ont été revues et mises à jour. Malgré nos efforts, nous n'avons pu cependant rendre compte suffisamment de l'histoire des femmes de différentes origines culturelles et ethniques. Nous savons peu de chose encore des expériences des femmes des premières nations. Quant aux femmes noires du Québec, dont certains ancêtres se sont installés ici au XVIIIe siècle, leur histoire reste à faire, aussi bien que celle des Chinoises du début du XXe siècle. On pourrait en dire autant des femmes d'origine britannique établies au Québec; la spécificité de leur expérience n'a jamais été analysée comme telle, leur histoire étant toujours assimilée à celle des femmes canadiennes. Nous souhaitons donc fortement voir chaque communauté qui a enrichi le Québec écrire un jour l'histoire des «siennes». Il reste que, au-delà des différences ethniques et culturelles, toutes ces femmes ont pris racine dans un même espace géographique, vécu en fonction des mêmes lois et partagé les mêmes systèmes scolaires; l'histoire des femmes que nous présentons ici les concerne donc toutes, de quelque manière.

Nous avons tenu compte des toutes dernières recherches, bien qu'elles demeurent fragmentaires, certaines périodes n'ayant pas fait l'objet d'un nombre important de nouveaux travaux sur les femmes. Nous avons modifié légèrement la périodisation en divisant le dernier demi-siècle en deux périodes: 1940-1965 et 1965-1990. Cette dernière section s'est trouvée considérablement augmentée puisqu'elle comporte désormais six chapitres qui remplacent les chapitres 14 et 15 de la première édition. Le chapitre 20 tient lieu d'épiloque.

Afin de produire un ouvrage accessible, de lecture facile et allégé de tout appareil méthodologique compliqué, nous n'avons pas modifié la facture du texte. Car il ne s'agit pas tellement ici de discuter de cadres conceptuels comme de rendre compte de l'expérience des femmes au Québec en tant que réalité dynamique et enracinée dans le quotidien. Ceux et celles qui veulent approfondir le sujet trouveront à la fin de chaque partie des indications bibliographiques, les références directes aux ouvrages consultés ayant été intégrées au texte. La présentation des index, des encadrés et des photos a aussi été renouvelée.

Nous tenons à remercier, au passage, Sylvie Bélanger, qui a agi comme recherchiste pour le collectif et accompli, à ce titre, un travail colossal, de même que Lucie Champagne qui a assuré la fabrication de l'index.

Nous persistons à croire que les femmes ont été et sont toujours très actives dans la «construction» de leur histoire et espérons qu'encore une fois ce travail donnera à d'autres le goût de continuer.

Micheline DUMONT
Michèle JEAN
Marie LAVIGNE
Jennifer STODDART

Janvier 1992

I
LES COMMENCEMENTS
1617-1701

L'Amérique était là depuis l'origine. Ni à l'est, ni à l'ouest. Ni au nord, ni au sud. Ailleurs. De l'autre côté. Les archéologues n'en finissent plus de reculer la date de l'arrivée des premières familles sur ce continent ignoré pendant des millénaires de ceux qui se croyaient le centre du monde. Il y a quinze mille ans, suggèrent les dernières estimations.

Ces grandes tribus sont descendues de la Béringhie, à la poursuite des troupeaux de grands mammifères, entre les Cordillères et les grands glaciers continentaux. Et pendant que les glaces avancent et reculent, creusant les mers intérieures et les lacs, érodant les montagnes, de petits groupes s'approprient la faune, la flore, transmettent dans leurs traditions orales le récit légendaire de la Terre mère, comme partout ailleurs autour de la planète. C'est la nature et le recul des glaciers qui déterminent les zones occupées par les tribus variées. Les territoires qu'on appelle aujourd'hui le Canada et le Québec ont une histoire dérisoire, comparativement à ces millénaires de migrations et de cultures.

Les premiers groupes identifiés par les chercheurs vivaient il y a douze mille ans et fabriquaient des outils en pierre taillée et en os. Un millénaire plus tard, ils produisent une variété incroyable d'outils, dont le javelot, indispensable à la chasse au gros gibier. Les femmes assurent une bonne partie de la survie par leurs activités de cueillette. Il y a cinq mille ans apparaissent les premières sépultures, décorées d'ocre rouge et d'objets en cuivre. Les premiers vases en poterie, confectionnés vraisemblablement par les femmes, se répandent il y a trois mille ans en même temps que l'arc et la flèche, les pipes, les flûtes en os et les figurines rituelles.

De cette époque jusqu'au Ve siècle de notre ère environ, les forêts du Nord-Est sont progressivement habitées par les ancêtres des groupes autochtones qui nous sont maintenant familiers. Ils viennent du Sud, où les avaient repoussés les glaciers, et adaptent leurs cultures traditionnelles à ce nouvel environnement. Une circulation intense s'établit entre les groupes: échange de cuivre, de *wampums*, de fourrures, de céréales. Deux groupes dominent les rives du grand fleuve qui deviendra le fleuve Saint-Laurent: des peuples horticulteurs, les Iroquoiens, et des peuples chasseurs-cueilleurs, les Algonquiens. À l'extrémité nord, une migration plus récente a entraîné un troisième groupe venu de Sibérie il y a environ quatre mille ans: les Inuit, qui vivent dans les conditions précaires des latitudes arctiques. Ils sont d'habiles artisans et artisanes, fabriquent des harpons mobiles et des lunettes à neige en ivoire, indispensables pour survivre durant les interminables journées polaires. Le territoire actuel du Québec se trouve donc peuplé de trois grandes familles séparées par la langue mais reliées par le commerce et les guerres intertribales. Sauf dans la vallée du Saint-Laurent et dans les Grands Lacs où sont regroupés plusieurs villages iroquoiens, l'habitat est très clairsemé.

Nos connaissances sur ces peuples variés sont fragmentaires et surtout en constante évolution. Les recherches archéologiques, nombreuses depuis une trentaine d'années, permettent désormais d'interpréter autrement les informations ethno-historiques des premiers récits européens. Car l'Amérique n'a pas été «découverte» par les Européens. Elle a été conquise durant le XVIe siècle. Cette conquête a d'ailleurs été à l'origine d'un phénomène tout aussi important: l'invasion microbienne de l'Amérique, qui a décimé les populations autochtones. On sait que cette catastrophe a moins touché l'Amérique du Nord que l'Amérique centrale et l'Amérique du Sud.

Le XVIe siècle est donc le siècle des grandes explorations qui révèlent à l'Europe les territoires alors inconnus de l'Amérique, de l'Afrique et de l'Asie. Deux grands empires coloniaux sont alors constitués: l'empire espagnol et l'empire portugais. La France, attirée également par ces territoires, envoie des explorateurs sillonner les mers. Les voyages de Jacques Cartier, de 1534 à 1541, représentent une des tentatives de la France pour s'établir en Amérique du Nord. Ce n'est toutefois qu'au XVIIe siècle que l'Amérique du Nord constitue un enjeu pour les puissances européennes. Face aux découvreurs-conquérants, les peuples des nations autochtones sauront imposer pendant près de deux siècles une résistance dynamique et déterminante.

On doit la Nouvelle-France à l'initiative d'un géographe-colonisateur, Samuel de Champlain, et à l'intérêt du roi de France, Henri IV. Champlain réussit, après plus de soixante années de voyages et de tentatives, à donner suite à la «découverte» officielle du Canada en 1534. L'établissement de Québec, fondé en 1608, peut se maintenir parce que la Nouvelle-France s'est révélée un réservoir considérable d'une denrée précieuse: les fourrures. Son économie se trouve ainsi basée sur l'exploitation d'un seul produit. Et surtout, elle est complètement dépendante de la collaboration et de l'activité des peuples autochtones.

D'autre part, la colonie est également coupée des grandes voies maritimes six mois par année, à cause de sa situation intérieure sur le fleuve Saint-Laurent. La Nouvelle-France constitue donc une colonie sans envergure en dépit de l'étendue considérable du territoire exploré, qui s'étend des bouches du Mississippi à la baie d'Hudson.

Au XVIIe siècle, l'histoire de la Nouvelle-France se caractérise par quelques constantes. Tout d'abord, l'opposition exercée par les marchands faisant la traite des fourrures vient contrarier les efforts de ceux qu'intéresse l'établissement d'une colonie de peuplement. Ces efforts sont également ralentis par les jeux politiques provoqués par l'irruption de la traite des fourrures parmi les peuples autochtones. La résistance des nations iroquoises maintient une guerre d'embuscade durant tout le XVIIe siècle. Par ailleurs, la nation huronne, principale alliée des Français, est décimée par les maladies et les guerres d'extermination.

D'autre part, on observe durant au moins une génération, soit de 1635 à 1665 environ, la participation directe de sociétés religieuses à l'entreprise de colonisation. On a longtemps désigné cette période comme «l'épopée mystique» bien que de nouvelles interprétations viennent nuancer cette approche. Toutefois, à partir de 1663, le roi Louis XIV dote sa colonie d'institutions centralisées et l'on observe durant une dizaine d'années, soit durant l'intendance de Jean Talon, un progrès notable de l'immigration, de l'exploration et du développement économique. Le mode de peuplement et d'attribution des terres instauré dès 1628 est alors en pleine expansion: c'est le système seigneurial.

Ce progrès bien relatif contraste cependant avec celui des colonies anglaises ou hollandaises installées sur les rives de l'Atlantique. Ces colonies ont un rythme d'accroissement considérable et leur population augmente vingt-cinq fois plus rapidement que celle de la Nouvelle-France. Ce voisinage engendre rapidement une opposition entre les métropoles pour la possession et le contrôle des territoires et des tribus de l'intérieur. Comme les colonies anglaises obtiennent l'alliance des Iroquois, les conflits sont nombreux.

Tous les éléments de cette conjoncture font que la Nouvelle-France possède un visage bien particulier durant tout le XVIIe siècle. C'est l'époque des commencements, alors que toutes les énergies sont mises à contribution. Chacun et chacune peut tenter sa chance de sortir de la misère, de laisser libre cours à ses projets religieux ou encore de faire fortune. Dans un nouveau pays sans frontières, des femmes de toutes les classes sociales viennent relever le défi. Elles apportent avec elles les normes, les habitudes, les valeurs et les préjugés de leur pays d'origine, la France. De même, les colonisateurs y implantent les principales institutions politiques et sociales françaises. Mais la conjoncture particulière de l'établissement dans un «nouveau» monde crée pour les femmes européennes un environnement qu'on pourrait qualifier de positif. Voyons plutôt.

CHAPITRE PREMIER

L'époque héroïque

Si nos connaissances sur les peuples autochtones de l'Amérique du Nord sont encore minces, il est encore plus malaisé d'observer la condition des femmes de ces différents groupes. En effet, les premiers scientifiques ayant souvent imposé leurs propres catégories conceptuelles pour décrire et expliquer ces groupes «pré-historiques», leur perspective est souvent androcentrique. D'ailleurs, on ne peut pas véritablement connaître l'état de ces nations avant leur contact avec les Européens. Enfin, il convient de préciser qu'il existe une grande variété de situations parmi toutes les tribus que l'on retrouve dans les forêts du Nord-Est. Il est nécessaire d'établir des distinctions fondamentales.

Les femmes des premières nations

Les chasseurs-cueilleurs forment la grande famille algonquienne, divisée en de nombreuses tribus: les Montagnais, les Nascapis, les Abénaquis, les Malécites, les Micmacs, les Outaouais, les Cris, etc. Ces peuples, tous nomades, vivent principalement du produit de la pêche, de la chasse et surtout de la cueillette effectuée par les femmes. On sait aujourd'hui que ce sont les activités des femmes qui assurent l'essentiel de la subsistance, car la chasse ne peut assurer qu'un rendement irrégulier. Ce sont également elles qui fabriquent les vêtements. Leur travail est lourd car elles transportent les bagages lors des migrations continuelles. Les effets de la traite des fourrures sur leur vie quotidienne seront considérables. Les marchandises européennes échangées au moment de la traite envahissent la production artisanale et le travail quotidien des femmes: les casseroles, les couvertures, les ustensiles en métal. C'est surtout l'ébranlement des structures sociales et idéologiques causé par l'influence des institutions européennes, notamment la religion, qui aura d'incalculables conséquences sur la vie des hommes et des femmes autochtones.

Sur les rives du Saint-Laurent et autour des Grands Lacs vivent les nombreuses tribus iroquoiennes: les Iroquoiens du Saint-Laurent, mystérieusement disparus après le XVIe siècle, les Hurons (de leur vrai nom les Ouendats), les Neutres, les Petuns, les Ériés et les cinq nations de la Confédération Iroquoise, dont la plus connue, les Agniers, que nous nommons maintenant Mohawks. Ces peuples semi-sédentaires vivent principalement d'agriculture: ils cultivent le maïs, la citrouille, la fève, le tournesol et le tabac. Leurs agglomérations sont considérables: 1500 habitants à Hochelaga au XVIe siècle. Ils vivent dans les maisons longues qui abritent plusieurs familles. La division du travail est rigoureusement séparée entre les hommes et les femmes. «Plus fondamentalement, nous dit Denys Delâge, les activités polarisées par la vie sont propres aux femmes, l'agriculture et le maternage, tandis que celles qui se rattachent à la mort, la chasse et la guerre, sont masculines[1].» Ces tribus seront profondément désorganisées par l'arrivée des premiers traiteurs et des premiers missionnaires et surtout par l'irruption des microbes de l'Ancien Monde.

Les sociétés autochtones, construites autour du partage des ressources, ignorent le concept de propriété privée comme nous l'entendons aujourd'hui. «La terre est la propriété collective de la communauté. La propriété privée se limite généralement à quelques outils, armes, vêtements personnels [...] Il n'existe aucune mesure coercitive pour obliger quelqu'un à travailler, et pourtant tout le monde travaille[2].»

Dans les villages iroquoiens, les femmes sont responsables de la distribution de la nourriture et, selon Judith Brown, cette responsabilité dans l'organisation économique explique le statut politique exceptionnel qu'elles occupent dans les tribus. Norman Clermont a résumé dans une formule intéressante le symbolisme des activités des femmes. «La femme se présente comme l'agent qui transforme la nature. Par ses manipulations, elle transforme les graines de semence en épis et en aliments, car c'est elle qui domine l'horticulture, elle transforme aussi les bêtes tuées en nourriture ou en vêtements, l'argile en vases, l'écorce en contenants, les joncs en nattes, le chanvre en fils, le bois coupé en confort et c'est elle qui coud l'écorce du canot et tisse la babiche en raquettes. Elle a un pouvoir de transmutation[3].»

La lignée est matrilinéaire et matrilocale, c'est-à-dire que le mari quitte sa famille pour aller vivre avec son épouse. «La naissance des filles est un peu plus valorisée que celle des garçons et en cas de meurtre, on exige une répartition de trente présents pour un homme et de quarante pour une femme[4].» On sait que les femmes négocient les mariages et qu'elles sont les maîtresses des relations sexuelles. Ce sont les femmes qui possèdent les enfants et leur donnent leur identité clanique.

Certains pensent que «ce pouvoir, les femmes le payent d'une plus grande quantité de travail», mais il n'y a pas unanimité des spécialistes sur cette question et il est possible que les situations antérieures au contact européen aient été fort différentes de celles que les premiers Européens ont observées. On sait toutefois que les matrones doyennes de lignées matrilinéaires participent à la désignation des Anciens et sont consultées durant les longues délibérations du Conseil où s'élaborent, par consensus, les décisions collectives. L'admissibilité héréditaire à ce Conseil est transmise par les femmes. Certains anthropologues pensent également que les femmes ont droit de veto en matière de paix et de guerre. En effet, lors de la prise de prisonniers et des cérémonies de torture, la femme «participait activement à son traitement et contribuait à donner le prestige acquis au guerrier. Elle avait donc le pouvoir de transformer un étranger en membre du groupe et même en parent, sinon en sacrifice, comme elle avait celui de donner du prestige à ceux qui avaient rempli adéquatement leur mandat[5].»

Mais le trait qui a sans doute le plus frappé les Européens concerne l'attitude de ces peuples à l'égard de la sexualité. Les jeunes bénéficiaient d'une très grande liberté sexuelle et certains rituels de guérison suscitaient la tenue de cérémonies, notamment l'*andacouandet* qui a horrifié les missionnaires. Les couples deviennent monogames après la naissance d'un enfant, mais le divorce peut s'obtenir par consentement mutuel. En réalité, toute l'éthique et la structure sociale des sociétés autochtones sont organisées autour de l'autonomie personnelle, alors que les sociétés européennes du XVIIe siècle sont basées essentiellement sur la soumission à l'autorité. On conçoit aisément le choc qu'a pu représenter pour ces groupes l'introduction de la morale chrétienne et du droit européen, qui soumet les femmes à l'autorité du mari. On rapporte l'exemple d'une femme huronne qui a refusé le baptême pour pouvoir conserver son droit au divorce. La fécondité des femmes autochtones semble plus faible que celle des Européennes et elles accouchent très facilement, ce qui peut s'expliquer par leur excellente forme physique.

Un rituel huron: l'andacouandet

Dans le pays de nos Hurons, il se fait aussi des assemblées de toutes les filles d'un bourg auprès d'une malade, tant à la prière, suivant la rêverie ou le songe qu'elle en aura eu, que par ordonnance du Loki, pour sa santé et sa guérison. Les filles ainsi assemblées, on leur demande à toutes, les unes après les autres, celui qu'elles veulent des jeunes hommes du bourg pour dormir avec elles la nuit prochaine: elles en nomment chacune un, qui sont aussitôt avertis par les maîtres de cérémonie, lesquels viennent tous au soir, en présence de la malade, dormir avec celle qui l'a choisi, d'un bout à l'autre de la cabane, et passent ainsi toute la nuit pendant que deux capitaines aux deux bouts du logis chantent et sonnent de leur tortue du soir au lendemain matin, que la cérémonie cesse. Dieu veuille abolir une si damnable et malheureuse cérémonie.

Source: Gabriel Sagard, *Le grand voyage au pays des Hurons*, p. 110.

Un dernier trait caractérise les sociétés autochtones: leur attitude envers les enfants. Ceux-ci sont élevés sans contrainte et les parents ne les punissent jamais. En réalité, les Hurons ont été horrifiés de connaître les méthodes éducatives des Européens. Denise Lemieux propose l'hypothèse que les Jésuites ont été influencés par les méthodes éducatives des peuples qu'ils ont rencontrés et que ces contacts peuvent contribuer à expliquer le renversement éducatif qui s'opère en Europe à la fin du XVIIIᵉ siècle, à la suite de Jean-Jacques Rousseau.

Les autochtones «confèrent à tout ce qui [les] entoure une réalité spirituelle. Ils s'adressent à la Terre, aux Rivières, aux Lacs, aux Rochers dangereux mais surtout au Ciel, et croient que tout cela est animé.» Les Shamans assurent la communication avec les esprits et la fonction peut être assurée autant par un homme que par une femme. «La religion joue un rôle écologique: elle est, à travers un discours et une pratique, une manifestation sous forme mythique d'un rapport de réciprocité entre l'homme et la nature.» Le plaisir et la satisfaction des désirs jouent un rôle considérable dans les rituels associés à cette religion. Les femmes y prennent part autant que les hommes. Il n'est pas inutile de rappeler que, dans leur théologie, la terre et les humains sont tous les fils d'une déesse mère, Aataentsic.

On conçoit aisément que l'arrivée des Européens ait bouleversé les peuples autochtones. Le développement de la traite des fourrures a profondément modifié le rapport entre les hommes et les femmes et surtout l'organisation sociale, basée alors sur la redistribution et le partage. L'entreprise missionnaire allait introduire l'idée de privilège et d'inégalité et transformer les solidarités familiales. Enfin, la vie matérielle allait être complètement modifiée par l'introduction des marchandises européennes, notamment de l'eau-de-vie. Au bout du compte, on doit penser que, dans le choc des cultures qui a caractérisé l'arrivée des Européens en Amérique du Nord, ce sont les femmes autochtones qui ont été le plus directement touchées. Leur activité artisanale s'est trouvée confrontée à l'introduction de produits tout faits. Leur statut familial et personnel s'est trouvé bouleversé. Leur pouvoir politique et religieux a été remis en question et contesté.

Les hommes d'abord

Pendant plus d'un quart de siècle, en Nouvelle-France, il n'y a pas de place pour les femmes européennes. Québec n'est qu'un comptoir estival où s'affairent des marins, des marchands, des engagés, des soldats, des interprètes et des Amérindiens. Cet environnement est résolument masculin. Les Françaises sont considérées par Champlain comme des bouches superflues.

D'ailleurs, tout près du premier poste, se trouvent des campements amérindiens. Ces tribus vivent sur le territoire américain depuis des millénaires. On ignore dans quelles circonstances se sont produits les premiers contacts entre Blancs et Amérindiennes. Les premiers documents, ou bien ne parlent pas de ce sujet jugé scabreux, ou bien sont le fait de voyageurs enclins à vanter leurs prouesses, ou bien sont écrits par des missionnaires scandalisés de la conduite des Français. Il semble que, dès l'origine de la colonie, les hommes profitent de ce qu'ils perçoivent comme la liberté sexuelle des Montagnaises et des Algonquiennes. Cette situation, ainsi que la nature même du comptoir de Québec, voué exclusivement au commerce des fourrures, retarde le moment où on aura besoin des femmes françaises.

C'est en 1617 qu'arrive une première famille française, celle de Marie Rollet et Louis Hébert. À vrai dire, jusqu'en 1634, date véritable du début du peuplement, cette famille est presque la seule à demeurer en permanence à Québec et à posséder une maison. C'est une famille à la fois typique et exceptionnelle. Ainsi, Marie Rollet collabore étroitement au métier de son mari, apothicaire, comme cela se fait régulièrement au début du XVIIe siècle. Ils sont les seuls spécialistes en médecine de ce poste isolé, ce qui n'empêche pas leur fille Anne de mourir en donnant naissance à son premier enfant. C'est malheureusement le lot de nombreuses femmes de cette époque. Leur seconde fille, Guillemette Hébert — femme de Guillaume Couillard —, eut dix enfants, situation fréquente dans l'Ancien Régime.

On peut toutefois considérer comme exceptionnel le fait que les filles aînées de Guillemette se soient mariées à l'âge de onze et douze ans. Certes, les études démographiques démontrent que les mariages sont plus précoces, tant chez les hommes que chez les femmes, à mesure que l'on descend dans l'échelle sociale. Mais dans certaines classes sociales, on a coutume de retarder l'âge du mariage pour des motifs à la fois économiques et contraceptifs. Il reste qu'en Nouvelle-France, durant les deux premières générations, c'est souvent la pénurie de femmes qui rend fréquents ces mariages de fillettes impubères.

Autre trait original, la famille Hébert-Couillard est très étendue: elle accueille des Amérindiens, entre autres les petites Montagnaises Charité et Espérance que Champlain avait adoptées. Elle accueille également un petit Noir de Madagascar arrivé à Québec avec les navires des Kirke, ces marchands anglais qui ont tenté de contrôler la colonie française de 1629 à 1632. Il a été le premier «esclave» de la Nouvelle-France, mais tout indique qu'il est considéré comme un domestique, car l'esclavage ne sera autorisé qu'au début du XVIIIe siècle. D'ailleurs, parmi ses nombreux domestiques, la famille Hébert-Couillard compte des Amérindiens. Les Jésuites trouvent cette maisonnée passablement turbulente et indépendante. Mais on est bien content de pouvoir aller chez Marie Rollet pour le banquet qui marque le premier baptême d'un Amérindien, banquet où on consomme cinquante-six oies sauvages, trente canards, vingt sarcelles et quantité d'autre gibier.

Mais qu'est-ce qu'une seule famille dans une entreprise de colonisation?

Vivre dans une cabane

En 1634, commence l'arrivée des colons: des hommes surtout, quelques familles et de rares jeunes filles qui trouvent aussitôt mari. Mais la progression est très lente durant plus de trente ans. Il est presque impossible aux familles les plus aisées de conserver des filles comme domestiques. Même si on leur fait signer des contrats, elles désertent pour se marier. Les premiers procès civils sont justement des poursuites contre des femmes domestiques qui ont brisé leur contrat pour se marier. Les domestiques sont plutôt de jeunes gens célibataires. On célèbre en moyenne trois ou quatre mariages par année, et il naît dans le même temps une dizaine d'enfants. Le modèle familial créé par la famille Hébert-Couillard est parfois imité. Quelques familles de colons accueillent donc volontiers des domestiques amérindiens, des Algonquins le plus souvent, une vieille femme qui s'occupe des enfants ou un adolescent qui pourvoit à la chasse. D'autres familles adoptent des enfants amérindiens, qu'on ne traite pas tout à fait comme les enfants naturels de la famille. La proximité des campements autochtones et l'état de guerre permanent créé par la détermination iroquoise tissent entre les deux communautés ethniques des liens suscités par le besoin qu'elles ont l'une de l'autre.

Les autochtones transmettent aux colons leurs connaissances pratiques sur un habillement, une pharmacopée, une nourriture et des moyens de transport adaptés aux rigueurs de l'hiver, aux nuées de moustiques printaniers et à la vie en forêt. Mais on possède peu de renseignements précis sur cette cohabitation passagère. Il semble qu'elle n'ait existé qu'au tout début, alors que la population française était moins nombreuse que la population amérindienne installée près des postes.

Les Françaises doivent apprendre à tirer du mousquet et à participer aux corvées. Quand chaque famille s'installe dans sa «maison», les tâches habituellement réservées aux hommes sont accomplies sans distinction de sexe: défricher, brûler, piocher, construire, récolter, écorcher des peaux, calfeutrer. Chaque nouvelle installation de colons demeure très rudimentaire. Ce n'est qu'à la deuxième ou troisième génération qu'une famille peut améliorer son ordinaire. On en trouve un exemple dans la liste des biens laissés par Marie Poulliot et Anthoine Mondin après treize années de «trimage» sur leur terre de l'île d'Orléans. Dans la maison, une pauvre cabane, on trouve comme seuls ustensiles «une marmite sans couvercle ni cuiller, une chaudière de cuivre, une poêle à frire, un gril, deux vieilles couvertures» et pas un seul vêtement de rechange. Aucun meuble: le lit et la table sont accrochés grossièrement au mur. Dans un hangar, «deux minots de pois, vingt minots de blé en gerbe, un minot d'orge. Dans un autre hangar, deux jeunes bœufs, une vache de huit ans, un demi-baril de lard et un cent et demi (sic) d'anguilles, six ou sept livres de beurre, quatre livres de graisse et soixante bottes de foin. On trouve comme seuls outils de travail une paire de courroies, un fusil, deux haches, une houe, une faucille et une vieille paire de raquettes[6].» Ce couple, en treize ans, a réussi à défricher dix-neuf arpents de terre labourable et à abattre six arpents de bois. On imagine la vie fruste de cette famille, sans vaisselle, sans meubles et sans même un coffre de rangement. Cette vie est celle de la majorité des femmes, venues en Nouvelle-France les premières années. Leurs enfants dorment par terre, sur des paillasses et des «lits de quenouilles», enroulés dans des couvertures de poils de chien, des peaux d'ours, d'orignal ou de bœuf. Bref, au XVIIe siècle, pour la grande majorité des gens, la vie quotidienne est caractérisée par ce qui nous semblerait aujourd'hui un grand dénuement.

Dénuement aussi dans le vêtement et la nourriture, ainsi que le montre l'inventaire cité plus haut. Seuls quelques privilégiés possèdent des vêtements de rechange, de sorte qu'«il ne reste rien à comptabiliser au regard des habillements de la défunte dont la meilleure partie est demeurée à l'Hôtel-Dieu de Québec. Le restant a été employé en vêtements des petits enfants mineurs[7]», lit-on dans un inventaire après décès. En fait, le linge apporté de France doit servir de nombreuses années et les femmes ne cousent guère que leurs robes et les chemises. Pendant les premières décennies, tout le reste est importé tout fait de France, et les vêtements des personnes décédées s'arrachent à prix d'or. Au XVIIe siècle, les rouets et les métiers à tisser ne sont pas encore en action, ce qui explique que certains administrateurs jugent les femmes paresseuses durant l'hiver.

Côté nourriture, on l'a vu, la frugalité est de mise: pois, pain de blé ou d'orge, lard, anguilles. Mais la chasse apporte son supplément de protéines, ce qui fait que la population jouit d'une meilleure santé qu'en France. Les femmes, notamment, sont plus robustes, meurent moins souvent en couches et, si elles résistent aux premiers accouchements, ont une longévité remarquable. Les études démographiques démontrent que les Canadiennes sont plus fécondes que les Françaises.

Néanmoins, les tâches domestiques sont réduites au minimum, faute de meubles à astiquer, de vaisselle à laver, de carreaux à nettoyer, de viande à saler ou de draps à piquer. Certes, les tâches du ménage, de la couture et de la cuisine sont dévolues aux femmes. Mais la sphère d'action des femmes touche en même temps largement celle des hommes, aux champs et dans la broussaille. Bien entendu, le chevauchement est à sens unique. Une femme peut tout faire, mais un homme ne touche à rien dans la maison. Ils s'étaient pourtant débrouillés avant l'arrivée des femmes! Le mariage, on le sait, a comme conséquence de délivrer les hommes de certaines obligations domestiques. Les femmes de colons, moins occupées à l'intérieur de la maison, sont donc durement mises à contribution. Et les hommes peuvent partir: la marmite bout! C'est pourquoi on attend surtout «des filles de villages, propres au travail comme des hommes», affirme Marie de l'Incarnation. Au XIXe et au XXe siècle, les responsables de la colonisation ne penseront pas autrement.

Le XVIIe siècle se présente donc comme une époque exceptionnelle sur le plan du travail des femmes. Les femmes du XXe siècle interprètent souvent ce phénomène comme un exemple d'épanouissement et de libération. Mais certaines de ces femmes devaient vraisemblablement vivre ces circonstances comme une anormalité. En plus de la responsabilité des tâches «féminines», l'attribution des tâches masculines leur semblait un lourd fardeau. Les rares témoignages de femmes font ressortir leur anxiété devant une situation où elles sont loin des modèles familiers. C'est pourquoi la secrète nostalgie de chacune est d'avoir perdu les «douceurs de la France».

D'ailleurs, au XVIIe siècle, on est loin de l'entreprise familiale qui se suffit à elle-même. «Sans le commerce, le pays ne vaut rien. Il peut se passer de la France pour le vivre mais il en dépend entièrement pour le vêtement, pour les outils, pour le vin, pour l'eau-de-vie et pour une infinité de petites commodités», écrit Marie de l'Incarnation.

Ce sont des femmes, en majeure partie, qui font fonctionner ces petits commerces: tissus, vêtements, fourrures, eau-de-vie, ustensiles. En 1666, un procès retentissant dans la région de Trois-Rivières, à propos de la vente de l'eau-de-vie, nous apprend que ce sont des femmes qui dirigent le plus important comptoir de la région et qu'elles sont habiles à déjouer les mesures administratives pour faire prospérer leur négoce. Il est courant, au XVIIe siècle, que «les femmes de marchands apprennent à tenir les livres, à gérer le commerce en l'absence de leur mari», et ces absences sont fréquentes. Les femmes prennent part aux décisions familiales, accompagnent leur mari chez le notaire lorsqu'il y a aliénation d'immeubles, signature de bail, mise en apprentissage d'un enfant. Ce ne sont pas là des traits exceptionnels dans les sociétés de l'Ancien Régime, surtout dans les classes populaires, nous apprend l'historienne Louise Dechêne.

Les femmes d'artisans, tout comme les veuves, joignent les deux bouts en tenant des auberges, des cabarets. C'est une occupation attirante qui procure des profits faciles: dépouiller les Amérindiens, enivrer les soldats et les domestiques, servir des chopines durant la messe du dimanche et, dans certains cas, transformer clandestinement le cabaret en tripot ou en lieu de débauche. Quelques-unes de ces cabaretières se livrent à la prostitution, ainsi que leurs filles ou leurs domestiques. En Nouvelle-France comme partout ailleurs, les deux métiers sont souvent liés. Mais les maquerelles qui défraient la chronique judiciaire sont très peu nombreuses.

Il est extrêmement difficile de se représenter le cadre de la vie quotidienne au XVIIe siècle. Les Américains ont un concept intéressant pour le décrire: la «vie de frontière», qui nous est devenue familière grâce au cinéma. Cette image ne coïncide pas tout à fait avec la Nouvelle-France des débuts, mais les correspondances sont nombreuses. L'étude des procès civils atteste une participation des femmes à presque toutes les occupations sociales. Par ailleurs, celle des procès criminels nous présente toute une galerie de femmes déterminées, fortes en gueule, habiles à inventer des injures, promptes à se défendre et à manier le tisonnier en cas de disputes, et enclines à voler et à blesser si la nécessité l'exige. Ce climat de violence immanente est une caractéristique de tous les premiers établissements. La Nouvelle-France ne fait pas exception et les femmes sont au centre du tableau. Dans un décor fruste, âpre, presque sauvage, la vie est difficile mais cette difficulté est tempérée par l'espoir de s'en sortir.

Jeanne Enard, veuve Crevier

Jeanne Enard, épouse de Christophe Crevier, est arrivée aux Trois-Rivières en 1639. Elle se signale très tôt par son esprit d'entreprise et sa maison devient le pivot d'un commerce florissant, le trafic de l'eau-de-vie aux Amérindiens. Avec le temps, elle établit un véritable réseau. Ses domestiques et ses fermiers servent d'intermédiaires. Elle organise elle-même plusieurs voyages de traite. Ses victimes sont les Amérindiens réunis au Cap-de-la-Madeleine par les Jésuites pour les soustraire aux mauvaises influences des Français. Le Jésuite Gabriel Druillette exigera en 1666 une enquête sur ses entreprises. À ce procès, des Amérindiens viendront présenter d'émouvants témoignages sur les atrocités qu'ils commettent après avoir bu «l'eau-de-feu». Jeanne Crevier, cynique et dominatrice, nie toute responsabilité dans ces excès. Ses appuis lui assureront l'impunité.

Le voisinage des tribus autochtones

Dernier élément de ce décor, l'opposition iroquoise. Au XVIIe siècle, le cadre de vie en est profondément marqué. Cette menace permanente oblige parfois les colons à passer de nombreuses semaines à l'intérieur des forts, surtout à Trois-Rivières et à Montréal, délaissant défrichements et cultures. Même les tâches domestiques habituelles sont abandonnées; tous, Français et autochtones de passage, vivent des réserves venues de France ou des fricots préparés au fort dans des marmites communes. Ces scènes sont fréquentes entre 1642 et 1666. On a dénombré 290 personnes tuées ou capturées par les Iroquois durant cette période, soit plus de 10 % de la population. Après une accalmie provisoire d'une vingtaine d'années, la guerre reprend et chaque établissement se sent menacé. Les récits d'agression entretiennent un climat qui n'a rien de réconfortant.

Durant les premières années, soit de 1634 à la fin du XVIIe siècle, cet ensemble de circonstances rend la vie des femmes de la Nouvelle-France passablement différente de celle des Françaises de la même époque. C'est là le résultat, non pas d'une idéologie particulière, mais de la pénible nécessité où se trouve réduite l'ensemble de la population. Le voisinage et l'exemple des autochtones jouent probablement aussi sur ce plan, car les colons, si misérables soient-ils, voient à leurs côtés une population plus démunie encore. L'image qu'ils ont d'eux-mêmes s'en trouve transformée. Les femmes, notamment, trouvent leur sort plus enviable que le lot de celles qu'on appelle les «sauvagesses». Même si les autochtones pratiquent une grande liberté sexuelle avant leur mariage, ce comportement n'est pas perçu comme un avantage par les Françaises. Il faut comprendre ici que les Françaises du XVIIe siècle, pas plus que les missionnaires, ne peuvent observer les Amérindiennes avec les yeux des anthropologues d'aujourd'hui. Elles sont beaucoup plus sensibles aux lourds travaux accomplis par les femmes qu'à leur influence dans les conseils et les clans familiaux, et elles endossent la moralité chrétienne pour juger sévèrement les «sauvagesses».

Les mariages entre Européens et autochtones sont-ils nombreux? Certes, il existe des «mariages» dans les territoires de traite. Chez les Hurons, notamment, on souhaite sceller par des liens familiaux les liens politiques qui unissent Français et Hurons. C'est pourquoi chaque Français est adopté par une famille et se voit présenter une «épouse», y compris les missionnaires qui en éprouvent beaucoup d'embarras. Ce sont eux également qui tentent de «marier» les Français avec des

Huronnes, notamment leurs propres domestiques, afin d'éviter le scandale. Mais cette politique a très peu de succès.

Par ailleurs, les Amérindiennes qui se plient à ces unions y perdent sur tous les tableaux. D'abord, seules les adolescentes sont recherchées: les hommes méprisent ouvertement celles qui ont dépassé la vingtaine. Elles sont donc facilement abandonnées et elles s'attirent finalement la désapprobation des membres de leur clan. Quelques-unes se livrent à la prostitution, phénomène social étranger aux nations d'Amérique du Nord avant l'arrivée des Européens. Dans certaines missions, pour les châtier, les missionnaires leur font raser la tête.

En général, les femmes semblent plus difficiles à convertir que les hommes. Plusieurs raisons peuvent expliquer cette résistance féminine: leurs liens plus étroits avec les rites religieux de leurs tribus respectives, leurs réticences à adopter la morale catholique et la perte du statut qui leur appartenait lorsqu'elles endossent les prescriptions des missionnaires. Dans cette perspective, le culte voué à Kateri Tekakwitha, le «Lys des Agniers», morte en odeur de sainteté en 1680, prend un

Kateri Tekakwitha, vierge iroquoise, morte à vingt-quatre ans, en 1680, à la mission Saint-François-Xavier de Caughnawaga. Huile de Claude Chauchetière, *circa* 1683.
J. Russell Harper, *La peinture au Canada*

sens différent. Cette vierge iroquoise venait racheter, en quelque sorte, la conduite dite licencieuse des Amérindiennes, si sévèrement jugée par les missionnaires. Ce n'est pas par hasard que les autorités religieuses et politiques ont assuré la publicité de ce culte dès la fin du XVIIe siècle. Kateri Tekakwitha, c'est la preuve que les entreprises missionnaires ont réussi. Kateri Tekakwitha, c'est l'exaltation d'une virginité mythique pour contrer les réticences des autochtones à adopter la morale chrétienne. Kateri Tekakwitha, c'est une pièce à verser au dossier du «bon Sauvage».

Sa canonisation récente est d'autant plus étonnante que sa vie de chrétienne a été très brève: près de quatre ans. Les *Relations des Jésuites* avaient pourtant révélé les noms de quelques Huronnes dont la conversion et le dévouement avaient été spectaculaires. Oionhaton (Thérèse), élevée chez les Ursulines de Québec, ou Gouentagrandi (Suzanne), qui vécut plus de cent ans et s'était rendue célèbre en sauvant la vie d'un missionnaire en captivité, Pierre Millet, en 1689. Mais il faut croire que ces deux mères de famille ne peuvent pas satisfaire aux canons de la sainteté.

On a longtemps pensé que les mariages entre Européens et autochtones ont été rarissimes. Des recherches de Sylvie Savoie démontrent qu'il y a eu au moins trente-trois mariages mixtes au XVIIe siècle, vingt-neuf avec des femmes autochtones et quatre d'une Blanche avec un Amérindien. Il semble que le mouvement soit en progression à mesure qu'on avance dans le temps. On peut penser toutefois qu'il a dû y en avoir davantage et que ces unions ont été clandestines. Comment peut-on expliquer un si petit nombre de mariages entre Blancs et Amérindiens? Certes, les Français apprécient la liberté sexuelle des jeunes Amérindiennes et l'aide qu'elles leur apportent pour le quotidien; mais les Amérindiennes ont du mal à accepter les contraintes d'un mariage chrétien et de la vie à l'européenne. Par ailleurs, les Françaises sont si peu nombreuses avant 1700 qu'il ne s'en trouve guère de disponibles pour épouser un Amérindien.

Les Français sont nombreux à être séduits par la vie des bois. Mais seuls les hommes sont autorisés à vivre à l'indienne. Les hommes peuvent facilement choisir d'aller vivre dans les bois; les femmes, semble-t-il, ne peuvent même pas y songer. Il est significatif que les premières à le faire soient justement des métisses, dont la plus célèbre est Isabelle Montour. Quant à savoir si c'est par obligation ou par choix que les femmes ne sont pas allées vivre à l'amérindienne, il est impossible de le déterminer. Les documents sont muets sur cette question.

Ce qu'on observe durant les années de guerre avec les Iroquois, c'est le zèle que l'on met à racheter les fillettes françaises capturées par les Iroquois, n'hésitant pas à les échanger contre de valeureux guerriers Onontagués. Ce fut le sort d'Élizabeth Moyen en 1655, capturée à seize ans, et qui devait épouser son sauveur, Lambert Closse. Si, d'aventure, les Iroquois ramènent des femmes en captivité, ils les torturent comme si elles étaient des soldats. C'est ce qui arrive à Catherine Mercier en 1651. L'explication la plus plausible est que les Françaises sont nombreuses à participer à la défense des établissements, alors que les femmes autochtones ne participent pas aux combats, se contentant de torturer les prisonniers. Quant aux enfants captifs, ils sont adoptés par les tribus et on rapporte de nombreux cas d'enfants élevés dans les bois, qui n'ont pu se réadapter à la vie à l'européenne une fois retrouvés par leurs familles.

Isabelle Montour

Élizabeth Couc est née au Cap-de-la-Madeleine en août 1667. Son père, Pierre Couc, est un ancien coureur des bois, surnommé «Fleur-de-Cognac», établi sur une terre; sa mère, Marie Métiouamègougoue, est algonquine.

En 1673, cette famille, qui compte quatre filles et deux fils, s'installe de l'autre côté du fleuve, à la rivière Saint-François. En 1679, Élizabeth assiste au viol et au meurtre de sa sœur aînée, Jeanne. Sa mère lui rappelle que, de mémoire de femmes, on n'a jamais connu de viol dans la société amérindienne avant l'arrivée des Blancs. En 1684, Élizabeth Couc épouse Joachim Germano, coureur des bois. Elle mène durant onze ans la vie habituelle des femmes de voyageur: solitude et travaux domestiques. Elle n'a qu'un enfant. Son mari, son frère et ses beaux-frères sont tous engagés à divers titres dans les entreprises de traite du côté des Grands Lacs. Tout le clan finit par aboutir à Michilimakinac, en 1693, avec femmes et enfants. Les sœurs Couc, maintenant appelées Montour, sont les premières «Blanches» à s'installer dans les «Pays d'En-Haut». Veuve à vingt-huit ans, Élizabeth Couc, maintenant Isabelle Montour, devient célèbre par ses aventures et ses talents d'interprète. Ayant finalement épousé un chef iroquois, elle lie son sort à celui de sa nouvelle famille. Madame Montour est morte en 1749 en Pennsylvanie. Son destin, à plus d'un titre, est exceptionnel et ses enfants se sont signalés dans l'histoire américaine.

Source: Simone Vincens, *Madame Montour et son temps*, Montréal, Éditions Québec/Amérique, 1979.

L'histoire n'a pas retenu tous les noms de femmes qui ont ainsi combattu dans les attaques iroquoises. Mais les contemporains ont surtout remarqué l'exploit de Martine Messier qui, en 1652, a réussi à se défendre contre un Iroquois en le saisissant avec violence par les testicules. Mais c'est le caractère spécial de son exploit qui la rendit célèbre et non pas le fait qu'elle se soit défendue. De 1634 à 1666, la guerre iroquoise est la toile de fond qui assombrit la vie des quelques femmes qui viennent s'établir en Nouvelle-France.

Après la pacification temporaire entre les tribus indiennes en 1666, la vie quotidienne sera délivrée de ce que Pierre Boucher appelle la plus grande incommodité du pays. «Une femme, écrit-il en 1663, est toujours dans l'inquiétude que son marry, qui est party le matin pour son travail, ne soit tué ou pris et que jamais elle ne le revoye[8].» À la reprise de la guerre iroquoise, à la fin du siècle, une nouvelle génération de Canadiens se construit une réputation de héros.

Pour en finir avec Madeleine de Verchères

Ce concept d'héroïsme mérite qu'on s'y arrête, car l'héroïsme est une prétention essentiellement masculine. Il représente également un jugement que les historiens portent, a posteriori, sur certains événements du passé. De toute évidence, la majorité des personnes qui sont venues en Nouvelle-France ne se considèrent pas comme des héros ou des héroïnes. Seules quelques-unes d'entre elles ont cette image d'elles-mêmes, le plus souvent au moment de réclamer une pension, car cette démarche les oblige à vanter leurs prouesses au service du roi. Certes, dans les faits, il y a eu beaucoup d'héroïnes. Or, il s'est trouvé une seule femme au XVIIe siècle pour revendiquer le statut d'héroïne: Madeleine de Verchères. Son cas mérite d'être étudié, car il nous renseigne sur l'image collective que les femmes avaient d'elles-mêmes.

Rappelons brièvement les faits. Le 22 octobre 1692, Madeleine de Verchères assiste à la capture par les Iroquois d'une vingtaine d'habitants occupés aux travaux des champs. Poursuivie par un guerrier, elle lui échappe en dénouant son mouchoir et réussit à s'enfermer dans le fort. Elle organise la défense, avertit les forts voisins en tirant un coup de canon et réussit à tenir les Iroquois en respect jusqu'à l'arrivée de renforts. Jusqu'ici, rien de surprenant. De telles attaques étaient fréquentes entre 1686 et 1701, et la mère de l'«héroïne» elle-même a soutenu un pareil combat deux ans auparavant.

Le tout devient intéressant quand Madeleine de Verchères prend la décision de réclamer une pension en récompense de son exploit héroïque. Elle n'y pense d'ailleurs que sept ans après l'événement, soit en 1699. Puis elle revient à la charge beaucoup plus tard, à une date incertaine que l'on situe entre 1722 et 1730, alors qu'elle a au moins quarante ans. Elle présente d'ailleurs à ce moment-là une version beaucoup plus dramatique de son exploit, version dont on s'accorde à mettre en doute la vraisemblance. Mais là n'est pas la question.

Les deux versions écrites par Madeleine de Verchères sont parsemées de remarques bien significatives. «Quoique mon sexe ne me permette pas d'avoir d'autres inclinations que celles qu'il exige de moi, écrit-elle, cependant permettez-moi de vous dire que j'ai des sentiments qui me portent à la gloire comme bien des hommes.» Ou encore: «Les Canadiennes n'auraient pas moins la passion de faire éclater leur zèle

Madeleine de Verchères (1678-1747), d'après Edmond J. Massicotte.
H.J. Morgan, *Types of Canadian Women, Past Present*

pour la gloire du Roy si elles en avaient l'occasion.» Et, racontant son exploit, elle précise: «Je conservai, dans ce fatal moment, le peu d'assurance dont une fille est capable et peut être armée»; elle se distingue de telle femme «extrêmement peureuse, comme il est naturel à toutes les femmes parisiennes de nation»; elle refuse de «s'arrêter aux gémissements de plusieurs femmes désolées de se voir enlever leurs maris[9]».

Finalement, force nous est de constater que l'héroïne elle-même endosse totalement une échelle de valeurs basée sur une conception masculine, militaire et élitiste du courage; qu'elle accepte tacitement l'infériorité générale de la femme et son confinement à des fonctions dites «naturellement» féminines; qu'elle justifie surtout son héroïsme par le fait d'être sortie des cadres imposés aux femmes. Mieux, elle se contenterait, à défaut d'une pension pour elle, d'une promotion pour son frère! De plus, on doit comprendre que, si elle a fait ces démarches, c'est parce qu'elle faisait partie d'une classe sociale qui avait accès à l'écriture, et par conséquent aux pensions royales.

Au fond, l'histoire de Madeleine de Verchères nous confirme que certaines filles de la Nouvelle-France avaient du caractère au XVIIe siècle. Mais elle nous démontre surtout que l'image collective qu'on avait des femmes n'était guère différente de celle des sociétés traditionnelles. Mais pourquoi venir s'exposer à la menace iroquoise? Pourquoi donc devenir malgré soi des héroïnes et des héros?

Quitter la France

Progressivement, les études historiques révèlent à quel point la vie du peuple dans la France du XVIe et du XVIIe siècle était difficile. Dans son étude magistrale, *La France moderne*, Robert Mandrou a tenté une esquisse de psychologie historique. Le tableau qu'il nous trace est tout en teintes de gris et de noir. Le régime alimentaire se caractérise par une sous-alimentation chronique où les ripailles occasionnelles précèdent de longues privations, quand ce ne sont pas d'authentiques famines. On a retrouvé de nombreux récits du XVIIe siècle qui décrivent des scènes lamentables de familles réduites à manger de l'herbe ou de la terre. Par ailleurs, les épidémies sont fréquentes et provoquent de lourdes saignées dans la population. En fait, la peur semble être une des caractéristiques de l'époque: peur des disettes, des famines, des épidémies, augmentée de la peur de la guerre, qui jette sur les routes des milliers de soldats et de brigands sans loi.

Sans entrer dans l'analyse détaillée de la situation économique de la France à cette époque, on peut en préciser quelques détails qui affectent la vie quotidienne de la majorité de la population: hausse considérable du coût de la vie, flambée spectaculaire du prix du pain lors de moments de crise, difficultés pour les jeunes gens à se placer dans un métier et pour les jeunes filles à se marier, augmentation du nombre de pauvres et d'enfants abandonnés... Pour couronner le tout, la société du XVIIe siècle est caractérisée par de grandes différences entre les classes sociales, ce qui entraîne dans certaines régions un grand nombre de révoltes populaires et de séditions. Peu de solutions sont offertes pour sortir de l'impasse.

C'est alors que des voies d'évasion sont recherchées. L'une d'elles est privilégiée surtout par les hommes: le nomadisme. C'est la fuite vers de meilleurs cieux, laissant derrière soi femme et enfants. C'est la tentation de la mer, de l'aventure, du pèlerinage, de la guerre, de l'exil.

Marie-Madeleine de Vignerot (1604-1675), duchesse d'Aiguillon, fondatrice de l'Hôtel-Dieu de Québec.
Les Annales de l'Hôtel-Dieu de Québec, 1636-1716, 1939.

Les ports de mer sont noyés sous une population flottante, prête à tout pour essayer de changer son sort. Honfleur, Cherbourg, Saint-Nazaire, La Rochelle, Saint-Malo fournissent aux armateurs des volontaires pour un voyage en Nouvelle-France ou une expédition dans les Caraïbes. Il n'est pas étonnant que les navires qui arrivent chaque été à Québec soient remplis d'hommes — et qu'ils transportent si peu de femmes.

D'autre part, le nomadisme n'est pas la seule voie d'évasion. L'ivrognerie (on vient de découvrir l'eau-de-vie), le théâtre (que l'on songe à l'*Illustre Théâtre* de Molière) et les fêtes offrent des voies d'expression pour canaliser l'angoisse de vivre chez les petites gens. Les plus instruits ont accès aux récits exotiques des géographes et des missionnaires, lectures qui permettent des voyages imaginaires. Dans les classes privilégiées, l'expérience mystique est une autre voie d'expression pour le besoin d'évasion. Or, l'institution religieuse officielle, la religion catholique, a suscité l'apparition de courants mystiques variés. C'est l'éclosion multiple des ordres religieux, des mouvements de laïcs, des couvents et des sociétés secrètes. «Cette exaltation mystique a touché beaucoup plus les femmes que les hommes… Sans cesse meurtries par les années de longues guerres, elles se tournent vers la prière et l'amour de Dieu comme vers un refuge», nous dit Robert Mandrou. «Mon Dieu, je suis prête à tout pour vous suivre, écrit une religieuse de Port-Royal, je suis même prête à aller au Canada.»

La superposition de ces deux courants d'évasion, nomadisme et mysticisme, donnera naissance à une immigration féminine exceptionnelle en Nouvelle-France. En effet, dans la France du XVIIe siècle, il n'y a pas de place pour la dissidence religieuse. Protestants et autres hérétiques sont pourchassés et condamnés à l'exil ou à la conversion. Le cardinal de Richelieu a, par ailleurs, interdit aux hérétiques de faire souche en Nouvelle-France. On ne trouve donc pas, en France, de ces sectes religieuses qui vont chercher refuge en terre américaine. Or, c'est le cas de l'Angleterre, qui permet les établissements, dans ses colonies, des puritains, des quakers et des catholiques. C'est ce qui explique que l'immigration vers la Nouvelle-Angleterre soit si différente de celle de la Nouvelle-France. Cette immigration y est plus compacte, plus rapide, plus familiale surtout. Ce sont des communautés déjà formées qui s'installent sur les rives de l'Atlantique. Rien de tel sur les bords du Saint-Laurent. On assiste à une immigration atomisée.

On connaît peu, malheureusement, les motivations des femmes et des filles qui choisissent d'émigrer. Soit qu'elles suivent leur mari, soit qu'elles aillent prendre mari, soit qu'elles aillent fonder un couvent ou un hôpital, elles font un geste d'autonomie que ni la coutume ni les mœurs du XVIIe siècle n'autorisent. Il ne faut donc pas s'étonner si les premières femmes qui s'installent en Nouvelle-France sont quelque peu différentes. Leur volonté d'échapper à la misère ou leur désir de perfection les a incitées à choisir une solution peu commune. Toute leur vie s'en ressentira. Il y a donc lieu de s'attarder plus longuement sur les types de femmes qui sont venues ici. Pour la majorité d'entre elles, le choix qu'elles ont fait les transforme en héroïnes, certes, mais en héroïnes anonymes.

Notes du chapitre premier

1. Denys Delâge, *Le pays renversé. Amérindiens et Européens en Amérique du Nord-Est, 1600-1664*, Montréal, Boréal Express, 1985, p. 61.

2. *Ibid.*, p. 63.

3. Norman Clermont, «La place de la femme dans les sociétés iroquoiennes de la période de contact» dans *Recherches amérindiennes*, vol. 13, n° 4, 1983, p. 286-290.

4. Denys Delâge, *op. cit.*, p. 70.

5. Norman Clermont, *op. cit.*, p. 286-290.

6. D'après un inventaire après décès dressé par le notaire Paul Vachon le 23 janvier 1681, inventaire cité par Sylvio Dumas, *Les filles du roi en Nouvelle-France*, Société historique de Québec, 1972, p. 115-116.

7. *Ibid.*

8. Pierre Boucher, *Histoire véritable et naturelle des mœurs et productions du pays de la Nouvelle-France, vulgairement dite le Canada*, Paris, 1664, p. 151. (Réédité en 1964 par la Société historique de Boucherville.)

9. Madeleine de Verchères à la Comtesse de Maurepas, 15 octobre 1699, dans le *Supplément au Rapport des archives canadiennes*, 1899, p. 6-7.

Relation des faits héroïques de Mlle Marie-Madeleine de Verchères, âgée de quatorze ans, contre les Iroquois, en l'année 1696 (*sic*), le 22 octobre, à huit heures du matin, dans *ibid.*, p. 7-9.

CHAPITRE 2

Héroïnes sans le savoir

Au XVIIᵉ siècle, en France, c'est l'Église qui assume principalement les responsabilités sociales. Les historiens traditionnels ont fait une large place aux femmes qui ont joué un rôle dans l'Église de la Nouvelle-France. En effet, l'imagerie patriotique et historique a multiplié à souhait les récits pieux des héroïnes canadiennes. Marie de l'Incarnation, Jeanne Mance, Marguerite Bourgeoys, Marguerite d'Youville, pour ne nommer que les plus célèbres, figurent comme des vedettes dans tous les manuels d'histoire de la Nouvelle-France, à côté des Champlain, des Maisonneuve, des Frontenac et des Montcalm. Ne faudrait-il pas maintenant découvrir les femmes réelles qui se dissimulent derrière ces héroïnes?

Replaçons tout d'abord ce courant de zèle religieux dans son contexte historique. Religieuse et fervente, notre histoire l'a été indéniablement, tout au moins durant les premières générations. Mais ce courant n'est pas spécifique à la Nouvelle-France; on le retrouve dans presque toutes les expériences de colonisation du XVIIᵉ siècle: les pèlerins du *Mayflower* qui abordent en Amérique en 1627 appartiennent à ce courant de colonisation religieuse, tout comme les colons quakers de William Penn, en Pennsylvanie, en 1682. Au XVIIᵉ siècle, l'Amérique représente, pour l'Européen abreuvé de guerres de religions, moins la terre de la liberté religieuse que le champ par excellence de la perfection chrétienne. La tolérance, en effet, n'est pas un concept familier aux colons du XVIIᵉ siècle. En revanche, un grand nombre d'entre eux désirent vivre une expérience de vie pure et parfaite dans l'environnement virginal du Nouveau Monde. Au demeurant, c'est tout le XVIIᵉ siècle lui-même qui est dominé par l'importance du sentiment religieux.

Fondatrices

Il peut paraître difficile, pour une lectrice du XXᵉ siècle, de comprendre l'omniprésence de la religion et son influence universelle sur les hommes, les femmes et les enfants des premiers temps des colonies. Les croyances religieuses étaient tout aussi variées que maintenant, mais quelle que fût leur croyance, les hommes croyaient avec plus de dévotion que n'en témoignent leurs descendants aujourd'hui. Cela ne signifie pas que nos ancêtres étaient plus vertueux que nous le sommes, mais qu'ils craignaient Dieu davantage. Les fondations de communautés religieuses de femmes en Nouvelle-France se situent dans ce vaste courant. En fait, elles sont tout simplement inexplicables si on ne les replace pas dans ce contexte de foi chrétienne.

Marie-Madeleine Chauvigny de la Peltrie (1603-1671). Peinture anonyme.
H.J. Morgan, *Types of Canadian Women, Past and Present*

De plus, ce qui est spécifique à l'histoire de la Nouvelle-France, c'est le nombre remarquable de femmes qui ont joué un rôle de premier plan dans la fondation spirituelle et matérielle de la colonie. On chercherait en vain des faits similaires dans les annales de l'histoire américaine. «Dans le système ecclésiastique puritain, de toutes manières, il n'y avait aucun domaine réservé aux femmes comme dans l'Église catholique romaine. Dans cette dernière, (...) comme membres d'ordres monastiques voués à l'éducation et au soin des malades, les femmes pouvaient exercer quelques-unes des plus nobles prérogatives de leur sexe», écrit un historien anglo-saxon. Mais les fondations féminines en Nouvelle-France peuvent fort bien s'expliquer.

C'est que la Nouvelle-France possède un instrument de propagande privilégié: les *Relations des Jésuites*. En effet, les Jésuites publient chaque année les lettres de leurs missionnaires répartis sur tous les continents. Ces textes très recherchés sont lus dans les réfectoires des couvents et des monastères; ils sont discutés dans les confréries religieuses. C'est par les *Relations des Jésuites* que quelques femmes, nobles ou bourgeoises, entendent parler du Canada. C'est par les *Relations* que des religieuses entendent l'appel de l'évangélisation des «Sauvages». C'est par les *Relations* que des invitations précises sont faites pour des fondations féminines en Amérique. Le climat mystique qui règne en certains milieux, à cette époque, est donc très favorable.

Cette influence des *Relations des Jésuites* fournit une explication fort éclairante pour toutes ces visions, ces inspirations, ces reconnaissances miraculeuses, pour tous ces rêves prémonitoires dont les récits primitifs des fondations sont remplis. Si l'intervention divine a joué dans ces entreprises féminines, c'est par le biais d'un climat social particulier qui favorise la forme la plus spirituelle de l'évasion et suscite toutes les générosités.

Les femmes qui ont effectivement répondu à cet appel n'étaient toutefois pas des exaltées. Chez elles, l'élan mystique était doublé d'un solide sens des réalités. Et il faut voir comment toutes ces lectrices des *Relations des Jésuites* mettent en œuvre leurs projets, obtiennent les autorisations nécessaires à un emplacement au cœur de Québec, des titres seigneuriaux, un fief en banlieue, des fonds pour le transport des religieuses et de leurs domestiques, et quantité de meubles, de vaisselle, d'étoffes et d'ustensiles divers.

Quatre fondations distinctes sont établies en l'espace de trente ans: le couvent des Ursulines de Québec en 1639, œuvre de Marie Guyart (Marie de l'Incarnation); l'Hôtel-Dieu de Québec en 1639, dont le service est assuré par les Hospitalières de Dieppe sous la direction de Marie

Guenet et de Marie Forestier; l'Hôtel-Dieu de Montréal en 1643, œuvre de Jeanne Mance qui s'assurera, à partir de 1659, le service des Hospitalières de La Flèche; la congrégation des Filles séculières de Ville-Marie, fondée en 1669, qui est l'achèvement de l'œuvre de Marguerite Bourgeoys, arrivée à Montréal en 1653.

L'histoire de ces fondations met en évidence les talents multiples de ces femmes déterminées et pleines d'initiative. Qu'on en juge. Marie Guyart possède une expérience de dix années de labeur sur les quais de la Loire, comme gérante d'une entreprise de transport. Ses talents de femme d'affaires lui sont indispensables pour mener l'entreprise du couvent des Ursulines à son terme. Elle voit à régulariser les ententes financières trop peu précises de sa bailleresse de fonds, Mme de La Peltrie. Elle dirige la construction du premier monastère, «... qui est tout en pierres, 92 pieds de longueur et 28 de largeur. C'est la plus belle et la plus grande maison qui soit en Canada pour la façon d'y bâtir.» Elle s'occupe de faire couper les 175 cordes de bois que dévorent chaque année les quatre cheminées du bâtiment. Lorsque ce dernier est détruit par un incendie en 1650, elle voit à sa reconstruction en trouvant elle-même les fonds nécessaires. Une bonne partie des 13 000 lettres qu'elle a écrites constituent de véritables chapitres d'histoire coloniale qui évaluent et décrivent avec perspicacité la petite société canadienne.

En désaccord avec Mgr de Laval sur les constitutions de son ordre, elle s'oppose fermement à son évêque et déplore ouvertement l'autorité de l'évêque sur les congrégations. En fait, il faudra attendre la mort de Marie de l'Incarnation pour que l'évêque de Québec puisse imposer les constitutions et règlements de son choix aux Ursulines de Québec.

Enfin, Marie de l'Incarnation se distingue par une vigueur intellectuelle et spirituelle peu commune. Elle a laissé huit ouvrages d'écrits spirituels que les spécialistes scrutent encore aujourd'hui avec intérêt et étonnement.

Jeanne Mance n'échappe pas, elle non plus, au courant mystique qui suscite des vocations pour la Nouvelle-France. «Quand elle prend la décision de venir en Amérique, c'est une femme de trente-quatre ans, mûrie par la guerre et toutes ses misères», nous dit l'historienne Micheline D'Allaire. Elle s'assure d'abord de la solidité et du réalisme de sa décision et met à profit ses relations mondaines et ses talents de solliciteuse pour obtenir des dons de femmes riches désireuses de faire le bien. Elle se retrouve alors dans la compagnie des fondateurs de Ville-Marie où elle assume les fonctions d'administratrice des provisions, d'économe et d'infirmière. Grâce à son zèle, le nombre des membres de la société Notre-Dame-de-Montréal passe de huit à trente-sept dont huit sont des femmes. À l'intérieur de cette société, elle joue un rôle diplomatique important.

L'éducation des Amérindiennes

C'est pourtant une chose très difficile, pour ne pas dire impossible, de les franciser ou civiliser. Nous en avons l'expérience plus que tout autre, et nous avons remarqué de cent de celles qui ont passé par nos mains, à peine en avons-nous civilisé une. Nous y trouvons de la docilité et de l'esprit, mais lors qu'on y pense le moins elles montent par dessus notre clôture et s'en vont courir dans les bois avec leurs parens, où elles trouvent plus de plaisir que dans tous les agréemens de nos maisons Françoises. L'humeur Sauvage est faite de la sorte: elles ne peuvent être contraintes, si elles le sont, elles deviennent mélancholiques, et la mélancholie les fait malades. D'ailleurs les Sauvages aiment extraordinairement leurs enfans, et quand ils sçavent qu'ils sont tristes ils passent par dessus toute considération pour les r'avoir, et il les faut rendre. Nous avons eu des Huronnes, des Algonguines, des Hiroquoises; celles-cy sont les plus jolies et les plus dociles de toutes: Je ne sçay pas si elles seront plus capables d'être civilisées que les autres, ni si elles retiendront la politesse Françoise dans laquelle on les élève. Je n'attens pas cela d'elles, car elles sont Sauvages, et cela suffit pour ne le pas espérer.

Marie de l'Incarnation à son fils, 1er septembre 1668

Source: Marie de l'Incarnation, ursuline (1599-1672), *Correspondance*, Nouvelle édition par Dom Guy Oury, Abbaye Saint-Pierre, Solesmes, 1971, p. 809.

Arrivée à Québec en 1641, elle se prépare à ses nouvelles fonctions en s'informant de la gestion de l'Hôtel-Dieu de Québec et s'initie à la langue huronne. Dès l'année suivante, elle organise le premier dispensaire provisoire à l'intérieur du fort de Ville-Marie, puis, par la suite, fait construire un hôpital de soixante pieds sur vingt-quatre, une grange, une étable. Elle fait venir quantité de meubles, vêtements, ustensiles, médicaments et animaux domestiques.

Les fondatrices contestent l'autorité de l'évêque

Si elle se fait, il faut que ce soit par le consentement et par le moyen de tous les Évêques dans les Diocèses desquels il y a des Monastères; car nous leur sommes sujettes. Et ce qui est fâcheux, comme il leur est libre de faire des Constitutions et des Coutumiers, ils le font de telle sorte que même dans une seule Congrégation plusieurs diffèrent en Coutumes. Ajoutez à cela que chaque Congrégation a ses Constitutions premières et fondamentales, et par tous les changemens que font les Évêques, tout cela s'altère et se bouleverse.

Marie de l'Incarnation à son fils,
3 octobre 1645

Il nous a donné huit mois ou un an pour y penser. Mais, ma chère Mère, l'affaire est déjà toute pensée et la résolution toute prise: nous ne l'accepterons pas si ce n'est à l'extrémité de l'obéissance. Nous ne disons mot néanmoins pour ne pas aigrir les affaires; car nous avons à faire à un Prélat, qui étant d'une très-haute piété, s'il est une fois persuadé qu'il y va de la gloire de Dieu, il n'en reviendra jamais, et il nous en faudra passer par là, ce qui causeroit un grand préjudice à nos observances.

Marie de l'Incarnation à la Mère Sainte-Ursule,
13 septembre 1661

Pour ce qui regarde les engagements que Monseigneur veut que nous prenions, tout ce que nous pouvons accorder à Sa Grandeur sur ce point, après avoir consulté les personnes qui connaissent à fond notre communauté, est de faire des vœux simples à la profession, pour le temps que nous demeurerons dans la Congrégation; et nous ne croyons pas, à raison de notre état, pouvoir nous lier autrement. (…) Nous ne voulons point d'autres chaînes que celles du pur amour.

Marguerite Bourgeoys à M. Louis Tronson, p.s.s., 1695

On nous demande aussi pourquoi nous aimons mieux être vagabondes que d'être cloîtrées, le cloître étant la conservation des personnes de notre sexe. Nous répondons que la Sainte Vierge n'a point été cloîtrée, mais elle ne s'est jamais exemptée d'aucun voyage où il y eut quelque bien à faire ou quelque œuvre de charité à exercer. La regardant comme notre institutrice, nous ne sommes point cloîtrées quoique vivant en Communauté, afin de pouvoir aller partout où l'on nous envoie pour l'instruction des filles.

Marguerite Bourgeoys

Sources: Marie de l'Incarnation, ursuline (1599-1672), *Correspondance*, nouvelle édition par Dom Guy Oury, Abbaye Saint-Pierre, Solesmes, 1971, p. 267 et 653. *Histoire de la congrégation de Notre-Dame*, tome I, p. 253; tome II, p. 71-72.

Jeanne Mance, administratrice de l'Hôtel-Dieu de Montréal (1606-1673). Tableau de L. Dugardin.
M.-C. Daveluy, *Jeanne-Mance*, Montréal, Fides, 1962

La poursuite de l'œuvre de l'Hôtel-Dieu est liée à la réussite de la fondation de Ville-Marie. Pour ces deux entreprises, Jeanne Mance fait trois voyages en France, en 1649, en 1658 et en 1662. À chacun de ces voyages, elle assume la conduite de négociations délicates concernant l'obtention de nouveaux fonds, le maintien, puis la dissolution de la société Notre-Dame de Montréal et la venue des Hospitalières de La Flèche. Cette décision entraîne une longue discussion avec l'évêque de Québec, qui ne souhaite pas que la colonie possède deux congrégations distinctes d'hospitalières. Mais Jeanne Mance a su choisir ses alliés: les Sulpiciens. Avec leur concours, elle obtient l'autonomie de son hôpital et de la communauté qu'elle a fait venir de France. Il faut comprendre ici que le poste de Ville-Marie a été pendant vingt ans une entreprise privée. Son développement a été retardé par les attaques iroquoises, qui ont fauché 51 % de la population. Il a été également retardé par le manque de réalisme des premiers responsables. Les historiens s'accordent à dire que le rôle de Jeanne Mance a été plus déterminant dans ce projet que celui de Maisonneuve, en fait, jusqu'à ce que Ville-Marie ne devienne partie intégrante de la Nouvelle-France. C'est en 1663 que Ville-Marie devient Montréal.

On pourrait en dire autant de Marguerite Bourgeoys. C'est par la sœur de Maisonneuve, mère Louise de Chomedey-de-Sainte-Marie, que cette jeune Française entend parler du Canada. Le fondateur de Ville-Marie se refuse à faire venir une communauté religieuse à Montréal, mais, en 1653, il accepte d'y amener Marguerite Bourgeoys, dont l'objectif est de se consacrer à l'éducation des enfants. Mais Maisonneuve avait surtout pour mission de recruter des colons. La première écrivaine de la Nouvelle-France, sœur Morin, décrit son rôle de la manière suivante:

> Là, [à *Nantes*] elle se retira chez monsieur Le Coq, dont elle fit les affaires, et prit la plus grande partie des marchandises et provisions qu'il leur fallait pour équiper les cent hommes dont elle s'était chargée. Ma sœur Bourgeoys est une personne capable de toutes choses; les affaires temporelles et spirituelles réussissent toujours bien en ses mains parce que c'est l'amour du Seigneur qui la fait agir et qui lui donne intelligence; on aurait peine à trouver une fille comme celle-ci qui a tout le caractère de la femme forte de l'Évangile[1].

Marie Morin

Marie Morin est née à Québec en 1649. À treize ans, elle décide d'entrer chez les Hospitalières de Montréal. Elle y exerce diverses fonctions — économe, supérieure — jusqu'à sa mort en 1730. En 1697, elle prend la décision d'écrire l'histoire de sa communauté: *Histoire simple et véritable de l'établissement des religieuses hospitalières de Saint Joseph en l'isle de Montréal diste à présant Ville Marie, en Canada, de l'année 1659...*

Sa mère, Hélène Desportes, est la première enfant née à Québec. Elle deviendra la première sage-femme de la ville de Québec.

Marie Morin est la première religieuse née au Canada.

Marie Morin est le premier écrivain né en Nouvelle-France. Le premier écrivain est donc une écrivaine.

L'Enfant-Jésus de Marie Barbier, XVIIᵉ siècle. La légende veut qu'après avoir suspendu cette toile au-dessus de son four, Marie Barbier, l'une des compagnes de Marguerite Bourgeoys, aurait enfin cessé de brûler tous ses pains. Cette légende a reçu une certaine crédibilité depuis que l'on a découvert des traces de suie dans le canevas de la peinture.
Collection des Sœurs de la Congrégation Notre-Dame

Arrivée à destination, Marguerite Bourgeoys ne peut se consacrer immédiatement à l'enseignement. «La vie est si précaire à Ville-Marie et la mortalité infantile est si grande qu'on a été environ huit années que l'on ne pouvait point élever d'enfant», écrit-elle. Néanmoins, en avril 1658, Mlle Bourgeoys accueille ses premiers écoliers dans un bâtiment voisin de l'hôpital. Par la suite, elle ira se chercher des compagnes en France et obtiendra, en 1671, les lettres patentes de la congrégation Notre-Dame, première congrégation de religieuses non cloîtrées à être fondée au XVIIe siècle. On réalise mal aujourd'hui ce que représente d'innovations hardies cette communauté «séculière» qui doit travailler pour sa propre subsistance, qui porte un costume laïque, qui établit les principes d'une pédagogie avant-gardiste. Marguerite Bourgeoys, en effet, préconisait la formation savante des institutrices, l'instruction gratuite, l'éducation des filles et «… un usage prudent et modéré de la correction, se souvenant qu'on est en présence de Dieu». Elle recommande également l'apprentissage de la lecture à partir du français et non pas du latin, ce qui est une audacieuse innovation à l'époque. Ses sœurs se déplacent à pied, en canot, à cheval et fondent plusieurs couvents, le plus souvent au milieu de grandes difficultés matérielles.

Marguerite Bourgeoys (1620-1700), fondatrice des Filles de la Congrégation Notre-Dame. Huile de Pierre Leber, 1700.
J. Russell Harper, *La peinture au Canada*

Séculières et cloîtrées

Depuis 1566, le statut de religieuse, selon la loi canonique, exige les vœux solennels et la clôture. Après 1563, pour être agréées par les autorités religieuses, les enseignantes et les hospitalières doivent se plier aux législations de l'Église, émises lors du Concile de Trente.

Au XVIIᵉ siècle apparaissent de nouveaux ordres qui contestent ces législations pour pouvoir mieux exercer leur apostolat. Ces femmes se disent «séculières». Marguerite Bourgeoys est la première au Canada, et l'une des premières dans l'Église, à obtenir la permission de créer une communauté «séculière», soustraite au règlement de la clôture.

Toutefois, la plus grande originalité de l'œuvre de Marguerite Bourgeoys reste que la communauté qu'elle a fondée n'est pas soumise à la clôture. À deux reprises, elle doit même opposer une respectueuse résistance au désir de son évêque de rattacher la congrégation aux Ursulines de Québec. On le voit, les fondatrices du XVIIᵉ siècle se sont toutes opposées à l'évêque. Cette désobéissance dénote chez elles un réel esprit d'autonomie. Elles seront d'ailleurs imitées, au XVIIIᵉ siècle, par Marguerite d'Youville, fondatrice des Sœurs Grises de Montréal.

La fondation de l'Hôtel-Dieu de Québec n'a pas mis en lumière de personnalité de ce type. Mais les annales de l'époque ont fait un grand cas d'une religieuse de l'Hôtel-Dieu, Catherine de Saint-Augustin, qui fut tourmentée presque toute sa vie d'une manière manifeste et extérieure par le diable. Il est extrêmement difficile de porter un jugement éclairé sur sa vie extraordinaire, et les spécialistes ont beaucoup glosé soit sur sa sainteté, soit sur son hystérie. Son cas est certainement typique d'une certaine spiritualité sévère qu'on retrouvait au XVIIᵉ siècle. Sa canonisation récente par Jean-Paul II incite plutôt à s'interroger encore davantage sur la signification de sa vie.

Prendre le voile

Les premières fondatrices et leurs compagnes constituent une galerie de portraits assez impressionnante. Peut-on en dire autant des jeunes Canadiennes qui, dès 1646, choisissent d'entrer au couvent?

Rares au début à cause de la pénurie de femmes, les vocations deviennent régulières à partir de 1680 et vont en augmentant en proportion avec la population, jusqu'à ce que le roi tente de relever le montant de la dot requise pour prendre le voile en 1722. Qu'est-ce qui pousse les filles dans les couvents? Les vocations sont proportionnellement plus fréquentes dans les catégories sociales supérieures. La piété y est plus ostensible, et les filles doivent attendre longtemps le parti convenable. Les filles riches entrent comme religieuses de chœur, dotées par leurs familles ou un ecclésiastique. Les filles pauvres entrent comme sœurs converses, avec une pension payée en nature (bois de chauffage, blé, paillasse) en guise de dot. Quelques Amérindiennes sont admises dans les communautés, mais elles meurent souvent dans les mois qui suivent leur prise de voile, car elles ne supportent pas la vie cloîtrée. Ce fut le cas de Skanudharona (Geneviève-Agnès), jeune Huronne née en 1642, fille de Ondakion et de Asenragehaon, le premier couple huron à se marier chrétiennement. Elle apprit le français à l'Hôtel-Dieu de Québec et servait d'interprète. On dit qu'elle réussissait mieux que ses compa-

Jeanne-Françoise de Juchereau de La Ferté, mère de Saint-Ignace (1650-1713), première supérieure canadienne de l'Hôtel-Dieu et auteure des *Annales de l'Hôtel-Dieu de Québec*. Portrait attribué à Jean Guyon, *circa* 1684.
Les Annales de l'Hôtel-Dieu de Québec, 1636-1716, 1939

gnes françaises. On la mit aux cuisines «afin de la tenir toujours dans un esprit de soumission». Admise au noviciat à quinze ans, le 25 mars 1657, elle meurt le 3 novembre de la même année.

Religieuses de chœur et sœurs converses

Dans les monastères, on observe deux classes sociales parmi les religieuses. Les moniales, soumises à la clôture et aux vœux solennels, jouissent de prérogatives spéciales orientées sur l'œuvre de la communauté. Elles récitent l'office. Ce sont les religieuses de chœur...

Pour les servir, elles ont dans leurs couvents des sœurs domestiques, dites sœurs converses. Les sœurs converses font également des vœux solennels et sont soumises à la clôture. Mais leurs fonctions sont les travaux pénibles: jardin, cuisine, lessive, ménage. On exige des sœurs converses qu'elles soient robustes et dociles.

Ces distinctions ne se retrouvent pas chez les Filles de la Congrégation, qui sont séculières.

Il est extrêmement difficile de connaître les motivations réelles des jeunes filles qui ont pris le voile. Aux indéniables motifs religieux ont pu s'ajouter des motifs plus prosaïques: sécurité matérielle, aisance, reconnaissance sociale, pressions familiales (les tantes et les grandes sœurs), etc. Mais cette étude reste à faire. Au XVIIe siècle, la vocation religieuse n'a pas encore l'incidence démographique qu'elle aura après 1850 au Québec. Mais elle reste régulière dans la société de l'Ancien Régime. Ce qui rend le phénomène intéressant, pour mieux saisir cet aspect de l'histoire des femmes au XVIIe siècle, c'est d'examiner le rôle que les femmes ont joué sous le couvert de la vocation religieuse.

Dans le domaine de l'éducation, si l'instruction des filles de famille est assurée par les Ursulines, un rôle nouveau et exceptionnel pour l'époque est inauguré par les Filles de la Congrégation, qui fondent des pensionnats dans les paroisses. Une douzaine de couvents sont ainsi fondés au XVIIe siècle et la plupart seront maintenus tout au long du XVIIIe siècle. Ce rôle des femmes dans l'éducation n'est pas spécifique à la Nouvelle-France, mais il repose sur des structures bien particulières sur le plan de l'organisation et de l'efficacité.

Cet enseignement, toutefois, est bien limité. Centré avant tout sur l'éducation religieuse, il consiste également à apprendre à lire, à écrire, à «jeter» (compter avec des jetons) et en toutes sortes d'ouvrages propres à leur sexe — «tout ce que doit savoir une fille». On distingue d'ailleurs quatre niveaux d'enseignement qui sont constitués selon le statut social des élèves. En haut de l'échelle, les élèves pensionnaires des Ursulines; puis les élèves externes; plus bas, les élèves pensionnaires des écoles de Marguerite Bourgeoys et, au bas de l'échelle, les élèves de La Providence, sorte d'école ménagère fondée par Marguerite Bourgeoys. Les religieuses y accueillent les filles du peuple qu'elles forment aux tâches domestiques.

Sur l'enseignement des filles

Et comme l'expérience fait voir que toutes ces filles-là ont l'esprit tardif, on en prendra point de plus jeunes que l'âge de douze ans afin qu'elles soient plus en état de profiter des instructions… et ainsi qu'elles puissent gagner leur entretien (…) et quant à l'écriture, cela n'étant point nécessaire à de pauvres filles, ce serait un temps qu'on leur ferait perdre et qu'elles peuvent employer plus utilement en d'autres choses. S'il s'en trouvait quelques-unes qu'on jugeât capables d'être religieuses, on peut les envoyer à l'école apprendre l'écriture…

Source: Contrat de donation de 13 300 livres par Jeanne Leber à la congrégation Notre-Dame, 9 septembre 1714.

Quant aux fonctions liées à l'assistance sociale, elles sont innombrables. Elles sont vraisemblablement accomplies selon les normes en vigueur durant l'Ancien Régime, mais, ici encore, cette question n'a pas été étudiée de manière systématique. On peut certes noter que la Nouvelle-France s'inscrivait dans la tradition catholique de la charité, bénéficiant en cela de structures et de modèles inexistants dans les pays protestants. Certes, ces fondations sont originales en soi et, par rapport au contexte américain, elles ont joué un rôle d'une importance sociale indiscutable. Bien qu'elles aient été beaucoup plus peuplées, les colonies américaines ont mis beaucoup de temps à inaugurer un pareil mouvement. Dès la fin du XVIIe siècle, ce sont des communautés de femmes qui ont assumé, en Nouvelle-France, tout ce qui concernait la charité publique: secours aux pauvres, aux vieillards, aux invalides, aux malades, aux fous, aux prisonnières, aux prostituées, aux orphelins.

Des recherches sur l'Hôtel-Dieu de Québec nous apprennent que cet hôpital abrite en moyenne une quarantaine de malades, davantage en cas d'épidémie, et qu'on y est soigné gratuitement, fort efficacement semble-t-il, puisque, d'après les registres, 92 % des hommes et 94 % des femmes qui y sont admis en ressortent guéris. À Montréal, Judith Moreau de Bresoles, l'hospitalière amenée par Jeanne Mance, a une telle réputation de bonne infirmière que ses patients croient naïvement qu'il leur sera impossible de mourir si c'est elle qui les soigne.

La Nouvelle-France a donc représenté, pour certaines Françaises du XVIIe siècle, un lieu privilégié pour l'expression de l'autonomie et de l'initiative. Femmes de la noblesse ou de la bourgeoisie, religieuses ou laïques, ces femmes ont trouvé en Amérique un milieu neuf, sans traditions contraignantes, et un cadre de vie qui sollicitait toutes les énergies disponibles. Aussi longtemps que la colonie s'est trouvée dans un état de sous-développement, les femmes ont donc bénéficié d'une relative indépendance. À titre d'illustration, rappelons que Jeanne Mance et Marguerite Bourgeoys ont effectué chacune sept traversées de l'Atlantique, exploit que bien peu d'administrateurs laïques ou religieux ont à leur crédit, et que bien peu de femmes pourront répéter au XVIIIe siècle. Mais en a-t-il été ainsi de toutes les femmes qui sont venues ici?

Peinture naïve anonyme représentant une salle de l'Hôtel-Dieu de Montréal au XVIIe siècle.
J. Russell Harper, *La peinture au Canada*

Filles à marier

C'est ici qu'il faut examiner avec plus d'attention le sort d'un groupe particulier d'immigrantes en Nouvelle-France, celui des filles célibataires venues ici expressément pour se marier. Les historiens se disputent depuis belle lurette sur le dos de ces filles au sujet de leur moralité passée et future, opposant les uns aux autres des témoignages contradictoires. Notons d'abord qu'on met toujours bien plus de zèle à examiner la vertu des femmes que celle des hommes. Car la moralité de la société, on le sait, passe par le ventre des femmes! Toujours est-il qu'on se demande: Étaient-elles des «filles de moyenne vertu» (baron de La Hontan), «des femmes très bien instruites» (*Journal des Jésuites*), des «filles de joie» (Boucault), des «filles très grossières et très difficiles à conduire» (Marie de l'Incarnation), «des filles très honnêtes, tirées de maisons d'honneur» (*Relations des Jésuites)*[2]? Faux problème en vérité que celui qui consiste à examiner des jugements de valeur ou des opinions. Essayons donc d'étudier la question autrement.

Pourquoi les a-t-on fait venir? De toute évidence pour fixer dans la colonie les engagés et les soldats qui, autrement, retourneraient en France ou prendraient la route des bois. Les femmes constituent un élément stabilisateur dans un groupe social dominé par des hommes célibataires. Où on trouve des femmes, on trouve ensuite des maisons, des enfants, bref un avenir, une raison d'établir des villes, des lois, des écoles, une motivation pour défricher, cultiver et consolider une exploitation terrienne. Les démographes Charbonneau et Landry ont fixé à 56 % le nombre de ceux qui sont restés par rapport à ceux qui sont venus. Mais si l'on ne considère que les filles à marier, ce coefficient s'élève à plus de 90 %. Y aurait-il une explication à cette différence?

Bien entendu. C'est la nature du contrat qui est proposé aux immigrés, hommes et femmes. Un homme qui arrive en Nouvelle-France signe un contrat d'engagé qui le lie pour trois ans à son employeur. C'est pourquoi on le surnomme «trente-six mois». Au bout de ce laps de temps, il est libre de sa destinée. Une fille, elle, signe un contrat de mariage, donc un contrat qui la lie pour la vie à son mari. La différence, on le voit, est de taille et explique pourquoi si peu de filles sont retournées en France. Les «filles du Roy» étaient donc envoyées spécifiquement pour la reproduction. Écoutons Colbert annonçant à Talon l'envoi de «quatre cents bonshommes, cinquante filles, douze cavales et deux étalons». Ou encore Talon se réjouissant «que les femmes de la Nouvelle-France y portent tous les ans». Et ces braves administrateurs d'imaginer des règlements pour contraindre les célibataires à prendre femme dans les quinze jours qui suivent l'arrivée des navires sous peine de perdre leur permis de traite! Les travaux des démographes ont cependant démontré que la politique populationniste des administrateurs (primes aux familles nombreuses, cadeaux aux jeunes gens qui se marient jeunes) n'a eu aucun effet sur les comportements de la population.

Les «filles du Roy» savaient-elles ce qui les attendait? Il faut croire que oui. La plupart se marient dans les semaines, voire dans les jours qui suivent leur arrivée dans la colonie. De 1634 à 1662, 230 filles sont recrutées en France par les communautés religieuses et les agents de la compagnie des Cent Associés. Le mouvement est facile à suivre: on recrute en une année des filles pour les colons célibataires qu'on a fait venir quatre ou cinq ans auparavant, afin de mettre le pays en état de recevoir les familles. Mais ce mode de colonisation crée un fort déséquilibre démographique. On compte en 1663 six hommes célibataires pour chaque fille qui atteint l'âge de la puberté.

De 1663 à 1673, l'État prend l'immigration en charge et recrute, entre autres, près de huit cents filles à marier, celles qu'on a surnommées les «filles du Roy», parce que leur transport et leur établissement étaient payés par le roi. La dot qu'on leur remet est constituée le plus souvent en nature: vêtements et denrées propres à leur ménage. Quelques privilégiées ont pu recevoir une vache, des outils, des grains. Sylvio Dumas estime que le tiers des «filles du Roy» ont reçu des biens d'une valeur de deux cents à trois cents livres et que 247 seulement ont bénéficié du cadeau de cinquante livres offert par le roi. Les recruteurs doivent s'assurer qu'elles ne sont pas déjà mariées et touchent une prime pour chaque fille qu'ils persuadent de tenter l'aventure. «Qu'elles soient envoyées par des parents qui veulent s'en décharger ou par les directeurs de l'Hôpital-Général qui recueille les orphelines ou les pauvres, elles échappent sans doute ainsi à un destin misérable», affirme Louise Dechêne. On peut envisager l'éventualité qu'il se soit glissé parmi les contingents, notamment parmi les pensionnaires de La Pitié ou de La Salpêtrière, des filles enfermées pour prostitution. Mais ce fait n'est qu'une preuve de plus de la misère des immigrantes. La prostitution n'a toujours été qu'un sous-produit de la pauvreté avant d'être un thème privilégié par les historiens émoustillés ou scandalisés (ce qui revient au même) par le seul mot de libertinage. Au demeurant, on connaît le nom des parents de 88 % de ces filles.

La Salpêtrière et La Pitié

En France, au XVIIe siècle, l'Hôpital-Général est une institution qui sert à héberger les défavorisés de la société: pauvres, enfants trouvés, infirmes, orphelins des deux sexes, vagabonds, femmes enceintes et mères célibataires, aliénés, prostituées. Un édit de 1656 établit l'Hôpital-Général de Paris, qui comprend plusieurs maisons. La Salpêtrière et La Pitié font partie de cette institution. La Salpêtrière abrite surtout des enfants abandonnés, des orphelines et des femmes enceintes. Les bourgeois de Paris y trouvent facilement des domestiques. La Pitié contient deux bâtiments pour l'«enfermement des filles débauchées», maison de protection plus que de correction. La Salpêtrière abrite parfois plus de 8000 pensionnaires de tout âge et de toutes conditions. Plus de 50 % des «filles du Roy» sont originaires de La Salpêtrière.

Quoi qu'il en soit, et même en se reportant à la mentalité d'alors, qui n'accordait pas au mariage les raffinements psychologiques et affectifs qui ont cours actuellement, le mariage de ces immigrantes a quelque chose d'un peu trop expéditif. On a beau se rappeler qu'il était difficile pour une fille de se marier en France, leur bonne fortune était assortie de conditions difficiles.

Une fois embauchées, les «filles du Roy» sont dirigées, vraisemblablement à pied, vers un port de mer, soit Dieppe, soit La Rochelle, où elles s'embarquent sur des navires en destination du Canada. Une femme est chargée de leur surveillance pendant la traversée qui dure deux mois, sur un bâtiment peu confortable où elles sont en contact avec les autres passagers: matelots, engagés, soldats. Si elles sont enceintes à l'arrivée, on les retourne en France, ce qui n'est d'ailleurs arrivé que rarement.

Habituellement, la plupart sont pourvues d'un mari dans les jours qui suivent leur arrivée; on peut penser que le choix du conjoint est conduit par les filles elles-mêmes, car elles sont moins nombreuses que les hommes et peuvent se permettre de choisir le parti le plus avantageux, l'avantage dans toute cette affaire étant d'avoir une habitation. «C'est la première chose dont les filles s'informent et elles font sagement, parce que ceux qui ne sont pas établis souffrent beaucoup avant que d'être à leur aise», écrit Marie de l'Incarnation. Les documents nous apprennent d'ailleurs que près de 13 % des «filles du Roy» ont passé plus d'un contrat de mariage avant de se résoudre à la cérémonie religieuse qui les lie pour le reste de leurs jours. Par contre, on ne note que quatre demandes de séparation sur la grande quantité de mariages si rapidement bâclés. Les «filles du Roy» semblent avoir pris leur destin en main, même si on peut s'interroger sur la liberté de leur choix de venir s'installer au Canada. Mais la misère de l'enfermement à La Salpêtrière leur donnait-elle le choix? Tout au plus peut-on leur prêter une bonne dose de détermination, quand on considère les épreuves de la dure vie qui les attendait dans une «cabane au Canada». Elles sont d'ailleurs aptes à l'entreprise, puisque huit ans après l'arrivée du dernier convoi, quarante-trois seulement étaient décédées. Les démographes font cependant l'hypothèse que les «filles du Roy» sont devenues stériles plus tôt que les Canadiennes.

On l'a vu plus haut, la vie qui les attend est d'une exceptionnelle rudesse. Mais c'est une vie où les besoins les plus élémentaires sont comblés. Elle représente malgré tout un progrès sur la France, où ces besoins ne le sont souvent même pas. Il semble également que l'habitat très dispersé en Nouvelle-France ait réduit considérablement la progression des épidémies, si fréquentes dans le XVIIe siècle européen. De plus, pendant près de deux générations, les circonstances exceptionnelles de la colonisation ont suscité des comportements sociaux particuliers.

On a déjà mentionné le plus frappant de ces comportements singuliers pour une société d'Ancien Régime: le mariage des adolescentes, voire des fillettes impubères. Toutefois, avec la fin du XVIIe siècle, l'âge au mariage ira en s'accroissant et s'alignera bientôt sur les comportements métropolitains. Autre phénomène intéressant: on a toutes les raisons de croire que les veuves sont recherchées et qu'elles tirent parti de leurs avantages (une maison, un roulant, une terre déjà à demi défrichée) pour épouser un homme encore jeune et non chargé d'enfants. En France, les veuves sont le plus souvent vouées à la mendicité. Mais à mesure que progresse la colonisation, les veuves mettront de plus en plus de temps à pouvoir se remarier.

Autre trait particulier, le petit nombre de conceptions prénuptiales. Les démographes l'évaluent à 4,5 % de toutes les naissances, proportion deux fois moindre qu'au siècle suivant, et considérée comme basse relativement aux normes du XVIIe siècle. Il semble que le phénomène soit dû au jeune âge des épouses, puisque, chez les veuves, le taux de conceptions prénuptiales s'élève à 20 %. D'ailleurs, les comportements conjugaux sont dictés bien davantage par des circonstances particulières que par des impulsions sentimentales. Alors que, en France, on se marie en octobre (avant l'Avent) et en hiver (avant le Carême), en Nouvelle-France on se marie au moment de l'arrivée des navires, c'est-à-dire du mois d'août au mois d'octobre.

Après 1680, toutefois, le calendrier des mariages se rapprochera de celui de la métropole et suivra le rythme des travaux agricoles.

Les recherches actuelles ne permettent pas de déterminer avec certitude les taux de mortalité infantile ni les taux de mortalité des femmes au moment de leurs accouchements. Le démographe Hubert Charbonneau estime que la mortalité infantile tend à croître à mesure qu'on avance dans le XVIIe siècle. Il évalue ces taux comme inférieurs à ceux de la France à la même époque et suggère l'hypothèse que la sélection exercée par la rude traversée océanique aurait eu des effets positifs dans le pays d'arrivée. Ses travaux démontrent également une surmortalité féminine importante entre trente et quarante-cinq ans. La grossesse et l'accouchement ont donc prélevé un taux élevé de décès surtout au début et à la fin de la période de fécondité. Il semble également certain que la taille des familles est grande, six, sept enfants en moyenne, et que les femmes ont le plus souvent un enfant tous les deux ans. Parvenues à l'âge de quarante ans, les femmes cessent d'avoir des enfants. Il semble donc que la ménopause soit assez précoce au XVIIe siècle, relativement aux normes actuelles. On constate également que la puberté est plus tardive. Tout indique aussi que les couples ne pratiquent aucune contraception, adoptant en cela un comportement généralisé dans les sociétés préindustrielles.

Le XVIIe siècle canadien se caractérise par une autre particularité: la grande proportion de crimes contre les mœurs qui sont portés à l'attention des tribunaux. Elle est deux fois plus élevée qu'au siècle suivant. «Or, il est certain, par ailleurs, que la criminalité réelle, dans ce type d'affaires, loin de décroître, a dû au contraire augmenter dans les faits», affirme André Morel. Il semble qu'au XVIIe siècle les infractions à la morale sexuelle aient été davantage une source d'indignation et de scandale, ce qui explique que tant de causes aient été portées devant les tribunaux. Le contrôle social en cette matière aurait donc été beaucoup plus grand au XVIIe siècle qu'au siècle suivant.

Au demeurant, toutes ces anecdotes sur la «vie libertine en Nouvelle-France» nous renseignent davantage sur les mœurs sexuelles que sur la moralité de la population. Le langage des plaideurs nous semble d'une impudeur et d'une crudité étonnantes, surtout chez les paysans. Mais dans toutes les classes de la société règne la double échelle de valeurs: la fidélité est un devoir essentiellement féminin.

Toutes ces caractéristiques sociales se retrouvent surtout dans les classes populaires. Il semble toutefois que la situation ait été légèrement différente dans les classes plus huppées de la société.

Femmes de la petite noblesse et de la bourgeoisie

Lorsque Marguerite Legardeur de Repentigny, épouse de Jacques LeNeuf de la Poterie, débarque à Québec le 11 juin 1636, elle est membre d'un clan familial d'une quinzaine de personnes qui vient ouvertement tenter fortune en Nouvelle-France, car les avenues du pouvoir et de la richesse sont trop encombrées en France. Parce qu'elle n'est qu'une épouse, elle n'a pas intéressé les historiens. Pourtant, à l'instar des autres femmes de son groupe social, elle a joué un rôle non négligeable dans la détermination et la réussite des ambitions financières et foncières de sa famille. On retrouve des exemples similaires chez les ambitieux de tout acabit qui se sont laissé séduire par l'aventure américaine.

On en sait donc très peu sur ces femmes et, pour les connaître, il importe de décoder différemment les sources et les études consacrées à leurs maris, à leurs pères ou à leurs fils. Certes, ce groupe d'immigrants ne constitue pas un grand nombre de personnes. Mais leur rôle a été considérable entre 1634 et 1663, au moment où la colonisation était assurée principalement par des compagnies privées; après l'intermède de l'intendance de Talon, alors que l'État français prend provisoirement en main le développement et le peuplement, ce rôle des grands marchands reprend de plus belle après 1682, avec la complicité intéressée des autorités en place. D'une part, ce groupe de personnes a eu un rôle déterminant dans le développement économique de la colonie. D'autre part, ce groupe est sur-représenté dans les archives. On doit donc se souvenir que nos connaissances sur les époques passées laissent le plus souvent dans l'ombre les personnes dites ordinaires. Toutefois, l'intérêt qu'on peut porter à ce groupe social ne repose pas sur son importance numérique, mais sur le modèle féminin qui s'en dégage.

Or, quel est le rôle des femmes dans ces clans de petite noblesse ou de bourgeois souvent anoblis par le roi? Il est avant tout de faire des enfants. Les cas de familles de huit, dix ou douze enfants ne sont pas rares. Ces enfants sont des prête-noms commodes pour augmenter le nombre de concessions foncières: on compte, en 1663, huit cas de concessions à des «seigneurs» de moins de six ans et six cas à des «seigneurs» adolescents. Ces concessions, notons-le, ne sont jamais destinées à des filles. C'est le hasard des mortalités qui les fait accéder à la propriété seigneuriale, habituellement lorsqu'elles deviennent veuves.

Les enfants sont également prétexte à réclamer des pensions, car la noblesse canadienne est peu intéressée à s'adonner à la mise en valeur de ses terres. Les fils s'habillent à l'amérindienne, jouent les bandits de grands chemins, prennent la route des Outaouais, cherchent des postes dans l'armée, tandis que les filles servent à sceller les intérêts des familles par des mariages de raison. Au bout de deux générations, les grandes familles constituent une société étroitement tricotée, où les dots des filles ont cimenté les liens les plus durables et où il sera de plus en plus difficile de pénétrer.

Dans cette petite société, les filles ont du caractère et... «elles sont, pour la plupart, plus savantes en matières dangereuses que celles de France, écrit Marie de l'Incarnation. Trente filles nous donnent plus de travail dans le pensionnat que soixante ne font en France.» Élevées en liberté, ces «sauvageonnes» vont donc chercher un peu de vernis chez les Ursulines. Elles reçoivent le plus souvent des bourses, car leurs familles ne peuvent payer tout le coût de la pension. Elles quittent le couvent pour se marier dans les mois, voire dans les jours qui suivent la fin de leurs «études». Ces études sont consacrées surtout à les préparer à leurs fonctions d'épouses et de mères. Si elles ne trouvent pas de parti convenable, elles entrent au couvent.

Les prénoms des premières filles nées au Canada Canadiennes sujettes d'acte de baptême		
Prénoms	Nombre	Pourcentage (%)
Marie	808	9,6
Marie-Madeleine	683	8,1
Marguerite	617	7,3
Marie-Anne	586	7,0
Jeanne	397	4,7
Catherine	385	4,6
Anne	371	4,4
Geneviève	327	3,9
Françoise	295	3,5
Louise	255	3,0
Élisabeth	234	2,8
Marie-Françoise	209	2,5
Marie-Catherine	193	2,3
Marie-Jeanne	161	1,9
Angélique	139	1,7
Autres prénoms	2 746	32,7
Total	8 406	100,0

Source: R. Roy, Y. Landry, H. Charbonneau, «Quelques comportements des Canadiens au XVIIe siècle d'après les registres paroissiaux» dans *Revue d'histoire de l'Amérique française*, vol. 31, n° 1, juin 1977, p. 71.

La pénurie de femmes les oblige à allaiter elles-mêmes leurs enfants, du moins au XVIIe siècle, faute de pouvoir recruter des nourrices. Libérées après quelques années de leurs responsabilités nourricières, elles participent à la gestion des affaires, s'entremettent pour placer leurs enfants par des mariages bien assortis et par des postes dans l'armée ou l'administration publique. Veuves, elles sont toujours recherchées et elles multiplient les démarches pour assurer la tutelle de leurs enfants. On cite le cas d'Éléonore de Grand-Maison, qui contracte successivement quatre mariages et manifeste d'indéniables talents de femme d'affaires. D'ailleurs, en 1663, 54,5 % des seigneuries appartiennent à des veuves. Il ne faut pas en conclure qu'elles détiennent pour cela un pouvoir sur les affaires. Elles possèdent des seigneuries en attendant de céder leurs biens à leurs fils. Aussi ne les retrouve-t-on jamais dans les conseils ou aux postes clés.

Leurs maisons sont encombrées d'un ameublement considérable et chaque navire qui arrive à Québec transporte, pour ces familles privilégiées mais endettées, des coussins, des ustensiles, des tables, des flambeaux, des fauteuils, des miroirs, de la lingerie, des plats d'argent qui témoignent de leur statut social. Les femmes règnent en maîtresses sur ces intérieurs, pâles copies des résidences métropolitaines.

Toutefois, si ces femmes survivent à leurs maris, une fois leurs enfants bien casés, elles se retrouvent parfois au bord de l'indigence. Dès lors, aucun fils n'interrompra sa carrière pour subvenir aux besoins de sa mère. Aucune fille ne l'hébergera dans sa belle-famille. L'État et l'Église s'en occupent, soit en leur versant des pensions, soit en les hébergeant dans les couvents.

Une société qui se stabilise

Le XVIIe siècle a permis à des femmes et à des hommes d'échapper à la misère. C'est en traversant l'Atlantique qu'ils mettent fin à une vie de pauvreté ou d'errance en terre française. Le XVIIe siècle a permis à des mystiques de trouver une terre fertile pour l'exercice de leurs aspirations. Le XVIIe siècle a permis à des aventuriers de tenter leur chance dans un pays nouveau. De toute évidence, les débuts de la période coloniale ont engendré une situation exceptionnelle qui mobilisait les énergies de tous. On s'attend à ce que les femmes outrepassent les limites qui leur sont culturellement imposées. Parce qu'on a besoin d'elles, des femmes se font fondatrices, marchandes,

guerrières, administratrices, missionnaires. Parce qu'on a un pays à
ouvrir, des centaines de femmes «propres au travail comme des
hommes» apprennent le dur métier de défricheur, tout en peuplant la
colonie.

Ce qui caractérise ce siècle, ce n'est pas tant l'héroïsme, le caractère inusité ou non traditionnel des gestes des femmes, mais la multiplicité des actes indépendants et autonomes qu'elles peuvent
accomplir. En 1698, la Nouvelle-France ne compte encore que 15 355
habitants. Il est malgré tout significatif que, pour une si petite société
et une période aussi brève (trois quarts de siècle environ), un si grand
nombre de femmes aient joué un rôle digne d'être retenu par l'histoire
officielle.

Au début du XVIIIe siècle, une nouvelle conjoncture va se créer.
Les guerres iroquoises se terminent en 1701, mettant fin à des décennies de crainte collective et ne requérant plus de femmes armées de
mousquets. Le contact avec les populations autochtones devient de
plus en plus ténu. Les tribus amérindiennes ont été soit décimées par
les guerres et les épidémies, soit refoulées à l'intérieur du continent,
soit littéralement enfermées dans des villages où des missionnaires
les maintiennent dans un état de semi-dépendance et tentent d'imposer aux femmes le code moral occidental. On ne manque plus de filles
à marier et, peu à peu, l'équilibre démographique est atteint. Les seigneuries commencent lentement à se remplir à mesure que les
colons-défricheurs font reculer la forêt. On trouve donc toujours, en
Nouvelle-France, des familles vivant dans la misère et l'isolement.
(On en trouvera d'ailleurs au Québec jusqu'au XXe siècle.) Mais à partir du XVIIIe siècle, le nombre d'établissements qui accèdent à une
certaine aisance commence à croître et une vie paroissiale régulière
s'établit progressivement. La stabilité des institutions et des classes
sociales se trouve davantage assurée pendant que s'estompent les
mirages des fortunes coloniales. Le commerce des fourrures lui-
même entre en crise.

Toujours est-il que cette nouvelle conjoncture va créer pour les
femmes une situation plus régulière, pourrait-on dire, plus proche, en
tout cas, des sociétés de l'Ancien Régime où les femmes paraissaient
confinées à la vie familiale. Le signe le plus apparent de ces transformations sociales semble être l'apparition d'une nouvelle catégorie
sociale, celle des indigents. Dès 1676, ils s'entassent aux confins de la
ville de Québec et on doit trouver des moyens de les secourir. Vers
1685, le mouvement atteint la ville de Montréal.

Des «Bureaux des pauvres» gérés par des laïcs sont alors ouverts à Québec et à Montréal. Mais les autorités religieuses obtiennent de les transformer en hôpital général, sous la direction de religieuses ou de religieux, comme cela se fait en France. On révèle que les deux tiers des pauvres qui se présentent au bureau de Montréal sont des femmes. L'Hôpital-Général de Québec ouvre ses portes en 1701. Il est dirigé par les Hospitalières de Saint-Augustin qui se séparent de l'Hôtel-Dieu. Cette fondation a valeur de symbole. Dans une société désormais stabilisée, les femmes sont au premier rang des laissés-pour-compte. L'époque héroïque est bel et bien terminée.

Notes du chapitre 2

1. Marie Morin, *Histoire simple et véritable. Les annales de l'Hôtel-Dieu de Montréal, 1659-1725*, édition critique par Ghislaine Legendre, Montréal, Presses de l'Université de Montréal, 1979, p. 64.

2. Les jugements sur les «filles du Roy» sont extraits des textes suivants:

— *Relations des Jésuites*, (Éd. Thwaites), vol. XXI, p. 106-108; vol. XLI, p. 184-186.

— Pierre Boucher, *op. cit.*, p. 155-156.

— De Baugy, *Journal d'une Expédition contre les Iroquois en 1687*, Paris, 1883 (lettre du 23 novembre 1683).

— Marie de l'Incarnation, *Correspondance*, nouvelle édition par Dom Guy Oury, 1971.

Lettre d'octobre 1668, p. 832.

Lettre d'octobre 1669, p. 862.

— Lahontan, *Nouveaux voyages de Monsieur le Baron de la Hontan dans l'Amérique septentrionale*, La Haye, 1703, vol. I, p. 10-12.

— *Journal des Jésuites*, Québec, 1871, p. 335.

I
Les commencements
Orientations bibliographiques

Atlas historique du Canada, Tome 1, Montréal, Presses de l'Université de Montréal, 1987.

ANDERSON, KAREN, «A gendered world: women, men and the political economy of the 17th century Huron» dans *Feminism and political economy: women's work, women's struggles*, Toronto, Methuen, 1987.

————— , «Commodity exchange and subordination: Montagnais-Nascapi and Huron women, 1600-1650» dans *Signs*, 11, 1, automne 1985, p. 48-62.

————— , «As gentle as little lambs: image of Huron and Montagnais-Nascapi women in the writings of 17th century Jesuits» dans *Revue canadienne de sociologie et d'anthropologie*, vol. 25, n° 4, p. 560-577.

BADOURY, LORRAINE *et al.*, «Démographie différentielle en Nouvelle-France: villes et campagnes» dans *Revue d'histoire de l'Amérique française*, vol. 38, n° 3, 1985, p. 357-378.

BATES, RÉAL, «Les conceptions prénuptiales dans la vallée du Saint-Laurent avant 1725» dans *Revue d'histoire de l'Amérique française*, vol. 40, n° 2, 1986, p. 253-272.

BEAUDET, CHRISTIANE, «Mes mocassins, ton canot, nos raquettes: la division sexuelle du travail et la transmission des connaissances chez les Montagnais de la Romaine» dans *Recherches amérindiennes*, vol. 14, n° 3, 1984, p. 37-44.

BEAUREGARD, YVES *et al.*, «Famille, parenté et colonisation en Nouvelle-France» dans *Revue d'histoire de l'Amérique française*, vol. 39, n° 3, 1986, p. 391-406.

BRODRIBB, SOMER, «The traditional roles of native women in Canada and the impact of colonization» dans *The Canadian journal of native studies*, vol. 4, n° 1, 1984.

CHARBONNEAU, HUBERT, «Colonisation, climat et âge au baptême des Canadiens au 17e siècle» dans *Revue d'histoire de l'Amérique française*, vol. 38, n° 3, 1985, p. 341-356.

————— , *Vie et mort de nos ancêtres*, Étude démographique, Collection «Démographie canadienne», n° 3, Montréal, Presses de l'Université de Montréal, 1975, 268 p.

CHARBONNEAU, HUBERT *et al.*, *Naissance d'une population. Les français établis au Canada au 17e siècle*, Montréal et Paris, Presses de l'Université de Montréal et Institut National d'Études Démographiques, 1987.

CLERMONT, NORMAN, «La place de la femme dans les sociétés iroquoiennes de la période de contact» dans *Recherches amérindiennes*, vol. 13, n° 4, 1983, p. 286-290.

D'ALLAIRE, MICHELINE, «Jeanne Mance à Montréal en 1642» dans *Forces*, 1973, p. 38-46.

DAVELUY, MARIE-CLAIRE, *Jeanne Mance*, Montréal, Fides, 1962, 386 p.

DECHÊNE, LOUISE, *Habitants et marchands de Montréal au XVIIe siècle*, Paris, Plon, 1974, 588 p.

DELÂGE, DENYS, *Le pays renversé. Amérindiens et Européens en Amérique du Nord-Est, 1600-1664*, Montréal, Boréal Express, 1985.

DESLANDRES, DOMINIQUE, «Un projet éducatif, Marie de l'Incarnation et la femme amérindienne» dans *Recherches amérindiennes*, vol. 13, n° 4, 1983, p. 277-286.

DESROSIERS, LÉO-PAUL, *Les opiniâtres*, Montréal, Fides, 1980.

DICKINSON, JOHN A., «La guerre iroquoise et la mortalité en Nouvelle-France, 1608-1666» dans *Revue d'histoire de l'Amérique française*, vol. 36, n° 1, juin 1982, p. 31-54.

Dictionnaire biographique du Canada, Tomes I et II.

DOUGLAS, JAMES, «The Status of Women in New-England and New-France» dans *Queen's Quarterly*, 1912, p. 359-374.

DUMAS, SYLVIO, *Les Filles du Roi en Nouvelle-France*, Cahiers d'histoire, n° 24, La société historique de Québec, 1972, 382 p.

GONZALES, ELLICE B, *Changing economic roles for Micmac men and women: an ethnohistorical analysis*, Ottawa, Musées nationaux du Canada, 1981.

JAENEN, CORNELIUS J., *Friend and foe: aspects of French Amerindian cultural contact in the 16th and 17th centuries*, Toronto, McClelland and Stewart, 1976.

JAMIESON, KATHLEEN, *La femme indienne devant la loi: une citoyenne mineure*, Ottawa, Conseil consultatif canadien sur la situation de la femme, 1978, 118 p.

JEAN, MARGUERITE, *Évolution des communautés religieuses de femmes au Canada de 1639 à nos jours*, Montréal, Fides, 1977, 324 p.

LACHANCE, ANDRÉ, «Le Bureau des pauvres de Montréal» dans *Histoire sociale*, n° 4, novembre 1969, p. 97-110.

LACHANCE, PAUL, «L'effet du déséquilibre des sexes sur le comportement matrimonial: comparaison entre la Nouvelle-France et la Nouvelle-Orléans» dans *Revue d'histoire de l'Amérique française*, vol. 39, n° 2, 1985, p. 211-232.

LAFORCE, HÉLÈNE, *Histoire de la sage-femme dans la région de Québec*, Québec, Institut québécois de recherche sur la culture, 1985.

LEACOCK, ELEANOR, «Montagnais marriage and the Jesuits in the Seventeenth century; incidents from /the Relations of Paul Le Jeune» dans *The Western Canadian Journal of Anthropology*, vol. VI, n° 3, 1976.

——————— , «The Montagnais-Nascapi Band» dans Cox, Bruce, dir., *Cultural Ecology*, Toronto, McClelland and Stewart, 1973.

LEMIEUX, DENISE, *Les petits innocents. L'enfance en Nouvelle-France*, Québec, Institut québécois de recherche sur la culture, 1985.

MANDROU, ROBERT, *Introduction à la France moderne*, Essai de psychologie historique, 1500-1640, Collection «L'Évolution de l'humanité», Paris, Albin Michel, 1961, 400 p.

MOREL, ANDRÉ, «Réflexions sur la justice criminelle canadienne au XVIIIᵉ siècle» dans *Revue d'histoire de l'Amérique française*, vol. 29, n° 2, p. 241-253.

OURY, DOM GUY, *Marie de l'Incarnation (1599-1672)*, Québec, Presses de l'Université Laval, 2 vol., 1973.

PAQUETTE, LYNE et BATES, RÉAL, «Les naissances illégitimes sur la rive sud du Saint-Laurent avant 1730» dans *Revue d'histoire de l'Amérique française*, vol. 40, n° 2, 1986, p. 239-252.

ROUSSEAU, FRANÇOIS, *La croix et le scalpel. L'Hôtel-Dieu de Québec*, Québec, Septentrion, 1989.

SÉGUIN, CLAIRE, «Essai sur la condition de la femme indienne au Canada» dans *Recherches amérindiennes*, vol. 10, n° 4, 1981, p. 251-260.

SÉGUIN, ROBERT-LIONEL, *La vie libertine en Nouvelle-France au XVIIᵉ siècle*, Montréal, Leméac, 1972.

TRIGGER, BRUCE G., *Handbook of North-American Indians*, Washington, Smithsonian Institution, vol. 15, 1978.

————— , *Les Indiens, la fourrure et les Blancs. Français et Amérindiens en Amérique du Nord*, Montréal, Boréal/Seuil, 1990.

VAN KIRK, SYLVIA, *Towards a feminist perspective in Native history*, Centre for women's studies, Ontario Institute for studies in education, Occasional paper n° 14, 1987.

————— , *Many tender ties: women in the fur trade society, 1670-1870*, Winnipeg, Watson and Dwyer, 1980.

————— , *«Women in between: Indian women in fur trade society»*, Western canadian historical association historical papers, 1977, p. 30-47.

II
LA STABILITÉ
1701-1832

Après des débuts difficiles, la Nouvelle-France entre dans une période de prospérité et de stabilité relative. Certes, le début du XVIIIe siècle n'augure rien de bon. La guerre avec les colonies anglaises ne se termine qu'en 1713. Le commerce des fourrures, base économique de la colonie, s'effondre et doit se transformer. On commence à tenter de diversifier l'économie. Une période d'inflation, causée par la crise du crédit public, achève de bouleverser la vie du menu peuple. Mais avec les années 1720 s'instaure finalement une époque de plus grande prospérité.

La France s'intéresse à sa colonie du Canada pour des raisons économiques et militaires. La traite des fourrures, vaste commerce exploité surtout à partir de Québec et de Montréal, permet aux investisseurs français de retirer des profits intéressants. La Nouvelle-France est la base militaire essentielle au soutien des ambitions de Louis XIV, puis de Louis XV en Amérique.

La rivalité entre les Anglais et les Français, qui se joue aussi en Europe, aux Indes et en haute mer, explique les nombreuses guerres qui surviennent. L'Amérique du Nord est le théâtre des luttes des superpuissances. La France maintient au Canada une vaste machine militaire qui est renforcée en temps d'hostilité. L'économie de guerre est l'un des moteurs du développement de la vallée du Saint-Laurent. On a calculé que près d'un quart de la population totale était au service du complexe militaire.

La défaite des ambitions françaises en Amérique lors de la bataille des plaines d'Abraham, en 1759, prépare la passation définitive du Canada à l'Empire britannique en 1763 par le Traité de Paris. Les Britanniques continuent la fortification de leur nouvelle colonie et les troupes françaises sont remplacées par des troupes britanniques qui sont souvent composées d'Écossais ou d'Allemands.

La guerre, au XVIIIe siècle, fait partie des fléaux susceptibles d'affliger les populations au même titre que les épidémies, les inondations ou les disettes. Les combats eux-mêmes n'affectent guère les gens, mais le niveau de vie et la solidarité familiale en sont singulièrement bouleversés. Par ailleurs, un siège qui coupe les habitants d'une ville de ses sources d'approvisionnement est toujours catastrophique pour la population. Enfin, les armées font souvent des gestes destructeurs qui nuisent à la population civile. Mais même si les habitants prennent partie pour l'un des camps en présence, à long terme leur mode de vie n'est guère bouleversé par tous ces événements sur lesquels ils n'ont d'ailleurs aucune prise. La mémoire populaire a toutefois gardé le souvenir des années les plus sombres: 1759, alors que Québec est bombardé, assiégé, et des centaines de fermes brûlées et dévastées; l'hiver 1775-1776, alors que les Américains tentent de s'emparer de Québec et de Montréal.

En dépit des guerres, on connaît, somme toute, une période de prospérité et de stabilité au Canada. La croissance extraordinaire de la population en témoigne. Le démographe Jacques Henripin a estimé que la population francophone à elle seule s'est multipliée par vingt entre 1700 et 1830. Dès le début du Régime britannique, les Anglais et les Écossais, marchands, artisans, aventuriers ou agriculteurs, viennent chercher fortune au Canada.

Les francophones voient arriver d'autres groupes ethniques. Après la Révolution américaine, les Loyalistes viennent chercher un asile politique au Canada. D'autres Américains viennent à la recherche de terres à bon marché. Quelques soldats de l'armée britannique restent au Canada et épousent les filles du pays. Après les guerres napoléoniennes arrivent des vagues d'Irlandais, protestants et catholiques.

Malgré ces événements, il existe une continuité dans l'existence de la plupart des habitants du Saint-Laurent. Ils vivent dans les seigneuries et cultivent leurs terres dans le cadre d'une organisation de type féodal. Même si les obligations ne pèsent pas aussi lourdement sur le paysan canadien que sur son cousin français, certains historiens voient dans le système seigneurial un frein au développement d'une agriculture rentable et d'une mentalité moderne au XIXe siècle. D'autres historiens y voient une protection institutionnelle du groupe francophone envers les nouveaux arrivants d'autres groupes ethniques.

Au XVIIIe siècle, la majorité de la population vit dans un cadre rural. Beaucoup de familles n'arrivent pas à produire des surplus à échanger contre des produits importés. Aussi doivent-elles fabriquer la plupart des articles dont elles ont besoin. Mais, en général, la période d'avant 1815 en est une de prospérité, de bonnes récoltes et d'abondance des terres cultivables. Le tableau s'assombrit lors des guerres, qui massacrent une partie de la main-d'œuvre nécessaire aux travaux agricoles, et lors des mauvaises récoltes. Une mauvaise année se traduit souvent par des hausses abruptes du taux de mortalité chez une population sous-alimentée qui est alors plus vulnérable aux maladies mortelles.

La prospérité des cultivateurs se termine avec la fin de la guerre de 1815. Le prix du blé d'exportation nécessaire pour maintenir la gigantesque armée britannique à travers l'Europe tombe brusquement. Des maladies détruisent une grande partie des récoltes. La croissance de la population est maintenant telle que, dans les anciennes seigneuries, les terres manquent. On doit s'établir de plus en plus loin du fleuve. On subdivise sa ferme pour y faire vivre ses enfants. En 1831, sur l'île d'Orléans, 40 % des chefs de famille ne sont pas propriétaires.

Pour la minorité de la population qui vit dans les villes, le XVIIIe siècle apporte des changements brusques. Ceux et celles qui vivent de l'établissement militaire et du commerce s'y trouvent: administrateurs de carrière, marchands, petits fonctionnaires, officiers, soldats et artisans se côtoient dans les villes de Québec, Trois-Rivières et Montréal. De plus, on y trouve les établissements des ordres religieux qui servent d'hôpital, d'école ou d'hospice pour la population locale. Le changement de régime politique de 1760 touche directement ces gens. Ceux qui détiennent de hauts postes dans l'administration ou dans l'armée voient leur carrière dans la bureaucratie française compromise et beaucoup ne tardent pas à regagner la mère patrie avec leur famille. Des marchands qui dépendaient de leurs affaires avec le gouvernement français, soit pour la traite des fourrures, soit pour le ravitaillement de l'armée, voient leurs commerces péricliter.

Des trois organisations religieuses masculines, il n'y en aura qu'une, les Sulpiciens, qui survivra à long terme. Les communautés des Jésuites et des Récollets ne sont plus autorisées à recruter de nouveaux membres et sont vouées à l'extinction. Trop de prêtres catholiques représenteraient une menace pour le nouveau pouvoir protestant. Toutefois, les communautés féminines ne sont que peu touchées et se gagneront immédiatement la sympathie des dirigeants britanniques. Le clergé séculier, fort réduit en nombre, encadre la population catholique dans les paroisses.

Le XVIIIe siècle est marqué par l'éthique aristocratique. La colonie est gouvernée par le représentant personnel du monarque, qui cumule souvent les fonctions de commandant militaire et d'administrateur. Les postes de prestige dans le gouvernement sont remplis par les amis de la Couronne ou, sous le Régime anglais, du parti au pouvoir en Angleterre. Cet ordre hiérarchique, basé sur le rang social par la naissance ou par la fortune, se perpétuera pendant toute cette période.

Pour l'Église catholique, la première moitié du XVIIIe siècle n'est déjà pas une période facile. Le roi de France, jaloux de son pouvoir, surveille les évêques très étroitement. La cour de Versailles tente de décourager la fondation de nouvelles communautés religieuses, croyant que la colonie en a déjà trop. La prise du pouvoir par la Grande-Bretagne, qui vient tout juste de repousser une tentative pour réinstaurer un roi catholique sur le trône d'Angleterre, met l'Église dans une situation fort délicate. En Grande-Bretagne, le catholicisme est assimilé à un pouvoir subversif. Ainsi, l'évêque de Québec met plusieurs années à assurer les autorités britanniques de sa loyauté avant de se faire reconnaître. De plus, au XVIIIe siècle, on respire le courant de l'anticléricalisme que les philosophes répandent chez les gens cultivés. Face à l'ensemble de la population, le curé aura souvent de la difficulté à corriger le comportement irréligieux de ses ouailles.

L'arrivée massive des protestants, au XIXe siècle, suscitera la création des institutions parallèles que le Québec connaît aujourd'hui. Ceux-ci exigent non seulement des églises séparées pour chaque secte, mais également des écoles, des hôpitaux, des hospices et même des associations de charité à dominance protestante.

Dans cette longue période qui s'étend de 1701 à 1832, la vie de la plupart des femmes de la vallée du Saint-Laurent ne change guère. Femmes cultivatrices ou marchandes, leur vie se déroule entièrement dans le contexte familial. Devenir religieuse est pratiquement le seul autre mode de vie sécuritaire en dehors du mariage et de la vie de famille.

L'importance de la famille est un élément capital pour comprendre le cadre de vie de l'Ancien Régime. Que ce soit dans la vie domestique ou dans la vie économique et sociale, toute l'activité s'articule autour du groupe familial, ce qui confère aux femmes un rôle de premier plan. L'inégalité des sexes n'est pas remise en question, mais la complémentarité des rôles est indispensable à la survie ou au mieux-être de la communauté familiale.

Le cycle de vie des femmes, de la naissance à la vieillesse, en passant par l'éducation de la petite fille et les fréquentations, est totalement polarisé par les besoins de la famille. La vie sociale, économique, politique et culturelle se définit, pour les hommes comme pour les femmes, non pas tant en fonction de leur promotion individuelle, mais en fonction de la promotion du groupe familial. Les terres et les capitaux, les métiers et les postes officiels se transmettent souvent directement des parents aux enfants. Et le réseau familial d'influence et de pouvoir est essentiel pour faciliter l'obtention de permis de commerce et de positions d'influence dans l'armée ou l'administration publique. Dans cette société où famille et communauté immédiate sont les cadres de référence les plus importants, les femmes jouissent d'une influence considérable et méconnue parce qu'elle s'exerce à travers les liens interpersonnels.

CHAPITRE 3

Vivre en famille

À travers l'histoire, les parents n'ont pas toujours accueilli avec la même joie la naissance des filles et celle des garçons. Dans les sociétés traditionnelles où les naissances fréquentes menaçaient le niveau de vie familial, l'infanticide faisait plus de victimes chez les filles que chez les garçons. On ignore ce que les parents canadiens souhaitaient avoir comme enfant. Un garçon portera le nom de la famille et pourra plus facilement assurer la sécurité matérielle de ses parents à leur vieillesse. Une fille devra se constituer très tôt une dot, ou du moins un trousseau, et passera inévitablement dans la famille de son futur mari. Quoi qu'il en soit, il n'y a aucun indice prouvant que les parents de cette époque aient moins bien accepté la naissance des filles que celle des garçons. De toute façon, jusqu'au milieu du XVIIIe siècle, l'immigration est toujours fortement masculine et on ne craint guère de rester avec des filles à marier.

Petites filles

Certains parents nous ont laissé des témoignages de leur grande affection pour leurs filles. À la fin du XVIIe siècle, Pierre Boucher, dans son testament, parle avec beaucoup de tendresse de sa plus jeune fille, Geneviève. Élisabeth Bégon, épistolière et dame de la haute société montréalaise, à la fin du Régime français, surveille avec une dévotion constante les progrès de sa petite-fille, Marie-Catherine de Villebois de la Rouvillière, qui habite avec elle après la mort de sa mère. La petite semble être au centre des attentions des adultes qui l'entourent. Sa grand-mère écrit que: «Elle nous fait passer le temps avec moins d'ennui que nous ne ferions, si nous ne l'avions pas.» Marie-Catherine est une enfant exceptionnellement choyée parce qu'élevée seule au sein d'une famille à l'aise.

Le miracle du nouveau-né

1. *Sont trois faucheurs dedans les prés; (bis)*
   Trois jeunes fill' vont y faner.
*Refrain: *Je suis jeune; j'entends les bois retentir*
            Je suis jeune et jolie.
2. *Trois jeunes fill' vont y faner (bis)*
   Celle qui accouch' d'un nouveau-né
3. *D'un mouchoir blanc l'a enveloppé;*
4. *Dans la rivière elle l'a jeté.*
5. *L'enfant s'est mis à lui parler.*
6. *— Ma bonne mèr', là vous péchez.*
7. *— Mais, mon enfant qui te l'a dit?*
8. *— Ce sont trois ang's du paradis.*
9. *L'un est tout blanc et l'autre gris;*
10. *L'autre ressemble à Jésus-Christ.*
11. *— Ah, revenez, mon cher enfant.*
12. *— Ma chère mère, il n'est plus temps.*
13. *Mon petit corps s'en va calant;*
14. *Mon petit cœur s'en va mourant;*
15. *Ma petite âme au paradis.*
* Refrain *après chaque strophe*

Source: Barbeau, Marius, *Vieilles Chansons du Vieux Québec*, Musées nationaux du Canada, Bulletin n° 75, 1962, p. 46-47.

Il est vrai que les parents n'ont que peu de raisons de redouter l'arrivée des enfants. À l'encontre de la situation qui prévaut souvent en Europe, l'abondance des terres cultivables, du gibier et du poisson assure presque toujours de quoi nourrir sa famille. Au moment où, dans certains milieux, en Europe et en Amérique, on commence à s'enquérir plus ouvertement des moyens de contrôler la reproduction, rien ne nous indique que la limitation des naissances ait été pratiquée avec succès par les Canadiens. Certains moyens sont connus à cette époque, tels la continence et le coït interrompu, mais les statistiques démographiques laissent croire qu'ils ne sont pas utilisés au Canada, du moins chez la population francophone mariée. Au XVIIIe et au XIXe siècle, l'infanticide constitue un autre des moyens connus pour contrôler sa descendance. Ou bien on tue le nouveau-né, ou bien on l'étouffe par «accident» pendant qu'il dort dans le lit de ses parents, ou bien on l'abandonne dans un lieu public. Abandonner son enfant semble être le recours des filles-mères surtout. L'étouffement aurait été pratiqué plutôt par les épouses. On ignore si ce moyen de limiter le nombre de ses enfants a été mis en pratique au Canada. Mais on peut se demander si c'est à cause de ce danger ou pour des raisons de moralité que le haut clergé préfère que les enfants ne dorment pas avec leurs mères.

Lettre circulaire aux curés de l'Acadie

(...) On m'ajoute que les mères couchent leurs enfants avec elles, sur prétexte qu'il ne leur est jamais arrivé d'accident, et qu'il y aurait plus à craindre pour la vie de l'enfant qui courrait le risque de mourir de froid. Je désire que chaque missionnaire me marque en particulier son avis sur cet article, afin de pouvoir dans la suite prendre un parti. On n'ignore point que dans plusieurs diocèses de France cela ne soit défendu. On pourrait suivre cette pratique au moins dans l'été, et attendre notre décision pour le temps de l'hiver. (...)

Source: *Mandements des évêques du diocèse de Québec*, Tome I, 20 avril 1742, Québec, 1887.

De toute façon, à l'époque préindustrielle, au taux de naissance élevé correspond un taux de mortalité aussi élevé. Cette mortalité frappe surtout les enfants, de sorte qu'environ trois sur quatre d'entre eux peuvent espérer atteindre l'âge adulte. Avoir une nombreuse progéniture assure une main-d'œuvre à la ferme ou dans l'entreprise familiale et permet d'espérer que quelques enfants survivront à leurs parents et les aideront pendant leurs vieux jours.

Selon la division traditionnelle des tâches au sein de la famille, les petites filles doivent aider leur mère et apprendre à accomplir les travaux «des femmes». Tout comme les jeunes garçons, elles peuvent faire les travaux légers, comme cueillir des baies ou surveiller les troupeaux. Mais, très tôt, on leur réserve les tâches de la maison et de la basse-cour. Les aînées s'occupent souvent des enfants plus jeunes pour décharger leur mère. Ainsi, l'éducation qu'on donne aux jeunes filles se limite aux connaissances pratiques qui peuvent leur servir toute leur vie durant.

Puisque la vie des femmes se passe au sein de leur famille, l'éducation scolaire ne semble guère nécessaire pour les jeunes filles. Cependant, il faut ajouter que les jeunes garçons ne sont pas plus instruits, car la lecture et l'écriture sont essentielles seulement pour les gens des classes les plus aisées. Comme beaucoup d'enfants, Marie-Catherine de Villebois de la Rouvillière reçoit ses premières leçons à la maison. Mais sa grand-mère, épistolière et instruite, exprime des sentiments peu communs lorsqu'elle écrit au père de Marie-Catherine qu'elle la laisse étudier avant d'apprendre l'ouvrage traditionnel des femmes, la couture et le ménage.

> Elle me fait passer le temps (…) en lui montrant tout ce qu'elle veut apprendre: tantôt l'histoire de France, tantôt la romaine, la géographie, le rudiment à lire français et latin, écrire, exemples, vers, histoire, tels qu'elle les veut, pour lui donner de l'inclination d'écrire et à apprendre. Mais elle n'aime point l'ouvrage; je la laisse, aimant mieux qu'elle apprenne que de travailler, ce qu'elle saura quand je voudrai[1].

Élisabeth Bégon est née à Montréal. Ses connaissances démontrent la présence d'une tradition d'enseignement aux femmes qui permet, du moins à quelques filles des familles les plus fortunées, d'accéder à une culture générale. Peu de femmes peuvent donner autant de culture à leurs filles. Tout au plus leur est-il possible de les envoyer au couvent où les religieuses leur dispensent une instruction primaire pendant quelques années.

Car, grâce à la présence des communautés de religieuses enseignantes depuis les premiers jours de la colonie, l'éducation des filles est assurée sans interruption, même après la conquête par les Anglais. Des sept communautés de femmes qui existent en Nouvelle-France, trois, soit les Ursulines à Québec et aux Trois-Rivières et les Sœurs de la Congrégation à Montréal, se dévouent presque exclusivement à l'éducation des filles. À la fin du Régime français, on trouve même quelques pensionnats à la campagne. L'accès à l'éducation pour les filles semble avoir été si généralisé qu'aujourd'hui encore, on entend répéter que les femmes d'autrefois étaient plus instruites que leurs maris. Cependant, rien ne nous permet de confirmer cette affirmation. Les recherches démontrent qu'au XVIIIe siècle, à peu près le même nombre de femmes que d'hommes savent signer leur nom dans les registres paroissiaux ou les documents notariés, soit fort peu de gens, peut-être un dixième de la population.

Pourtant, plusieurs voyageurs européens remarquent que les femmes sont mieux éduquées que les hommes. Cette constatation peut s'expliquer de deux façons. D'une part, à la même époque, dans certaines régions de France, d'Angleterre et de Nouvelle-Angleterre, l'analphabétisme est de deux à trois fois plus important chez les femmes que chez les hommes. L'écart minime entre hommes et femmes au Canada a pu impressionner ces visiteurs. D'autre part, il semble que plus de femmes que d'hommes savent lire seulement, alors que plus d'hommes peuvent lire et écrire.

L'éducation des filles peut être plus étendue et plus accessible aux gens ordinaires en raison du nombre de couvents et de l'importance de la tradition de l'enseignement des filles au sein de l'Église. De toute façon, au XVIIIe et au début du XIXe siècle, l'éducation au couvent ne dépasse guère l'apprentissage de la lecture et de l'écriture, ainsi que des connaissances dites féminines que l'on considère comme essentielles à la formation des filles.

Parmi celles-ci, mentionnons d'abord la formation religieuse, particulièrement importante pour les femmes dont le comportement, d'après la moralité de l'époque, devait être plus contrôlé que celui des hommes. Ensuite, l'apprentissage des techniques essentielles, notamment la couture, pour bien tenir son ménage. La couture représente à la fois une nécessité, un loisir et une expression de la créativité féminine. On trouve le plus souvent les meilleures couturières chez les religieuses, qui brodent des habits sacerdotaux ou décorent des objets pour les vendre. Apprendre à coudre assure l'habillement à la famille. À la ville, il est possible de gagner un peu d'argent en faisant de la couture et du raccommodage. Finalement, les dames de la haute société passent quelques moments de leurs loisirs en faisant de la broderie.

Il existe toute une hiérarchie dans les structures d'accueil des institutions d'éducation féminine. Au premier échelon, on trouve le couvent des Ursulines à Québec, qui ne reçoit que les filles de la haute société. Après 1760, les Britanniques y envoient également leurs filles. Ensuite viennent les petites écoles de campagne. À la fin du XVIIIe siècle, le couvent des Ursulines de Québec reçoit les filles d'aristocrates ou de riches marchands à qui on offre l'apprentissage de la musique, du dessin, du chant et d'une langue étrangère, qualités nécessaires à l'éducation d'une fille destinée à un riche mariage. Être musicienne est très estimé, bien qu'on empêche les femmes de faire carrière en musique. Au cours de soirées en famille ou de petites réceptions mondaines, les femmes de la bonne société chantent ou jouent d'un instrument.

Au XIXe siècle, on trouve des institutrices laïques dans les villes. Quelques-unes sont gouvernantes, d'autres se rendent quotidiennement au domicile de leurs élèves, d'autres encore tiennent une petite école chez elles. En 1825, les femmes forment le tiers des enseignants laïques établis à Montréal. À Québec et à Montréal, plusieurs écoles sont tenues par des femmes. Jeanne Charlotte Berczy tient une école à Montréal de 1810 à 1817. Elle y enseigne le dessin, l'aquarelle, la musique et les langues. Une de ses élèves, Louise-Amélie Panet, devient plus tard peintre et professeure d'art.

On constate cependant que l'éducation professionnelle des femmes n'est pas encore développée. Au couvent, on s'apprête à devenir soit religieuse, soit mère et épouse. Il n'y a aucun apprentissage de métiers ou de professions permettant aux femmes de gagner leur vie autrement que dans le cadre domestique. Au XVIIIe siècle, l'accès à presque tous les métiers et professions est fermé depuis longtemps aux femmes. Les

Amélie Panet: la pratique des arts d'agrément.
J. Russell Harper, *La peinture au Canada*

métiers de couturière et de sage-femme font exception parce que reliés aux tâches féminines familiales. Quelques garçons, eux, peuvent apprendre un métier à l'école fondée à Saint-Joachim par Mgr de Laval ou fréquenter, s'ils se destinent à la prêtrise, ce qu'on a par la suite appelé la première université en Amérique, le Séminaire de Québec. De plus, avant 1760, le collège des Jésuites de Québec accepte un petit nombre de garçons pour des études dites classiques.

Servir les autres

À l'époque préindustrielle, peu de femmes passent leurs journées seules à la maison. La plupart des familles organisent le partage du travail ménager. La mère peut se faire aider par ses filles aînées à cette époque où la fréquentation scolaire est très limitée. Chaque enfant doit faire sa part pour contribuer au bien-être familial. Dans les familles moins fortunées, les enfants sont mis en apprentissage dès l'âge de neuf ou dix ans. Alors que les garçons apprennent ainsi à devenir forgerons, menuisiers ou tonneliers, un des seuls apprentissages possibles pour les filles reste celui des travaux ménagers.

L'historienne Francine Barry a étudié la domesticité féminine dans la ville de Québec vers le milieu du XVIIIe siècle. Elle constate que les jeunes domestiques sont souvent des filles aînées ou des benjamines placées par des parents de familles nombreuses. Ce sont surtout les familles d'habitants vivant à proximité de la ville qui placent leurs filles comme servantes. D'ailleurs, les familles nombreuses connaissent de véritables cycles dans leur croissance. Après la naissance de six ou sept enfants, il devient impératif de placer les aînés à l'extérieur afin de mieux équilibrer des ressources familiales limitées. De plus, lorsque les parents vieillissent ou sont malades, le travail des plus jeunes à l'extérieur de la famille réduit le nombre de bouches à nourrir. Enfin, les parents espèrent peut-être augmenter ainsi les chances d'un «bon» mariage pour leurs filles.

Engagée très jeune, avant la puberté, une fille doit souvent travailler «jusqu'à ce qu'elle fût mariée ou autrement pourvue». Sinon, le terme du contrat de la candidate est fixé à ses dix-huit, vingt ou vingt-cinq ans. La jeune domestique ne reçoit aucune rémunération en argent et s'engage tout simplement à servir ses maîtres sans que le contenu de sa tâche soit précisé. En retour, ses maîtres promettent de la traiter comme une de leurs propres enfants, de l'élever dans la religion catholique, de la loger, de la nourrir et de la vêtir convenablement. Souvent, les contrats stipulent que, à la fin de son engagement, ses maîtres doivent l'habiller en neuf et, parfois, lui fournir un petit trousseau de linge personnel.

À l'encontre de la domestique, l'apprentie couturière du XVIIIe siècle s'engage vers l'âge de dix-neuf ans en moyenne. Son apprentissage, très bref, dure à peine plus d'un an et elle doit le payer très cher, jusqu'à cent ou deux cents livres par année.

Avec le début du XIXe siècle, le statut de domestique semble se transformer. L'historienne Claudette Lacelle dresse le portrait des servantes, toujours pour la ville de Québec, vers 1820. Être domestique ressemble de moins en moins à une forme d'apprentissage pour les filles et prend de plus en plus l'allure d'un emploi salarié.

À cette époque, la croissance du milieu urbain permet à quelques femmes de travailler comme domestiques le jour et de rentrer chez elles le soir. D'ailleurs, la plupart des servantes sont originaires de la ville. Mais, plus un ménage est aisé, plus il exige que les domestiques soient résidentes. Les jeunes francophones vont travailler chez des francophones, alors que les anglophones semblent engager d'autres anglophones. Mais peu de familles peuvent engager plus d'une domestique. La plupart ont une jeune bonne à tout faire, âgée de seize ou dix-sept ans, qui loge dans une toute petite chambre, soit à l'étage inférieur ou au grenier, soit dans la cuisine. Elle reçoit la moitié du salaire versé au domestique masculin. Les journées de travail commencent à l'aube et se terminent seulement lorsque toute la famille est couchée. Dans ces conditions, il n'est guère surprenant que beaucoup de domestiques soient extrêmement mobiles, changeant souvent de maison en quête d'une meilleure place.

Fréquentations et mariage

On ne se presse pas pour se marier au XVIIIe siècle comme on le faisait aux premiers jours de la Nouvelle-France. Dès le début du siècle, la quantité d'hommes et de femmes est en proportion égale et les filles repoussent leur mariage jusqu'à l'âge adulte. Le démographe Hubert Charbonneau a estimé que, pour la période allant de 1700 à 1729, la moitié des mariées étaient âgées de plus de 22,1 ans. Pour les hommes, l'âge correspondant était de 25,8 ans. Les habitants du Canada peuvent se permettre de se marier plus jeunes qu'en France, où la rareté des terres et les crises de subsistance obligent les gens à remettre le mariage à un moment où ils croient s'être assurés une certaine sécurité matérielle. Le niveau de vie plus élevé en Amérique permet de se marier plus tôt, puisqu'on peut mieux assumer la charge supplémentaire des enfants qui naissent inévitablement un an ou deux après la célébration du mariage.

Selon les différentes couches de la société, on peut avoir intérêt à retarder le mariage, soit pour préparer un trousseau chez les femmes, soit pour assurer une sécurité financière chez les hommes. Hommes et femmes peuvent avoir autant intérêt à diminuer le nombre de naissances possibles en reculant la date du mariage. Ainsi, vers 1750, les marchands de Montréal pratiquent une telle stratégie. L'historien José Igartua a estimé que l'âge moyen de ces hommes à leur premier mariage était de plus de trente ans et celui de leur épouse, de vingt-cinq ans. Donc, mariage plus tardif que dans l'ensemble de la population.

Les taux de nuptialité demeurent relativement élevés tout au long du XVIIIe siècle. Les baisses périodiques dans le nombre annuel des mariages sont souvent le reflet de temps plus durs où guerres et maladies fauchent de futurs époux ou, du moins, rendent difficiles les fréquentations. Ainsi, selon les démographes Jacques Henripin et Yves Perron, le taux de nuptialité, pour toute la période 1711-1835, atteint son plus bas niveau entre 1776 et 1785. L'invasion américaine, la menace de guerre avec les Treize Colonies, quelques années de mauvaises récoltes et un fléchissement des prix agricoles, voilà autant de raisons pour ne pas se marier ou, du moins, pour retarder son mariage.

La plupart des Canadiennes prennent mari dans un cercle de connaissances relativement restreint. On épouse quelqu'un de la même classe sociale, de la paroisse ou d'une paroisse avoisinante. Au début du XVIIIe siècle, les Canadiens se marient le plus souvent avec des Canadiennes. Les immigrants choisissent surtout une des leurs. La présence de soldats en quartiers d'hiver chez les particuliers permet aux Canadiennes de faire la connaissance de jeunes Français. À certaines époques, les autorités françaises encouragent le mariage des soldats et leur établissement éventuel au Canada. Dans les bataillons de La Sarre et du Royal Roussillon venus combattre avec Montcalm, pas moins de 15 % des soldats se sont mariés au pays. Ces époux européens sont âgés de plus de vingt-huit ans en moyenne, selon les calculs du démographe Yves Landry, alors que leurs épouses ont le même âge que les autres filles du pays, soit entre vingt et un et vingt-deux ans. Dès l'occupation britannique, les Canadiennes de toutes les classes sociales se marient avec des soldats de l'armée anglaise. Un officier ou un marchand anglophone peut s'avérer pour celles-ci un bon parti. Ainsi, Marie-Catherine Fleury-Deschambault, veuve du baron de Longueuil, se remarie avec William Grant en 1770. Ses deux sœurs prennent John Fraser et William Dunbar pour maris.

Puisque le mariage ne se termine qu'avec la mort de l'un ou de l'autre conjoint, il importe de bien choisir son futur époux. Les considérations matérielles l'emportent sur toutes les autres. Chez les marchands, les seigneurs et les administrateurs, les origines familiales, la dot de la mariée ou la fortune du futur époux comptent avant tout. Dans la société de l'Ancien Régime où le statut social est tributaire de la naissance, il est important de ne pas faire de mésalliance. Les grandes familles de Nouvelle-France continuent à se marier entre elles et gardent ainsi la mainmise sur les privilèges qui accompagnent leur rang. Parfois, la richesse peut s'allier au statut social lorsqu'un marchand fortuné épouse une fille moins bien nantie mais de famille distinguée. De cette manière, au XVIIe et au XVIIIe siècle, on réussit à accomplir le renouvellement des premières familles de Nouvelle-France. Parmi les classes dirigeantes, le rôle social des femmes est important. Par ses connaissances mondaines et ses biens de famille, sinon par sa dot, une épouse peut constituer un apport capital pour la carrière de son mari ou de ses fils. Élisabeth Bégon elle-même raconte, dans ses lettres à son gendre en 1749, les différents projets de mariage dans les milieux mondains de la Nouvelle-France, n'hésitant pas à répéter l'opinion générale à propos de l'un de ceux-ci: «On dit que c'est un assez mauvais mariage du côté de la fortune.»

Plus les enjeux d'un mariage sont élevés, plus les parents ont intérêt à contrôler les fiançailles de leurs enfants. Puisque l'âge de la majorité est de vingt-cinq ans, selon la Coutume de Paris, le consentement des parents est indispensable. En pratique, rares sont les jeunes qui se marient sans l'approbation familiale, car la sanction peut être sévère. Par exemple, au début du XVIIIe siècle, le gouverneur Vaudreuil punit un jeune membre de sa famille d'avoir osé se marier sans sa permission en le bannissant, lui et son épouse, à l'Île royale (île du Cap-Breton).

À cause de telles sanctions, les mariages clandestins sont plutôt rares. Quoique rares, les mariages «à la gaumine» où l'homme et la femme s'épousent devant témoins lors de l'élévation pendant la messe ne plaisent aucunement aux autorités religieuses et civiles. En 1718, Mgr de Saint-Vallier émet un mandement menaçant d'excommunication ceux et celles qui ont recours à cette pratique de mariage. La même année, faisant fi de cette menace, Élisabeth Rocbert de la Morandière, vingt-deux ans, fille aînée du garde-magasin du roi à Montréal, épouse ainsi le chevalier Claude Michel Bégon, vingt-neuf ans, frère cadet de l'intendant Bégon et militaire de carrière. Comme il n'existe pas de caserne à Montréal à cette époque, Claude Michel habite dans la famille d'Élisabeth. Une bonne partie de ces mariages «à la gaumine» semblent être le fait d'officiers de l'armée française à qui on interdit un mariage qui limiterait leur disponibilité. Les membres de la famille Bégon désapprouvent le mariage puisqu'ils jugent que le rang social d'Élisabeth n'est pas assez élevé pour leurs ambitions. Ainsi, quelques-uns l'appellent l'«Iroquoise», et la famille fait pression sur les autorités civiles et militaires dont dépend le jeune couple. Le mariage dura trente ans, mais on ignore s'il fut heureux durant toutes ces années. Parmi les trois ou quatre enfants d'Élisabeth Bégon, un seul fils, parti très jeune pour la France, survivra à ses parents, sans compter la petite-fille, Marie-Catherine.

Les mariages d'amour semblent être exceptionnels à cette époque. Les parents dont les enfants se sont mariés par amour, à leur insu, implorent les autorités de faire casser ces unions. Ainsi, lorsque les deux filles du seigneur François Marie Picoté de Belestre, Marie-Anne et Mariette, épousent des capitaines de l'armée anglaise quelques années après la Conquête, les parents tentent de faire annuler ces mariages. En l'absence de son mari, la belle-mère de Marie-Anne, seconde épouse du seigneur Picoté de Belestre, intente une poursuite en reddition de comptes à sa belle-fille et son époux, John Warton. Elle refuse de reconnaître le mariage puisqu'il n'y a eu ni contrat de mariage, ni acte de célébration selon les rites catholiques, ni consentement du père. L'affaire aboutit devant la Cour des milices et le gouverneur Gage déboute la poursuite, affirmant que l'annulation du mariage serait préjudiciable à l'honneur des époux Warton et de leurs futurs enfants. Il paraît que les deux sœurs s'étaient tout simplement mariées devant l'aumônier du régiment de leurs maris.

Chez les habitants, on n'a sans doute pas le même souci exagéré d'alliance et de rang social. Mais une fille avec un trousseau bien garni possède un net avantage sur les autres. En 1797, à Chambly, Pierre Thomas Perot fils refuse d'épouser la mère de son enfant. Selon un témoin assermenté:

...Pierre Thomas Perot fils ait fréquenté la dite Marie Anne Collet en Cachet de Son Père et de Sa Mère et qu'il ait dit à lui et à d'autres, Si l'enfant n'avoit point le nez si large, qu'il l'auroit gardé, et si la dite Marie Anne Collet étoit plus riche qu'il l'épouseroit (...)[2]

On peut soupçonner que la véritable raison de son refus est associée à la pauvreté de sa maîtresse.

Enfin, chez les gens du peuple, tout laisse croire que les dots sont
rares: une fille espère amasser le linge de maison qui formera son trousseau. Souvent, les parents promettent, dans le contrat de mariage, une
avance d'hoirie ou d'héritage qui sera peut-être payée s'ils ont les
moyens. Même dans les familles aisées, les dots promises ne sont souvent pas versées, faute de ressources. Le 21 décembre 1748, le baron de
Longueuil confie à Élisabeth Bégon qu'il s'inquiète des amours de son fils
avec la jeune mademoiselle de Muy, car il craint que la famille de celle-ci
n'encourage le couple à se marier trop tôt pour son état financier.

> Je crains qu'on ne le presse de se marier; c'est une femme que
> Mme de Muy, entière et qui voudra me faire parler; mais je ne con-
> sentirai point que mon fils se marie si tôt, j'ai une fille à établir[3].

Les paysans du Canada devaient ressembler à ceux de la France et
rechercher surtout des épouses saines et robustes, travailleuses et infati-
gables plutôt que des beautés languissantes. Pehr Kalm, voyageur sué-
dois, qui visite le Canada en 1749, remarque que l'on surveille strictement
les fréquentations des jeunes filles. Les hommes ne peuvent faire la cour
à une fille si ce n'est dans le but d'un éventuel mariage. Cette préoccupation de l'honneur et de la réputation des jeunes femmes explique en partie les bas taux de naissances illégitimes et de conceptions prénuptiales.
Selon le démographe Hubert Charbonneau, seulement 8 % des enfants,
dans un échantillonnage pris au début du XVIIIe siècle, sont conçus
avant le mariage et, d'autre part, il est possible que les rapports sexuels
extramaritaux soient souvent accompagnés de pratiques contraceptives
(ces pratiques doivent cesser, en théorie du moins, lors du mariage,
l'Église réprouvant les époux qui s'adonnent aux plaisirs charnels stériles). De toute façon, dans ces petites communautés, les fréquentations
ont lieu au su de tout le monde et l'identité du père probable d'un enfant
est un secret de polichinelle. La désapprobation sociale et la honte attachées aux enfants bâtards encouragent les femmes à limiter leurs expériences sexuelles à leur mari ou, du moins, à leur fiancé. La conception
d'un enfant a sans doute hâté plus d'un mariage, car «nécessité fait loi».
Par exemple, dans un groupe de cent quarante et un soldats qui se
marient dans la région de Québec entre 1748 et 1756, quinze couples, au
moins, semblent avoir eu des rapports sexuels, puisque les enfants sont
nés peu de temps après le mariage. Dans deux ou trois de ces cas, les

enfants sont déjà nés et sont légitimés par la célébration du mariage. Marie Aimée Cliche a analysé cent trente-sept cas d'actes judiciaires ou notariés relatifs à des grossesses illégitimes en Nouvelle-France. Elle arrive à la conclusion que les hommes jouissaient d'une plus grande liberté sexuelle que les femmes, mais que la loi les obligeait à assumer leurs responsabilités de géniteurs.

Presque tous les couples passent chez le notaire pour signer un contrat de mariage, même ceux qui n'ont que très peu de biens. Jusqu'en 1866, c'est la Coutume de Paris qui règle les droits civils des individus en Nouvelle-France et au Bas-Canada. Cette Coutume établit la primauté juridique de l'époux, chef de famille, sur l'épouse et les enfants. Elle restreint les droits des individus, et surtout ceux des femmes, au nom de la famille.

À défaut de conventions spéciales dans leur contrat de mariage, les époux sont mariés selon le régime de la communauté de biens. Dès le mariage, tous les biens meubles et immeubles des époux, achetés ou gagnés, sont en communauté et administrés par le mari seul. Celui-ci peut vendre, donner ou engager ces biens, pourvu qu'il le fasse pour le bien de la communauté. Les seuls biens qui demeurent légalement propriété de l'épouse sont les immeubles reçus par succession ou par donation de ses parents. Toutefois, le mari peut disposer des fruits de ces biens: par exemple, percevoir des loyers ou vendre une récolte sans le consentement de la propriétaire. Par ailleurs, il ne peut pas vendre ces biens immeubles comme tels.

À la mort de l'un des époux, le survivant reçoit la moitié des biens de la communauté, l'autre moitié allant aux enfants en parts égales. De plus, la veuve a droit au douaire coutumier, sorte de pension qui doit la protéger de la pauvreté. C'est l'usufruit, c'est-à-dire la jouissance, de certains des immeubles du mari, qui sont restés en dehors de la communauté.

Dans leur contrat de mariage, les futurs mariés peuvent apporter des modifications à ce régime fondamental. La plupart des époux, au cours de leur mariage, n'ont pas d'immeuble pour servir de base à un douaire coutumier. Aussi, ils substituent un douaire conventionnel payable à l'épouse après la mort du mari et tiré sur tous les biens du mari. Un couple peut aussi convenir que le survivant acquerra, avant le partage, certains biens meubles ou une somme fixe de la communauté, un préciput, ou que, s'il n'y a pas d'enfants, l'époux survivant gardera le tout. Lorsque les époux attendent des héritages, on en fait mention et on détermine s'ils seront compris dans la communauté ou non. Dans tous les cas, la veuve peut renoncer à sa part de la communauté lorsqu'elle est déficitaire, privilège prévu pour compenser la mauvaise administration du mari.

Les clauses d'un contrat de mariage sont extrêmement importantes, car le taux de mortalité élevé fait beaucoup de veuves et
d'orphelins. Avant l'introduction de la liberté testamentaire, sous le
Régime anglais, le contrat de mariage est presque la seule façon de
contrôler ses biens après sa mort. La Coutume de Paris interdit aux
époux, une fois mariés, de se faire des dons, sinon des aliments et des
petits cadeaux, sous prétexte qu'on peut ainsi soustraire des biens aux
héritiers de chaque époux. Pour la même raison, d'autres règles de
droit limitent la possibilité, pour un individu, de conférer des biens à
d'autres personnes qu'aux membres de sa famille. Mais après 1801,
hommes et femmes peuvent disposer par testament de la totalité de
leurs biens, même de leur part dans la communauté, comme bon leur
semble. Cependant, au début du XIXe siècle, très peu de femmes font
des testaments.

Le principe du partage des biens de la communauté entre mari et
femme n'est pas accepté par les immigrants anglophones. Ceux-ci
sont habitués à la loi anglaise du *Common Law* où les femmes ont
peu de droits et où les biens sont sous la direction du mari, qui peut
ainsi amasser des capitaux plus vite. Gray, qui voyage au Bas-Canada
au début du XIXe siècle, remarque que le droit civil, avec ses règles de
partage, va à l'encontre du développement capitaliste. Mais il note
que beaucoup ont déjà trouvé le moyen d'éviter l'application de plusieurs de ces règles par la conclusion d'un contrat en séparation de
biens.

Ce cadre légal du mariage au XVIIIe et au XIXe siècle prive déjà les
femmes de plusieurs libertés individuelles. Sans l'autorisation maritale,
elles ne peuvent accomplir aucun acte légal ni se lancer en affaires. La
domination du mari sur les biens familiaux est absolue. Toutefois,
lorsqu'on compare la Coutume de Paris au *Common Law* qui régit les
immigrants du Haut-Canada à partir de 1791, la situation des femmes
d'ici paraît très favorable. La Coutume de Paris favorise les créances de
la femme et des enfants par rapport à celles des créanciers ordinaires,
et leur donne même le droit de racheter certains biens de la famille
vendus aux étrangers. Mais, après 1760, les hommes anglophones, à
l'esprit capitaliste, se plaindront du fait que ces lois rendent l'accumu-
lation d'une fortune très difficile.

Le capitalisme se heurte aux droits des femmes

When one of the parents dies, an inventory is made of the property, and each child can immediately insist on the share of the property the law allows. The French law supposes that matrimony is a co-partnership; and that, consequently, on the death of the wife, the children have a right to demand from their father the half of his property, as heirs to their mother. If the wife's relations are not on good terms with the father, a thing that sometimes happens, they find it no difficult matter to induce the children to demand a partage, *or division, which often occasions the total ruin of the father, because he loses credit, equal, at least, to his loss of property, and often to a greater extent. His powers are diminished, and his children still have a claim on him for support. (...)*

The law, making marriage a co-partnership, *and creating a* communauté de bien, *is sanctioned by the* code of French law, *called* Coutume de Paris, *which indeed is the* text book *of the Canadian lawyer; the wife being by marriage invested with a right to half the husband's property; and, being rendered independent of him, is perhaps the remote cause that the fair sex have such influence in France; and in Canada, it is well known, that a great deal of consequence, and even an air of superiority to the husband, is assumed by them. In general (if you will excuse a vulgar metaphor),* the grey mare is the better horse.

British subjects coming to this country are liable to the operation of all these Canadian or French laws, in the same manner that the Canadians themselves are. — They are not always aware of this circumstance; and it has created much disturbance in families. A man who has made a fortune here (a thing by the bye which does not very often happen), conceives that he ought, as in England, to have the disposal of it as he thinks proper. No, says the Canadian law, you have a right to one half *only; and if your wife dies, her children, or, in case you have no children,* her nearest relations, *may oblige you to make a* partage, *and give them half your property, were it a hundred thousand guineas, and they the most worthless wretches in existence. Nothing can prevent this but an antinuptial contract of marriage, barring the* communauté de bien.

Source: Gray, H., *Letters from Canada Written During a Residence there in the Years 1806, 1807 and 1808*, Londres, 1809.

On passe chez le notaire quelques semaines à peine avant le mariage. La date du mariage doit forcément convenir aux habitudes d'une population surtout catholique et rurale. Il est difficile de convoler pendant le Carême et l'Avent, durant lesquels l'Église décourage les célébrations, et pendant les semences ou les moissons. C'est pourquoi les mois de novembre, de janvier et de février sont privilégiés. Sinon, on se marie au mois d'avril, après Pâques, et aux mois de septembre et d'octobre, à la fin des travaux agricoles. Très peu de mariages ont lieu pendant le reste de l'année.

Les noces constituent à la fois une occasion religieuse solennelle et un prétexte aux festivités. À la messe et à la bénédiction du lit nuptial, symbole de la fertilité du mariage, succède la fête qui, chez les gens fortunés, peut durer plusieurs jours.

Les noces permettent de faire montre de sa prospérité et de son rang social, souci particulièrement poussé chez les classes dirigeantes, qui transforme certains mariages en véritables fêtes mondaines. La mariée, comme les invités, met sa plus belle robe qui sera, selon la mode de l'époque, très colorée. On ignore ce que pensent les mariées le jour de leurs noces. Mais Mlle de la Ronde eut suffisamment d'esprit, lors de la célébration de son mariage vers 1749, pour que circulent les propos suivants:

> (...) le curé doit, avant d'administrer le sacrement, savoir si les futurs époux sont instruits. Le curé de Québec qui est un jeune homme venu cette année de France, homme très scrupuleux, questionna M. de Bonaventure qui lui répondit sur tout fort sagement. Après quoi, il le pria de faire entrer, comme il avait fait dans la sacristie, Mlle de la Ronde, à qui il demanda si elle savait ce que c'était que le sacrement de mariage. Elle lui répondit qu'elle n'en savait rien, mais que s'il était curieux, que dans quatre jours, elle lui en dirait des nouvelles. Le pauvre curé baissa le nez et la laissa là[4].

Ordonnance sur la célébration du mariage

*Afin que les Curez soient en état de remedier plus efficace-
ment aux irreverences et profanations scandaleuses qui
arrivent tres-souvent dans la celebrations des Mariages Nous
jugeons à propos de leur ordonner d'avertir les personnes
qui voudront se marier qu'ils ont reçu ordre de Nous de ne
point admettre à la Benediction Nuptiale, les personnes du
sexe qui seront immodestement habillées, qui n'auront pas
la tête voilée, qui auront le sein découvert, ou seulement couvert d'une toile transparente. Nous leur ordonnons encore
d'empêcher autant qu'ils pourront, qu'il ne se commette
aucune impieté, bouffonnerie ou insolence, soit dans
l'Eglise, soit en y venant ou en s'en retournant, le jour que
l'on conferera ce Sacrement, ou le lendemain des Nôces. Et
pour les empêcher efficacement Nous voulons qu'ils ayent
recours au Bras Séculier, si cela est nécessaire.*

Source: Mgr de Saint-Vallier, *Rituel du Diocèse de Québec*, 1703.

Au cours de seconds mariages, qui unissent des gens de conditions ou d'âge très différents, les voisins signalent ces unions désas-
sorties par un charivari. Les gens se rassemblent sous les fenêtres de
la maison des nouveaux mariés, chantant et dansant jusqu'à ce que
l'époux sorte ou leur jette une petite récompense. Cette coutume, qui
était à l'origine une façon de manifester la désapprobation populaire
face au mariage, persistera jusqu'au XXe siècle, moins bruyante
cependant.

L'amour romantique, tel qu'on le connaît aujourd'hui, paraît largement absent des rapports entre hommes et femmes ou, du moins, entre
mari et femme. Mais, si les mariages ne semblent guère se faire pour
des motifs romantiques, on y dénote une certaine affection, voire de
l'amour, entre les époux, ainsi qu'en témoigne la correspondance entre
mari et femme à la fin du XVIIIe siècle. Mais il s'agit ici de gens des
classes supérieures qui nous ont laissé leurs écrits. On ignore ce qui se
passe dans les autres classes de la société.

Mandement Au sujet d'un charivari

FRANÇOIS, par la grâce de Dieu et du Saint-Siège, premier Évêque de Québec.

Ayant été informé qu'en conséquence du mariage célébré dans cette ville de Québec depuis six jours, grand nombre de personnes de l'un et l'autre sexe se seraient assemblées toutes les nuits sous le nom de charivari et auraient dans leurs désordres et libertés scandaleuses, comme il arrive ordinairement, commis des actions très impies et qui vont à une entière dérision de nos mystères, et des vérités de la Religion chrétienne et des plus saintes cérémonies de l'Église, ce qui nous aurait obligé de recourir au bras séculier pour faire cesser ces sortes d'assemblées, lequel aurait employé son autorité pour les reprimer, nonobstant quoi nous avons appris que non seulement ils continuent, mais encore qu'ils vont augmentant de jour en jour aussi bien que leur impiété, ce qui nous oblige par le devoir de notre charge de joindre l'autorité de l'Église à celle du bras séculier, et de nous opposer de tout notre pouvoir à ces sortes d'impiétés et à de telles assemblées expressément défendues à tous les fidèles de l'un et l'autre sexe, et même par les ordonnances civiles, comme n'y ayant rien de plus préjudiciable à la religion, aux bonnes mœurs, au bien public, et au repos de toutes les familles. Nous pour ces causes et pour apporter un remède convenable à un si grand mal qui ne pourrait avoir que des suites et des conséquences très funestes, faisons très expresses inhibitions et défenses à tous fidèles de l'un et l'autre sexe de notre diocèse de se trouver à l'avenir à aucune des dites assemblées qualifiées du nom de charivari, aux pères et aux mères d'y envoyer ou permettre que leurs enfants y aillent, aux maîtres et maîtresses d'y envoyer leurs domestiques, ou permettre volontairement qu'ils y aillent, le tout sur peine d'excommunication. Et afin que personne n'en prétende cause d'ignorance, nous voulons que notre présente ordonnance soit lue et publiée au prône de l'église paroissiale de Québec et autres lieux de notre diocèse, et affichée à la porte des églises.

Donné à Québec le 3e juillet mil six cent quatre vingt trois. FRANÇOIS, Évêque de Québec.

Source: *Mandements des évêques du diocèse de Québec*, Tome I, 3 juillet 1683, Québec, 1887.

La grande dépendance des deux sexes dans le partage du travail quotidien, à cette époque, les amène sans doute à s'apprécier mutuellement. La vie se conçoit difficilement sans l'autre. Les femmes sans mari sont destinées, pour la plupart, à la marginalité et à l'insécurité financière. Les hommes seuls peuvent difficilement accomplir leur travail et tenir la maison. Cette complémentarité des rôles et la quasi-impossibilité de rompre un mariage ont dû encourager les femmes à s'accommoder le mieux possible de leur union.

Les voyageurs et les marchands vivant de la traite des fourrures ont particulièrement intérêt à avoir une femme à leur côté. La présence d'Amérindiennes servant d'interprètes et de guides, fabriquant les raquettes et dressant les fourrures se révèle essentielle à la survie des Blancs dans le Nord-Ouest. La plupart de ces femmes sont restées anonymes. Toutefois, l'histoire a retenu les noms d'Acoutsina, «esquimaude captive» au détroit de Belle-Isle et de Thanadeltur, de la tribu des Chipewyans, qui joua un rôle important en 1715 dans une mission de paix au sud de la baie James.

Anglophones et francophones, au grand scandale des missionnaires, prennent des épouses de droit commun chez les autochtones. Ces mariages «à la façon du pays» durent aussi longtemps que le séjour de l'époux dans l'Ouest. Ces femmes, avec leurs enfants métis, réintègrent ensuite leurs tribus.

Cependant, la désagrégation de la société indienne par suite du contact avec la civilisation blanche rend bientôt impossible l'assimilation des enfants de Blancs. Au début du XIXe siècle, les femmes et les enfants abandonnés aux postes de traite deviennent une lourde charge pour les compagnies de fourrure. Les filles mi-indiennes mi-blanches nées de ces unions cohabitent à leur tour avec les employés des compagnies du Nord-Ouest ou de la baie d'Hudson et acceptent de moins en moins la désertion quasi inévitable du père de leurs enfants. Quelques Blancs démontrent une réelle affection pour leur épouse indienne ou métisse et tentent de pourvoir à l'éducation de leurs enfants. Mais beaucoup d'entre eux rejettent leur compagne dès qu'ils font fortune et qu'ils peuvent se fiancer à une femme blanche.

L'historienne Sylvia Van Kirk relève plusieurs exemples de cette façon insouciante de traiter les femmes. J.G. McTavish, un des principaux administrateurs de la compagnie de la baie d'Hudson, abandonne une première épouse métisse, ce qui la pousse à l'infanticide. Ensuite, vers 1813, il marie «à la façon du pays» Nancy McKenzie, fille naturelle de Roderick McKenzie de la compagnie du Nord-Ouest. Cette union dure dix-sept ans et au moins sept enfants en naissent. Puis, en 1830, en Écosse, il marie une jeune demoiselle. En la ramenant aux Terres de Rupert, il s'arrête à Montréal où sa fille de treize ans, Mary, est à l'école. Lorsque Mary est présentée publiquement à la nouvelle madame McTavish, celle-ci se trouble et quitte la pièce en larmes, humiliée par ce rappel trop brutal des unions précédentes de son mari. L'ex-épouse métisse de McTavish multiplie les scènes et McTavish essaie de faire taire son ancienne épouse, fortement déprimée par tous ces événements, en tentant de lui trouver un nouveau mari. En 1831, il donne un congé d'une semaine à un employé à la Rivière-Rouge, Pierre Leblanc, et lui promet une dot de deux cents livres sterling s'il épouse Nancy McKenzie. Leblanc accepte l'offre et se marie avec elle à l'église de Saint-Boniface.

Même si le mari est le chef de la famille et que son épouse lui doit obéissance, il semble que bien des épouses aient souvent défié leur mari. Ainsi, à la fin du Régime français, un notable de Montréal désapprouve le comportement de sa femme mais ne semble pas pouvoir lui en imposer un autre. Le 14 février 1749, Élisabeth Bégon raconte:

> De Muy me disait après dîner qu'il ne voulait plus que sa femme et sa fille y fussent et qu'il ne convenait point de passer les nuits à danser et à dormir le jour pendant que le saint sacrement est exposé. Je ne sais qu'il soutiendra cela aisément[5].

Quelques jours plus tard, elle apprend qu'une charmante veuve a refusé la main d'un membre de la famille La Vérendrye:

> (…) qui comptait que sitôt qu'il parlerait son affaire serait faite. Mais il s'est trompé: elle ne souhaite qu'une personne qui l'amuse et qui lui tienne compagnie et point un maître[6].

Si bien des maris ont été infidèles, plusieurs femmes ne se sont pas toujours conformées au modèle idéal de l'épouse chaste et soumise. Écoutons encore Mme Bégon répéter les potins de la bonne société montréalaise:

> Mme Vassan, dont le mari est au fort Frontenac et qui l'avait laissée chez son père, ne s'y est pas trouvée en assez grande liberté. Elle a pris appartement chez Martel où elle est bien secondée par sa femme, aussi folle l'une que l'autre; elle court jour et nuit[7].

L'historien Jean-Pierre Wallot trace le portrait de ces mêmes milieux du début du XIXᵉ siècle, où les bien-pensants se scandalisent des cas de bigamie et où les maris cocus se réconfortent en séduisant les femmes de chambre. Il ne semble pas que les Canadiens des classes supérieures, à l'encontre des Européens, aient eu recours aux duels pour rétablir l'honneur masculin dans de tels cas. Est-ce là un signe d'une certaine permissivité à l'égard du comportement féminin?

De 1700 à 1760, on ne retrouve qu'une seule femme condamnée pour adultère. En 1733, Geneviève Millet, épouse du marin Pierre Roy, se voit condamnée à réparer le scandale qu'elle a fait. Elle doit donc faire amende honorable, soit être fouettée dans les lieux publics et les carrefours de la ville de Québec avant d'être enfermée avec les prostituées à l'Hôpital-Général. La rareté des accusations de ce genre laisse croire à une certaine tolérance à l'égard des soi-disant délits conjugaux. Cependant, il est à remarquer que les femmes ne semblent jamais porter plainte pour adultère contre leurs maris. De plus, une femme adultère peut être privée de son douaire, mais le mari infidèle ne met pas en jeu son héritage. Cette double norme imposant la chasteté aux femmes et la suggérant seulement aux hommes fait partie des lois et des pratiques religieuses de toutes les sociétés européennes de l'époque.

La brutalité masculine envers les femmes semble être acceptée comme inévitable. Les femmes portent rarement plainte contre leur mari pour voies de fait. Pourtant, il y a bien des femmes battues. Charlotte Martin-Ondoyer se promène sur la place du marché de Montréal, un jour de 1734, lorsque, troublée par la boisson, selon ses propres dires, elle prend un portefeuille dans la poche de la demoiselle Godefroy de Linctôt. Lorsqu'il apprend ce délit, son mari, Antoine Laurent, tambour-major, la bat. En 1744, un autre mari croit nécessaire de corriger sa femme lorsqu'elle se laisse emporter par la colère et fait un œil au beurre noir au frère économe de la communauté des frères Charron. Marie-Madeleine César, dite Lévard, se fait battre par son mari qui veut lui montrer qu'il est «(…) opposé à toute violence». Ces incidents ne nous sont parvenus qu'à cause de circonstances exceptionnelles. Ainsi, au cours d'une enquête judiciaire sur le comportement de sa femme, un mari a tout intérêt à démontrer qu'elle a déjà été suffisamment corrigée pour ses méfaits. Dans les rares procès en séparation, les femmes se plaignent de la brutalité de leur mari. En dehors de ces situations inhabituelles personne ne pense à relever la violence masculine au sein des familles, à une époque où le niveau de violence physique est assez élevé.

Les femmes préfèrent avoir leurs maris auprès d'elles. En 1749, les autorités militaires de la colonie se voient importunées par les femmes voulant faire exempter maris et fils du service militaire. Est-ce qu'il y a des raisons sentimentales qui s'ajoutent aux préoccupations matérielles? On ne saurait le dire. En 1780, Marguerite Bender est triste que son nouveau mari soit attaché à un régiment ambulant et s'en plaint à sa cousine, la veuve Baby. L'année suivante, elle confie que son mari se fait toujours regretter.

L'histoire passe également sous silence la nature des rapports sexuels entre hommes et femmes. Le mythe de la frigidité féminine n'a été inventé que très récemment et les sociétés de l'Ancien Régime reconnaissent la sexualité des femmes et leur besoin d'épanouissement, à condition que ce soit dans le cadre du mariage.

L'Église du XVIIIe siècle ne semble pas faire de distinction entre les besoins sexuels de l'époux et de l'épouse, paradoxe d'une religion qui subordonne autrement la femme à son mari, et ils doivent se rendre mutuellement «les devoirs du mariage». Cependant, on reconnaît que:

> (...) il y a cependant des raisons qui peuvent dispenser légitimement l'une des deux parties de rendre à l'autre le devoir du mariage; comme l'adultère de l'une des deux parties, une maladie notable, la grossesse, quand il y a danger de nuire à l'enfant, et le péril de prendre quelque mal contagieux[8].

«Le danger de nuire à l'enfant» renvoie probablement au tarissement du lait maternel qui pouvait survenir au cours d'une nouvelle grossesse, mettant ainsi en péril la vie du dernier-né. Mais la pudeur qui caractérise ces sociétés cache le comportement intime des gens, comme les grands rideaux autour du lit des parents camouflaient ses occupants. D'ailleurs, dès la fin du XVIIe siècle, un mandement des évêques commande aux parents de séparer les lits des enfants des deux sexes.

De rares récits laissent croire que les rapports sexuels, surtout les interdits, se passent aussi bien le jour que la nuit dans des endroits solitaires et disponibles: derrière la cabane à sucre, dans un boisé, caché dans le fossé. Certains maîtres de la maison, Pierre le Gardeur de Repentigny en est un exemple, profitent des absences de leur épouse pour violer sans vergogne une domestique.

Maternités

Entre le mariage et la ménopause, une femme du XVIIIe siècle et du début du XIXe siècle peut s'attendre à accoucher à intervalles réguliers et parfois même tous les douze mois. Durant leurs années fertiles, les femmes sont tellement accaparées par la maternité qu'il est permis de se demander comment elles peuvent accomplir toutes leurs autres tâches. L'épuisement dû aux accouchements successifs et les complications qui s'ensuivent peuvent expliquer les taux élevés de mortalité des jeunes mères.

Aux XVIIIe et XIXe siècles, la population canadienne s'accroît de façon continue. La courbe des naissances, entre 1711 et 1835, montre comment celle-ci est sensible aux conjonctures économiques et politiques. Par exemple, les plus hauts taux de natalité de 1736 à 1835 correspondent à la période 1761-1770, lorsque la guerre ne retire plus les habitants de leurs terres. La courbe la plus basse est due en général

Berceau traditionnel
Jean Palardy. *Les Meubles anciens du Canada français*

aux crises économiques qui retardent les mariages et augmentent la mortalité, se répercutant ainsi sur le nombre de naissances. La sous-alimentation chronique rend les femmes moins fertiles et augmente le nombre de fausses-couches.

Puisque les fausses-couches pendant les premiers mois de gros-sesse ne sont pas comptabilisées dans les statistiques historiques, il est probable que les femmes deviennent enceintes plus souvent qu'on ne le dit. Au XVIIIe siècle, les démographes calculent qu'elles avaient en moyenne sept enfants si le mariage n'était pas interrompu prématuré-ment par la mort, mais il est possible qu'elles en aient eu davantage.

Les conceptions suivent les saisons et le calendrier de l'Église. Celle-ci refuse de célébrer les mariages pendant les jours de pénitence et encourage les époux à l'abstinence sexuelle pendant ces périodes. Toutefois, si l'un des époux exige quand même les devoirs conjugaux, l'autre doit s'y plier. Les conceptions sont plus nombreuses pendant les mois de mai à septembre ainsi qu'en janvier et février, fait qui contredit la croyance voulant que les maris partent tous les printemps faire la traite des fourrures.

Même si les accouchements répétés font inévitablement partie de leur vie d'épouse, les femmes ont de bonnes raisons de les craindre. Au XVIIe siècle (le seul pour lequel nous avons des chiffres précis), on constate une mortalité accrue des femmes de trente à quarante-cinq ans. En fait, les femmes de ce groupe d'âge courent de plus grands risques de mortalité que les hommes et les complications qu'entraînent les accouchements multiples en sont sûrement la seule explication.

L'accouchement est douloureux, difficile et souvent mortel. C'est une occasion pour les femmes de s'entraider et de se réconforter. La correspondance de la veuve Marie-Thérèse Baby laisse entrevoir l'ombre que jettent les accouchements sur la vie des femmes. En 1762, sa sœur est morte en couches en laissant huit enfants et, en 1765, elle relate qu'elle se rendit à Chambly aider une amie qui a été «dangereuse-ment malade» à la suite d'un accouchement. Dans une lettre de 1771, elle raconte que Mme Longueuil a accouché d'un garçon et qu'«elle a payé cher la satisfaction d'un second mariage». La même année, elle raconte qu'une amie «(...) a été accouchée d'un garçon, elle a été fort en danger». Deux ans plus tard, elle confie que:

> Madame Ryves a été très malade de sa couche, le détail de son accouchement (et les suites) nous a fait verser beaucoup de larmes[9].

Les femmes se font accoucher par la sage-femme de la paroisse. Celle-ci, sous le Régime français, est souvent élue par l'assemblée des femmes de la paroisse, comme Catherine Guertin, âgée d'environ quarante-six ans, qui, en février 1712, est élue à la pluralité des suffrages des femmes de Boucherville et doit prêter serment devant le curé, selon l'ordonnance de l'évêque de Québec. Selon l'historienne Hélène Laforce, la Nouvelle-France possède un véritable réseau hiérarchisé de sages-femmes, reconnu et administré par l'État. Dans les villes, les sages-femmes sont payées à un salaire presque équivalent à celui de chirurgien du roi. Elles sont formées à l'Hôtel-Dieu de Paris. À la campagne, l'apprentissage est insuffisant et les sages-femmes exercent dans le cadre de l'entraide. En 1755, elles revendiquent au ministre des colonies la création d'une école d'enseignement de l'art des accouchements. Cette idée est reprise sous le Régime britannique, mais ne sera jamais réalisée. À la fin du XVIIIe siècle, les sages-femmes forment une profession reconnue et inscrite dans les annuaires officiels.

Dans les villes, à la fin du XVIIIe siècle, on trouve des chirurgiens-accoucheurs qui offrent leurs services à celles qui peuvent se les payer. Les chirurgiens possèdent des instruments, tels les forceps, qui permettent de dégager les enfants en difficulté. Les connaissances de la gynécologie et de l'obstétrique restent toutefois fort rudimentaires, comme en témoigne l'initiative du curé Boissonault de l'île d'Orléans qui, inquiet du taux élevé de mortalité dans la paroisse, achète en 1813:

> (...) un traité des maladies des femmes composé par François Mauriceau, Seconde Édition a paru chez l'auteur MDCLXXV (1675) pour servir à l'instruction des femmes accoucheuses de la paroisse de St-Pierre entre les mains desquelles il doit passer successivement sans qu'aucune d'elles puisse en prétendre aucun droit de propriété[10].

Il est difficile de juger de l'attitude des parents envers les nouveau-nés. Antoine Foucher, marié en 1743, prend le soin de consigner les naissances et les décès de tous ses enfants dans un cahier qu'il intitule «Âge des enfants qu'il a plu au Seigneur nous envoyer depuis notre mariage». De 1744 à 1767, il y inscrit quinze entrées, incluant deux mentions de fausse-couche: «Ma femme est accouchée pour s'être blessée enceinte de trois mois.» En 1792, il n'y a que quatre de ces enfants qui sont toujours vivants... En 1804, la veuve Faribault de Saint-Henry de Mascouche écrit à sa fille, enceinte pour la cinquième fois:

> Chaque fois qu'il t'arrive de me faire grand-mère il me semble que je rajeunis, ce qui me fait peine cependant c'est que cela te vieillit, tout considéré, je souhaite que vous vous teniez tranquilles, ou du moins que vous vous reposiez pendant seulement une vingtaine d'années, permis à vous après ce temps de recommencer de plus belle...[11]

L'historienne Danielle Gauvreau, qui étudie la ville de Québec avant 1730, soutient que la mise en nourrice des nouveau-nés est un phénomène de faible ampleur mais qui s'intensifie au début du XVIIIe siècle. Il a cours surtout dans les familles de marchands ou d'officiers, civils et militaires. Le marchand montréalais Pierre Guy note scrupuleusement la naissance, le décès et la somme qu'il paie à la sage-femme et à la nourrice pour chacun de ses enfants. Ceux-ci sont mis en nourrice le jour même de leur naissance, ou au plus tard le lendemain, chez les habitants de paroisses aussi éloignées que Saint-Léonard, Saint-Michel et Sault-aux-Récollets. Mme Guy accouche de sept filles et de sept garçons, mais peu d'entre eux vivent très longtemps. Ceux qui survivent restent en nourrice jusque vers l'âge de deux ans.

> Marie-Louise, ma troisième fille est née le 31 mars 1776 et elle a été mise en nourrice le 1er avril ché la nommé Sénée habitant de la Chine à 12" par mois ou elle a resté jusqu'au 29 aoust ce qui Fait 5 mois un jour Pourquoy je lui ait payé... le 30 aoust 1766 *(sic)* J'ai confié Marie Louise ché Joseph La Chapelle de St. Léonard elle est morte le même jour de son arrivée ché le dit la Chapelle Payé à la sage femme 48"[12].

En France, à la fin du XVIIIe siècle, on assiste à une valorisation de la maternité, stratégie qui encourage les mères à s'occuper elles-mêmes des poupons. La mise en nourrice est alors condamnée comme pratique meurtrière. Dorénavant, les mères doivent allaiter leurs nouveau-nés et veiller jour et nuit auprès du berceau. La mère ne doit plus quitter son jeune enfant. Ainsi, les médecins, démographes et hommes politiques espèrent augmenter le nombre de citoyens qui peuvent servir la patrie. Est-ce cette nouvelle définition de la maternité qui incite Julie Bruneau à allaiter ses propres enfants dans les années 1820? Elle écrit en effet à Papineau:

> (…) je ne vois aucune raison de sevrer la petite elle est encore trop jeune et de plus elle n'a pas encore de dents ce qui est toujours la principale raison qui fait que l'on ne sevre pas les enfants à moins que l'on fait d'autres motifs, et moi qui n'en ai aucun je me porte bien et cela ne me fatigue pas de nourrir…[13]

La plupart des enfants sont conçus à l'intérieur du mariage. Au XVIIIᵉ siècle, les taux de naissances illégitimes restent relativement bas. L'Église et la Coutume de Paris sanctionnent sévèrement les bâtards, et un homme est fortement incité à épouser celle qu'il a mise enceinte. Sous la Coutume de Paris, un bâtard est un paria, car il ne peut hériter de ses parents que dans une mesure très limitée. De la même façon, la loi empêche un homme de donner, pendant sa vie, plus qu'une pension alimentaire à sa concubine. En plus de la honte attachée à la naissance illégitime, la fille-mère et son enfant doivent faire face aux problèmes de l'existence matérielle. Garder sa virginité jusqu'au mariage relève autant de la prudence que de la pudeur. Toutefois, la liberté testamentaire introduite sous le Régime anglais permettra d'adoucir les rigueurs de la Coutume de Paris. Une étude du contenu des testaments établis à Montréal vers la fin du XVIIIᵉ siècle démontre que quelques hommes ayant des enfants illégitimes laissent des legs à ceux-ci ainsi qu'à leurs mères.

Aussi longtemps que les communautés restent petites, il n'est pas facile de cacher les fréquentations, et encore moins les grossesses. Mais dans les cas où les femmes s'éloignent de la surveillance de la famille et du voisinage, elles sont susceptibles d'avoir des rapports sexuels illicites. Ainsi, plusieurs d'entre elles, sans doute séduites par une promesse de mariage, découvrent trop tard que leurs amants ne veulent ni d'elles ni de leur enfant. Au cours des traversées, les immigrantes sont particulièrement vulnérables à ce genre de séduction. Lorsque les troupes sont logées près des villes, les enfants abandonnés par les prostituées ou par les filles séduites remplissent les crèches, de même que ceux des domestiques victimes de harcèlement sexuel, phénomène qui semble une constante dans l'histoire.

L'exposition des enfants

LA PAUVRE FILLE
(Air. — Autrefois j'aimais une belle.)
Rien ne m'appartient sur la terre
Je n'eus pas même de berceau;
On me trouva sur une pierre
Devant l'église du hameau.
Du sein maternel repoussée,
J'ai pleuré quatorze printemps;
Reviens, ma mère, je t'attends } *bis*
Sur la pierre où tu m'as laissée.

Source: La Guirlande ou le Recueil de Chansons Canadiennes
(Publié en 1853 à Trois-Rivières par George Stobbs).

Sous le Régime français, le gouvernement fait placer les bâtards chez des nourrices et les filles illégitimes deviennent domestiques aussitôt que possible. Plus tard, les autorités britanniques versent des sommes d'argent aux Sœurs Grises pour défrayer les dépenses occasionnées par la prise en charge d'enfants trouvés. Mais, au début du XIXe siècle, le commerce avec l'Angleterre et l'immigration déclenchent l'expansion rapide des villes où se retrouve une large population masculine, mobile et célibataire: immigrants, soldats, marins, engagés, journaliers; il en résulte une croissance remarquable des naissances illégitimes. En 1801, l'Assemblée législative du Bas-Canada doit modifier les lois portant sur les concubines et les bâtards. Deux solutions s'offrent alors aux femmes à qui la naissance d'un enfant illégitime apporte un fardeau social et matériel insurmontable: tuer l'enfant et courir le risque de se faire accuser d'infanticide, ou bien le déposer de préférence aux portes de l'église ou d'une communauté religieuse, espérant qu'il sera ramassé avant de mourir...

Maladie et mort

L'omniprésence de la maladie et de la mort est ressentie particulièrement par les femmes. À l'accouchement, elles frôlent souvent la mort et les enfants qu'elles mettent au monde meurent fréquemment avant elles. Le taux élevé de mortalité chez les adultes fait bien des veufs et des veuves. Voici la lettre de Marguerite d'Youville écrite à une mère en France, lui annonçant la mort de sa fille, Mme Mackay:

> Madame, je voudrais bien avoir quelque chose de flatteur à vous dire, mais, au contraire, j'ai une nouvelle des plus sensibles causée par la mort de Mme Macailye (Mackay), votre chère fille, arrivée le 13 de ce mois à midi. Notre consolation est qu'elle a souffert avec une patience héroïque, qu'elle a reçu tous les sacrements et c'est elle-même qui a demandé l'Extrême-Onction, après lequel elle voulut faire encore une confession générale. Monsieur son mari et son frère se sont prêtés à tout ce qu'il fallait pour qu'elle ne manquât de rien, tant pour le spirituel que pour le temporel. Ils sont dans une affliction que je ne puis vous dépeindre... Les deux enfants sont aux soins de leur oncle, n'en soyez pas inquiète. Ils sont parfaitement aimables. Revenons à notre chère défunte. Elle est accouchée au mois de février, je crois, point bien portante, d'un garçon qui avait environ deux mois. Elle a toujours été souffrante depuis ce temps, et arrêtée tout à fait depuis la mi-avril. Son mari la promenait quelquefois en calèche pour lui faire prendre l'air. Mme de Bayouville ne l'a pas laissée depuis ce temps, et depuis le mois de mai jusqu'à celui d'août qu'elle est à Laprairie où elle est morte. Elle a toujours eu besoin de veilleuses qu'elle a trouvées ici, et je lui ai donné la vieille Champigny, qui demeure ici, pour la soigner à Laprairie; elle n'est pas encore revenue. M. Macaily (Mackay) m'a fait prier de lui laisser quelques jours, ce que j'ai fait volontier. Il a donné sa belle robe à l'église de Laprairie[14].

Un deuxième, et même un troisième mariage sont fréquents et souvent nécessaires pour les femmes à qui les maris n'ont pas laissé de quoi faire vivre la famille. Une veuve avec des enfants en bas âge ne peut guère cultiver sa terre seule. Les femmes avec un patrimoine se remarient vite, car leurs terres font d'elles des partis intéressants pour les hommes célibataires. Les traces des frictions que ces mariages causent entre les belles-familles et les enfants des différents lits pullulent dans les archives notariales.

Mais toutes les veuves ne se remarient pas. Pour la plupart, le veuvage s'associe à la pauvreté. Un homme hésite à marier une veuve dans le besoin et n'ayant pas d'héritage, quand il faut nourrir ses enfants en plus. Les femmes plus âgées ne trouvent souvent pas de mari. Elles vivotent, faisant de la couture ou prenant des pensionnaires. En 1744, 5 % des domestiques de la ville de Québec sont des veuves dont l'âge moyen est de quarante-huit ans. Celles-ci n'ont visiblement pas d'autre gîte que celui de leurs maîtres.

Les rares veuves qui en ont les moyens peuvent se retirer chez les religieuses où elles louent une chambre, et finissent leurs jours dans la prière et la dévotion. Rares sont celles qui, jeunes et fortunées, peuvent faire ce qui leur plaît. Ce n'est pas une coïncidence si Mme de La Peltrie, Marie de l'Incarnation et Marguerite d'Youville furent toutes des veuves, libérées du joug marital, qui purent dépenser leurs énergies ailleurs qu'au foyer, car les veuves jouissent de tous leurs droits sous la Coutume de Paris, hors de la portée de la puissance paternelle ou maritale. Elles peuvent d'autre part devenir facilement «veuves joyeuses» si elles ne sont pas sollicitées par une œuvre charitable.

Les parents vieillissants songent à préparer leurs vieux jours tout en prévoyant l'établissement de leurs enfants. Bien que la Coutume de Paris prévoie une division égale de l'héritage, on peut contourner ces contraintes par le jeu des donations et, plus tard, par les testaments. D'habitude, les fils sont favorisés, recevant des terres, des instruments aratoires ou des bâtiments. Les filles reçoivent souvent leur part d'héritage en biens meubles lors de leur mariage.

La méfiance qui a pu exister entre les membres d'une famille se voit dans les actes notariés. Ces actes notariés stipulent que, en retour du don qu'ils font à leur enfant, celui-ci entretiendra ses parents jusqu'à leur mort. On énonce soigneusement ce qui doit être fourni: chambre garnie, vêtements d'hiver et d'été, tabac et aliments préférés. Parfois, les parents garderont quelques animaux et un wagon ou une carriole pour se déplacer. Beaucoup de femmes ont ainsi passé leurs dernières années chez leurs enfants.

Tout compte fait, la vie des femmes, même accaparée par de nombreuses maternités, déborde largement l'univers des langes et des enfants, car dans l'Ancien Régime les femmes occupent une place qui nous semble aujourd'hui considérable.

Notes du chapitre 3

1. Élisabeth Bégon, *Lettres au cher fils*, Nicole Deschamps, éd., Montréal, Hurtubise HMH, 1972, le 9 janvier 1749, p. 64.

2. Déclaration de Nicolas Demers, le 10 juin 1797, *Collection Baby*, Archives de l'Université de Montréal, série A 2, boîte 4.

3. Élisabeth Bégon, *op. cit.*, le 21 décembre 1748, p. 54.

4. *Ibid.*, le 6 février 1749, p. 69.

5. *Ibid.*, le 14 février 1749, p. 83.

6. *Ibid.*, le 25 février 1749, p. 89.

7. *Ibid.*, le 20 février 1749, p. 87.

8. Saint-Vallier, Mgr, *Rituel du diocèse de Québec*, 1703, p. 331.

9. «Marie-Thérèse Baby à François Baby», le 17 octobre 1765, *Collection Baby*, Archives de l'Université de Montréal, boîte 115.

10. *Livre des comptes de l'église et fabrique de la paroisse Saint-Pierre en l'Isle d'Orléans commencé l'année 1789*, CAD — Fabrique, Canada 3, 40-1, Archives nationales du Québec.

11. Jean-Pierre Wallot, *Un Québec qui bougeait*, Montréal, Boréal Express, 1973, p. 222.

12. Cahiers des comptes divers de Pierre Guy, 1785-1810, *Collection Baby*, Archives de l'Université de Montréal, série G 2 192.

13. «Julie Bruneau à Louis-Joseph Papineau», le 24 janvier 1829, *Rapport de l'archiviste de la province de Québec*, 1957-1958, p. 69.

14. «Marguerite d'Youville à Madame de Liguery», le 23 septembre 1770, cité dans A. Ferland-Angers, *Mère d'Youville, Première Fondatrice Canadienne*, Montréal, Beauchemin, 1945, p. 256.

CHAPITRE 4

L'Ancien Régime au féminin

Pendant toute cette époque, les habitants continuent de défricher, s'établissant de plus en plus loin du fleuve. L'expérience de la colonisation reprend à chaque génération lorsqu'on manque de terres cultivables à l'intérieur des vieilles seigneuries. La colonisation implique aussi la coupure des liens d'affection et d'entraide avec sa parenté; donc, les femmes comme les hommes se retrouvent seuls et le sont surtout face à leur travail. Dans ce contexte, l'effort quotidien pour recréer les cadres familiaux de la vie devient encore plus difficile et épuisant.

Dans une société préindustrielle, la majorité des gens consacrent leur temps à rechercher le strict nécessaire à la vie. Manger à sa faim, s'abriter convenablement, s'habiller chaudement pendant l'hiver et protéger sa famille des maladies, nombreuses à cette époque, voilà les préoccupations quotidiennes. Seule une infime minorité habitant les villes ou les manoirs seigneuriaux peut jouir d'une sécurité matérielle assurée et d'un certain temps de loisir.

Dans ce contexte d'autosubsistance, le travail de chacun et de chacune est important dans la mesure où il contribue au bien-être de la famille. Le travail des femmes est indispensable, car elles sont responsables de l'étable, du potager, de la basse-cour, de la préparation des aliments, de la confection des vêtements et des soins physiques, à une époque où l'on ne peut se procurer ni aliments déjà préparés, ni vêtements prêts à porter, ni soins personnels. Sans femme au foyer, une famille se trouve dans le besoin, à moins de trouver une remplaçante: parente, fille aînée ou domestique.

Vers 1750, le remplacement des âtres et des foyers par des poêles à deux ponts sur lesquels il est plus facile de cuisiner est une modification majeure du travail domestique. Ces poêles sont fabriqués aux Forges du Saint-Maurice ou à la Fonderie de Batiscan. Les femmes réapprennent alors à cuisiner, car la méthode de travail n'est plus la même. Marcel Moussette, qui se spécialise en chauffage domestique, croit même que c'est à cause de ce changement technologique que les recettes culinaires du Régime français ne se sont pas transmises dans notre tradition.

Travailler sans cesse

Les repas et le ménage

La sempiternelle préparation de la nourriture constitue la tâche la plus importante des femmes. À l'encontre des populations de l'Europe, peu de gens meurent de faim. Toutefois, les mauvaises récoltes provoquent des disettes périodiques. Par exemple, 1769, 1789, 1833, 1834, entre autres, sont de mauvaises années où la rareté du blé et d'autres céréales perturbe singulièrement les habitudes alimentaires et amène ainsi un taux élevé de mortalité. Par contre, les grandes famines sont quand même rares à cause, principalement, de l'abondance du gibier et du poisson, facilement disponibles jusqu'au XIXᵉ siècle.

Apprêter la nourriture constitue une tâche longue et fastidieuse. Pourtant, le menu est simple et peu varié, sauf en temps de fête ou chez les riches. On mange surtout du pain, du porc et des légumes, en y ajoutant poisson, gibier et fruits, selon les saisons.

Ce n'est pas tant la qualité de la cuisine que toutes les étapes de la transformation des aliments qui exigent tellement de travail. Bien des jours sont nécessaires pour tourner un cochon fraîchement tué en ragoût, en jambon, en pâté et en saucisses pour l'hiver.

Le pain est la base de tous les menus et donc l'élément indispensable du régime alimentaire de l'époque. Au XVIIIᵉ siècle, les habitants mangent de deux à trois livres de pain par jour, et au moins une livre même en temps de crise comme en 1820. Pétrir le pain, le faire lever à la bonne température, le mettre au four qui se trouve à l'extérieur de la maison et le surveiller pendant la cuisson sont des tâches qui occupent une journée entière par semaine.

HISTOIRE

D'ÈMILIE MONTAGUE,

PAR M. BROOKE;

Imitée de l'Anglois, par Monfieur
F R E N A I S.

PREMIERE PARTIE.

A PARIS,

Chez GAUGUERY, Libraire, rue
des Mathurins, au Roi de
Danemarck.

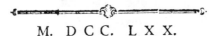

M. DCC. LXX.

Avec Approbation & Privil. du Roi.

Page titre de l'édition française de *l'Histoire d'Émilie Montagüe.* Frances Moore y décrit les amours d'une jeune Anglaise et d'un officier de l'armée britannique à Québec.

B. Dufebvre, *Cinq femmes et nous*, Belisle éditeur, 1950

L'équipement ménager de l'époque reste rudimentaire. Préparer plusieurs plats à chaque repas s'avère impossible, car une femme ne possède qu'une ou deux marmites, quelques cuillères, fourchettes, couteaux, assiettes et écuelles. Chez les mieux nantis, un équipement plus complet permet une certaine variété dans la préparation des plats. Ainsi, lèchefrites, entonnoirs et appareils fromagers utilisés chez certains habitants suggèrent une cuisine plus recherchée.

Les femmes se tiennent responsables de la qualité de la nourriture qu'elles placent sur la table familiale. En temps de guerre ou de perturbations économiques, elles se plaignent dans leurs lettres de la cherté des denrées. En ville, où elles sont plus dépendantes des marchands, elles peuvent descendre dans la rue pour protester contre l'insuffisance de produits alimentaires. Ainsi, en novembre 1757, lors de la guerre de la Conquête, la rareté de la viande force le gouvernement à ordonner qu'on distribue de la viande chevaline à la place du pain. Mais, au Canada, on n'aime guère manger du cheval. Les femmes de Montréal viennent donc jeter cette viande aux pieds de Vaudreuil pour manifester leur mécontentement:

> (...) elles avoient de la répugnance à manger du cheval; qui étoit ami de l'homme; que la religion défendoit de les manger et qu'elles aimeroient mieux mourir que d'en manger[1].

Même quand on leur démontre la qualité de cette viande, elles la refusent en disant «(...) qu'elles n'en prendroient pas, ni personne pas même les troupes». L'année suivante, à Québec, les femmes manifestent lorsque la ration quotidienne de pain est réduite à deux onces. En même temps, le marquis de Montcalm note:

> Émeute des femmes de Montréal mourant de faim et se plaignant hautement qu'on vend de la farine vingt sols la livre... le marquis de Vaudreuil promit d'augmenter de trente livres les soixante quinze qu'il distribue pour les pauvres familles[2].

Cette fierté de fournir une bonne table se voit lorsqu'on reçoit un invité de distinction. Le voyageur Pehr Kalm raconte qu'à ce moment-là les femmes préfèrent se tenir debout près de leur hôte pour mieux le servir et veiller à la présentation des plats.

La longue crise agricole qui précède la rébellion de 1837 force le paysan à transformer ses habitudes alimentaires, car la ménagère, man-

Frances Moore avant son mariage avec le pasteur John Brooke. Lors de leur séjour à Québec en 1763, elle écrit *The History of Emily Montague*, le premier roman canadien.

B. Dufebvre, *Cinq femmes et nous*, Belisle éditeur, 1950

quant de blé, doit modifier ses recettes. C'est probablement de cette époque que datent l'inévitable soupe aux pois et les galettes de sarrasin. Les importations par les navires britanniques introduisent le thé et la mélasse dans les menus. Une partie considérable des ressources familiales est consacrée à l'alimentation, surtout à la ville, où l'on achète plus de denrées, et c'est aux femmes que revient la responsabilité de choisir les produits si chèrement payés.

Les ménagères du XVIIIe siècle ne se laissent guère obséder par la propreté, qualité qui ne prendra son importance qu'au XIXe siècle, lorsqu'on découvrira le lien entre les microbes et les maladies. On ne lave que très rarement les planchers, se contentant de les asperger d'eau afin d'empêcher la poussière de monter. Nettoyer sa maison, ses vêtements ou ses enfants n'occupe certainement pas une grande partie du temps des femmes. Le mobilier s'avère fort réduit. Chez les plus pauvres, quelques chaises, une table, un coffre, un grand lit, quelques paillassons et peut-être une armoire constituent la totalité de l'ameublement d'une famille. Dans les milieux populaires, les maisons sont petites et l'on vit surtout dans une grande pièce qui sert à la fois de cuisine et de dortoir. Les plus nantis, les marchands prospères par exemple, possèdent beaucoup plus de meubles, parfois importés, ainsi que de l'argenterie et des tapis; mais on ne trouve pas cette multiplicité d'objets, de bric-à-brac et de décorations que la ménagère de notre société de consommation doit épousseter, ranger et remplacer. On se soucie beaucoup moins de la propreté des lits et, d'ailleurs, on n'a souvent qu'une ou deux paires de draps. Mme Bégon raconte qu'en 1749 son voisin a voulu faire coucher l'intendant dans une literie «(…) ayant des taches de toute espèce», et elle s'est empressée de lui offrir «(…) un lit plus propre»[3]. Point n'est besoin de nettoyer les salles de bains, puisqu'il n'y en a pas. Seuls les plus riches possèdent des latrines et les autres se contentent de pots de chambre ou de seaux qu'ils vident de temps en temps par la fenêtre.

L'habillement

Les femmes ne lavent pas souvent le linge personnel. Les garde-robes sont relativement modestes et on ne lave les chemises ou les jupons que quand on possède des vêtements de rechange à porter pendant qu'ils sèchent. Même si on n'en a que peu, l'habillement est d'une importance énorme pour la société francophone traditionnelle. Particulièrement chez les nobles, l'habillement doit refléter le rang social et autant les hommes que les femmes n'hésitent pas à y investir des sommes considérables. Au XVIIIe siècle, le vêtement symbolise autant la classe sociale que le sexe. C'est surtout au XIXe siècle que l'idéologie capitaliste transformera les femmes en symboles de la réussite matérielle de leurs maris. Pendant que ceux-ci seront sobrement vêtus de noir, elles se plieront aux tortures des corsets, des crinolines et des tournures élégantes. Au XVIIIe siècle, même les robes de fête ne semblent pas contraindre autant les corps. D'ailleurs, hommes et femmes, particulièrement dans les classes aisées, font usage de dentelles, de bijoux, de broderies et de colifichets.

La plupart des femmes s'habillent en étoffe du pays qu'elles filent, tissent, teignent et coupent. Dans cette étoffe, elles confectionnent les vêtements de dessus, alors que les sous-vêtements, chemises et jupons sont faits de lin qu'elles filent et tissent elles-mêmes. Avant le milieu du XIXe siècle, les femmes ne portent pas de culottes, pas plus que les hommes d'ailleurs, mais elles mettent chemise, camisole et plusieurs jupons qu'elles peuvent enlever et laver tour à tour. Lors des règles, les femmes se servent de vieux chiffons qu'elles lavent soigneusement de mois en mois. Selon l'historien Robert-Lionel Séguin, certaines ont dû se fabriquer des tampons dont le mode de fabrication se trouve dans les livres de pharmacopée de l'époque. On porte les jupes courtes, beaucoup plus courtes qu'en Europe, au grand amusement des voyageurs qui constatent que, malgré leurs efforts, les femmes d'ici suivent la mode d'Europe avec un trop grand retard. Les campagnardes se chaussent de «souliers de bœuf», souvent de fabrication maison, et les citadines de petits souliers à talon haut. Chez soi, on porte un grand tablier et, pour sortir, une longue pèlerine à capuchon. Celles qui ont les moyens de se payer du luxe préfè-

Mme Trottier dite Desrivières, 1793. Huile de François Malépart de Beaucourt. Comme le veut la nouvelle mode anglaise de l'époque, Mme Trottier prend le thé.
J. Russell Harper, *La peinture au Canada*

rent les tissus d'importation, surtout les tissus indiens, très colorés et imprimés de dessins fantaisistes, mais au cours des deuils elles se vêtent de noir. Les robes forment souvent la seule richesse des femmes et quelques-unes les lèguent avec soin aux parentes et aux amies.

Au XVIIIᵉ siècle, femmes et hommes des classes supérieures portent la perruque. On est toujours coiffé d'un chapeau. Les femmes du peuple portent le bonnet, ou coiffe, en hiver, et en été, un chapeau de paille avec, autour du cou, une croix d'argent.

Quelques observateurs insistent sur le charme et la beauté des femmes d'ici. D'autres remarquent que les paysannes semblent vieillir jeunes parce que leur peau devient brune et ridée à cause du travail aux champs et à la cuisine, au-dessus de feux chauds. Jolies ou non, elles veulent plaire et, les jours de fête, elles se pomponnent et se parent de leurs plus belles robes. Ce goût pour la mode attire sur les femmes les foudres du clergé et des esprits plus puritains. Les curés enjoignent les femmes d'adopter des vêtements plus modestes et de prêter moins d'attention à leur habillement, et, si on en juge par la régularité de ces avertissements tout au long du XVIIIᵉ siècle et jusque dans les années 1820, ils ont peu de succès.

Les travaux d'extérieur

Les travaux féminins ne s'arrêtent pas au seuil des maisons. Les femmes de même que les enfants s'occupent de l'étable, du jardin potager et de la basse-cour. Le travail quotidien à l'étable figure parmi les tâches les plus ardues qui leur sont dévolues. Le cheptel n'est pas nombreux, mais les instruments de travail des plus rudimentaires obligent les femmes à de gros efforts. Chaque automne, elles entreposent les légumes dans des glacières ou des caveaux creusés dans le sol, afin de les garder tout l'hiver. Parfois, un grenier froid conserve du gibier ou de la volaille. Si elles demeurent près d'un marché, elles peuvent y écouler le surplus de légumes ou d'œufs. Même à la ville, chaque maison a son petit jardin, comme en témoignent les premiers plans de Montréal.

Lorsqu'on a besoin de bras, les femmes canadiennes travaillent aux champs auprès des hommes, surtout durant les fenaisons qui nécessitent un travail intense pendant plusieurs jours. Le voyageur Pehr Kalm remarque que, à cette étape des travaux agricoles, presque autant d'hommes que de femmes sont aux champs. D'ailleurs, il semble que bien des femmes travaillent aux champs autant que les hommes, dont l'absence périodique amène les femmes à les remplacer au besoin aux travaux agricoles, car la milice française et, au XIXe siècle, la coupe du bois réclament les fils et parfois les maris loin de chez eux. Ce sont surtout de jeunes célibataires qui s'engagent dans la traite des fourrures et par conséquent leurs sœurs doivent exécuter les travaux qui leur sont habituellement réservés.

Dans les villes, les épouses sont souvent associées aux maris dans l'entreprise familiale. Les femmes d'aubergistes et de cabaretiers travaillent avec leur mari, et les femmes d'artisans peuvent surveiller les jeunes apprentis. Les épouses de journaliers et celles dont le travail du mari est insuffisant peuvent prendre des chambreurs chez elles, faire de la couture ou travailler comme blanchisseuses pour arrondir le budget familial. Entre 1700 et 1760, la moitié des cordonniers de la ville de Québec ont des revenus d'appoint qui proviennent en partie du travail de leurs épouses domestiques, blanchisseuses ou guérisseuses. Catherine Jérémie s'est signalée, après 1733, par ses talents d'herborisatrice. À l'instar des autres botanistes de la Nouvelle-France, elle s'est «attachée, depuis longtemps, selon le témoignage de l'intendant Hocquart, à connaître les secrets de la médecine des sauvages».

En 1825, Jacques Viger fait le recensement de la ville de Mont-réal. Selon ses chiffres, une Montréalaise sur cinq a une occupation en sus des travaux ménagers. Presque 27 % de la main-d'œuvre active de la ville est féminine. Parmi ces femmes qui ont un métier, plus de la moitié sont des domestiques et plus d'un quart sont journalières. Le personnel enseignant est à 40 % féminin. D'autres occupations sont citées: gouvernante, laveuse, sage-femme, couturière ou modiste. On y relève aussi d'autres occupations, sans doute des entreprises familiales, où les femmes sont présentes en très petit nombre cependant: forgeron, carrossier, jardinier, aubergiste, corsetier, tisserand, marchand, rentier, mercier, cultivateur, garde-malade, etc.

Les documents des marchands et des administrateurs nous apprennent à quel point les femmes des classes supérieures sont mêlées aux affaires de leurs maris, même si une lecture rapide de la Coutume de Paris laisse croire que les épouses sont absentes de la vie des affaires. En réalité, on les trouve partout. Dûment mandatées par leurs maris, elles les représentent au cours de démêlés judiciaires lorsqu'ils s'absentent, et elles participent aux négociations commerciales.

Marie-Anne Barbel est un exemple de la femme d'affaires du XVIIIe siècle. En 1723, à l'âge de vingt ans, elle se marie à Jean-Louis Fornel, marchand bourgeois. Entre 1724 et 1741, elle met au monde quatorze enfants, dont trois seulement lui survivront. Déjà, du vivant de son mari, elle agit comme fondé de pouvoir et, après la mort de celui-ci en 1745, au lieu de procéder au partage et à la liquidation des biens de la communauté, elle décide de continuer l'entreprise. Elle obtient un permis de traite des fourrures, investit dans l'immobilier, intente des procès d'affaires et achète une fabrique de poteries. Elle fait partie du groupe des marchands moyens de la colonie. Elle ne consent au partage final des biens de la communauté entre elle-même et ses enfants que trente-six ans après la mort de son mari. Entre-temps, elle s'est servi des capitaux pour ses investissements et a continué à faire vivre plusieurs de ses enfants adultes. Le cas de Louise de Ramezay est encore plus intéressant, car cette célibataire a su prendre sa place seule dans le monde des affaires, en se spécialisant dans les scieries entre 1739 et 1763. Au début du XIXe siècle, d'autres femmes répètent ce modèle. Marie-Catherine Noël, veuve Drapeau, prend la succession de son mari en 1810. Elle se livre à de nombreuses transactions immobilières, loue des pêcheries à la rivière du Gouffre, accorde des baux de coupe de bois à William Price et construit un moulin à farine à Baie-Saint-Paul.

Chez les fonctionnaires, les épouses agissent comme agent de relations publiques afin de faire progresser la carrière de leur mari. Dans une société où l'avancement est souvent dû aux amitiés plutôt qu'au rendement au travail, les liens personnels entre les membres de la noblesse et de la bourgeoisie sont nourris avec soin. C'est la tâche des femmes de ces classes d'entretenir ces liens. Elles n'ont pas accès à l'exercice du pouvoir politique, mais elles jouissent d'un pouvoir d'influence considérable.

Le journal de Mme Bégon nous montre comment la vie sociale et la vie politique de l'époque s'entremêlent. Il semble que c'est en grande partie grâce à son épouse, Élisabeth Joybert de Soulanges, née au Canada, que la carrière du marquis de Vaudreuil et de ses fils ait été si brillante. Elle a dix-sept ans lorsqu'elle se marie avec ce militaire. Après avoir donné naissance à onze enfants, elle décide, en 1709, qu'elle peut faire avancer la fortune des membres de sa famille en les représentant directement à la Cour de Versailles. Elle réussit tellement bien que non seulement elle déjoue ceux qui veulent intriguer contre Vaudreuil, mais elle se fait nommer gouvernante des enfants du roi. Angélique Renaud d'Avène des Méloizes, une autre Canadienne de naissance, reçoit son éducation chez les Ursulines de Québec et, en 1746, elle épouse le chevalier de Livaudière, M. Péan, qui est l'homme de confiance de l'intendant Bigot aux derniers jours du Régime français. Mme Péan devient l'hôtesse la plus en vue de la société mondaine et les potins courent sur l'amitié entre les Péan et Bigot, amitié consolidée par le fait qu'elle est la maîtresse de ce dernier. À leur retour en France, Péan et Bigot sont enfermés à la Bastille pendant qu'on enquête sur la corruption du régime Bigot. Mme Péan utilise son influence pour obtenir la permission de rendre de fréquentes visites à son mari et pour lui garder sa réputation et sa fortune, malgré ses méfaits. Elle ne s'arrête pas à des questions de scrupule, comme en a témoigné la lettre que Marguerite d'Youville lui écrira, sans succès, après son départ du Canada, pour lui faire acquitter des sommes qu'elle doit aux Sœurs Grises.

De même sous le Régime anglais, Lady Dorchester, femme du gouverneur de la province de Québec à la fin du XVIIIe siècle, cultive soigneusement les liens entre le gouverneur et les vieilles familles francophones. Parlant français, elle visite régulièrement les institutions religieuses et place ses filles chez les Ursulines de Québec.

Julie Bruneau, fille d'un député à l'Assemblée législative, se marie à un homme politique, Louis-Joseph Papineau. La correspondance entre les deux époux révèle que Julie Bruneau suit de très près la politique et appuie sans réserve l'action de son mari. En 1835, elle lui écrit:

> Il n'y a que la politique qui m'amuse et m'intéresse quand je peux en avoir des nouvelles mais on n'en a guère. Les gazettes ne nous donnent que peu de débats et bien incorrects[4].

Elle lui avoue une grande admiration en tant que chef politique, même si, sur le plan personnel, elle lui tient parfois tête.

> Je suis bien de ton avis qu'il y a peu d'hommes parfaitement désintéressés et qui sacrifient, en toute occasion, leurs intérêts à ceux du public comme c'est le devoir d'un homme public… c'est ce que j'admire en toi et qui m'étonne car je n'en connais pas d'autres excepté ton père et Mr. Viger[5].

La femme de Papineau est un personnage public dans la petite société du Bas-Canada. Son moindre geste peut avoir une signification politique et elle est obligée d'en tenir compte.

Les femmes ont toujours accompagné les armées, quoique l'histoire passe sous silence leur présence. Au XVIIIe siècle et au début du XIXe siècle, les armées de la France et de la Grande-Bretagne ne font pas exception. On permet à une petite minorité de soldats de se marier pendant leur service et d'amener leur épouse au camp ou à la caserne. Sous le Régime anglais, on donne aux femmes la moitié d'une ration d'homme et aux enfants, un huitième. Les femmes travaillent dans les ateliers de couture, soignent les soldats malades et cuisinent pour les troupes. Et puisqu'on punit sévèrement les soldats qui se marient sans permission, il semble que les quelques femmes, épouses ou célibataires, sont souvent le sujet de querelles...

Le travail d'une femme, qu'elle soit noble ou paysanne, se fait dans le cadre des activités familiales définies par son époux. La fortune familiale déterminera si elle doit participer aux activités de son époux ou faire des travaux d'appoint, couture ou lavage, pour boucler le budget. De même, le nombre de bouches à nourrir par rapport aux enfants en âge de travailler influencera les activités de l'épouse. Une famille dont les enfants sont en bas âge nécessite beaucoup de soins. Plus tard, ces mêmes enfants seront capables de contribuer à l'économie familiale: une fille aînée qui s'occupe des benjamins peut libérer une épouse pour aider son mari et les adolescentes peuvent remplacer leur mère aux champs.

Julie Bruneau-Papineau et sa fille. Huile d'Antoine-Sébastien Plamondon, 1836.
B. Lord, *The History of Painting in Canada*

Une réception chez les Papineau

À huit heures et demie, nous arrivons pour trouver le parc et le portique de la maison très joliment illuminés avec des girandoles de couleur: la fanfare du 15e était là et un grand nombre de Dames et de Messieurs canadiens étaient réunis, tout cela nous promettant une fête brillante et une soirée dansante. Cette surprise nous fut d'autant plus agréable, venant de Monsieur Papineau et de son épouse, qui ne se mêle pas à la société de Montréal (où les gens mêlent un peu trop les sociétés). Elle n'en reçut pas moins ses invités avec beaucoup d'aise et fit les honneurs de façon remarquable. Il est certainement dans le caractère d'une française, quels que soient sa naissance et son rang social, de montrer beaucoup de tact en société et de se conduire comme s'il était tout naturel pour elle de vivre en «évidence»; elles sont très maitresses d'elles-mêmes et elles sont en général très gracieuses. Les nuances dans les manières entre les différents échelons de la vie, sont moins prononcées que parmi nous. Une femme française, qui n'est pas affectée et qui incline à plaire, réussira généralement à être agréable...

Source: «Le journal de Lady Aylmer», cité dans Dufebvre, B. *Cinq femmes et nous*, p. 144.

Croyances de toutes sortes

Les sentiments religieux chez les femmes de la société préindustrielle sont profonds. Mais il est difficile de dire si les curés ont sur elles l'ascendant qu'ils auront à la fin du XIXe siècle. Comme en France, l'anticléricalisme qui peut se manifester semble surtout émaner des hommes. Peu au fait de la philosophie des Lumières et exclues du pouvoir politique, elles ont eu moins de motivation pour remettre en question la mainmise de l'Église. Bien des femmes appartiennent à des tiers ordres, telle la confrérie de la Sainte-Famille, espèce de société religieuse qui encourage ses membres au respect de l'enseignement de l'Église et des bonnes œuvres. Élisabeth Bégon et Marguerite d'Youville occupent tour à tour des postes importants au sein de cette confrérie à Montréal.

Mais, jusque dans les années 1830, les prêtres se plaignent du comportement des femmes et il faut croire que leur influence n'a pas toujours été très forte. Que reproche-t-on aux femmes? De s'habiller de façon immodeste, de courir les bals et les événements sociaux de moralité douteuse, car, si les femmes travaillent fort, elles savent aussi s'amuser. Dans toutes les classes sociales, la danse est très populaire. Les femmes de tout âge, mariées ou non, boivent, mangent et dansent jusqu'aux petites heures du matin au cours des noces campagnardes et des danses mondaines. L'exubérance que remarquent les voyageurs contraste avec la répression du comportement féminin à l'ère victorienne, où les dames bien élevées devaient refuser l'alcool et surtout se contrôler en public.

C'est au milieu du XVIIIe siècle que naît la coutume des veillées chez la voisine, ce qui permet aux femmes de continuer de coudre ou de filer tout en chantant ou en échangeant les nouvelles.

Au XVIIIe siècle, le paysannat croit toujours à la sorcellerie. Cette croyance, réprimée par l'Église, s'exprimera dans les contes et les légendes. On ne chasse presque plus les sorcières en France lors du peuplement de la Nouvelle-France. La célèbre chasse aux sorcières de Salem, au Massachusetts, à la fin du XVIIe siècle est attribuable aux conditions locales, et particulièrement à l'emprise du clergé puritain. Toutefois, au Canada, aucune femme n'a été mise à mort pour sorcellerie. Mais on n'est pas loin de la démonologie médiévale, comme en témoignent les hallucinations de mère Catherine de Saint-Augustin, hospitalière de Québec, qui, dans les années 1660, se croit tourmentée par des diables.

Les femmes ne sont pas persécutées, mais l'image de la sorcière exerçant un pouvoir maléfique demeure un des stéréotypes les plus puissants qu'on applique aux femmes déviantes. En 1671, le Conseil souverain condamne à mort Françoise Duberger, veuve Galbrun, pour avoir tué son premier mari. De plus, on fit une investigation «(...) de l'enfant étouffé par la Galbrun et autres maléfices». On la trouva

> (...) duement atteinte et convaincue d'avoir celé sa grossesse, de s'estre faict soigner trois fois en divers temps et médicamanter pour faire perdre son fruict, et finalement d'avoir accouchée, tué son enfant et iceluy enterré à l'instant[6].

En 1763, Marie-Josephte Corriveau qui, selon son propre témoignage, refuse de continuer à se faire battre par son mari est condamnée pour le meurtre de celui-ci et pendue. Au début du XIXe siècle, le romancier Philippe Aubert de Gaspé fait d'elle un spectre horrible qui hante les voyageurs nocturnes. Les folkloristes et historiens des XIXe et XXe siècles amplifieront la légende de la Corriveau, la rendant plus horrifiante à chaque nouvelle version.

Les femmes qui tuent leurs maris ou leurs enfants remettent en question l'autorité masculine. Deux des seules explications acceptées par les hommes pour justifier cette révolte subversive menaçant les fondements de leur autorité sont celles de la sorcière, la mauvaise femme qui connaît les secrets du diable, et de la folie. La rébellion féminine est ainsi niée et nommée de telle manière que les hommes ne se sentent plus menacés.

Le célibat laïque et religieux

La complémentarité des tâches encourage les jeunes filles à se chercher un mari, car sans mari elles n'ont guère de possibilité d'atteindre un niveau de vie satisfaisant et ne peuvent avoir leur propre ménage; sinon, la seule place où loger sera une autre famille où elles feront le service domestique. Les filles de familles à l'aise ou les héritières font exception parce qu'elles possèdent suffisamment de revenus pour pouvoir dédaigner le mariage. Telle est ainsi la «vieille fille de Lanaudière» décrite par Philippe Aubert de Gaspé, qui, au début du XIXe siècle, gère seule la seigneurie. À la fin du Régime français, Louise de Ramezay, une des filles du gouverneur de Montréal, est une autre de ces femmes si bien nanties qu'elles peuvent se passer de mariage. Elle exploite la scierie familiale, met sur pied une nouvelle scierie avec une autre femme et administre de vastes domaines.

L'autre solution reste le célibat religieux. La vie religieuse offre la sécurité matérielle et psychologique, ainsi que l'occasion d'accomplir certains travaux hors de l'ordinaire sans subir d'autorité masculine immédiate. Mais dans une société profondément religieuse, c'est la volonté de renoncer aux plaisirs de l'existence quotidienne pour mieux servir Dieu qui a dû motiver la plupart des femmes à entrer en religion.

Trois nouvelles communautés de femmes sont fondées au XVIIIe siècle. En plus de l'Hôpital-Général de Québec, créé officiellement en 1701, la communauté des Ursulines de Trois-Rivières est fondée l'année suivante. Cette nouvelle communauté autonome enseignera aux jeunes filles et soignera les malades.

Marguerite Dufrost de Lajemmerais, veuve d'Youville, éprouve depuis longtemps le besoin de secourir les pauvres et les délaissés de Montréal; en 1737, elle s'associe avec trois compagnes, loue une maison et commence à recevoir des pauvres chez elle. Marguerite d'Youville ne veut pas fonder un ordre religieux, car ni elle ni ses compagnes n'ont de goût pour la vie monastique, avec sa clôture et ses vœux solennels, même si elles veulent mener une existence pieuse. Avec la prise en charge de l'hôpital des frères Charron, entreprise défaillante, Mme d'Youville et ses compagnes réussissent à l'exploiter au bénéfice de la société montréalaise, qui les oblige, en 1755, à se former en association séculière avec un statut légal défini à l'intérieur de l'Église. C'est ainsi que naissent les «demoiselles de la Charité chargées par Sa Majesté de la direction de l'Hôpital-Général de Montréal», appelées communément les Sœurs Grises. Cette communauté se voue exclusivement à ce qu'on appelle aujourd'hui le service social. Elle recueille pauvres, vieillards et malades des deux sexes. Mais son œuvre la plus importante demeure l'entretien et l'éducation des enfants abandonnés, dont le nombre augmente en flèche de 1750 à 1770, à cause de la présence de l'armée française et ensuite de l'armée anglaise.

Au XVIIIe siècle, les communautés religieuses ne s'accroissent que très lentement. Les autorités françaises limitent leur croissance, parce qu'elles les trouvent improductives dans un pays de colonisation. Les religieuses sont politiquement impuissantes, car plusieurs communautés ne permettent pas à leurs membres de quitter le cloître. À l'encontre des communautés masculines, tels les Jésuites, elles ne se mêlent pas d'intrigues politiques, se contentant de fournir des services à la population environnante. Elles ne posent donc aucune menace à la nouvelle autorité anglaise. En 1760, elles soignent indistinctement les soldats de deux armées et les Ursulines se mettent même à tricoter des bas pour les jambes nues des soldats écossais pendant l'hiver. Cette même communauté s'empresse d'élire comme nouvelle supérieure une femme d'origine américaine, Esther Wheelwright, sœur de l'Enfant-Jésus, croyant ainsi raffermir les rapports avec les autorités britanniques. Plus tard, elles recevront les jeunes anglophones dans leurs couvents. En 1764, on ne dénombre pas plus de 190 religieuses; en 1800, 304. En 1825, Jacques Viger compte seulement 93 religieuses dans la ville de Montréal.

La vie au couvent est sereine mais austère. La hiérarchie de la communauté reproduit sensiblement les classes sociales de la société. Les sœurs de chœur se dévouent au travail de la communauté: enseignement, soins hospitaliers et broderie de vêtements sacerdotaux, alors que les femmes d'origine plus humble jouent le rôle de domestiques, font le ménage du couvent et servent les autres. Chaque communauté s'insère dans un groupe social distinct. Dans la première moitié du XVIIIe siècle, l'Hôpital-Général de Québec attire les filles de la petite noblesse, alors que les postulantes chez les Ursulines ou à l'Hôtel-Dieu sont d'origine plus modeste. Elles ont néanmoins de plus grosses dots, qu'elles apportent souvent sous forme de terres ou de marchandises. Lady Simcoe, femme du gouverneur général du Haut-Canada, rend visite aux Ursulines en 1791 et voici ce qu'elle raconte:

J'avais eu la permission nécessaire de Mgr François Hubert, l'évêque catholique de Québec, pour entrer au Couvent des Ursulines et je m'y suis rendue aujourd'hui avec Madame Baby. La Supérieure (Mère Saint-Louis-de-Gonzague) est une femme agréable, bonne causeuse et de beaucoup d'adresse. Les religieuses me parurent gaies, contentes de voir des visiteuses et disposées à converser et à poser des questions. Leur costume est noir avec une coiffe blanche et quelques-unes me parurent très jolies. Elles poussent la propreté et l'ordre au plus haut point de la perfection dans toutes les parties du couvent et elles sont très industrieuses dans l'administration d'un grand jardin. Elles enseignent les enfants et admettent des pensionnaires et des externes. Elles font toutes sortes de décorations pour leurs autels et l'église, et dorent des cadres. Elles nous montrèrent une très belle broderie faite par une religieuse anglaise, maintenant décédée. Quelques-unes d'elles font des coffrets et des coussins à épingles avec de l'écorce de bouleau, cousue avec du poil d'orignal teint. Ce poil est si court qu'il doit être enfilé pour chaque point, ce qui est bien fastidieux. Toutes sortes de gâteaux et de sucreries sont faits ici et tous les desserts de la ville sont préparés par les religieuses. Elles font sécher les pommes d'une manière bien particulière. On dirait des abricots secs.

Toutes ces choses sont nécessaires pour leur maintien, leurs finances étant bien médiocres.

Un autre couvent est appelé l'Hôtel-Dieu: on y reçoit les malades, qu'ils soient Français ou Anglais. Les médecins de la garnison y vont chaque jour et ils parlent hautement des attentions données aux malades par les religieuses. L'Hôpital Général est un couvent à un mille de la ville, où les malades et les aliénés étant soignés[7].

À la fin du XVIIIᵉ siècle, la correspondance de sœur Thérèse-de-Jésus suggère que les préoccupations quotidiennes des religieuses ne sont guère différentes de celles des femmes laïques. Le plus grand souci de toutes les femmes est la santé. On a conservé presque une centaine de lettres que cette ursuline des Trois-Rivières a écrit à son frère François Baby et, dans presque toutes, elle se plaint de son état de santé et donne avec force détails la description de ses vomissements, maux de tête, afflictions de poitrine, problèmes d'intestins, rhumes, etc. En cela, ses lettres ne sont guère différentes de celles de ses contemporaines. Sœur Thérèse semble être en communication constante avec sa famille et demande souvent des nouvelles de chacun. Contrairement aux femmes mariées, qui se préoccupent de la santé de la mère au cours d'un accouchement, son intérêt porte plutôt sur le nouveau-né. En mai 1787, elle se préoccupe moins de l'état de sa belle-sœur que du bébé, espérant qu'elle «(…) auroye bientôt la satisfaction

Esclave noire. Tableau de François Malépart de Beaucourt.
J. Russell Harper, *La peinture au Canada*

d'entendre dire qu'elle m'a donné une petite religieuse». Sœur Thérèse occupe successivement plusieurs postes de responsabilité au couvent. Lorsqu'elle est chargée de voir à l'approvisionnement, elle s'inquiète des mauvaises récoltes et tente d'obtenir les prix les plus bas par l'entremise de son frère. Parfois, elle demande de l'argent à sa famille, ce que peu de religieuses peuvent faire. «(…) oui je suis la seule religieuse qui ait tant d'avantages de la part des Ciens[8].»

Vivre en marge

Ce n'est qu'en 1833 que le Bas-Canada abolit l'esclavage, qui avait été autorisé en 1709. En Nouvelle-France, comme sous le Régime anglais, les esclaves servent de domestiques; en 1744, la ville de Québec dénombre parmi ses femmes domestiques à peu près 5 % d'esclaves noires et 10 % d'Amérindiennes. La mortalité étant précoce chez ces esclaves et leur adaptation à la société blanche difficile, elles ne sont donc pas toujours des servantes idéales, même si leur travail n'est pas payé. Leur statut au sein des familles varie de celui d'enfant adoptif à celui de bête de somme durement exploitée. Marie-Josèphe-Angélique, esclave noire, dut faire partie de ce dernier lot. Outragée par les mauvais traitements qu'elle subit, elle met le feu en avril 1734 à la maison de sa maîtresse, à Montréal. Le feu se propage et quarante-six maisons brûlent. Sa punition: elle est pendue sur la place du marché, puis son corps est brûlé au bûcher et ses cendres répandues au vent, ultime dégradation sous l'Ancien Régime, où l'on refuse ainsi aux criminels un service religieux. En 1740, une esclave panis du nom de Marguerite Duplessis tente en vain de faire annuler son statut d'esclave en prétendant qu'elle est baptisée et fille naturelle d'un Français. Son cas est discuté jusqu'aux plus hautes instances judiciaires de la Nouvelle-France.

Il y a bien eu quelques mariages entre Blancs d'une part, et Amérindiens, Indiens ou Noirs d'autre part. Mais plus de la moitié des enfants d'esclaves naissent en dehors du mariage, d'un «père inconnu» comme disent les registres paroissiaux. Ces enfants de mère esclave qui naissent en servitude appartiennent au propriétaire de leur mère. Parmi les noms de propriétaires d'esclaves, citons: Marguerite d'Youville, le marchand Pierre Guy, le mari de Madeleine de Verchères, le gouverneur Vaudreuil et l'évêque de Saint-Vallier.

Selon l'historien André Lachance, au cours de la première moitié du XVIIIe siècle, seulement 20 % des accusations criminelles sont portées contre les femmes alors que celles-ci forment près de la moitié de la population canadienne. Ce taux de criminalité féminine semble bas, mais il est beaucoup plus élevé qu'il ne le sera plus tard, car, depuis le milieu du XIXe siècle, il ne dépasse pas 15 %; au Québec en 1967, il n'est que de 11,5 %. De quoi accuse-t-on les femmes? Selon une étude basée sur les années 1712 à 1759, presque la moitié des accusations portées contre les femmes concernent des crimes de violence contre la personne. Cette catégorie comporte les crimes allant du meurtre, de l'infanticide surtout, à la rébellion contre la justice, en passant par les insultes et les médisances. La relative facilité avec laquelle les Canadiennes se livrent à la violence laisse croire que l'idéal de la femme fragile et passive n'a pas eu beaucoup d'emprise chez les femmes de cette époque.

Entre 1712 et 1748, quatre femmes, dont deux sont des domestiques, sont condamnées à la pendaison pour recel de grossesse et infanticide, crime dont seules les femmes peuvent être coupables. L'une d'elles est sauvée du gibet lorsque le père de l'enfant, qui, jusque-là, avait refusé de l'épouser, se ravise. Une autre, ayant réussi à se sauver, est pendue en effigie. Une troisième, mère de famille dont l'époux absent n'est pas le père de l'enfant étouffé, voit sa peine commuée au fouet et au bannissement perpétuel.

Plus de 14 % de toutes les accusations portées contre les femmes le sont pour insulte, diffamation, médisance et calomnie. Exclues du pouvoir formel, les femmes savent néanmoins se servir de leur langue, arme ô combien efficace dans une société où l'honneur et la réputation représentent tout.

Presque un tiers de toutes les accusations portent sur les vols. Ceux-ci sont commis en plein jour, le plus souvent sans effraction. À la ville, les servantes ont facilement accès aux biens de leurs maîtres. Ce sont de petits objets dont elles s'emparent: tabliers, rubans, ustensiles, etc. Les vols domestiques sont très sévèrement punis puisque la servante, ayant été intégrée dans la famille, a osé porter atteinte à l'intégrité familiale.

Le bas taux de criminalité féminine peut s'expliquer par les restrictions du cadre domestique. La criminalité est surtout affaire publique et affaire d'hommes. De plus, chez eux, les chefs de famille peuvent faire la loi à leur guise, sans recourir à l'appareil judiciaire. Retenues à la maison, les femmes ont donc moins d'occasions de commettre des délits.

En général, les peines prononcées contre les femmes sont plus sévères que celles des hommes: plus de punitions corporelles (sauf les galères) et de peines infamantes (blâme, flétrissure, réparation publique), comme si la punition du peu de femmes qui contreviennent aux lois des hommes devait servir d'exemple. C'est le sort qui attend celle qui s'écarte de la norme.

Le recel de grossesse et l'infanticide

Dans la France du XVIe siècle, alarmée par le nombre d'infanticides, probablement d'enfants illégitimes, l'autorité royale fait publier une ordonnance enjoignant à toutes les filles et femmes de déclarer leurs grossesses. Ainsi, il devient plus difficile pour les mères de s'avorter secrètement ou de tuer leurs nouveau-nés en cachette. Puisqu'une honnête femme n'a aucune raison de «receler» ou cacher sa grossesse, cette ordonnance sanctionne le comportement de celles qui se trouvent enceintes en dehors du mariage et essaient de cacher leur faute par l'infanticide.

Voici l'ordonnance du roi Henri II en 1556:

(...) Que toutes Femme qui se trouvera deüment atteinte et convaincuë d'avoir celé & occulté, tant sa grossesse que son enfantement sans avoir déclaré l'un ou l'autre, & avoir pris de l'un ou l'autre témoignage suffisant, mesme de la vie ou mort de son Enfant, lors de l'issuë de son ventre, et aprés se trouve l'Enfant avoir esté privé, tant du saint Sacrement et Baptesme que sépulture publique et accoütumée, soit telle Femme tenuë & reputée d'avoir homocidé son Enfant, & pour réparation punie de mort et dernier supplice...

En Nouvelle-France, certains intendants font lire cette ordonnance dans les églises à tous les trois mois.

Sous le Régime anglais, une femme qui cache la naissance de son enfant et qui tente de disposer clandestinement du corps, si l'enfant est mort-né, est passible d'emprisonnement pendant au moins deux ans.

Source: Flandrin, J.-L., *Le sexe et l'Occident*, Paris, Seuil, 1981, p. 169.

Marie Josephte Corriveau fut l'une des victimes de la nécessité de réprouver toute transgression de l'ordre masculin par une femme. Voici sa plaidoirie de culpabilité au cours de son procès en avril 1783.

Marie Josephte Corriveau, veuve Dodier, déclare qu'elle a assassiné son mari Louis Hélène Dodier pendant la nuit alors qu'il dormait dans son lit; qu'elle l'a fait avec une petite hache qu'elle n'a été incitée ni aidée par aucune personne à le faire; que personne n'était au courant. Elle est consciente de mériter la mort. Elle demande seulement à la Cour de lui accorder un peu de temps pour se confesser et faire sa paix avec le ciel. Elle ajoute que c'est vraiment dû en grande partie aux mauvais traitements de son mari si elle est coupable de ce crime[9].

Les autorités britanniques, voulant intimider une population nouvellement conquise, la conduisent au gibet et, comme c'est coutume au XVIIIe siècle, son corps est exhibé publiquement: elle est suspendue pendant un peu plus d'un mois dans une cage de fer, au-dessus d'une croisée des chemins, à Lauzon, près de Québec. De tous les hommes ayant tué leurs épouses, il n'y en a aucun qui ait gagné la renommée de la Corriveau, encore légendaire deux cents ans après sa mort pour s'être révoltée contre son sort de femme battue.

Par contre, le viol des femmes semble passé sous silence. Les seuls viols portés à l'attention des autorités sous le Régime français sont ceux de très jeunes filles. Les soldats français sont punis pour une

La triste histoire de la Corriveau s'est rapidement transformée en légende.
Dessin d'Henri Julien

variété de crimes, mais presque jamais accusés de viol. Pourtant, l'historien William Eccles raconte qu'en 1760, pendant que le commandant Murray essaie de subjuguer la campagne entre Québec et Montréal, ses soldats échappent à son contrôle et violent plusieurs Canadiennes.

Il n'y a aucune raison de croire que les femmes de cette époque furent spécialement préservées de l'agression sexuelle. Mais, dans une société où l'honneur est tout et la chasteté féminine une vertu essentielle, se plaindre de s'être fait violer ne fait que soulever des doutes sur son propre comportement. La honte que ressent la victime de viol lui fait taire les circonstances de cette brutalité, et lorsqu'elle porte une accusation contre son agresseur, c'est son procès à elle que l'on fait.

Susannah Davis, dix-sept ans, domestique qui a fait neuf maisons en trois ans, raconte son viol survenu le soir du Mardi gras de 1813 lorsqu'elle loge temporairement chez un dénommé Roussel:

> (…) Je ne l'ai pas connu auparavant, il est un homme marié, la femme du P..y etoit (…) parti (…) à deux heures de l'après-midi laissant dans la maison du P-moimesme et deux petits enfants dont l'aine a cinq ans — a onze heures Je me suis couché. J'éteins la Chandelle — et deux heures après le P. — est venu la Chambre ou j'etois une chandelle à la main qu'il a mis sur la table ou il se mit à manger. Il m'a demande a manger aussi mais Je ne voulais pas. Il s'est approché de mon lit et m'a dit qu'il voulait coucher avec moi — Je lui ai dit que non — Et la Dessus je me suis levée. (…) il eteint la Chandelle m'a pris dans ses bras et m'a jette sur son lit — J'ai resiste Je me suis mis a crier et il m'a pris par la gorge pour mempecher de crier il m'a empecher aussi de me lever — les enfans criaient, il les a dit de se taire et de rester dans leurs lits- et m'a dit levez vous, si vous pouvez — J'ai continue a crier et il m'a demandé si Je voulais me faire entendre par les voisins (…) La première fois, il m'a mouillé seulement avec ses parties privées sur mes cuisses. — le second fois il m'a fait mal avec son membre dans mon corps, dans mes parties privées — (…) Tout cela s'est fait contre ma volonté — je n'ai jamais consenti — cetait fait avec violence et par force —[10].

Mais Susannah Davis est confuse dans son témoignage, naïve dans son espoir d'un dédommagement monétaire et de comportement trop affectueux dans le passé pour faire croire à sa vertu. Seule la voisine qui l'a abritée le lendemain du viol témoigne en sa faveur. L'accusé est un citoyen solide, père de famille, éminemment respectable, ainsi qu'en témoignent onze membres de la communauté, dont six hommes, qui viennent à la barre témoigner pour lui. Bref, la parole de Susannah Davis n'a que peu de crédibilité. Le verdict dans cette affaire? Non coupable.

Entre 1712 et 1748, les soi-disant délits de mœurs des femmes, soit adultère, débauche, concubinage, prostitution, etc., ne forment qu'une très petite partie de la criminalité féminine officielle. Les comportements réels sont évidemment tout autres, mais le XVIIIe siècle démontre une plus grande tolérance pour ce genre d'affaires que le XVIIe siècle ne l'avait fait. Selon l'historien André Lachance, il n'y a aucune poursuite contre une prostituée durant la dernière décennie du Régime français. Lorsque l'existence de la prostitution devient trop flagrante, les autorités de Québec enferment quelques femmes à l'Hôpital-Général. À Montréal, on suit le même procédé, mais sans beaucoup de succès, selon les chroniques d'Élisabeth Bégon qui note, en 1749:

> Nous avons vu aujourd'hui, cher fils, Mme Bouat, que je t'ai mandé être depuis la Saint-Martin aux Frères Charon avec Mme Youville. C'est une comédie de la voir: elle ne fait plus que prêcher et parler du plaisir qu'il y a à vivre retirée du monde. Elle nous a assuré la conversion des quatre dames qu'on a mises au Géricault (Jéricho); elle les visite de temps en temps. Je crois te les avoir nommées: c'est Mme Guiniolète et sa fille, Mme Sans-Poil et une de Québec dont je ne sais pas le nom. Tout ce que Mme Bouat craint sont les soldats qui pourraient avoir envie de tirer ces dames de captivité, mais je ne pense pas qu'ils voulussent rien faire pour cela de mal à propos[11].

Au début du XIXe siècle, la prostitution échappe toujours au contrôle des autorités. L'historien Wallot fait état des estimations de l'époque, qui dénombrent en 1810, sans doute exagérément, de 400 à 600 prostituées pour la ville de Québec, dont la population se situe entre 13 000 et 14 000 personnes. Même si l'Assemblée législative vote des sommes annuelles pour leur réhabilitation, aucune institution n'est capable de s'en occuper de façon adéquate. En 1825, à Montréal, 6 % de toutes les femmes ayant une profession déclarée sont des prostituées. Il faut donc croire que, pour bien des femmes, c'est le meilleur, sinon le seul moyen de gagner sa vie.

La pauvreté condamne beaucoup de femmes à la marginalité. Le manque de formation spécialisée et la responsabilité quasi unique des enfants en bas âge mettent les métiers les plus rémunérateurs hors de portée des femmes. D'ailleurs, les salaires individuels moyens des femmes varient autour de la moitié de ceux des hommes, ce qui est une constante de l'histoire du Québec. Ce qui veut dire qu'une femme sans héritage peut à peine subvenir à ses propres besoins. Si, en plus, la mort, la maladie ou l'abandon du père de ses enfants la rend seule responsable du noyau familial, elle glisse rapidement en dessous du seuil de la pauvreté. Au XVIIIe siècle, elle se tourne vers les communautés religieuses pour recevoir de l'aide. Parfois, le gouvernement donnera une maigre pension aux veuves d'anciens soldats ou de loyalistes.

Regulations of the female compassionate society, established for the relief of poor married women in their confinement:

III. The Articles of clothing and nourishment shall be issued by the Storekeeper, on a Ticket from the Acting Directress, and the cloathing shall be returned to them within thirty days. On the Storekeeper's Certificate of their being complete and properly washed, a gratuity of half a dollar, or a suit of baby linen shall be given to the poor woman, at the discretion of the Acting Directress. If not returned within the time or not in proper order, the gratuity shall be forfeited, and the woman excluded from future relief. The allowance shall consist of
Half a pound of Tea,
Two pounds of Oatmeal,
Two pounds of Rice or Barley,
Two pounds of Sugar,
Six pounds of Beef,
Two loaves of Bread,
Two pounds of Soap,
Three suits of Baby Linen,
Two changes of Linen for the woman.
Medicine, Wine, Nutmegs, Wood and Bedding to the added at the discretion of the Acting Directresses.
Quebec City, Lower Canada, 1822.

Source: Female Compassionate Society of Quebec (Quebec, 1822), 14-5, Bibliothèque de la Ville de Montréal, salle Gagnon.

La pauvreté féminine s'accentue dans les villes au début du XIXe siècle. Aux célibataires, aux orphelines, aux chômeuses et à celles souffrant de maladies chroniques s'ajoutent les immigrantes, qui arrivent de plus en plus nombreuses à partir de 1815. Quelques-unes sont des épouses d'anciens officiers de l'armée britannique ou d'administrateurs coloniaux. Pour la plupart, ce sont des femmes pauvres qui immigrent avec leurs familles. Au début des années 1830, l'immigration irlandaise augmente, apportant au Bas-Canada des gens sans le sou ou presque, parfois atteints de choléra ou d'autres maladies contagieuses.

Les femmes déjà établies au Bas-Canada tentent de soulager par le secours direct la détresse des milliers d'autres femmes qui débarquent sans argent ou sans amis. La politique de non-intervention gouvernementale qui caractérise l'époque du capitalisme naissant laisse surtout l'effort de soulager les pires effets de la pauvreté à l'initiative privée. Les religieuses se voient très vite dépassées par l'ampleur du problème. La charité individuelle, pratiquée depuis longtemps, ne suffit plus, surtout dans les milieux urbains congestionnés. À Montréal, les femmes de la bourgeoisie organisent, dès 1817, la Female Benevolent Society, organisme de charité laïque qui donnera lieu à l'établissement, en 1821, du Montreal General Hospital. En 1822, les dames de la bonne société de Québec organisent une des premières sociétés de charité laïque, la Female Compassionate Society, afin d'assister lors de l'accouchement les épouses légitimes, protestantes ou catholiques. La même année, les dames protestantes administrent le Montreal Protestant Orphan Asylum, contrepartie des orphelinats des religieuses. Le Montreal Ladies' Benevolent Society tente, dès 1824, de venir en aide aux femmes et aux enfants destitués.

Plus vulnérables à la pauvreté, plus facilement reléguées en marge de la société pour avoir enfreint la morale, les femmes se retrouvent souvent seules, vivant en dehors du cadre familial. Sans famille, surtout sans père, mari ou frère, une femme ne peut que vivoter. Une femme seule et relativement jeune peut se débrouiller, mais, dès qu'elle est malade, vieille ou seule avec des enfants, son existence devient précaire. Tout au plus peut-elle espérer être aidée par d'autres femmes. Nourrir, habiller, réconforter et soigner sont des tâches qui échouent aux femmes et, souvent, ce sont d'autres femmes qui en ont le plus besoin.

Suzanna Moodie arrive à Montréal en 1832

I was not a little amused at the extravagant expectations entertained by some of our steerage passengers. The sight of the Canadian shores had changed them into persons of great consequence. The poorest and the worst-dressed, the least-deserving and the most repulsive in mind and morals exhibited most disgusting traits of self-importance. Vanity and presumption seemed to possess them altogether. They talked loudly of the rank and wealth of their connexions at home, and lamented the great sacrifices they had made in order to join brothers and cousins who had foolishly settled in this beggarly wooden country.

Girls, who were scarcely able to wash a floor decently, talked of service with contempt, unless tempted to change their resolution by the offer of twelve dollars a month. To endeavour to undeceive them was a useless and ungracious task. After having tried it with several without success, I left it to time and bitter experience to restore them to their senses. In spite of the remonstrances of the captain and the dread of the cholera, they all rushed on shore to inspect the land of Goshen, and to endeavour to realize their absurd anticipations.

Source: Moodie, S., *Roughing It In The Bush, or Forest Life in Canada*, Toronto, McClelland and Stewart, «New Canadian Library», n° 31, 1970.

Les droits démocratiques

Les femmes ne participent pas à la vie politique de la colonie, sauf quand les intérêts de leur famille ou de leurs communautés sont directement touchés. Elles ne peuvent occuper de poste au sein du gouvernement. Toutefois, il semble que beaucoup de femmes suivent la politique de près. Celles qui ont laissé une correspondance s'informent régulièrement de la tournure des événements, souvent parce que les hommes de leur famille sont dans l'armée, au gouvernement ou, sous le Régime britannique, dans l'opposition. Au XVIIIe siècle, les femmes du peuple descendent parfois dans la rue pour protester contre des mesures impopulaires. En 1795, le gouvernement impose des corvées supplémentaires aux habitants pour l'entretien des chemins de Québec: ceux-ci résistent et, malgré les menaces de cinq cents femmes, on fait arrêter le chef du mouvement.

L'exclusion des femmes de la vie politique se fait plutôt par habitude que par des interdictions formelles. Par exemple, la constitution de 1791 fixe la franchise à un niveau assez bas pour les propriétaires, sans distinction de sexe. Résultat: certaines femmes propriétaires ont droit de vote et l'exercent. Mais le XIXe siècle, ère qui sacre la femme reine du foyer et ange gardien des valeurs familiales, n'admet pas facilement la participation directe des femmes au processus politique. La surreprésentation des femmes anglophones ou amies du pouvoir chez les électrices explique partiellement la volonté du Parti canadien, Louis-Joseph Papineau en tête, d'enlever le droit de vote aux femmes. Le Parti canadien semble craindre que leur participation ne lui fasse perdre des sièges au profit de l'opposition.

Les femmes ne semblent pas s'être exprimées sur la question de leurs droits politiques. Quoique le livre de la féministe Mary Wollstonecraft, *Une réforme des droits des femmes*, publié en 1792, ait été lu par quelques individus, le contenu de ce livre reste inconnu de la grande majorité des citoyennes du Bas-Canada. Chez les francophones, peu de femmes possèdent la formation intellectuelle ou le temps pour participer aux débats de ce genre. Chez les anglophones, Lady Simcoe s'est gagné la réputation de bas-bleu lors de son passage à Montréal à cause de sa curiosité intellectuelle trop marquée, et d'autres anglophones à talents littéraires évidents, telle Jane Ellice, femme du secrétaire de Lord Durham, seigneur de Beauharnois, se trouvent peut-être trop près du pouvoir pour le remettre en question.

Les droits que la Coutume de Paris reconnaît aux femmes du Bas-Canada peuvent expliquer en partie l'absence d'expression d'insatisfaction. À l'encontre du *Common Law* qui régit les Américaines et les femmes des Maritimes et du Haut-Canada, la Coutume de Paris ne fait pas disparaître l'existence légale de l'épouse au moment du mariage. Le contrôle du mari sur les biens de sa femme s'exerce à l'intérieur de limites établies. Le douaire, aussi bien que l'hypothèque judiciaire de la femme mariée sur les immeubles du mari, vise à la protéger contre les vicissitudes des fortunes du mari ou sa mauvaise administration de la communauté.

Pétition de 1828 sur le vote des femmes

(...) Les Pétitionnaires considèrent le refus d'un vote offert selon la Loi, comme le plus dangereux précédent, et subversif de leurs droits et priviléges constitutionnels. Les pétitionnaires représentent en second lieu, que tous les votes des veuves n'ayant pas été émis, le retour au Parlement d'Andrew Stuart, Écuyer, est nul en autant que le choix libre de tous les électeurs n'a pas été connu. Les Pétitionnaires prennent donc la liberté d'appeler l'attention de la Chambre aux raisons qui leur semblent conclusives sur le droit qu'ont les veuves de voter. Le droit de voter n'est un droit naturel ni chez l'homme ni chez la femme, il est donné par la loi. Les seules questions sont de savoir si les femmes peuvent bien exercer ce droit et à l'avantage de l'état, et si elles ont un juste titre à l'exercer. Les Pétitionnaires n'ont pas appris qu'il existe dans l'esprit des femmes aucune imperfection qui les placent plus bas que l'homme dans l'échelle intellectuelle, et qui rendraient en elles l'exercice de la franchise élective plus dangereux que ne l'est l'exercice que la loi leur a déjà donné d'un grand nombre d'autres droits. En point de fait, les femmes dûment qualifiées ont déjà exercé en cette Province le droit en question. Les Pétitionnaires sont d'avis que les femmes ont droit à ce privilège, si elles peuvent l'exercer avantageusement. La propriété et non les personnes est la base de la représentation dans le Gouvernement Anglais. Les qualifications requises par les Lois d'élection Anglaises, le montrent suffisamment; le même principe est strictement applicable à notre Constitution. Le payement de certaines taxes, à l'état, est une autre base de la représentation, car c'est un principe maintenu par les premiers hommes d'état en Angleterre qu'il ne peut y avoir de «taxation sans représentation». (...) On peut dire que la nature a formé la femme pour la vie domestique, cependant la Constitution Anglaise permet à une femme de s'asseoir sur le Trône, et une femme a été un de ses plus beaux ornemens (sic) (...)

Source: «Pétitions à la Chambre d'Assemblée du Bas-Canada, 4 déc. 1828» dans *Documents relatifs à l'Histoire constitutionnelle du Canada 1819-1828*, dirigés par Arthur G. Doughty et Norah North, Ottawa, 1935, p. 515-516.

L'infortunée Janette Bilodeau-Parent

Janette Bilodeau-Parent fut, au début du XIXe siècle, la maîtresse du juge de Bonne. Mais lorsque celui-ci la laisse tomber et se marie pour mieux faire avancer sa carrière, elle riposte par la presse. Elle publie dans *Le Canadien* cette lettre exhortant les électeurs à prendre garde à son ancien amant. Malgré son avertissement, le juge de Bonne, adversaire du Parti canadien, est réélu en mai 1808.

Aux électeurs du comté de Québec

Quoique ce ne soit pas la coutume que les femmes s'adressent à vous pendant les élections, j'espère que vous voudrez bien pardonner cette liberté à une infortunée qui n'a point d'autre moyen d'obtenir justice qu'en s'adressant à vous. Comment pourrais-je d'ailleurs, l'ingrat dont je me plains est le juge même.

Vous avez connaissance, Messieurs, des peines que je me suis données pour lui à l'élection de Charlesbourg... la pitié m'intéressa pour lui, comme elle intéressa un nombre d'entre vous, et j'employai tout mon pouvoir à le faire élire et le faire triompher. Vous avez vu ce triomphe, Messieurs, dont il s'est tant glorifié. Mais à peine l'ingrat l'a-t-il obtenu, qu'il a oublié ce que j'avais fait pour lui, il m'a lâchement abandonnée. Il a eu la perfidie de me dire que c'était moi qui lui nuisait dans votre estime, et il m'a trahie honteusement pour s'en faire un mérite auprès de vous.

L'ingrat s'est marié et s'est fait dévot; c'est pour obtenir vos suffrages. Il n'est point converti, je vous en assure; je le connais, il peut se jouer de tout pour parvenir à ses vues.

L'infortunée Janette Bilodeau-Parent

Source: Le Canadien, 21 mai 1808.

La société traditionnelle se modifie

Pendant plus de cent ans, la colonie établie sur les rives du Saint-Laurent se développe autour de la vie agricole et de la vie familiale. On a plus d'enfants que jamais et on les installe les uns après les autres sur de nouvelles terres, jusqu'aux confins de toutes les seigneuries. Ce mode de vie a été troublé par la guerre de la Conquête et la guerre américaine, mais la vie a repris son cours, sans bouleversements fondamentaux.

Femmes, hommes et enfants vivent dans la famille et travaillent pour la famille. Les choix matrimoniaux, professionnels, juridiques, financiers, voire politiques, sont assujettis à l'identité familiale. Cette organisation nie l'individualité des femmes et des hommes. Dans un tel contexte, ce qui prévaut, ce n'est pas une définition abstraite de ce qu'une femme devrait faire, mais ce que la réalité familiale commande à chacune. Comme la distinction entre les sphères privée et publique n'est pas rigide, les affaires familiales, économiques et politiques ont souvent tendance à s'entremêler. Femmes et hommes s'en mêlent.

Néanmoins, cette société considère que la communauté familiale ne saurait être cogérée. Il lui faut un chef, et ce chef, celui qui détient l'autorité, c'est l'homme, le mari, le père de famille qui a donc toute latitude pour faire passer ses intérêts personnels pour des intérêts familiaux; en tant que chef, il dispose d'un plus grand pouvoir sur les biens de la communauté et se verra accorder plus de liberté sexuelle. Et c'est parce qu'il est chef de la communauté et inscrit comme propriétaire des biens familiaux qu'il accède aux droits politiques lors de l'instauration du parlementarisme.

Pour les femmes du Bas-Canada, cette longue période se termine dans une conjoncture de crise. Les troubles économiques et politiques que connaît la colonie préparent la voie à l'instauration d'un nouveau système économique. D'une part, les bases de l'économie traditionnelle s'effritent, les bonnes terres sont toutes occupées et les rendements agricoles décroissants font chuter le niveau de vie de l'habitant. D'autre part, la révolution industrielle fait son apparition en terre américaine. La société traditionnelle devra se modifier. Les femmes entrent dans un siècle de bouleversements.

Notes du chapitre 4

1. «Journal des Campagnes du Chevalier de Lévis, 1756-60», cité dans Robert-Lionel Séguin, *La civilisation traditionnelle de l'habitant au XVIIe et au XVIIIe siècles*, Montréal, Fides, 1967, p. 75.

2. «Journal du marquis de Montcalm», cité dans Robert-Lionel Séguin, *La civilisation traditionnelle de l'habitant au XVIIe et au XVIIIe siècles*, Montréal, Fides, 1967, p. 109.

3. Élisabeth Bégon, *Lettres au cher fils*, Nicole Deschamps, éd., Montréal, Hurtubise HMH, 1972, le 31 janvier 1749, p. 74.

4. «Julie Bruneau à Louis-Joseph Papineau», le 2 novembre 1835, *Rapport de l'archiviste de la province du Québec*, 1957-1958, p. 66.

5. «Julie Bruneau à Louis-Joseph Papineau», le 15 décembre 1831, *Rapport de l'archiviste de la province de Québec*, 1957-1958, p. 65.

6. «Jugements et délibérations du Conseil souverain de la Nouvelle-France 1660», cité dans Robert-Lionel Séguin, *La sorcellerie en Nouvelle-France*, Montréal, Leméac, 1971, p. 160.

7. «Journal de Lady Simcoe», cité dans B. Dufebvre, *Cinq femmes et nous*, Québec, Bélisle, 1950, p. 132-133.

8. «Sœur Thérèse de Jésus à François Baby», le 2 août 1786 et le 8 mai 1787, *Collection Baby*, Archives de l'Université de Montréal, boîte 115.

9. Cité dans L. Lacoursière, «Le triple destin de Marie-Josephte Corriveau, 1733-1763», *Cahiers des dix*, vol. 33, p. 230-231.

10. Extraits de «Sur Indictment for a Rape on Susannah-Eliza Davis, 23rd February, 1814», 7 May 1814, Québec, Oyer & Terminer & General Gaol Delivery, *Papiers Sewell*, Archives Publiques du Canada, Serie 17 G 23, G II, 10, vol. 13, folio 6117 à 6128.

11. Élisabeth Bégon, *Lettres au cher fils*, le 9 janvier 1749, p. 64.

II
La stabilité
Orientations bibliographiques

ALLARD, M., dir., *L'Hôtel-Dieu de Montréal 1642-1973*, Montréal, Hurtubise HMH, 1973, 346 p.

BARRY, F., «Familles et domesticité féminine au milieu du XVIIIe siècle» dans *Maîtresses d'école, maîtresses de maison*, Articles choisis et présentés par Micheline Dumont et Nadia Eid, Montréal, Boréal Express, 1983.

BÉGON, ÉLISABETH, *Lettres au cher fils*, dirigé par N. Deschamps, Montréal, Hurtubise HMH, 1972, 221 p.

BROOKE, F., *The History of Emilie Montague*, 2e éd., Toronto, McClelland and Stewart, 1961.

CHARBONNEAU, HUBERT, *Vie et mort de nos ancêtres*, Montréal, Presses de l'Université de Montréal, 1975, 267 p.

CHARBONNEAU, HUBERT et al., *Naissance d'une population. Les Français établis au Canada au XVIIe siècle*, Montréal et Paris, Presses de l'Université de Montréal et Institut National d'Études Démographiques, Travaux et documents, Cahier n° 118, 1987, 232 p.

CLICHE, MARIE-AIMÉE, «Filles-mères, familles et société sous le Régime français» dans *Histoire sociale*, vol. 21, n° 41, mai 1988, p. 39-70.

D'ALLAIRE, MICHELINE, *Les dots des religieuses*, Cahiers du Québec, coll. «Histoire», Montréal, Hurtubise HMH, 1986.

————, *L'Hôpital-Général de Québec, 1692-1764*, Montréal, Fides, 251 p.

Dictionnaire biographique du Canada, Québec, Presses de l'Université Laval, vol. II, III, IV, V, VI, VII.

DUFEBVRE B., *Cinq femmes et nous*, Québec, Bélisle, 1950.

DUFOUR, ANDRÉE, «Diversité institutionnelle et fréquentation scolaire dans l'île de Montréal en 1825 et en 1835» dans *Revue d'histoire de l'Amérique française*, vol. 41, n° 4, 1988, p. 553-574.

DUMONT, MICHELINE, *L'instruction des filles au Québec, 1639-1960*, Ottawa, Société Historique du Canada, Brochure historique, n° 49, 1990, 32 p.

GAUVREAU, DANIELLE, *Québec. Une ville et sa population au temps de la Nouvelle-France*, Québec, Presses de l'Université du Québec, 1991.

IGARTUA, J., «Le comportement démographique des marchands de Montréal vers 1760» dans *Revue d'histoire de l'Amérique française*, vol. 33, n° 3, décembre 1979, p. 427-446.

JEAN, MARGUERITE, *Évolution des communautés religieuses de femmes au Canada de 1639 à nos jours*, Montréal, Fides, 1977, 324 p.

LACELLE, CLAUDETTE, *Les domestiques en milieu urbain canadien au XXᵉ siè-cle*, Études en archéologie, architecture et histoire, Ottawa, Lieux et parcs historiques nationaux, Environnement Canada, 1987, 278 p.

LACHANCE, ANDRÉ, *Crimes et criminels en Nouvelle-France*, Montréal, Boréal Express, 1984, 187 p.

LAFORCE, HÉLÈNE, *Histoire des sages-femmes au Québec*, Québec, Institut québécois de recherche sur la culture, 1985.

LANDRY, YVES, «Mortalité, nuptialité et canadianisation des troupes françaises de la guerre de Sept Ans» dans *Histoire sociale*, vol. XII, nᵒˢ 23-24, 1979, p. 298-315.

LEMIEUX, DENISE, *Les petits innocents*, Québec, Institut québécois de recherche sur la culture, 1985.

LIGHT, B. et PRENTICE, A., dir., *Pioneer and Gentlewomen of British North America 1713-1867*, Toronto, New Hogtown Press, 245 p.

OUELLET, FERNAND, *Histoire économique et sociale du Québec, 1760-1850*, 2 vol., Montréal, Fides, 1971, 639 p.

————, *Le Bas-Canada, 1791-1840. Changements structuraux et crise*, Ottawa, Presses de l'Université d'Ottawa, 1976, 541 p.

PARR, J., *Childhood and family*, Toronto, McClelland and Stewart, 1982.

PLAMONDON, L., «Une femme d'affaires en Nouvelle France: Marie-Anne Barbel, veuve Fournel» dans *Revue d'histoire de l'Amérique française*, vol. 31, nᵒ 2, septembre 1977, p. 165-186.

SÉGUIN, ROBERT-LIONEL, *La civilisation traditionnelle de l'habitant au XVIIᵉ et au XVIIIᵉ siècles*, Montréal, Fides, 1967, 701 p.

————, *La sorcellerie du Québec du XVIIᵉ au XIXᵉ siècle*, Montréal, Leméac, 1971, 245 p.

VAN KIRK, SYLVIA, «The impact of White Women on Fur Trade Society» dans Susan M. Trofimenkoff et A. Prentice, *The Neglected Majority*, Toronto, McClelland and Stewart, 1977, 192 p.

VERRETTE, MICHEL, «L'alphabétisation de la population de la ville de Québec de 1750 à 1849» dans *Revue d'histoire de l'Amérique française*, vol. 39, nᵒ 1, 1985, p. 51-76.

WALLOT, Jean-Pierre, *Un Québec qui bougeait*, Montréal, Boréal Express, 1973, 345 p.

III
LES BOULEVERSEMENTS
1832-1900

Le XIXe siècle représente pour le Québec un siècle de changements et de bouleversements qui transforment radicalement sa physionomie. Ainsi, sur le plan politique, on passe du Régime de l'Acte constitutionnel au Régime de l'Union, puis à celui de la Confédération. Sur le plan économique, l'industrialisation permet une restructuration de l'économie québécoise, tout en étant marquée par de fréquentes crises, du chômage, des vagues d'émigration vers les États-Unis et des afflux d'immigrants. Enfin, le Québec s'urbanise: mœurs et conditions de vie de la population changent en dépit de la résistance d'un clergé devenu omniprésent.

Dès le début du siècle, l'agitation parlementaire caractérise la scène politique du Bas-Canada alors que l'économie est plongée dans une crise agricole sans précédent. Dans les années 1830, la situation économique est devenue alarmante: la production de blé du Bas-Canada s'effondre définitivement en 1832; les cultivateurs n'ont plus d'argent, ni pour payer les ouvriers agricoles, ni pour établir leurs fils; les campagnes sont surpeuplées et il y a pénurie de terres disponibles; les marchands ne trouvent plus d'acheteurs pour leurs produits importés ou fabriqués par les artisans de Montréal et de Québec. Cette crise économique se répercute dans la vie publique. L'agitation parlementaire s'amplifie. La révolte éclate en 1837 et 1838.

Les historiens ont des vues partagées sur les causes des insurrections de 1837-1838. Ainsi, certains y voient l'éclatement d'un conflit d'abord politique, alors que d'autres y voient prioritairement le résultat d'une crise économique, d'un affrontement entre classes sociales ou d'un choc de modes de production. Chose certaine, ce soulèvement des populations du Bas et du Haut-Canada est durement réprimé par l'Angleterre, qui impose une solution politique au conflit: l'union dans une même entité politique du Bas et du Haut-Canada. De 1840 à 1867, les représentants de la population du Québec et de l'Ontario siégeront côte à côte dans un même gouvernement.

À la même époque, l'Angleterre modifie sa politique économique et transforme le cadre dans lequel évoluaient ses colonies d'Amérique du Nord. L'abolition progressive des tarifs préférentiels dont bénéficiaient les produits canadiens sur le marché impérial impose une réorganisation de l'économie canadienne. Les problèmes politiques du Bas-Canada sont résolus pour un temps par l'intervention de l'Angleterre, mais les problèmes économiques, eux, demeurent entiers. Le gouvernement de l'Union doit redoubler d'efforts, d'ailleurs, puisque l'Angleterre choisit cette époque pour modifier sa politique économique et pour abolir les tarifs préférentiels. Cette décision amène le gouvernement de l'Union à engager une importante réforme: la modernisation du transport. Dans une économie essentiellement axée sur l'exportation de quelques produits, tels le blé et le bois, le transport joue un rôle prépondérant; aussi la canalisation du Saint-Laurent est-elle terminée en 1848. Puis on s'engage dans l'extension et l'amélioration du système routier, et, enfin, dans la construction de chemins de fer. Pilier de l'économie québécoise, l'agriculture subit quant à elle de profondes mutations et émerge de la crise dans les années 1870-1880 en se spécialisant dans la production laitière et en développant une agriculture commerciale à côté d'une agriculture de subsistance toujours importante.

L'insurrection de 1837-1838 aura également constitué un tournant sur le plan social. Alors que le cadre politique et économique se transforme au lendemain de la crise, on assiste à une réforme des institutions juridiques, sociales, éducatives et religieuses. Ainsi, entre le gouvernement et la population s'instaurent de nouvelles structures municipales et scolaires. En 1840, une ordonnance établit dans le Canada-Est (le Québec) vingt-deux districts municipaux, puis le gouvernement vote les lois qui caractériseront le système scolaire du Québec pendant plus d'un siècle. On crée par ailleurs des bureaux d'enregistrement et on adopte en 1866 un nouveau code civil pour mettre fin à l'imbroglio de l'ancien droit français et du droit anglais, et pour régler les difficultés que pose un système juridique conçu pour une société de l'Ancien Régime.

Les hommes qui gèrent la société ont eux aussi changé au cours de ce siècle. L'échec de la rébellion a considérablement affaibli la petite bourgeoisie libérale et permis au clergé de raffermir sa position, ce qui ne sera pas sans conséquence sur le plan de l'éducation. Mgr Bourget, évêque de Montréal, donne en effet une nouvelle impulsion à l'Église québécoise lorsqu'il réussit à faire lever les restrictions qui pesaient encore sur l'Église depuis la Conquête: il fait revenir les Jésuites, incite des communautés religieuses françaises à s'établir au Québec et favorise la création de nouvelles communautés féminines canadiennes. L'Église s'arme donc d'un personnel imposant qui s'implante dans de multiples secteurs de la vie publique: éducation, santé, assistance sociale, culture et information sont littéralement envahies par des hommes et des femmes au service de Dieu. Mgr Bourget, en tant qu'ultramontain, véhicule une conception d'une société non égalitaire et fort hiérarchisée. Préconisant la domination de l'Église sur l'État ainsi que la soumission de la société civile à l'Église et au pape, il ne rate guère d'occasions de conseiller les politiciens. La scène politique québécoise est finalement dirigée par des conservateurs et le libéralisme politique est mis en échec.

Au cours du XIXe siècle, c'est la base même du système économique qui change. Le Québec, de société préindustrielle et agricole qu'il était, se transforme à la fin du siècle en société industrialisée. Cette restructuration de l'économie ne s'opère pas sans heurts, et les crises qui frappent l'économie occidentale dans la seconde moitié du XIXe siècle se répercutent sur l'industrie québécoise naissante, provoquant des périodes de chômage.

Néanmoins, le Québec s'industrialise rapidement. Les historiens Hamelin et Roby ont calculé que, entre 1851 et 1896, la valeur de la production du secteur secondaire passe de 2 millions de dollars à plus de 153 millions, c'est-à-dire qu'elle est multipliée par plus de soixante-dix. Les secteurs principaux de l'industrie québécoise sont l'alimentation, le bois, l'habillement, le fer et l'acier. C'est par milliers qu'hommes, femmes et enfants prennent le chemin de l'usine. C'est aussi par milliers que les produits sortent de ces nouvelles usines.

Cette industrie naissante a besoin pour se développer d'un marché et d'une abondante main-d'œuvre. Dans un tel contexte, il apparaît clair que la structure politique de l'Acte d'union est devenue désuète, structure par ailleurs dénoncée pour des motifs ethnopolitiques dans le Haut-Canada (Ontario). En 1867, on crée alors la Confédération, par l'Acte de l'Amérique du Nord britannique. Une partie des anciennes colonies de l'Angleterre deviennent alors les provinces d'un même pays. Il n'y a plus de frontières entre elles, et main-d'œuvre, capitaux et produits peuvent circuler librement d'une province à l'autre.

Au cours du XIXe siècle, on assiste donc à des transformations sans précédent: passage d'une société agricole à une société industrielle, abandon du cadre colonial, instauration de mécanismes démocratiques aux plans scolaire, municipal et national, adaptation du système juridique, prise en charge par l'Église d'importants secteurs de la vie collective, création d'un marché national, et, enfin, montée de la bourgeoisie et de la classe ouvrière.

Ce passage s'opère lentement tout au long du siècle. Avant que les nouvelles usines ne soient prêtes à absorber les surplus de la population rurale, des milliers de Québécoises et de Québécois manquent de travail et doivent chercher ailleurs. Pendant ce temps, c'est aussi par milliers que des immigrants britanniques arrivent au port de Québec. Si quelques immigrants ont assez d'argent pour s'acheter des terres dans les Cantons de l'Est, la plupart vont vers les autres provinces ou passent aux États-Unis. En 1901, à peine 5,5 % de la population du Québec est née à l'étranger. À cette époque, on n'immigre presque pas au Québec... on tente plutôt d'en sortir.

Les Québécois s'embarquent par milliers dans les trains qui mènent aux États-Unis et vont s'installer dans les villes industrielles de la Nouvelle-Angleterre. L'exode vers les États-Unis est une véritable saignée: de 1850 à 1901, on dénombre plus d'un demi-million de Canadiens français qui émigrent. C'est donc une imposante proportion de la population québécoise qui quitte sa condition rurale pour celle d'ouvrière en vivant l'expérience du travail industriel hors frontières. Cet exode est si massif que, au tournant du siècle, il y a autant de Québécois en dehors du Québec qu'à l'intérieur de ses limites.

D'autres Québécois préfèrent poursuivre l'expérience de leurs ancêtres colons. Quelques dizaines de milliers s'en vont dans les régions qu'ouvrent les grandes compagnies forestières. C'est la colonisation du nord de Montréal, de l'Outaouais, de la Mauricie et du Saguenay - Lac-Saint-Jean. On y défriche de nouvelles terres, mais surtout, on y coupe du bois pour les grandes compagnies. Enfin, on dénombre à la fin du siècle près de 100 000 Québécois qui ont choisi d'émigrer dans les autres provinces canadiennes, principalement en Ontario.

Malgré ces exodes, villes et villages du Québec grossissent. Dès le premier quart du XIXᵉ siècle, on avait vu s'installer dans les villages des marchands, des artisans et des membres des professions libérales. Montréal et Québec demeurent néanmoins en 1851 les deux seules villes de quelque importance, avec respectivement 57 715 et 42 052 habitants. Le Québec est encore rural: 85 % de la population vit dans des municipalités de moins de 1000 habitants. L'industrialisation modifie rapidement cette répartition spatiale, car les industries s'établissent dans les villes: Montréal, qui comptait moins de 60 000 personnes en

1851, passe à 268 000 en 1901. La population rurale québécoise ne représente plus en 1901 que 64 % du total.

Cette migration massive vers les villes rend inadéquates les anciennes structures urbaines: pénurie de logements, concentration élevée de la population autour des usines, mauvaises conditions sanitaires, difficultés de transport et risques de conflagration sont le lot des nouvelles villes industrielles. De plus, dans une ville comme Montréal, où les familles ouvrières forment les deux tiers de la population, les conditions de survie quotidienne sont intimement liées aux fluctuations de la production industrielle. Les nombreuses crises économiques et les mises à pied saisonnières plongent des milliers de familles dans le plus grand dénuement.

Femmes, hommes et enfants doivent apprendre à devenir des rouages du nouveau système économique qui s'implante. L'industrialisation exige des femmes de nombreuses adaptations. Les solidarités traditionnelles du monde rural ont été ébranlées, voire rompues; pour survivre, elles doivent alors recréer de nouvelles formes d'entraide et de soutien. Les femmes sont obligées de modifier leurs comportements, d'abandonner le rythme de travail de la société préindustrielle et de se plier à la discipline des nouvelles fabriques, de vivre à l'étroit dans des logements surpeuplés, d'acheter ce que jadis elles produisaient et de changer de travail. Elles doivent réapprendre à être femmes dans un monde où elles sont à la fois exclues et indispensables.

CHAPITRE 5

Le grand remue-ménage

Certaines femmes ne peuvent demeurer insensibles aux remous politiques qui agitent Montréal. En 1832, l'élection partielle du quartier ouest de Montréal fait des morts et des blessés au cours de l'intervention des troupes britanniques. Quelques mois plus tard, des femmes poussées par des préoccupations politiques se réunissent rue Bonsecours à Montréal. C'est là que se tiennent les réunions du Club des femmes patriotes fondé en 1833.

Si les femmes de la bourgeoisie s'organisent en sociétés littéraires ou politiques et créent des modes d'action qui laissent entrevoir le féminisme qui apparaîtra à la fin du XIXᵉ siècle, la plupart des femmes du Bas-Canada sont alors aux prises avec des problèmes beaucoup plus terre-à-terre. En 1832, l'année de la chute décisive de la production du blé, la crise économique bat son plein. Les fluctuations du prix du blé affectent d'autant plus la population que cette céréale est encore la denrée la plus consommée. On rapporte qu'en 1833, dans la plupart des paroisses du district de Québec, seul le tiers des habitants a des réserves pour survivre jusqu'à la récolte suivante.

De plus, 1832, c'est l'année d'une des pires épidémies que l'on ait jamais vues : le choléra qui sévit en Europe arrive à Québec et à Montréal au printemps. On dénombre 3292 morts à Québec, et la ville de Montréal perd le dixième de sa population. Nouvelle épidémie de choléra en 1834. La crise se répercute aussi dans les villes et on peut lire dans le journal *Le canadien* que le quartier Saint-Roch à Québec...

(…) renferme de 95 à 110 veuves qui gagnent leur vie à la journée, et dont une grande partie a bien souvent de la peine à trouver de l'ouvrage dans cette saison. Elles ont avec elles environ 200 orphelins. L'âge, la maladie, les infirmités rendent un grand nombre de ces pauvres femmes incapables de travailler une partie de l'hiver. (…) Il y a encore dans St-Roch 100 à 110 pauvres familles. (Un) certain nombre d'entre elles, il est vrai, est réduit à la misère par les suites de la boisson, dont l'usage est si funeste et si répandu parmi nos classes ouvrières… À côté de ces familles si souffrantes par la faute de leur Chef, il en est un grand nombre dont la misère ne vient qu'à la suite des maladies contagieuses qui règnent presque continuellement au milieu de notre population pauvre…[1]

Quand l'univers des hommes bascule

«Ni bled, ni épouseurs», dit un vieux dicton. Cette misère dans les villes et les campagnes oblige de nombreuses jeunes femmes à différer leur mariage. Entre 1836 et 1840, on enregistre le plus bas taux de nuptialité depuis 1711. Même phénomène pour les naissances, car c'est aussi durant ces années que le taux de natalité est à son plus bas.

Pour la grande majorité des femmes, cette période se vit dans la misère et c'est du fond de cette misère qu'elles entendent dire que la révolte gronde dans le monde politique des hommes.

Les femmes qui ont laissé des témoignages de leur vie au cours de cette période troublée sont les rares femmes qui ont accès à l'écriture, c'est-à-dire assez fortunées pour savoir écrire et surtout pour avoir le temps d'écrire. Dans les milieux dirigeants de la société bas-canadienne, certaines femmes, pourtant exclues de la vie politique, sont vivement intéressées par les débats de l'heure. Il n'est pas possible de se désintéresser des événements qui se produisent, explique Cordélia Lovell à sa belle-sœur, car, affirme-t-elle, les affaires de la politique occupent tout le monde et c'est le sujet de toutes les conversations.

Observatrice attentive de la scène politique, Julie Bruneau écrit à son époux, Louis-Joseph Papineau, chef du Parti patriote, «(…) si l'état de Montréal n'est pas changé (…), si on ne peut rien obtenir il faudra inévitablement l'avoir par la violence…[2]» Dans les milieux politiques, la révolte apparaît imminente. C'est cependant avec une certaine inquiétude que Julie Bruneau regarde ses compatriotes. Elle s'inquiète de leur faiblesse et de leur manque de détermination politique. Le Haut-

Canada réussira, croit-elle, à obtenir les réformes souhaitées, mais l'Angleterre continuera à opprimer le Bas-Canada, car, soutient-elle, «nous les aidons à river nos chaînes».

L'organisation politique patriarcale exclut les femmes de la milice et de l'action politique directe. Durant cette période troublée, on les retrouve actives certes, mais à la périphérie de l'action. C'est en grand nombre, semble-t-il, qu'elles assistent aux assemblées populaires de protestation. Le comité central permanent des Patriotes sanctionne en 1837 la fondation, par Mme Girouard, de l'Association des dames patriotes du comté des Deux-Montagnes. Ces femmes se réunissent pour «concourir, autant que la faiblesse de leur sexe peut le leur permettre, à faire réussir la cause patriotique».

Avant l'éclatement armé, la population bas-canadienne est appelée à lutter par le boycottage des produits britanniques. Un des mots d'ordre est de ne plus acheter les tissus et étoffes fines importées, mais de se vêtir avec la grosse toile et l'étoffe grise tissées par les Canadiennes, et bien sûr, pour les femmes, d'activer leur métier à tisser. On voit alors d'éminents citoyens abandonner leurs élégants vêtements et on rapporte que, à Montréal, Mmes Lafontaine et Peltier portent publiquement les étoffes canadiennes.

Mais nul ne s'attend à voir les femmes s'engager directement dans le conflit. Hortense Globensky fait figure d'exception historique. Citoyenne du comté des Deux-Montagnes, elle participe activement à la campagne électorale de son frère député du parti dit «bureaucrate», allié du *statu quo* et opposé aux Patriotes. Un jour, au cours des insurrections, on la voit se faire oratrice: elle exhorte les paroissiens, au sortir de la messe, à demeurer fidèles au gouvernement. Des Patriotes voulant la faire taire, elle les menace avec un pistolet. En réponse à ce geste, ceux-ci la font arrêter pour port d'arme illégal et la conduisent à la prison de Montréal. À un autre moment, elle doit défendre seule sa maison. La bravoure qu'elle manifeste à cette occasion est soulignée par des contemporains qui lui offrent une urne à thé (!) sur laquelle on peut lire l'épigraphe: «en témoignage de l'héroïsme au-delà de son sexe déployé dans la soirée du 6 juillet 1837»!

Du côté des Patriotes, on rapporte également le cas de femmes qui vont «au-delà de leur sexe». Certaines sont armées, telle Émilie Boileau-Kimber de Chambly qui tient des assemblées de Patriotes dans sa demeure. Une autre, pratiquant à sa manière la politique de la terre brûlée, met elle-même le feu à sa demeure, à la fois pour démontrer aux Anglais qu'elle n'a pas peur d'eux et pour les empêcher de profiter de ses biens.

Ces femmes constituent néanmoins des exceptions. Pour la plupart, la participation à la rébellion se définit davantage en termes de support aux hommes. Qu'il s'agisse de fondre des balles, de fabriquer des cartouches, de dessiner et de tisser les drapeaux tricolores des Patriotes, de soigner ou de cacher des Patriotes et des membres de leurs familles dans leur demeure, souvent au risque de voir leur propre maison incendiée, elles restent dans la vie civile. Enfin, l'immense majorité des femmes sont laissées seules avec les enfants et les vieillards pour affronter sans armes les troupes britanniques qui pillent et incendient les maisons des Patriotes ainsi que des villages entiers, tels Saint-Denis, Saint-Benoît et Saint-Eustache.

Des femmes et des enfants de Britanniques sont aussi faits prisonniers par les Patriotes. Ainsi, le presbytère de Beauharnois sert de prison. Durant une semaine, soixante-deux personnes s'y entassent: elles sont finalement libérées par l'arrivée des troupes britanniques. Jane Ellice, seigneuresse de Beauharnois, raconte cette libération dans son journal:

Les Patriotes. Aquarelle de Jane Ellice.
M. Bell *Painters in a new land*

We thought the rebels were coming to murder us & locked in Tina's arms I was trying to compose my mind when Mr. Parker pushed thro' the crowd & told us that we were safe... they did not expect to find us alive. Till 4 o'clock we stood watching the village in flames; an awful sight but very beautiful[3].

Elles n'ont pas à vivre les souffrances du front et de l'engagement militaire direct avec l'ennemi. La répression les frappe toutefois au cœur de leur vie quotidienne. Si douze Patriotes sont exécutés, des centaines de foyers sont incendiés et des centaines de mères se retrouvent sur les chemins avec leurs enfants. Elles perdent biens et maison et souffrent de la famine. En réponse à cet affrontement militaire, les autorités britanniques châtient les populations civiles, châtient les femmes pour les agissements politiques du monde des hommes. Même Jane Ellice, sauvée par les Britanniques, ne peut s'empêcher de souligner dans son journal la dureté de la répression: «*the village was still burning; women and children flying in all directions. Such are the melancholy consequences of civil war[4].*»

Dans les documents relatifs aux troubles de 1837-1838, des femmes s'adressent à Sir John Colborne pour expliquer la misère économique dans laquelle les plonge la mort ou l'incarcération de leur mari. Sophie Mailloux expose qu'elle-même et «sa famille se trouvent réduits (*sic*) à la plus affreuse misère par le manque de nourriture, se trouvant même dans l'impossibilité de se procurer le bois de chauffage nécessaire». Josette Lebœuf raconte qu'une fois son mari fait prisonnier, on brûla sa maison et tout ce qu'elle contenait; elle s'est alors «trouvée réduite sur le grand chemin avec ses enfants outre deux jeunes orphelins étrangers qu'ils avaient pris en élève, et, tous, souffrant de la nudité et de la famine». Mary Gillecey, devenue veuve, demande qu'on lui transfère le permis d'hôtelier qu'avait son mari, car, affirme-t-elle, «*that the only means your Petitioner has of maintaining her Children is by Continuing to keep a Hotel*».

Rosalie Dessaules, seigneuresse de Saint-Hyacinthe, décrit l'état des campagnes au lendemain des troubles:

On commence à ressentir vivement le tort qu'a fait ici le pillage. Il ne s'amène pas de viande au marché pour la moitié des besoins du village et le peu qu'il en vient est excessivement cher et de la plus mauvaise qualité et on n'a pas comme les autres années l'avantage de trouver dans la cour ce qu'il en manque au marché.

Ils m'ont tué, emporté et détruit bœuf, vache, cochon, mouton, volaille de toutes espèces et je suis encore la moins à plaindre. Combien à qui on a fait la même chose et qui sont dénués de moyens pour voir les premières nécessités de la vie et qui sont chargés de famille, ou âgés ou infirme...[5]

Les années 1837-1838 sont aussi synonymes d'angoisse et de ruptures de familles. En plus des morts au combat et des centaines de prisonniers, la défaite se solde par 12 hommes exécutés, 98 condamnés à mort et 58 déportés en Australie, dont 44 ont des enfants. Eugénie Saint-Germain est mariée avec J.-N. Cardinal, député de Laprairie, et, lorsque ce dernier est condamné à l'échafaud, elle intercède auprès de Lady Colborne en faisant appel à la compréhension d'une femme: «Vous êtes femme et vous êtes mère! Une femme ... tombe à vos pieds tremblante d'effroi et le cœur brisé pour vous demander la vie de son époux bien-aimé et du père de ses cinq enfants! L'arrêt de mort est déjà signé!!» Le lendemain, cette femme enceinte de son cinquième enfant devient veuve.

Henriette Cadieux connaît un sort similaire. Épouse du notaire Chevalier De Lorimier, elle a trois enfants dont l'aîné n'a que quatre ans lorsque son mari est exécuté. Elle aussi intercède auprès de Colborne, lui rappelant entre autres qu'elle n'a pour vivre et supporter ses trois enfants que «le produit du travail et de la profession de leur père».

Si les femmes n'ont pas à s'engager militairement, la justice compte cependant sur leur participation. Au cours des procès des prisonniers, certaines sont appelées à témoigner. Les unes témoignent en vue de blanchir un prisonnier: la tactique la plus fréquemment utilisée est d'affirmer que le prisonnier a été forcé à suivre les rebelles et a participé malgré lui à la rébellion. Les autres fournissent un alibi au prisonnier en alléguant qu'il n'a pu participer aux troubles parce qu'il était avec la déposante ou que celle-ci l'a vu. Josephte Merleau et Catherine Roy, quant à elles, pour disculper Josepht Roy, affirment que le drapeau tricolore des Patriotes trouvé chez le prisonnier était leur œuvre. Si ces paysannes ont tissé un drapeau vert, rouge et blanc, ce n'est que pure coïncidence (!) «puisqu'elles l'ont fait de trois couleurs ... dans un temps de calme politique, sans en conséquence, aucune pensée révolutionnaire ni sans aucune suggestion, mais simplement comme étant de leurs idées de meilleur goût»!

D'autres, par ailleurs, témoignent contre des prisonniers rebelles. Pour nuire à un prisonnier, on invoque qu'un tel a volé des tuyaux à la boutique de son fils ferblantier et qu'un tel a tenu des propos séditieux;

une autre se plaint d'avoir eu à faire la cuisine aux rebelles, alors qu'une autre rapporte qu'on l'a forcée à fabriquer des cartouches. Enfin, une femme ne désire nullement intercéder en faveur de son mari prisonnier. Elle déclare qu'il tient dans leur maison des assemblées secrètes et dépose contre lui parce qu'il l'a battue à coups de poing et à coups de pied, et qu'il l'aurait même «menacé de lui ôter la vie et ce sans aucune provocation de la part de ladite déposante laquelle déclare craindre que Jean-Baptiste Laguë attente à sa vie»…

On ne peut toutefois pas déduire de ces quelques cas une absence totale de sentiments patriotiques chez les femmes. Euphrosine Lamontagne-Perrault, particulièrement touchée par les troubles puisqu'elle y perd deux fils, l'un tué et l'autre en exil, n'en affirme pas moins: «… si c'était à refaire et que mes enfants voulussent agir comme ils l'ont fait, je n'essayerais pas à les détourner parce qu'ils n'agissent nullement par ambition mais par amour du pays et par haine contre les injustices qu'ils endurent.»

Les événements de 1837-1838, les femmes les ont vécus exclues de la politique et de la vie publique. Si, au siècle précédent, elles avaient eu un rôle politique actif au cours des pénuries de pain, la conception de la femme comme un être domestique s'impose et les destine à n'agir que pour aider les hommes, qui monopolisent la sphère publique. C'était le monde politique des hommes qui était troublé et qui a pris les armes, mais la répression s'est exercée partout. Le privé, la vie domestique, la vie des femmes ne sont pas épargnés.

Il était inévitable que les femmes luttent avec des moyens différents de ceux des hommes. Le fait qu'on ait peu parlé d'elles est symptomatique d'une conception de l'histoire basée sur les faits et gestes de quelques hommes détenant le pouvoir. Qu'elles aient réagi en fonction de leurs intérêts et de leurs préoccupations personnelles et familiales n'était que normal. D'ailleurs, les Patriotes, qui avaient tenté de leur enlever le droit de vote en 1834, ne devaient nullement s'attendre à ce que les femmes du pays aillent «au-delà de leur sexe» et aient des comportements semblables aux leurs.

La défaite des anciens droits des femmes

Pour quiconque s'intéresse à l'histoire des femmes, c'est toujours une source d'étonnement que de voir parmi nos ancêtres des femmes se présenter aux urnes à partir de 1791. Les élites politiques auraient-elles été moins chauvines qu'ailleurs en permettant à des femmes de voter?

La logique du libéralisme politique exigeait qu'à plus ou moins long terme la plupart des citoyens et citoyennes aient le droit de vote. Mais partout, les femmes durent attendre fort longtemps et lutter ardemment avant de bénéficier des idéaux démocratiques.

La logique qui prévaut au XIXe siècle est celle de l'exclusion des femmes de la politique. Lorsque les parlementaires du Bas-Canada manifestent clairement leur désir d'exclure les femmes de la catégorie des électeurs en 1834, ils se comportent en hommes de leur époque qui veulent corriger une anomalie. D'ailleurs, comment penser que Louis-Joseph Papineau, libéral et chef du Parti patriote, ait voulu que les femmes votent quand il écrit à sa propre épouse en 1830:

> Je reçois ce matin ta bonne et aimable lettre. Quoiqu'elle respire un peu trop d'esprit d'indépendance contre l'autorité légitime et absolue de ton mari, je n'en suis pas aussi surpris qu'affligé. Je vois que cette funeste philosophie gâtes *(sic)* toutes les têtes et le contrat social de Rousseau te fait oublier l'Évangile de St-Paul. «Femmes soyez soumises à vos maris[6].»

En 1849, le droit de vote est définitivement retiré aux femmes et la situation est, pour ainsi dire, normalisée. L'historienne Catherine L. Cleverdon formule l'hypothèse qu'un tel retrait a peut-être été influencé par la tenue à Seneca Falls, aux États-Unis, en 1848, d'une conférence féministe où les participantes réclament officiellement le droit de voter. Dans ce contexte de début d'agitation féministe en Amérique du Nord, les parlementaires peuvent en effet craindre que des femmes du Québec ne recommencent à utiliser ce droit de vote qui, vraisemblablement, est resté lettre morte depuis 1834. Ils n'ont donc aucun risque à prendre et doivent alors rendre le texte de la loi électorale conforme à leur conception de la politique. Les femmes d'ici se retrouvent désormais, comme les autres Canadiennes, privées de droits politiques. Toutefois, quelques décennies plus tard, vers 1880, des campagnes en faveur du droit de vote des femmes font surface au Canada. Le sujet est dans l'air et les parlementaires fédéraux ont même l'occasion d'en discuter en 1885, à la faveur d'un projet de modification de la loi électorale qui aurait permis à certaines catégories de femmes de voter.

Au cours de ce siècle, la situation juridique des femmes subit aussi un certain nombre de modifications. Au Québec, c'est encore le droit français, nommé «Coutume de Paris», qui règle les relations entre les individus, alors que le pays est devenu une colonie britannique. Les nouveaux dirigeants ne sont pas sans éprouver certaines difficultés avec ce droit qui ne leur est pas familier. De plus, certaines dispositions de ce droit nuisent à la spéculation foncière. Sous la pression de l'expansion capitaliste menée par les Britanniques, on assiste à la modification de certains droits des femmes.

Le principal changement est la mise en désuétude du droit de douaire. Comme on le sait, par le droit de douaire, une femme et ses enfants peuvent conserver, après la mort du mari propriétaire, la jouissance de certains biens, même s'ils ont déjà été vendus ou hypothéqués. De cette manière, un propriétaire du Bas-Canada au début du XIXᵉ siècle peut découvrir que, à la suite du décès du vendeur, l'immeuble qu'il a acquis quelques années auparavant est maintenant sujet au douaire de l'épouse, douaire dont il ignorait parfois l'existence. On comprend pourquoi les hommes d'affaires britanniques protestent vigoureusement contre ces dispositions, qui freinent, disent-ils, la spéculation immobilière.

Dès l'établissement du nouveau gouvernement de l'Union, la loi est modifiée. Les femmes doivent désormais renoncer pour elles et leurs enfants à l'ancienne protection matérielle du douaire, libérant ainsi les titres de propriété de leurs maris. Pour la renonciation du droit de douaire, ni elles ni les enfants ne se voient accorder ni indemnité ni compensation. Même si les femmes ne sont pas obligées de renoncer au douaire, en pratique, elles doivent le faire. En effet, quel acheteur avisé serait intéressé à acquérir un bien dont il aura la propriété, mais non la jouissance?

L'instauration de bureaux d'enregistrement, en 1841, ne fait que renforcer pour les femmes l'obligation de renoncer au douaire. Le système des bureaux d'enregistrement, qui n'existait pas sous la Coutume de Paris, permet à l'acquéreur de consulter le registre et de voir qui est le vrai propriétaire de l'immeuble qu'il veut acheter, et avec quelles hypothèques ou douaires celui-ci est déjà grevé. Le conflit entre les droits de douaire et le principe de l'enregistrement se termine par la défaite des anciens droits des femmes, à une époque où c'est une femme, la reine Victoria, qui siège sur le trône d'Angleterre.

En 1866, la nouveau code est encore plus précis. Il spécifie qu'aucun douaire n'est valable à moins d'avoir été enregistré pour la propriété sur laquelle il porte. Mais il semble qu'on néglige de plus en plus, souvent par ignorance, de faire cet enregistrement. Au début du

XXe siècle, les féministes constatent que le droit de douaire est, pour la plupart des femmes, un droit fictif. Dorénavant, il doit être enregistré pour être valide contre des acheteurs ou des créanciers du mari.

La famille tout entière voit ses droits s'effriter au profit d'une nouvelle conception plus individualiste de la propriété. La possibilité pour certains membres de la famille d'exiger le rachat de certains biens vendus aux étrangers est abolie en 1855. C'est aussi au XIXe siècle que s'implante l'habitude pour des femmes de signer du nom de leur mari plutôt que de leur propre nom, imitant en cela les usages britanniques. La Coutume de Paris, pour ce qui est des successions, prévoyait un partage égal entre les héritiers, sans distinction de sexe. L'historien Greer constate que les habitants s'organisaient pour léguer leur propriété aux fils, confiant la sécurité matérielle de leurs filles aux futurs époux. Les droits anciens s'érodaient peu à peu.

Au Bas-Canada, le passage d'une société rurale à une société qui s'industrialise appelle la création d'un cadre légal cohérent et d'application uniforme. Ainsi décide-t-on de mettre de l'ordre dans le fouillis du droit civil français, de la *Common Law* et du droit statutaire qui régissait la province dans la première moitié du XIXe siècle. On procède à l'organisation systématique des lois en vigueur et on les distille sous forme d'un code qui vient remplacer la Coutume de Paris.

Le Code civil de 1866 assure la continuité en ce qui concerne les droits des femmes. La plupart des dispositions de la Coutume de Paris touchant le statut légal des femmes sont reproduites intégralement. Quoique les rédacteurs du Code civil prennent comme modèle le code Napoléon de 1804, ils trouvent parfois que le Code français s'adapte mal aux coutumes du Bas-Canada et ils préfèrent conserver les pratiques locales. Par exemple, le Code civil du Bas-Canada autorise un enfant naturel à prendre une action en déclaration de paternité contre son présumé père, alors que le code Napoléon, rejetant le principe de la responsabilité obligatoire des hommes envers les bâtards et voulant protéger la famille légitime, défend de telles actions. Cependant, en France, un enfant peut devenir légitime lorsque ses parents le reconnaissent comme le leur. Ici, la seule façon pour un enfant de ne plus être un bâtard est que ses parents le légitiment en se mariant. Voilà qui poussera plus d'un parent à se marier et à rejeter le concubinage.

Malgré cette sévérité, le Code civil permet l'annulation du mariage pour cause d'impuissance, motif qui est rejeté par le code Napoléon puisque la preuve en est «difficile et scandaleuse». L'âge idéal du mariage pour les femmes est maintenu à douze ans, alors qu'en France on l'a fixé à quinze ans. De la même façon, on rejette l'article du code Napoléon qui défend à la veuve de se remarier dans les dix mois suivant la mort de son mari, puisqu'on croit que l'opinion publique règle suffisamment la conduite des veuves.

Dans l'ensemble, les droits civils des femmes sont peu changés par le Code civil de 1866. Les épouses demeurent régies par le principe de l'incapacité juridique pendant leur mariage. On note toutefois certains assouplissements qui rendent moins difficile la vie quotidienne des épouses. Ainsi, une femme mariée en séparation de biens n'a plus besoin d'une autorisation formelle et expresse de son mari pour vendre, hypothéquer ou acheter des biens immeubles. Un consentement du mari fait sous n'importe quelle forme est valable et aucune autorisation n'est nécessaire pour faire de simples actes administratifs, tels la perception des loyers ou le paiement des taxes. Pour être marchande publique, une épouse a besoin du consentement marital, mais, une fois ce consentement acquis, elle peut agir seule pour les affaires de son commerce. Enfin, la ménagère est reconnue capable de faire les commissions et les modestes achats du ménage. Même si le code de 1866 présente certains assouplissements, les cours de justice préfèrent maintenir le principe de la puissance maritale en obligeant les femmes à quêter la permission préalable de leur mari avant de disposer de leurs propres biens.

Cette incapacité légale pose aussi de lourds problèmes aux femmes qui participent à des œuvres de charité. Leurs maris doivent sans cesse signer pour elles: on comprend aisément l'absurdité d'une telle situation! Pour y remédier, il faut prévoir dans les lois d'incorporation de certaines associations que les femmes mariées membres du conseil d'administration puissent agir comme telles sans y être autorisées par leur mari. C'est le cas, en 1841, de l'Asile de Montréal pour les orphelins et de l'Asile de Montréal pour les femmes âgées et infirmes. Le Code civil de 1866 ne vient pas modifier cette situation: la fondatrice de l'hôpital Sainte-Justine, Justine Lacoste-Beaubien, devra, en 1908, faire comme ses ancêtres et demander au parlement québécois de la relever de son incapacité juridique afin qu'elle puisse vaquer aux affaires de son hôpital.

Au XIXe siècle, la principale modification à la condition juridique des femmes est la «modernisation» des clauses relatives à la transmission de la propriété: l'ancien droit de douaire constituant une entrave à la libre circulation du capital, les femmes perdent progressivement cette protection, que leur accordait jadis la Coutume de Paris. Le Code civil de 1866, malgré quelques modifications, ne fait que perpétuer le principe de l'incapacité juridique de la femme mariée qui figurait déjà dans la Coutume de Paris.

Lors de la codification de 1866, on ne retrace ni femmes ni hommes qui critiquent les dispositions confirmant le statut subordonné des épouses. Ce silence peut s'expliquer entre autres par le fait qu'au Québec, jusqu'à la fin du XIXᵉ siècle, les femmes jouissent de plus de droits que celles qui vivent dans les provinces de droit commun. Les autres provinces canadiennes sont régies par la *Common Law*; ce système est si rigoureux que l'épouse n'a aucune existence légale séparée du mari, à qui passe, lors du mariage, le contrôle absolu de sa personne et de ses biens.

Au milieu du XIXᵉ siècle, des femmes vivant sous des juridictions de droit commun, que ce soit en Angleterre, aux États-Unis ou dans les autres provinces du Canada, font pression pour modifier cette situation. Vers la fin du siècle, les lois sont peu à peu amendées par des Married Women's Property Acts. Au début du XXᵉ siècle, l'unique régime matrimonial de la plupart des provinces canadiennes est celui de la séparation de biens. Sous ce régime, la femme mariée dispose de ses biens comme bon lui semble et le principe de la puissance maritale y est inconnu. La situation étant alors renversée, ce sont les Québécoises qui ont la situation légale la moins enviable au Canada. Les anglophones du Québec seront d'autant plus sensibles à leur condition juridique que les autres anglophones ont maintenant une situation plus libérale. À la fin du XIXᵉ siècle, des femmes du Québec commencent à remettre en question leur statut politique et juridique. Ce sont évidemment des femmes qui ont des biens, les femmes de la bourgeoisie, intellectuelles et professionnelles, qui ressentent le plus le besoin d'améliorer leur sort légal.

Si les Québécoises de souche européenne perdent la protection du douaire sous la pression de la «rationalité» du nouveau système économique qui se met en place au XIXᵉ siècle, néanmoins les grandes perdantes de ces bouleversements sont, sur le plan juridique, les autochtones. Les autochtones sont devenus peu nombreux au Québec, car ils ne représentent qu'environ 0,5 % de la population durant les dernières décennies du XIXᵉ siècle, mais ils n'en occupent pas moins une imposante partie du territoire. Parce que les fourrures ne sont plus la base de l'économie canadienne et que les dirigeants veulent occuper les terres disponibles à des fins agricoles, ou encore pour permettre l'exploitation forestière, plusieurs lois sont promulguées à partir des années 1850, dans le but de limiter les territoires des autochtones et de les sédentariser. En définissant de façon de plus en plus restrictive le statut d'«Indien», le gouvernement diminue le nombre de personnes pouvant avoir accès aux réserves et aux primes que leur consentent certains traités. La principale stratégie utilisée sera de priver de son statut toute autochtone épousant un Blanc, ainsi que leurs descendants. Déjà, en 1851, le statut d'Indien au Bas-Canada avait été identifié en fonction de la lignée paternelle. La loi fédérale de 1869 ne fait donc que confirmer cette tendance. Ces législations sont fondamentalement opposées aux traditions amérindiennes, du moins pour les Iroquois, qui vivent dans une société matrilinéaire, c'est-à-dire une société où la descendance se fait en ligne maternelle.

Ainsi, par la loi de 1869, les femmes autochtones épousant des blancs perdent leur statut. De plus, si une femme se marie avec un autochtone d'une autre bande ou d'une autre tribu, elle appartient désormais au groupe de son mari. Elle doit nécessairement quitter la maison de ses parents et son lieu d'origine. Si son mari, par décision du surintendant de la réserve, est expulsé, elle subit le même sort. Cette loi prévoit aussi qu'à la mort de son mari elle ne peut hériter: seuls ses enfants sont les héritiers du père et il revient à ces derniers de pourvoir à la subsistance de leur mère. Cette dernière clause est néanmoins modifiée en 1874: le tiers des biens du mari va à l'épouse et les deux tiers aux enfants. Enfin, la loi de 1869 nie totalement le rôle que les femmes de certaines communautés jouent dans les affaires politiques: désormais, les conseils de bande sont élus par les seuls mâles majeurs du groupe et les femmes n'ont plus aucune voix officielle.

Elles se voient donc attribuer par la loi moins de droits légaux que les hommes. Le grand Conseil des Tribus du Québec et de l'Ontario s'est d'ailleurs opposé à cette dégradation du statut des femmes. En 1872, il demande au premier ministre du Canada d'amender la loi afin que les femmes autochtones puissent épouser qui elles veulent sans être passibles d'exclusion de leur communauté d'origine et sans perdre leurs droits. Mais la requête tombe dans l'oreille d'un sourd…

Par l'imposition des valeurs et des normes occidentales, les femmes autochtones deviennent au XIXe siècle des citoyennes de seconde zone; leurs enfants sont ceux des hommes et seuls ces derniers peuvent posséder et transmettre droits et biens aux descendants. La «civilisation» occidentale leur aura fait perdre leurs anciens droits et les aura placées comme toutes les autres femmes du pays sous la tutelle des hommes.

On déménage

L'espace est devenu trop restreint. Les bonnes terres sont occupées. Des milliers de Québécois quittent leur terre natale et s'en vont gagner leur vie ailleurs. Trois solutions sont possibles: aller défricher de nouvelles terres dans l'arrière-pays, émigrer vers les villes ou s'expatrier hors des frontières du Québec. En même temps, des milliers d'immigrants viennent au Nouveau Monde fuyant l'Europe de la famine, de la persécution vers un pays qui semble offrir de grandes opportunités économiques. Les ports d'entrée de Québec et de Montréal accueillent des familles de l'Irlande, de l'Écosse et de l'Angleterre, de l'Europe du centre et de l'Est, et à la fin du siècle, du monde méditerranéen.

Les dirigeants québécois tentent de retenir la population qui est particulièrement attirée vers les États-Unis. Le gouvernement provincial relance le mouvement de colonisation: le nord de Montréal, la Mauricie et le Saguenay - Lac-Saint-Jean sont colonisés. La nouvelle colonisation étant éloignée des réseaux commerciaux et se faisant sur des terres généralement peu fertiles, elle est donc davantage liée au développement de l'industrie forestière qu'à une relance de l'agriculture. Les colons seront défricheurs, agriculteurs et bûcherons dans les chantiers des grandes compagnies.

Quand on est une femme, devenir colon signifie recommencer à neuf dans un pays hostile. Il faut se recréer un nouveau réseau d'entraide, car on est loin de ses parents et amies. Il faut vivre dans une habitation de fortune avec le strict minimum tant que la nouvelle ferme n'est pas installée. Lorsque les hommes partent bûcher, il faut s'occuper seule et de la maisonnée, et de la ferme. Vivre en pays de colonisation signifie aussi qu'on a de nombreux enfants, car dans une telle économie une famille a intérêt à avoir une abondante main-d'œuvre familiale. L'analyse des comportements démographiques qu'a menée Gérard Bouchard sur la population du village de Laterrière, situé près de Chicoutimi, révèle une tendance à reproduire des comportements démographiques en voie de transformation ailleurs au Québec. Du milieu du XIXe siècle jusqu'à la crise de 1929, les taux de fertilité sont semblables à ceux de l'Ancien Régime: les femmes donnent naissance à des enfants tous les deux ans. L'État encourage d'ailleurs les familles nombreuses par des politiques natalistes. En 1890, une loi stipule que les parents d'au moins douze enfants vivants peuvent recevoir une terre de cent acres ou une prime en argent de 50 $. Lors de l'abrogation de cette loi en 1906, plus de 5000 familles ont réclamé cette récompense de l'État provincial.

Cuisinière dans un camp de bûcherons à South Stukely, *circa* 1888.
Archives nationales du Québec (Estrie)

Comme l'explique l'historien Normand Séguin, cette économie agro-forestière va consolider les bases de la société traditionnelle rurale et même en accentuer certaines caractéristiques. C'est le cas de la natalité. Alors que des milliers de Québécois font des familles un peu moins nombreuses, la natalité atteint dans les régions de colonisation des sommets inégalés. Certains interprètent ces taux élevés de natalité comme un signe de la force du clergé catholique qui impose ses valeurs natalistes. L'historien Chad Gaffield, qui a étudié la colonisation de la vallée de l'Outaouais, constate néanmoins qu'il existe peu de différences dans la taille des familles de cultivateurs, qu'ils soient anglophones ou francophones. Pour ces familles engagées simultanément dans l'agriculture et l'industrie forestière, de nombreux enfants sont une garantie de prospérité. Cette étude suggère que, si les femmes de colons font tant d'enfants, ce n'est peut-être pas tant par soumission au clergé que par adaptation à une situation économique où il est avantageux d'avoir une famille nombreuse.

Les écrits sur la colonisation et les romans édifiants, comme ceux d'Antoine Gérin-Lajoie, laissent une image bucolique de la vie sur les «terres neuves». Une Louise Routhier, telle qu'elle est décrite par Gérin-Lajoie, est l'épouse heureuse de Jean Rivard et la mère modèle empreinte de vaillance et de courage exemplaire. L'étude de Normand Séguin sur le village d'Hébertville nous laisse une image différente où la colonisation ne charrie pas toujours le bonheur. Dans ce seul village, Séguin rapporte quatre cas de sévices graves infligés à des femmes par leur mari; le curé, s'inspirant d'événements réels, les dénonce en chaire. On le verra, en 1885, condamner l'ivrognerie: «Ce que fait l'ivrognerie, écrit-il dans son cahier d'annonces. Une femme jette son enfant dans la rue et veut en jeter un autre… Je suis bien décidé à faire tout mon possible pour que la tempérance règne ici.»

La dépendance juridique des femmes mariées pose aussi de lourds problèmes. Il peut arriver qu'un mari vende tout ou encore qu'il soit saisi pour dettes, ce qui laisse femme et enfants «tous nus dans le bois». Pour éviter de telles situations, la loi du Homestead est promulguée en 1882. Désormais, le patrimoine familial ne peut être saisi pour dettes préalables à la colonisation et ne peut plus être aliéné à titre gratuit ou onéreux sans le consentement du conjoint. Il fallait que l'État tienne beaucoup à la colonisation pour qu'il consente à accorder une certaine protection juridique aux femmes mariées vivant en pays de colonisation!

Cette vie a des attraits limités. Tout à côté, les villes industrielles des États du Nord-Est américain recrutent de la main-d'œuvre. Il y a dix fois plus de Québécois qui répondent à l'appel des villes industrielles américaines que de Québécois qui répondent aux exhortations des colonisateurs. L'exode vers les États-Unis a commencé vers 1830, mais c'est vraiment à partir de 1860 que des familles entières traversent la frontière. Au XIXe siècle, c'est un demi-million de Québécoises et de Québécois qui déménagent aux États-Unis pour s'engager principalement dans les usines de textile et de chaussure.

Au tournant du siècle, Amoskeag Corporation, à Manchester, au New Hampshire, est la plus grande usine de textile au monde. Chaque année, avant la Première Guerre mondiale, 14 000 ouvrières et ouvriers y travaillent: les Québécois forment 40 % de la main-d'œuvre. L'historienne Tamara K. Hareven explique que, durant les années 1870, la compagnie Amoskeag découvre que la main-d'œuvre québécoise est la plus docile et la plus vaillante. Elle fait alors du recrutement systématique au Québec, transporte et loge des familles entières qu'elle engage dans ses filatures. Femmes, hommes et enfants travaillent dans les mêmes ateliers et reproduisent en milieu industriel les mêmes modèles de travail familial qu'ils avaient l'habitude de vivre dans les fermes québécoises. Malgré les nombreux enfants et la réprobation cléricale face au travail des femmes mariées, les deux tiers des femmes mariées de la ville sont à l'usine. C'est de sa mère que la petite fille apprend le tissage et le filage industriel, de la même façon que sa mère lui a enseigné le tissage et le filage artisanal.

La mère de Maria Chapdelaine parle des années 1880

Du temps que j'étais fille, dit la mère Chapdelaine, c'était quasiment tout un chacun qui partait pour les États. La culture ne payait pas comme à cette heure, les prix étaient bas, on entendait parler des grosses gages qui se gagnaient là-bas dans les manufactures, et tous les ans c'étaient des familles et des familles qui vendaient leur terre pour presque rien et qui partaient du Canada. Il y en a qui ont gagné gros d'argent, c'est certain, surtout dans les familles où il y avait beaucoup de filles; mais à cette heure les choses ont changé et on n'en voit plus tant qui s'en vont.

Source: Louis Hémon, *Maria Chapdelaine*, Montréal, Fides, p. 64.

Dans ces villes industrielles, les familles nombreuses représentent un avantage économique, car elles grossissent les revenus familiaux puisque, dès l'âge de onze ou douze ans, les enfants accompagnent leurs parents chaque matin à l'usine. Contrairement à Manchester, les mères de familles établies à Lovell, au Massachusetts, travaillent à la maison et contribuent au revenu familial en logeant des chambreurs. Avec le temps cependant, les femmes commencent à avoir moins d'enfants, et au début du XXe siècle l'instruction obligatoire ainsi que les lois sur le travail des enfants font qu'il est moins avantageux d'avoir plusieurs enfants.

Professionnels, avocats, médecins, commerçants voient dans ces «petits Canadas» qui s'érigent de l'autre côté de la frontière une clientèle à conquérir. La communauté franco-américaine a ses institutions, ses écoles, ses journaux français, et au XIXe siècle on peut y vivre et mourir sans avoir à parler anglais.

Enfin, plusieurs quittent leur ferme natale pour s'installer dans les villes du Québec, qui commencent à pouvoir absorber une partie du surplus de la population rurale et à offrir des emplois en manufacture. Les jeunes femmes, ayant moins de possibilités d'emploi en milieu rural, n'ont souvent d'autre choix que de chercher du travail à la ville.

La population urbaine est proportionnellement deux fois plus importante à la fin du siècle qu'elle ne l'était dans les années 1850. Pourtant, il arrive souvent que les jeunes filles soient seules: de 1844 à 1901, il y a toujours plus de femmes que d'hommes dans les villes de Montréal et de Québec.

Ces villes abritent une population composée de plusieurs groupes ethniques. L'immigration britannique, particulièrement forte en ce siècle, amène des filles illettrées d'Irlandais catholiques pauvres, destinées au service domestique et au travail manuel aussi bien que femmes et filles d'artisans écossais ou anglais protestants dont l'éducation et l'appartenance sociale feront d'elles des institutrices diplômées, des travailleuses de bureau et des épouses de professionnels ou de commerçants prospères dans une génération ou deux. Ces femmes arrivent au Québec avec leurs familles ou viennent rejoindre un fiancé ou un frère déjà établi au Canada. Elles immigrent rarement seules à moins qu'elles ne soient encadrées par les sociétés d'immigration et orientées vers le service domestique.

Pour les femmes qui ne s'identifient pas aux cultures françaises ou britanniques du Québec, la nouvelle vie se passe souvent en famille. Parfois elles sont issues de sociétés où la ségrégation sexuelle des tâches est encore plus prononcée. Parfois les travaux domestiques les retiennent à la maison et elles ont peu d'occasion d'apprendre le français ou l'anglais. Cet isolement des femmes au sein des communautés ethniques peut perdurer, dans des formes plus atténuées, pendant plusieurs générations en l'absence de fréquentation scolaire obligatoire. C'est ainsi qu'au sein de sa communauté, on s'entraide et on maintient les traditions religieuses, familiales et alimentaires de son pays d'origine.

Notes du chapitre 5

1. *Le canadien*, 23 janvier 1837, cité dans Fernand Ouellet, *Histoire économique et sociale du Québec 1760-1850*, Montréal, Fides, 1966.
2. Lettre de Julie Bruneau à L.-J. Papineau, 17 février 1836, dans *Rapport de l'archiviste de la province de Québec*, nos 38-39.
3. Patricia Godsell, dir., *The Diary of Jane Ellice*, 10 novembre 1838, Oberon Press, 1975.
4. *Ibid.*, 11 novembre 1838.
5. Rosalie Dessaules, 13 avril 1839, citée dans F. Ouellet, *op. cit.*
6. Lettre de L.-J. Papineau à Julie Bruneau, 15 février 1830, dans *Rapport de l'archiviste de la province de Québec*, nos 34-35.

CHAPITRE 6

Quand on se marie

La plupart des femmes quittent un jour le toit familial pour prendre le même travail, celui d'épouse et de mère. Mais ont-elles le choix? Une femme dont la destinée n'est pas liée à celle d'un homme peut-elle survivre au XIXᵉ siècle?

Habituellement, les femmes n'ont que peu ou pas de biens personnels, sauf quelques exceptions issues de milieux bourgeois. La fille de cultivateur reçoit une dot quasi symbolique, car on considère qu'il revient aux garçons de fournir le capital dans l'établissement agricole. Qui donc peut survivre avec un lit et deux moutons? Celle qui a reçu un peu d'instruction sait qu'elle ne pourra vivre décemment avec son salaire d'institutrice. L'artisane, l'ouvrière, la couturière, la domestique savent déjà que leur salaire ne leur permet même pas de survivre seules. Se faire servante? Se faire religieuse? Trouver un homme qui possède une terre ou qui gagne un revenu deux fois plus élevé que le sien représente pour la majorité la voie la plus intéressante.

Trouver un mari

Mais ne se marie pas qui veut. À Montréal, ville qui compte à cette époque toujours plus de femmes que d'hommes, ce ne sont pas toutes les filles qui trouvent un mari, et la concurrence est vive. À la campagne, où il y a depuis 1851 presque autant d'ouvriers agricoles (63 365) que de cultivateurs (78 437), celle qui marie l'héritier d'une terre est une veinarde.

Enfin, celle qui épouse le cultivateur riche et prospère du rang fait figure d'exception, car les trois quarts des censitaires possèdent une terre de moins de cent acres. Néanmoins, on tente sa chance avec l'espoir de trouver le meilleur parti possible. À la campagne, les fréquentations des jeunes se font durant les corvées traditionnelles, tels la cueillette des fruits sauvages, les sucres, les épluchettes de blé d'Inde ou le broyage du lin. À la ville, on rencontre des compagnons de travail à la sortie de l'usine. La vie paroissiale crée aussi des occasions de rencontre: les vêpres, la messe dominicale, les pratiques de chant ou les bazars de charité.

Un lit garni, un buffet, deux moutons, une vache. Voilà tout...

Le père et la mère, par leur testament conjoint fait devant notaire, ont institué Charles, le second des fils, leur légataire universel (...) Quant aux autres enfants, outre leurs hardes et linge de corps, ils devront recevoir: les garçons à leur majorité, un cheval, un harnais, une voiture de travail; les filles, au jour de leur mariage, un lit garni, un «buffet» (armoire), deux moutons, une vache. Voilà tout (...)

Même dans les familles de cultivateurs aisés, les filles ne reçoivent qu'une dot mobilière assez modeste. On considère en effet qu'elles ne seront pas appelées à fonder une nouvelle communauté familiale, mais qu'elles devront simplement s'adjoindre à titre d'auxiliaires à quelque communauté préexistante ou en voie d'établissement.

Source: Léon Gérin et l'habitant de Saint-Justin, Montréal, Presses de l'Université de Montréal, 1968, p. 72 et 89.

Les veillées demeurent des moments privilégiés de rencontre. Qu'on se berce ou qu'on danse, les amoureux tentent toujours de se rapprocher, et on raconte que la jeune fille qui reçoit son amoureux lui offre une chaise berçante qui a tendance à se déplacer: l'amoureux se berce ainsi de plus en plus près... Les curés redoutent davantage les soirées dansantes et multiplient les interdits contre la danse. Cependant on danse souvent. Léon Gérin observe même en 1886 que les danses les plus connues à la campagne paraissent être celles qui ont été introduites par les jeunes gens de retour des États-Unis. L'influence américaine se fait aussi entendre: on abandonne les chants des ancêtres pour fredonner les «romances modernes et cosmopolites» des voisins du Sud.

Ce qu'ils en pensent...

Montréal, 8 janvier 1890
Mon cher Arthur,
Notre compagnon du Nord est venu me faire une scène. (...)
Sa sœur, une jeunesse de trente-trois ans, veut se marier et
elle espère avoir plus de chance ici. Il me l'a dit, comme il te
le dira, tout crûment.
La pauvre fille semble incapable de concevoir la beauté du
célibat volontaire dans le monde. Elle paraît ignorer que
beaucoup de jeunes filles ne se sont pas mariées, par dévoue-
ment, par choix, pour réaliser le rêve de leur charité, ou de
leur intelligence, de leur haute éducation, de leur piété
filiale; ou bien pour ne pas s'unir à un homme quelconque,
comme il est aisé, même aux plus dépourvues, d'en trouver.
Veux-tu me permettre — toi qui connais mon horreur pour
les agences matrimoniales — de te la recommander? Elle
glisse vers la maturité, comme tu vois; elle est douce, mon-
daine, je ne saurais dire si elle est laide: cela ne me regarde
pas, et ça dépendra de ton amour; elle est gentille, et elle le
serait bien davantage si elle marchait au lieu de galoper,
mais d'un petit galop qui n'a pas du tout l'air de l'essouffler.
C'est de la voir que ça essouffle. On dirait toujours qu'elle
court après quelqu'un. Vu son âge, elle a dû, de ce train-là,
en manquer plusieurs. Et c'est ce qui la rend très méritante:
chasser tant de lièvres, et si vite, et toujours faire chou
blanc! Avoir tant couru, et n'avoir jamais montré ses fati-
gues résignées que par d'affectueux soupirs!
Elle a recommencé ses recherches, lundi soir, au patinoir
Victoria. Après avoir chassé quinze ans en souliers ou en
savates, elle veut chasser en patins. Elle va peut-être trouver,
mais... c'est un terrain glissant.

Source: Extrait de *Entre Amis*, lettres du père Louis Lalande s.j. à
son ami Arthur Prévost, 1881-1900, Montréal, Imprimerie du Sacré-
Cœur, 1907.

Dans les années 1830, les doux sentiments et l'amour romantique,
mais aussi la prudence, font partie des fréquentations. Dans la revue littéraire de Mme Gosselin, *Le Musée de Montréal*, on peut lire de jolis
poèmes romantiques tout autant que des historiettes moralisatrices.
Les femmes sont mises en garde contre la passion amoureuse. Une his-

toire en anglais intitulée *Folly of Marrying «all for love»* raconte la métamorphose de l'élégant prétendant en buveur de brandy après le mariage: *No, No!* écrit l'auteure, *no more marrying for love in the family.* S'il est important d'aimer, il est encore plus important de faire un bon mariage.

De façon générale, on sait peu de chose sur l'attitude des parents à l'égard des fréquentations. Influencent-ils le choix de leurs enfants? S'opposent-ils à certaines fréquentations? Une jeune femme, Henriette Dessaules, s'en est longuement confiée à son journal intime. Née à Saint-Hyacinthe en 1860, cette jeune fille de la bourgeoisie a écrit son journal dès l'âge de quatorze ans jusqu'à son mariage à vingt et un ans. Amoureuse à quatorze ans d'un ami d'enfance qu'elle finira par épouser, Henriette est constamment surveillée par sa mère. Pas question de tutoyer ce jeune homme ni de lui écrire:

> On a remarqué que je tutoyais Maurice, que nous nous tutoyions et on trouve que ce n'est pas convenable, trop familier, etc. Maman à mon grand ahurissement, me parle de mon amitié pour Maurice et me dit que je suis ou que je serai peut-être tentée de recevoir ses lettres et d'y répondre et que ce serait de la dernière inconvenance (…) Elle insiste pour que je promette de ne pas lui écrire durant ces trois années d'université. Il a fallu promettre ou bien j'avouais mon intention de lui écrire. (…) Demain, la Saint-Maurice, j'irai à la messe pour lui… en attendant qu'on m'interdise de prier pour lui![1]

La mère d'Henriette semble préférer un autre jeune homme pour sa fille; ce dernier est donc souvent invité chez les Dessaules. La mère les laisse même seuls au salon, au grand ennui d'Henriette d'ailleurs.

Le confesseur aussi veille au grain: Henriette se fait dire au confessionnal qu'elle ne doit pas chercher à rencontrer seule à seul son amoureux ni l'encourager à être tendre; elle doit prendre un air froid devant lui et même éviter de le regarder en face! Le journal d'Henriette Dessaules nous montre une mère interventionniste et sévère sur les amours de sa fille. Mais les Dessaules, autrefois seigneurs de Saint-Hyacinthe, sont des gens fortunés et les malheurs d'Henriette reflètent l'attitude de la bourgeoisie à l'égard du mariage de ses enfants.

Dans les familles de cultivateurs ou d'ouvriers agricoles, la situation semble différente. Certains observateurs remarquent que les jeunes sont moins respectueux de l'autorité paternelle. Le père

Bourassa écrit en 1851 que la vie de chantier menée par les jeunes gens «... fait trouver dur et insupportable jusqu'au joug paternel[2]». Le sociologue Léon Gérin note que la possibilité de gagner sa vie dans les fabriques américaines, associée à la rareté des terres, rend les jeunes plus indépendants de leurs parents. Dans un tel contexte, comment des parents peuvent-ils imposer leur choix de partenaire à leurs enfants? Seul l'héritier de la terre paternelle a intérêt à se soumettre aux désirs parentaux; les autres enfants sans héritage sont relativement libres de fréquenter qui ils veulent.

Se marier et avoir des enfants

Henriette Dessaules se marie avec Maurice Saint-Jacques en robe blanche, selon la nouvelle mode de l'époque, à l'âge de vingt et un ans. Elle aura cinq enfants. En cela, elle ressemble aux autres Québécoises qui, en 1851, avaient en moyenne sept enfants et qui n'en auront plus que cinq à la fin du siècle.

Les naissances ne sont pas toujours l'occasion de réjouissances:

Mde *(sic)* Blanchard est accouchée hier soir après une longue et douleureuse maladie de trois jours l'enfant a perdu la vie en venant au monde c'était une petite fille; ils sont bien attristé *(sic)* la mère est tout doucement donnant de l'inquiétude[3].

Naître et accoucher présentent les mêmes risques qu'aux siècles précédents. Mais naître dans une ville comme Montréal est plus risqué que dans la plupart des grandes villes. Sherry Olson et Patricia Thorton ont étudié la mortalité infantile à partir de toutes les naissances à Montréal en 1859. Il s'avère que près du tiers des enfants ne survivent pas au delà de la première année et que le taux de mortalité est une fois et demie plus élevé parmi la population canadienne-française que chez les Irlandais catholiques ou les protestants. Ce siècle voit cependant se dessiner une nouvelle conception de l'accouchement: cette «maladie» est peu à peu prise en main par les médecins. Si les sages-femmes sont encore fort nombreuses, les médecins accoucheurs qui vont quérir une formation aux États-Unis prennent de plus en plus d'importance. Certains se préoccupent toutefois de la formation des sages-femmes: Édouard Moreau publie en 1834 un manuel d'*Instructions sur l'art des accouchements pour les sages-femmes de la campagne*. Il y recommande de faire systématiquement appel à une «personne de l'art» (un médecin) chaque fois que des complications surviennent. En 1845, une ordonnance interdit à quiconque n'est pas médecin diplômé d'une université ou n'a pas l'autorisation expresse du gouverneur d'exercer la profession d'accoucheur dans les villes de Québec et de Montréal. À partir de 1847, la formation des sages-femmes est dirigée par le Collège des médecins et chirurgiens.

Naître au Québec avant 1850

Quand vient le temps «d'acheter*», on envoie tous les enfants chez la voisine en leur disant que «les Sauvages» ou «le corbeau» vont passer et qu'à leur retour, ils auront «un petit frère ou une petite sœur». La mère de celle qui accouche ou une vieille tante assiste la «pelle-à-feu**» ou le médecin. (…) Les femmes ont depuis longtemps apprivoisé cet événement et, d'ailleurs, le vivent souvent exclusivement entre elles. Après la délivrance, chaque intervenant s'offre un petit verre de vin, histoire de célébrer cette naissance.

*   Expression populaire pour désigner le fait d'accoucher.
**   Nom populaire donné à la sage-femme.

Source: J. Provencher et J. Blanchet, *C'était le printemps*, Montréal, Boréal Express, 1980, p. 102.

Au recensement de 1871, seulement une quarantaine de femmes se déclarent sages-femmes et sont probablement certifiées; à partir de 1891, elles disparaissent des recensements. Cela ne signifie pas que l'activité ait disparu, car, en milieu rural, tout au long du XXe siècle, les sages-femmes aideront des milliers de femmes à accoucher. Cependant, l'imposition par le Collège des médecins d'examens très difficiles empêche les femmes de vouloir en faire un métier. Les sages-femmes sont la plupart du temps des mères de famille qui assistent les médecins ou les remplacent à l'occasion. Parmi celles qui en font toutefois un métier, on note à Montréal une majorité de femmes d'origine britannique. Certaines, comme la sage-femme Charlotte Fuhrer, font non seulement des accouchements mais hébergent chez elles des accouchées pour les périodes prénatale et post-natale. Elles avaient probablement pour clientèle des femmes désireuses de cacher leur grossesse.

Cette invasion des hommes dans un domaine jadis réservé aux femmes ne s'effectue pas qu'à coup d'ordonnances ou de règlements sur la pratique du métier d'accoucheur. Elle s'effectue aussi au nom de la science et s'appuie sur l'exclusion des femmes de la science médicale. Quelques Québécoises seulement ont été admises à la faculté de médecine de l'université Bishop, mais, en 1900, il n'est plus possible pour aucune femme de recevoir des cours de médecine au Québec. Elles sont totalement exclues du processus de professionnalisation de ce métier. L'accouchement, qui était jadis une affaire de femmes, devient une activité «scientifique» masculine. En 1900, les rédactrices de *Femmes du Canada* constatent que, même s'il est encore possible d'obtenir une formation de sage-femme ainsi qu'un permis de pratique, ce métier leur apparaît comme une chose du passé. L'accouchement est désormais, en milieu urbain, le métier de médecins assistés d'infirmières; en milieu rural, les sages-femmes «non-patentées» demeurent nombreuses.

Généralement, on accouche à domicile. La naissance est encore très intégrée à la vie familiale pour la majorité de la population. Seules les femmes «déchues», des mères célibataires ou des femmes vivant dans une extrême pauvreté, accouchent dans des maternités. Au cours du XIXe siècle, plusieurs de ces institutions voient le jour. Dès 1840, Mlle Métivier ouvre la Maison Notre-Dame-de-la-Merci à Québec, et à Montréal, des anglophones fondent le Montreal Lying-in Hospital. Ces maternités, d'abord et avant tout institutions charitables, servent aussi de lieux d'apprentissage pour les étudiants en médecine. Les femmes admises dans certaines maternités affiliées à des universités servent alors de cobayes pour les cours d'obstétrique. Il est cependant plus risqué d'accoucher à l'hôpital, car le taux de mortalité en couches y est plus élevé qu'à domicile. C'est que les hôpitaux sont un lieu privilégié de transmission de la fièvre puerpérale, dont les origines ne seront pas connues avant 1879. Les hôpitaux ayant pris des mesures pour limiter la propagation de la maladie, ils deviennent ensuite de plus en plus sécuritaires et on voit même des femmes proches des milieux médicaux commencer à vanter les mérites d'une naissance en milieu hospitalier. Pour faire valoir leurs convictions, elles vont accoucher à l'hôpital. À la fin du siècle, le terrain est prêt pour sortir les naissances des familles.

Avoir un peu moins d'enfants

*I think, dearest Uncle, you cannot really wish me to be the
«Mamma d'une famille nombreuse», for I think you will see with
me the great inconvenience a large family would be to us all, and
particularly to the country, independant of the hardship and
inconvenience to myself. Men never think, at least seldom think
what a hard task it is for us women, to go through this very often.*

La reine Victoria
5 janvier 1841

Les Canadiennes du XVIIIe siècle avaient en moyenne un peu plus
de huit enfants. Les femmes nées en 1825 font partie des dernières
générations de femmes à avoir tant d'enfants: en moyenne, elles en ont
7,8. Leurs filles nées en 1845 n'auront, quant à elles, que 6,3 enfants et
leurs petites-filles nées vers 1867 n'en auront que 4,8. Selon les estimations du démographe Jacques Henripin, la fécondité des Québécoises
subit une chute de 41 % entre 1831 et 1891.

Les Québécoises commencent donc à avoir moins d'enfants à partir du XIXe siècle. Si la baisse des natalités est plus lente qu'en Ontario,
elle n'en est pas moins empiriquement observable dans certains

Intérieur d'une maison. Aquarelle de Jane Ellice, 1838.
M. Bell, *Painters in a new land*

groupes sociaux. Les bourgeoises francophones ont moins d'enfants que leur mère; voici un cas parmi tant d'autres: Marie Gérin-Lajoie, née en 1867 d'une famille de treize enfants, n'aura quant à elle que quatre enfants. La bourgeoisie des villes n'est pas seule à limiter ses naissances: Léon Gérin observe que, dans les villages ruraux du bord du fleuve, certaines familles se préoccupent de limiter le nombre de leurs enfants.

Limiter les naissances implique le fait d'avoir recours à certaines formes de contrôle de la fécondité. Les couples peuvent, pour espacer les naissances, pratiquer la continence pure et simple ou le coït interrompu. Les femmes peuvent diminuer le nombre de grossesses en allaitant pendant de longues périodes, en utilisant des moyens mécaniques ou encore en s'avortant elles-mêmes ou en se faisant avorter. Les femmes ont dû limiter le nombre de leurs enfants en comptant sur leurs propres réseaux intimes d'information et en agissant la plupart du temps soit contre les enseignements de l'Église, soit contre les lois canadiennes. L'Église veille particulièrement à ce que l'information concernant la sexualité ne circule pas. Mgr Bourget fera mettre à l'index une publication française sur la sexualité.

Je suppose qu'elle n'est pas plus renseignée que moi...

Quelque temps avant son mariage, Henriette Dessaules discute avec son amie Jos des enfants qu'elle aura. Elle sent bien que le fait de limiter le nombre des enfants «a du bon sens», mais elle ne semble avoir reçu aucune information à cet égard avant son mariage. Elle écrit dans son journal:

Jos me disait «j'espère mes enfants que vous jouirez de votre bonheur deux ou trois ans avant d'avoir un enfant?»...

Je suppose que Jos n'est pas plus renseignée que moi, mais j'espère impliquerait que l'on n'a des enfants que si l'on veut bien, c'est d'ailleurs ce qui a du bon sens, mais ce qui se passe dans les familles pauvres m'en fait douter. La semaine dernière chez les X, père et mère étaient découragés parce qu'il leur arrive un sixième enfant et que les cinq autres souffrent de la faim.

Source: Fadette, *Journal d'Henriette Dessaules 1874-1880*, Montréal, Hurtubise HMH, 1971.

L'État, qui avait été relativement discret sur cette question, décide que ce qui était affaire «privée», ne concernant que les femmes, devient de plus en plus affaire publique. Par exemple, en 1869, les avortements sont sévèrement réprimés: l'avorteuse ou l'avortée sont passibles d'emprisonnement à perpétuité et la femme qui provoque son propre avortement risque sept ans de prison.

En 1892, c'est la distribution d'information et de matériel contraceptif ou abortif qui devient illégale. Pour avoir moins d'enfants, il faut soit compter sur la collaboration de son mari (continence ou coït interrompu), soit se situer dans l'illégalité.

Le Code criminel canadien et le corps des femmes

Est coupable d'un acte criminel et passible d'emprisonnement à perpétuité celui qui dans le but de provoquer l'avortement d'une femme enceinte ou pas administre une drogue... fait usage de quelque instrument...

(55-56 V. c29, art. 272)

Est coupable d'un acte criminel et passible de deux ans d'emprisonnement celui qui (...) offre en vente, annonce pour les vendre ou en disposer, quelque médecine, drogue ou article destiné ou représenté comme servant à prévenir la conception ou à causer l'avortement ou une fausse couche, ou publie une annonce de cette médecine drogue ou article.

(63-64 V. c46 art. 3)

Des ouvrages en langue anglaise préconisent la continence périodique. Ces ouvrages sont publiés entre 1869 et 1916, c'est-à-dire avant que ne soit véritablement connu, vers 1920, le fonctionnement du cycle menstruel. Les auteurs de ces théories commettent d'ailleurs une petite erreur: dans plusieurs cas, ils identifient comme pérode stérile la période où, normalement, une femme ovule et recommandent d'avoir des relations sexuelles aux périodes où les chances de conception sont les plus élevées!

Les moyens mécaniques présentent certes moins de risques de conception, mais tombent directement sous le coup de la loi. L'historien McLaren remarque que les pharmacies des grandes villes vendent néanmoins des condoms et en font même la réclame sous le terme pudique de «produits en caoutchouc». Certaines Canadiennes devaient aussi avoir recours au diaphragme et aux mousses vaginales, puisqu'on

Enfant Lemay avec les jouets destinés aux petites filles de riches en 1892.

Musée McCord, UniversitéMcGill, Montréal

a retrouvé dans les archives personnelles de Canadiennes de l'époque des recettes maison de diaphragmes. *Eaton* annonce dans son catalogue de 1901 le *Every Woman Marvel Whirling Spray*, une mousse vaginale. Mais combien de femmes peuvent «lire entre les lignes» de cette annonce et faire servir à des fins contraceptives ce produit annoncé pour l'hygiène vaginale? Et combien de Québécoises lisent assez bien l'anglais pour comprendre de quoi il s'agit? L'efficacité des moyens contraceptifs connus demeure limitée, la distribution des contraceptifs «mécaniques» est clandestine et l'information circule plus difficilement parce que c'est illégal. Les chutes de natalité, autant au Québec qu'en Ontario, laissent cependant supposer que les femmes ont outrepassé les interdictions et qu'elles ont su se communiquer l'information.

L'Église et la sexualité

Au XIXe siècle, l'Église veille à tenir loin des fidèles toute information sur la sexualité et la contraception. Lorsqu'en 1871 un manuel sur la sexualité et la reproduction pour les époux circule à Montréal, Mgr Bourget le condamne comme étant dangereux, détestable et «(...) injurieux à la sainteté de la virginité et du célibat». (*Mandements, lettres pastorales et circulaires au clergé*, vol. VI, p. 213-4.)

Ce livre, intitulé *Hygiène et physiologie du mariage, histoire naturelle et médicale de l'homme et de la femme mariés dans ses plus curieux détails*, est l'ouvrage d'un médecin français, Auguste De Bey. Écrit probablement vers 1850, il semble connaître une grande popularité puisqu'en 1876 il est déjà à sa 90e édition. Il est encore réédité en 1891.

On y enseigne que les hommes et les femmes sont égaux, que les plaisirs du mariage sont nécessaires et que le clitoris est l'organe de la volupté chez la femme. L'excision ne rencontre pas l'approbation de l'auteur, qui n'hésitera pas, cependant, à recommander cette opération pour les femmes qui se masturbent, car la masturbation est une cause de stérilité. Si on conseille au mari de ne pas être brutal et de savoir éveiller les désirs de sa femme, on suggère néanmoins à celle-ci de céder au mari et de simuler le plaisir si nécessaire. Mais, selon le docteur De Bey, si l'acte sexuel dure assez longtemps, la femme aussi peut parvenir à l'orgasme.

La sexualité féminine n'était peut-être pas aussi méconnue au XIXe siècle qu'on l'aurait cru. Toutefois, les connaissances sur la contraception demeuraient très rudimentaires.

Les grossesses non voulues devaient pourtant être fréquentes. La femme qui veut avorter tentera probablement de déclencher ses règles en absorbant des infusions ou remèdes abortifs de fabrication domestique ou commerciale. Ces produits sont fabriqués à partir de substances traditionnellement reconnues pour leurs propriétés abortives: outre la sabine, particulièrement populaire, McLaren mentionne qu'on utilise le pouliot, la quinine, les racines de coton, la tanaisie (barbotine ou herbe aux vers), l'illebore noire (rose de Noël) ou l'ergot de seigle.

En feuilletant les quotidiens canadiens-anglais des années 1890, il a dénombré pas moins de onze potions ou pilules abortives s'annonçant comme des produits contre l'irrégularité féminine. Parmi ceux-ci, le

Ladies Safe Remedies: Apoline est fabriqué à Montréal par la compagnie Lyman and Sons. On ne connaît pas l'efficacité de ces produits, mais, si la médecine populaire les a retenus, c'est qu'ils devaient produire parfois le résultat escompté. Parmi ces produits, les ergots de seigle étaient d'ailleurs utilisés par les sages-femmes pour déclencher les contractions des futures accouchées.

En cas d'échec, il reste le recours au charlatan avorteur ou à la faiseuse d'anges, qui s'annoncent discrètement dans les journaux, ou encore au médecin reconnu pour être spécialisé dans les «troubles sexuels».

Élever seule ses enfants?

Au XIXe siècle, malgré la baisse des naissances, les femmes mariées ont encore des familles fort nombreuses. Le temps où une femme subit grossesse après grossesse et où elle élève une ribambelle d'enfants en bas âge, tous moins autonomes les uns que les autres, occupe une importante partie de son existence. L'aide de la parenté ou le soutien de la communauté est essentiel pour quiconque a une grosse famille.

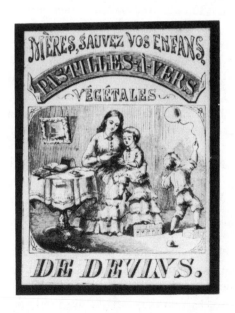

Annonce publicitaire d'une mère soignant ses enfants.
Musée McCord, Université McGill, Montréal

Dans certaines familles, les grands-parents, les oncles ou les tantes célibataires vivent sous le même toit que la famille qui a de jeunes enfants. La mère peut alors compter sur une forme quelconque d'appui. Toutefois, la plupart des familles, tant en milieu rural qu'urbain, sont nucléaires, c'est-à-dire qu'elles sont formées d'un homme, d'une femme et de leurs enfants: il est alors nécessaire de compter sur de l'aide venant de l'extérieur. Chez les cultivateurs prospères ou dans les familles à l'aise, on engage une ou des domestiques qui aident la mère, et parfois même la remplacent dans le soin des enfants et le travail ménager. La femme qui a épousé un ouvrier risque, quant à elle, de n'avoir aucun soutien de ce type.

Les débuts de l'industrialisation sont fort difficiles pour les familles ouvrières. Les salaires moyens des ouvriers ne peuvent permettre d'élever une famille avec un seul gagne-pain. La venue d'enfants les uns après les autres empêche la mère de gagner un salaire. La famille ouvrière vit alors une phase critique, car elle a son nombre maximum de bouches à nourrir et, en même temps, un nombre minimum de gagne-pain.

L'historienne Bettina Bradbury constate que, pour joindre les deux bouts durant ces quelques années critiques, le quart des familles ouvrières du quartier Saint-Jacques, à Montréal, partagent leur logement avec d'autres familles ou prennent des chambreurs. Dans ces familles, lorsque la femme devient veuve, que son mari la quitte ou qu'elle le laisse parce qu'il est violent ou buveur, la survie est encore plus difficile, car un salaire féminin ne peut faire vivre une famille. On voit alors de jeunes veuves retourner chez leurs parents; Bradbury remarque que les enfants des veuves sont aussi plus nombreux à occuper un emploi salarié. Enfin, celles qui prennent un emploi doivent se résoudre à placer leurs enfants chez la parenté ou à l'orphelinat.

À l'orphelinat Saint-Alexis de Montréal, la plupart des «orphelines» ont des parents encore vivants et retournent chez ces derniers après un séjour moyen de moins de deux ans. Seulement 1 % des orphelines n'ont plus de parents. Montréal compte en 1863 une douzaine d'institutions semblables qui prennent en charge annuellement 750 enfants, soit 2,5 % des enfants montréalais.

La prise en charge des enfants par des institutions charitables se fait aussi sur une base journalière. En 1858, les Sœurs Grises fondent des «salles d'asile», sortes de garderies pour les enfants d'âge préscolaire. Installées dans les quartiers ouvriers de Montréal et dans les villes de Longueuil, Saint-Jean, Québec, Saint-Jérôme et Saint-Hyacinthe, ces salles d'asile recevront jusqu'à la fin du siècle des milliers d'enfants. Elles permettent aux mères de se livrer à une activité rémunérée ou aux familles de surmonter une période difficile. Ces salles d'asile reçoivent un nombre impressionnant d'enfants. Les religieuses prennent en charge des centaines d'enfants, et même l'État contribue financièrement à leur entretien en subventionnant ces garderies.

Les enfants abandonnés

Plusieurs femmes n'élèvent pas les enfants qu'elles ont portés, mais vont les déposer aux portes d'institutions charitables en espérant que quelqu'un s'en occupera. Les Sœurs Grises se voient ainsi confier en 1875 une moyenne de deux enfants par jour. Des 719 enfants reçus, elles n'en rescapent que 88.

719 enfants ont été reçus chez les Révérendes Sœurs grises durant l'année dernière: 81 de ces enfants venaient de Québec et de Rimouski, 34 de Saint-Hyacinthe, 96 du Haut-Canada dont 44 d'Ottawa, 47 des États-Unis, 11 de France, 2 d'Irlande, 37 des paroisses environnantes de Montréal et 421 de Montréal. De ce nombre, 631 sont morts durant l'année 1875. Le chiffre élevé de la mortalité chez les enfants trouvés est dû aux mauvais traitements et à la misère qu'endurent ces enfants avant d'arriver à cette institution charitable.

En 1880, les Sœurs Grises reçoivent toujours des enfants:

On évalue à près de cinq à six cents les abandons faits de cette manière (enfants laissés à l'entrée du Couvent) chaque année. Ce qu'il y a de terrible à raconter, c'est que ces pauvres créatures transies, à moitié gelées quand on les apporte là, meurent presque toutes. Les enfants qui ont résisté sont mis en nourrice et lorsqu'ils sont sevrés, les sœurs les reçoivent dans la maison et les placent plus tard en qualité d'apprentis chez les bourgeois de la ville.

Source: Citations tirées de Jacques Bernier, *La condition ouvrière à Montréal à la fin du XIXe siècle, 1874-1896*, thèse de maîtrise, Québec, Université Laval, 1971, p. 75-76.

L'existence des orphelinats et des salles d'asile témoigne que les familles ont su trouver de nouvelles stratégies pour survivre dans les périodes difficiles. Dans ces institutions, on voit des femmes-

La salle d'asile Saint-Joseph vers 1898. À l'avant-plan, deux enfants font leur sieste.

Archives des Sœurs Grises de Montréal

religieuses soutenir les femmes-mères: sans elles, les Québécoises auraient peut-être dû elles aussi, comme les autres Canadiennes, faire moins d'enfants.

Envoyer ses filles à l'école

Ces diverses institutions de soutien aux familles surgissent à une période où la société a déjà commencé à intégrer les enfants dans un système scolaire. Bien que, dès la Nouvelle-France, un certain nombre d'écoles ou de couvents se soient chargés d'instruire filles et garçons, l'éducation demeure largement une affaire familiale. Les parents transmettent à leurs enfants les connaissances utiles pour se débrouiller dans la vie. Dans un tel contexte, l'analphabétisme est chose courante, car pour vivre ni l'artisan ni le cultivateur n'ont vraiment besoin de savoir lire et écrire.

Au milieu du XIXe siècle, le taux d'analphabétisme est comparable à celui de l'Italie, de l'Espagne ou des pays des Balkans. Toutefois, la situation se modifie rapidement et les données de la fin du siècle montrent que le Québec a rejoint les pays hautement alphabétisés. Les données compilées par l'historien Allan Greer démontrent cette progression chez les francophones: en 1838-1839, 13 % des femmes lisent et écrivent et 42 % sont semi-alphabétisées, c'est-à-dire qu'elles lisent mais n'écrivent pas. En 1891, c'est dans une proportion de 87 % que les jeunes femmes (âgées de dix à dix-neuf ans) savent au moins lire. Ce développement spectaculaire de l'alphabétisation peut découler des lois de 1845, qui ont réorganisé le réseau scolaire sur une base paroissiale, de l'expansion croissante des communautés religieuses enseignantes ainsi que de la nouvelle organisation économique, où les enfants travaillent de moins en moins. La tradition populaire a toujours laissé entendre que les femmes d'ici étaient plus instruites que les hommes: effectivement, dans les années 1838-1839, il y a chez les francophones presque autant de femmes que d'hommes qui lisent et écrivent (15 % d'hommes contre 13 % de femmes) et, chez les semi-alphabétisés, les femmes sont plus nombreuses (42 % contre 29 %). Cette quasi-égalité est un fait inhabituel dans les sociétés préindustrielles: ainsi, en Europe, on rencontre généralement deux à trois fois plus d'hommes alphabétisés que de femmes.

C'est ainsi que les mères de famille confient désormais filles et garçons à d'autres adultes chargés de les instruire. Bien que l'école ne soit pas obligatoire au Québec avant 1943, les relevés officiels estiment que 85 % des garçons et 90 % des filles d'âge scolaire sont officiellement inscrits à l'école dans la dernière décennie du XIXe siècle. Mais y vont-ils régulièrement? De nombreux documents attestent que l'assiduité est précaire, tant à la ville qu'à la campagne.

Les enfants vont à l'école soit dans le réseau public, soit dans le réseau privé. À l'école publique, qui n'est pas gratuite, on peut surtout faire des études de niveau «primaire», mais il est aussi possible de faire, là où les classes existent, deux ans d'études de niveau «secondaire», qui se nomme à ce moment-là le cours académique. Néanmoins, il ne s'agit pas d'études secondaires comme celles d'aujourd'hui. Le concept d'instruction de niveau secondaire n'apparaît dans le réseau public qu'au XXe siècle. La durée d'un programme complet dans le secteur public est approximativement de neuf ans, mais rares sont celles et ceux qui sont encore à l'école à l'âge de quatorze ans. La durée et la régularité de la fréquentation scolaire sont subordonnées aux besoins économiques des familles, et les statistiques de fréquentation scolaire sont habituellement gonflées, car on s'assure que les enfants soient à l'école le jour de la visite de l'inspecteur. À la campagne, on retient les enfants à la maison lorsque les travaux de la ferme requièrent leur participation. La mère ouvrière retire ses filles de l'école dès qu'elles sont en âge de garder les plus jeunes à la maison ou dès qu'elles peuvent commencer elles aussi à gagner de l'argent comme domestiques ou apprenties en usine.

Le travail industriel des enfants est une réalité du XIXe siècle fortement dénoncée par divers groupes sociaux. Les enfants forment 8 % de la main-d'œuvre des établissements industriels du Québec en 1891, et nombreux sont ceux qui participent aux travaux de confection à domicile sans être recensés comme travailleurs. Malgré les chiffres officiels de fréquentation scolaire, on s'alarme de l'analphabétisme des enfants des milieux ouvriers. C'est dans ce contexte que s'établissent, en 1889, des écoles du soir, à la suite des revendications d'associations ouvrières. Ces écoles donnent aux ouvriers une instruction élémentaire de base. Elles sont gratuites et gouvernementales, mais les femmes qui veulent s'y inscrire se font répondre qu'elles n'y sont pas admises.

Dès qu'une fille désire poursuivre des études au-delà de la petite école, le faible développement du réseau public francophone ne lui laisse guère le choix. Elle doit entrer dans un couvent privé où elle recevra une scolarité équivalente à onze ans, le plus haut niveau accessible aux filles. Pas question de fréquenter les collèges classiques, les collèges industriels ou l'université, qui sont réservés aux garçons. Seules les anglophones peuvent poursuivre leurs études dans les High Schools publiques ou tenues par des communautés religieuses, et être

Groupe de communiantes du Mont Notre-Dame à Sherbrooke, 1897.
Société d'histoire de Sherbrooke

par la suite admises à l'université. En 1888, l'université McGill décerne pour la première fois des baccalauréats à des femmes.

Néanmoins, un progrès fantastique s'opère à cette période: sous l'impulsion des communautés religieuses, l'instruction devient accessible aux filles dans la plupart des centres urbains et des régions avoisinantes. Les écoles et pensionnats tenus par les sœurs poussent comme des champignons: à la fin du siècle, on en compte plus de 200 contre 14 en 1830. Ces pensionnats n'accueillent pas que des pensionnaires, car en fait la plupart des filles vivent avec leur famille. L'historienne Marta Danylewicz a calculé que, durant les trois dernières décennies du siècle, entre 7 et 11 % des filles étaient pensionnaires, ce qui était beaucoup plus élevé que dans les provinces anglophones. Bien qu'ils soient privés, ces pensionnats ne sont pas nécessairement réservés aux seules familles fortunées. Ils n'ont pas tous la prétention ni la renommée d'un Villa-Maria ou d'un Mont-Sainte-Marie, qui préparent les filles de la bourgeoisie à «... briller dans les meilleurs salons et peut-être dans les cercles les plus polis de l'Europe». La plupart ont une clientèle plus modeste, qui paie parfois les frais de scolarité en denrées agricoles ou en bois de chauffage. Ce genre de compensation se retrouve particulièrement en milieu rural où la majorité des pensionnaires sont issues de familles nombreuses et ont un père cultivateur ou artisan.

Qu'apprend-on aux couventines?

Les constitutions des sœurs des Saints-Noms-de-Jésus-et-de-Marie l'expliquent clairement:

Les religieuses des Saints Noms de Jésus et de Marie ouvriront des écoles dans tous les lieux où elles sont établies. Elles y enseigneront la lecture, l'écriture, la grammaire, la géographie, l'histoire, le calcul, etc... Elles doivent aussi former leurs élèves à la bonne tenue d'une maison, au travail des mains comme le tricot, la couture, la broderie et autres. Dans les pensionnats où cela sera jugé utile et nécessaire, elles enseigneront le chant, la musique, le dessin et les autres connaissances ou arts d'agréments qui complètent une éducation solide et tout à fait soignée; mais ces connaissances, dont on fait tant de cas dans le monde, ne seront aux yeux des Sœurs qu'un accessoire et comme un appât dont elles se serviront pour faire goûter à leurs élèves la science du salut.

Source: Marie-Paule Malouin, *L'Académie Marie-Rose (1876-1911)*, thèse de maîtrise, Montréal, Université de Montréal, 1980, p. 141.

Marie-Paule Malouin, dans ses recherches sur l'Académie Marie-Rose, a examiné les plans d'études en vigueur à cette académie entre 1857 et 1894. Il semble bien que l'élève qui suit l'ensemble du programme possède des connaissances générales de niveau «secondaire» et, pour ce qui est de la philosophie, des connaissances de niveau «collégial». Entre 1857 et 1894, Malouin note une adaptation progressive de l'enseignement aux besoins des femmes et du marché du travail: la tenue de livres, la sténographie, la dactylographie et la télégraphie sont intégrées au programme d'études en 1894. Même si ce couvent n'est pas une école normale, il prépare celles qui veulent enseigner à passer les examens pour obtenir un brevet d'enseignement.

Malgré ce souci de formation humaniste et professionnelle, l'Académie Marie-Rose n'en continue pas moins à dispenser des cours d'économie domestique et à développer les habiletés manuelles essentielles aux ménagères. On voit que les sœurs ne sont pas les seules à vouloir former de bonnes maîtresses de maison. Cependant, le programme d'études du secteur public prévoit des cours d'économie sociale pour garçons: ils y apprennent l'organisation politique et administrative du Canada et les données de base de l'économie canadienne, sa production agricole et industrielle et son commerce. Mais pour les filles, on dispense des cours d'économie domestique comprenant le tricot, la couture et la broderie.

Le rapport du département de l'Instruction publique de 1872-1873 signale même que, dans les couvents, on attache trop d'importance aux connaissances «de pur agrément» aux dépens de connaissances véritablement utiles telles que l'économie domestique, la couture et la tenue de livres. Selon le rapport, la tenue de livres est importante, car la future épouse doit être en mesure de rendre compte des affaires du ménage et de mettre de l'ordre et de l'économie dans la direction de la maison. L'insistance sur cette matière scolaire rappelle que certaines couventines devront diriger du personnel domestique et que d'autres, plus nombreuses encore, seront peut-être obligées de faire la comptabilité du commerce et du bureau de leur mari. Une bonne ménagère se double alors d'une «collaboratrice» pour son mari.

Dans ce même rapport, on insiste sur le savoir-faire en couture. Si, en plus de la couture, il faut enseigner aux jeunes filles la coupe des vêtements, c'est que, selon le rapport, ces élèves auront autre chose à faire dans la vie que de tenir un salon: «Le coût des choses nécessaires à la vie est devenu si élevé que dorénavant la femme devra ne compter que sur elle-même pour la confection d'une foule de choses qu'elle pouvait auparavant faire faire par des mains étrangères.» Signe que l'instruction des couvents est désormais à la portée des filles de milieux modestes.

Une partie de la transmission du savoir-faire domestique passe des mains des mères aux professionnels du réseau scolaire. En même temps, de plus en plus de mères se privent de l'aide quotidienne de leurs filles pour leur permettre de fréquenter l'école ou le couvent. Ces mères qui investissent dans la formation de leurs filles pensent peut-être qu'une fille instruite, même pauvre, a plus de chances qu'une autre de faire un mariage avantageux. Et si, par hasard, sa fille ne se marie pas ou n'entre pas en religion, elle aura au moins reçu une certaine instruction qui devrait lui permettre de gagner sa vie plus facilement qu'une ouvrière ou qu'une domestique.

Devenir ménagère

Dans la société préindustrielle d'avant 1850, on pratique surtout une agriculture d'autosuffisance; le travail des femmes se module sur le rythme des saisons et des naissances ainsi que sur le nombre de bouches à nourrir. À la fin du siècle, cet ordre des choses, même s'il se perpétue dans certaines régions du Québec, dont les nouvelles régions de colonisation, est considérablement ébranlé. Des milliers de femmes tant rurales qu'urbaines vivent une vie différente de leurs ancêtres et se transforment peu à peu en ménagères.

Jusqu'au milieu du siècle, la vie rurale québécoise s'organise selon les traditions ancestrales; hommes, femmes, enfants et personnes âgées produisent dans la maison et autour de la maison ce qui est nécessaire à la survie du groupe familial. Il existe néanmoins une spécialisation des tâches selon l'âge et le sexe des membres de la famille, mais les femmes participent autant que les hommes à la production.

Chacun produit par son travail des biens qui sont tous, les uns autant que les autres, essentiels à la vie du groupe. Les relations entre les parents et les enfants et entre les hommes et les femmes sont principalement des relations d'interdépendance entre divers producteurs. L'autosuffisance est un modèle qui se retrouve rarement à l'état pur: de tout temps, depuis les débuts de la colonie, les agriculteurs québécois se sont épisodiquement livrés à la traite des fourrures, au commerce du blé ou à la coupe du bois. Ainsi, certains membres de la famille, les hommes en l'occurrence, voient leur propre production acquérir une valeur sur le marché, alors que les productions des femmes sont destinées, la plupart du temps, à la consommation familiale. Ce n'est qu'occasionnellement que les femmes vendront leur production sur le marché.

À Saint-Justin, les femmes de la famille Casaubon ont des activités de production fort variées

Au premier rang viennent le filage et le tissage. En 1886, 18 ou 20 bottillons de lin furent soumis par les femmes de la maison aux opérations préparatoires du hâlage, du broyage, de l'«écorchage» ou espadage, du peignage, du filage et du blanchissage. Quarante-cinq livres de laine, désuintées à la maison puis portées à l'usine de Karl, sur la rivière Maskinongé, pour être cardées, ont aussi été filées dans le courant de l'hiver par la mère, les deux tantes, la bru et l'aînée des filles, sur leurs rouets à pédale. Des 45 livres de laine, 18 ont été teintes, toujours au foyer.

Du fil de lin ou de laine ainsi obtenu, une petite quantité a été laissée en cet état; une autre a été tricotée; mais la plus grande partie a été mise sur l'ourdissoir, puis sur le métier à tisser et convertie par la mère, ses deux filles et sa bru, en toile, flanelle, étoffe et drap. Il n'y a eu de fait hors du foyer que le pressage et le foulage des étoffes. La couture et le tricotage complètent les travaux précédents et permettent à la famille de se pourvoir directement de son linge de ménage, draps de lit en toile ou en flanelle, nappes et essuie-mains en toile, dont les belles douzaines s'empilent dans les armoires. Elle se pourvoit aussi elle-même de la plupart de ses vêtements de travail. Les femmes ne tissent pas et ne cousent pas seulement pour les besoins de la famille. Elles font sur commande des vêtements en «étoffe du pays». La mère vend des courtes-pointes mi-laine mi-coton, garnies de franges. Philomène confectionne de grands châles en laine et de grands couvrepieds en coton ou en indienne, ainsi que des «catalognes» (tissu de retailles) qui servent indifféremment de tapis pour le plancher ou de couvertures de lits.

Au temps de la moisson, la vieille tante Marguerite, aidée de Julie et de Philomène, recueille les plus beaux brins de paille de froment et en fait de longues tresses, qu'elle passe ensuite entre les rouleaux d'un petit pressoir. Deux cents brasses sont ainsi tressées chaque année. Puis Julie en confectionne des chapeaux pour tous les gens de la maison.

Avec les débris des animaux abattus, la famille fait sa provision de chandelle de suif et de savon. Les peaux de vaches, de veaux, de moutons, sont portées chez le tanneur. Ce cuir sert ensuite à la réparation des harnais ou à de menus ouvrages de cordonnerie. Les peaux de mouton leur servent à confectionner des mitaines de travail ou des genouillères. Il n'y a que pour les chaussures que l'on s'adresse au cordonnier du village. Enfin, du poil des porcs abattus, la mère Casaubon confectionne des étrilles, brosses à poêle, brosses à bardes et pinceaux à blanchir.

En juillet, ils ont fait la rentrée du foin; en août et septembre, la récolte et le battage des grains. Dans ces trois dernières opérations, les femmes, la mère, la bru, Philomène, Eulalie et même la tante Julie, munies de fourches et de râteaux, ont prêté main-forte aux hommes.

Mais ce sont les femmes qui traient les vaches et qui voient au service de la laiterie. À l'occasion même, elles aident aux hommes à soigner les bestiaux. Ce sont les femmes seules qui sont chargées de faire dans le jardin les cultures qui s'exécutent à la bêche ou à la pioche. C'est la mère Casaubon qui s'occupe spécialement de la plantation de tabac. C'est elle qui au printemps, a fait les semis en boîtes, qui plus tard les a transplantés, a sarclé, arrosé, édrageonné la plantation. Ce sont encore les femmes qui sont chargées presque seules de la culture du lin; les hommes ne leur donnent de l'aide que pour l'arrachage et le battage de la plante. Ce sont aussi les femmes qui tondent les moutons, pendant que les hommes tiennent les bêtes immobiles.

Source: *Léon Gérin et l'habitant de Saint-Justin, op. cit.*, p. 59-62.

Dans la société préindustrielle, on observe aussi une symbiose entre la famille et le travail. Vie de famille et vie de travail ont lieu au même endroit et sont étroitement imbriquées. Cette symbiose est évidente chez le cultivateur propriétaire de sa ferme. Elle existe aussi dans la famille de l'artisane et de l'artisan: couturière, cordonnier, forgeron, boulanger travaillent et vivent dans leur maison-atelier. L'avènement des premières manufactures, en augmentant considérablement le travail à la pièce fait à domicile, maintient le caractère productif de l'unité familiale. Mais l'avènement des grandes fabriques où les machines remplacent les milliers de gestes des artisans à domicile draine hommes et femmes vers les fabriques. Une partie du travail productif de la famille se fait maintenant à l'extérieur. Pour se nourrir, se loger, se vêtir, il faudra de plus en plus fréquemment travailler hors de la famille. Celle-ci devient alors, pour une partie de ses membres, le lieu où on ne travaille pas. Peu à peu, ce sera le lieu de travail des mères de famille seulement.

L'industrialisation modifie aussi l'organisation de la vie rurale. Les produits des fabriques se vendent partout et même dans les coins les plus reculés du Québec où, depuis les années 1870-1880, on peut commander par catalogue. Les produits choisis sont livrés soit par la poste, soit par chemin de fer. La famille rurale perd ainsi un peu de son autosuffisance et devient consommatrice des produits des nouvelles industries. Le travail traditionnel des femmes se modifie, et un peu partout, comme le note Gérin: «Les toiles et étoffes du pays sont de plus en plus remplacées par les cotonnades, les indiennes, les tweeds et les draps du commerce.»

La famille abandonne certaines fonctions productives pour acquérir des fonctions de consommation. Au cours de cette transformation, les hommes et les femmes ne s'orientent pas de la même façon. Alors que les agriculteurs québécois qui se spécialisent dans la production

Femme cuisant son pain dans un four extérieur, à La Malbaie.
Musée McCord, Université McGill, Montréal

laitière produisent pour le marché urbain et reçoivent en échange du numéraire qui permet d'acheter des produits manufacturés, les femmes de la campagne ont un travail encore essentiellement axé sur l'autosubsistance et la reproduction du groupe familial, travail qui ne rapporte pas de numéraire. En milieu rural, à mesure que l'agriculture devient commerciale, les femmes n'ont plus la même fonction économique que les hommes. Désormais, les familles regroupent des membres qui ont des fonctions économiques différentes: les anciens rapports d'interdépendance se transforment en rapports de dépendance entre ceux qui ont des revenus et ceux qui n'en ont pas. La transformation des femmes d'anciennes productrices rurales qu'elles étaient en ménagères rurales s'opère lentement, et les femmes de certaines régions résistent longtemps à ces modifications dans leur travail en produisant, jusque tard au XXe siècle, ce qui est nécessaire à la vie de leur famille.

En milieu urbain, la transformation se fait plus rapidement. Il est difficile d'avoir un jardin en ville, car le développement des villes industrielles est accompagné d'un processus de spéculation foncière et d'utilisation maximale des espaces urbains. On construit maintenant des maisons en rangées à plus d'un étage, et, dans les fonds de cour encore disponibles, se dressent les logements ouvriers. Le processus est d'autant plus rapide à Montréal que la majorité des citadins sont locataires. Les citadines qui gardaient des animaux pour se nourrir, comme des vaches, des porcs ou des volailles, ont de moins en moins d'espace; à partir de 1864, la ville de Montréal édicte divers règlements qui interdiront les animaux les uns après les autres pour des motifs de salubrité. Le peu d'espace disponible oblige donc les ménagères urbaines à travailler de plus en plus à l'intérieur des maisons et à abandonner progressivement jardins et petites productions agricoles. Tout comme l'industrialisation, qui fut un lent processus s'étalant sur plusieurs décennies, l'avènement de sa contrepartie, c'est-à-dire la transformation de l'économie domestique, s'est développé sur plusieurs générations de femmes.

Avoir de nouveaux instruments de travail

Dans les fabriques, de nouvelles machines font désormais le travail des artisans. La nouvelle technologie tend à se répandre dans tous les secteurs de la production, y compris le travail ménager. Des inventeurs de tout acabit font breveter de multiples appareils ménagers qui ont tous, à des degrés divers, la prétention de réduire le travail ménager. L'historienne américaine S.M. Strasser constate qu'il existe un écart considérable entre la date de l'invention des appareils domestiques, d'une part, et leur diffusion et utilisation par les ménagères, d'autre part. Même si la plupart des appareils ont été inventés et brevetés avant 1900, dit-elle, seules quelques femmes fortunées ont pu ressentir les «bienfaits» de la technologie. Aux États-Unis, à cause de la lenteur de leur diffusion, les innovations technologiques ont eu peu d'effets sur la vie domestique d'avant 1920. Les résidentes des grandes villes sont les premières touchées; pour les résidentes des petites villes, il faudra attendre après 1930. Pour que la nouvelle technologie influence la vie des femmes, il ne suffisait pas que l'électricité soit inventée ou que des compagnies de gaz aient pignon sur rue. La Compagnie du gaz de Montréal, formée en 1847, se consacre d'abord à l'éclairage des rues, de même que les compagnies d'électricité qui voient le jour à Montréal à partir de 1878. Ces services sont distribués par des compagnies privées qui desservent surtout les entreprises industrielles, les municipalités et quelques citoyens fortunés.

Les produits offerts par le magasin *Eaton* dans son catalogue de 1901 nous renseignent sur ce que les acheteuses éventuelles peuvent facilement se procurer. Les appareils électroménagers sont quasiment absents et *Eaton* n'annonce que quelques objets fonctionnant à l'électricité, tels que des éventails, des sonnettes et des lampes. On retrouve autant de lampes à gaz et à l'huile que de lampes électriques, ce qui nous apprend que l'électricité n'est pas encore la source première d'éclairage des maisons canadiennes.

Des innovations technologiques font leur apparition dans les cuisines. À Montréal, *Meilleur & Co.* produit en 1864 des poêles au charbon. Beaucoup plus efficaces que les anciens poêles au bois, ces nouveaux poêles n'allègent guère, semble-t-il, le travail des ménagères. D'une part, explique Strasser, il faut surveiller autant qu'avant les jeunes enfants pour qu'ils ne se brûlent pas et, d'autre part, faire le feu est une tâche longue et malpropre. Elle rapporte une expérience menée en 1899 à l'école ménagère de Boston: le transport quotidien du charbon, l'allumage du feu, le nettoyage et l'entretien du poêle demandèrent 5 h 26 min de travail pour les six jours que dura l'expérience. Pour la même période de temps, le poêle à gaz, quant à lui, totalisa 1 h 40 min consacrée principalement au nettoyage, de quoi faire rêver toute ménagère, mais, hélas, ce poêle était probablement inabordable pour la majorité des ménages.

Annonce publicitaire de machine à coudre vantant les bienfaits qu'elle procure à la couturière.

Musée McCord, Université McGill, Montréal

Une grande partie du temps des ménagères est monopolisée par la préparation des repas. Tant à la ville qu'à la campagne, il y a plusieurs étapes préalables à la confection de mets. Si on avait salé les aliments pour les conserver, il fallait les dessaler au moment de la consommation. Au marché, on trouve des volailles, mais la ménagère doit les plumer et les vider. La viande peut être offerte en coupes immédiatement comestibles, mais son prix est plus élevé. La plupart du temps, d'ailleurs, on trouve de la viande marinée, salée ou fumée; ce n'est qu'avec l'utilisation massive des réfrigérateurs qu'il sera possible d'avoir régulièrement de la viande fraîche.

L'alimentation des Québécois s'est considérablement modifiée au cours du siècle. Les crises successives de la production du blé ont stimulé la culture des pommes de terre, puis de l'avoine. Chez les Casaubon, ces agriculteurs dont la vie a été scrutée si attentivement par Léon Gérin en 1886, les aliments qu'on consomme le plus sont le pain, qu'on boulange une fois la semaine, la soupe aux pois, le lard et les pommes de terre. On mange aussi de la soupe au riz, de la soupe aux choux, de la galette de sarrasin; les divers animaux et volailles de la ferme finissent souvent leurs jours sur la table familiale. Les pâtisseries et les confitures de petits fruits sont réservées pour les dimanches et les jours de fête ou de grands travaux. Enfin, on boit surtout du thé et du lait. Les Casaubon sont des gens qui vivent encore d'une agriculture d'autosuffisance et qui résistent bien à l'invasion du marché.

Dans plusieurs fermes où la spécialisation de l'agriculture a entraîné l'abandon des petites productions, il faut s'approvisionner chez le marchand. Il en est de même pour la population des villes et des villages, qui ne produit certes pas tout ce qu'elle consomme. Les boulangeries commerciales produisent du pain à un prix qui incite à l'acheter plutôt qu'à le faire. Le développement d'un réseau ferroviaire entraîne une diversification dans l'alimentation. Fruits et légumes peuvent être transportés dans des wagons frigorifiques, qui font leur apparition aux États-Unis dès 1865, après la guerre civile. L'industrie de la conservation alimentaire connaît aussi une certaine expansion durant les dernières décennies du siècle; au Québec, cette industrie démarre après 1870 et de plus en plus de produits en conserve se retrouvent sur le marché. Le coût des conserves est cependant élevé: la boîte de corned-beef et la boîte de pêches se détaillent 15¢ l'unité en 1901, soit approximativement le salaire d'une heure de travail. Inutile de préciser que la ménagère de milieu ouvrier n'a pas les moyens d'offrir du «prêt-à-servir» à ses enfants.

Les tâches reliées à l'utilisation de l'eau constituent une partie importante du travail ménager. Montréal modernise son réseau d'aqueduc dans les années 1850, mais un système de distribution d'eau n'est cependant pas synonyme d'eau courante telle que nous la connaissons aujourd'hui. L'eau peut être disponible à proximité des maisons et les ménagères doivent chaque jour charroyer des seaux d'eau à l'intérieur afin de faire la lessive, la vaisselle, le lavage des planchers et l'entretien général de la maison. À la fin du siècle, les maisons montréalaises ont maintenant l'eau courante, mais on recense plus de 5000 logements qui ont des «toilettes extérieures avec fosse dans le sol», ce qui signifie, en certaines saisons ou la nuit, l'utilisation de «pots de chambre» et, il va sans dire, leur nettoyage.

La venue de l'eau courante dans chacune des maisons modifie la vie domestique et très certainement la notion même de propreté. Un accès plus facile à l'eau change les critères de propreté: on lave plus souvent vêtements et objets, et la propreté corporelle devient un thème privilégié des hygiénistes. Cependant, la lessive, qui est la tâche ménagère la plus fastidieuse, est peu modifiée par les innovations techniques: 2000 brevets d'invention de machines à laver sont enregistrés aux États-Unis vers 1869, mais la plupart des appareils commercialisés sont destinés à des entreprises. Les quelques rares appareils destinés aux travaux domestiques, souligne Strasser, n'économisent finalement que peu de temps et de travail. La lessive a de tout temps été une tâche qu'il était possible de confier à l'extérieur: il y a toujours eu des femmes, souvent des mères de famille, dont c'était le métier de laver le linge des autres. Ce n'est donc pas dans chaque foyer que la lessive accapare une grande partie du temps.

Enfin, là où la technologie a envahi la vie de la plupart des femmes, c'est dans la confection des vêtements. Quinze ans après l'invention de la machine à coudre en 1846, l'industrie québécoise du prêt-à-porter n'en est qu'à ses premiers balbutiements, mais, en 1871, la valeur de la production atteint déjà près de 6 millions de dollars et elle triplera en trente ans. De plus en plus de vêtements sont offerts sur le marché, mais, jusqu'à la fin du siècle, on fabrique beaucoup plus de vêtements pour hommes que pour femmes. Donc, la plupart des mères doivent continuer à coudre pour elles-mêmes et pour leurs enfants. La machine à coudre est importante dans la vie des femmes parce qu'elle permet une confection beaucoup plus rapide des vêtements familiaux et qu'elle permet aux femmes de rester à la maison et d'y effectuer des travaux confiés par l'industrie.

Coudre à la maison

Les salaires insuffisants et irréguliers forcent souvent les femmes des familles ouvrières à s'engager dans un travail rémunéré. Durant les premières années de l'industrialisation, nombreuses sont les femmes et les mères de famille à prendre elles aussi le chemin de l'usine avec leur mari et leurs enfants. Cependant, plus nombreuses encore sont celles qui prennent un travail rémunéré à domicile, qui leur permet de contribuer financièrement à la subsistance familiale et de continuer le travail domestique, essentiel lui aussi à la survie de la famille.

L'industrie de la confection caractérisée par le travail à domicile permet aux femmes d'associer encore pour quelques décennies habitat et travail rémunéré. Cette industrie, la quatrième plus importante du Québec quant à la valeur de la production, est dotée d'une organisation particulière; il existe peu de grands établissements de confection et, dans ces derniers, on effectue surtout la coupe des vêtements. Les pièces ainsi taillées sont envoyées à l'extérieur pour y être cousues. L'historienne Suzanne Cross rapporte qu'en 1892 la compagnie J.W. Mackedie emploie 900 ouvrières à domicile et la compagnie H. Shorey, qui n'emploie que 130 ouvrières en atelier, en embauche 1400 à domicile. «Tout notre ouvrage est fait par des familles, la mère et les filles travaillant ensemble et nous payons tant par pièce...», explique un entrepreneur devant la Commission sur les relations entre le capital et le travail (1886). Le phénomène est si répandu qu'une enquête menée par W.L. Mackenzie King en 1898 révèle que les trois quarts des vêtements fabriqués à Montréal le sont dans des centaines de petits ateliers et dans des milliers de maisons par des femmes juives et canadiennes-françaises.

Le chemin de fer permet à ces entreprises d'avoir accès à une main-d'œuvre rurale: on envoie les pièces à coudre par train jusque dans des villages situés à une trentaine de milles de Montréal. Si plusieurs femmes sont propriétaires de leur machine à coudre, plusieurs autres travaillent sur des machines louées ou fournies par le manufacturier.

Ce type de travail est fréquemment désigné sous le nom de *sweating system*, c'est-à-dire «régime de la sueur». Ce terme fait cependant référence à des réalités différentes: les entreprises de confection peuvent donner directement le travail à des ouvrières à domicile ou les confier à des sous-traitants qui recrutent eux-mêmes les ouvrières, leur distribuent le travail, le contrôlent et ne paient qu'après avoir gardé pour eux-mêmes une bonne commission. Dans d'autres cas, les ouvrières sont rassemblées dans un petit local de fortune afin de répondre à certaines commandes: les conditions de travail de ces petits ateliers improvisés sont réputées pour être particulièrement malsaines et l'exploitation des ouvrières y est telle qu'on les nomme aussi «ateliers de surmenage».

La confection dans le cadre du *sweating system* donne lieu à une exploitation économique particulièrement criante. Mackenzie King révèle dans le rapport de son enquête qu'en «trimant soixante heures par semaine, une femme gagne 2 $ à 3 $ par semaine tandis qu'un charpentier fait 3 $ par jour». Il aurait été impossible, dit-il, que ces femmes vivent à partir de leur gagne-pain.

La loi des manufactures de 1885, première intervention du gouvernement provincial dans les relations de travail, ne s'applique qu'aux entreprises de plus de vingt employés. Les modistes et couturières travaillant en majorité à domicile ou dans des petits ateliers sont exclues de la protection de la loi et peuvent donc être astreintes à travailler plus longtemps que le maximum légal permis pour les femmes, soit dix heures par jour.

En 1894 est votée la Loi des établissements industriels, qui s'applique aux entreprises de toute taille. Si certains ateliers de «surmenage» sont désormais régis par la loi, le travail à domicile en est toujours exclu. L'inspectrice de manufactures Louisa King constate:

> Concernant le *sweating system* dont on parle tant, je dois dire que je n'ai pu en découvrir les traces dans mon district. Quand j'ai demandé aux fabricants de me donner l'adresse de ceux qui travaillent pour eux et qui ont des employés, ils m'ont presque toujours répondu que l'ouvrage était fait dans des ateliers de famille sur lesquels l'inspecteur n'a point de contrôle.
>
> Je me permettrai donc de suggérer que les ateliers de famille soient placés sous la loi (...) L'inspecteur pourrait alors atteindre plusieurs endroits où la santé du public est en danger et où les ouvriers travaillent dans des conditions fort nuisibles[4].

Malgré les conditions difficiles de ce travail, les femmes rurales et urbaines s'y adonnent pendant longtemps, car elles y voient une des seules façons de concilier travail ménager, soin des enfants et revenu financier. Les autres possibilités sont minces: le fait de prendre des pensionnaires a permis à des milliers de femmes de boucler leur budget, mais cette solution n'est pas toujours possible quand les enfants sont jeunes et occupent tout l'espace des logements urbains, déjà exigus. Faire des lavages chez soi représente une autre solution, qui pose cependant des problèmes de conciliation d'horaire avec les autres tâches domestiques et encombre passablement l'espace lorsque le temps ne permet pas de faire sécher les vêtements à l'extérieur.

Que le travail à domicile ait été mal payé, il est probable que les femmes en aient été conscientes, étant assez informées sur les salaires industriels. Cependant, il faut se rappeler que, dans les sociétés préindustrielles, les femmes ne s'attendaient pas à vivre par leur seul travail, car la survie de tous était assurée par le travail conjoint du groupe familial. Ces anciennes conceptions se transplantent dans le travail industriel à domicile et les femmes y voient surtout le grand avantage de concilier travail domestique et revenu. De plus, mises à part les périodes de difficultés économiques où elles doivent assumer par ce seul travail la survie de toute la famille et travailler de très longues heures, les ouvrières à domicile peuvent généralement contrôler l'organisation de leur temps, puisqu'elles sont payées à la pièce et non à l'heure.

Ce qui, de nos jours, est perçu comme une exploitation des femmes à la maison peut être considéré comme une adaptation particulière des femmes à l'industrialisation et comme une stratégie qui leur a permis de retarder le moment de leur transformation en ménagères économiquement dépendantes d'un mari pourvoyeur.

Notes du chapitre 6

1. Extraits du journal, 7 avril et 21 septembre 1875, Fadette, *Journal d'Henriette Dessaules 1874-1880*, Montréal, Hurtubise HMH, 1971.

2. *Le Journal de Québec*, 20 mai 1847, cité dans Fernand Ouellet, *Histoire économique et sociale du Québec 1760-1850*, Montréal, Fides, 1966.

3. Lettre de Julie Bruneau à L.-J. Papineau, 23 février 1836, dans *Rapport de l'archiviste de la province de Québec*, nᵒˢ 38-39.

4. Cité dans J. De Bonville, *Jean-Baptiste Gagnepetit. Les travailleurs montréalais à la fin du XIXᵉ siècle*, Montréal, Éditions de l'Aurore, 1975.

CHAPITRE 7

Travailler
sous un autre toit

Gagner sa vie au XIXᵉ siècle implique la plupart du temps qu'on quitte sa maison pour s'engager ailleurs comme domestique, ouvrière ou institutrice. En 1891, 13,4 % de la main-d'œuvre au Québec est composée de femmes. Dix ans plus tard, la proportion passe à 15,1 %. Si l'on considère la population féminine, on constate qu'une Québécoise sur dix âgée de dix ans et plus (9,8 %) est engagée dans une occupation rémunérée en 1891. Ce sera le cas pour 12,8 % des Québécoises en 1901.

Les secteurs où les femmes sont employées et les métiers qu'elles exercent sont peu nombreux. En 1891, 45 % des travailleuses sont classées dans les «services domestiques et personnels» et l'immense majorité de ces travailleuses sont des domestiques. Un groupe important se retrouve en manufactures: 33,6 % des travailleuses. Encore là, un métier domine: plus de la moitié des ouvrières sont en fait des couturières. Le secteur dit «professionnel» regroupe 10,3 % des travailleuses, dont les neuf dixièmes sont des institutrices. Enfin, on trouve des travailleuses dans le secteur agricole et les pêcheries (5,4 %) ou encore dans le commerce et le transport (5,6 %): elles sont pour la plupart cultivatrices, commis ou vendeuses.

Domestiques

Source première de l'emploi féminin, la domesticité se présente sous des formes multiples. La servante de ferme, la bonne à tout faire dans une famille de la ville, la cuisinière d'une grande maison bourgeoise ou d'un hôpital et la ménagère d'un presbytère ou d'un couvent sont toutes des domestiques. Mais leurs conditions de vie et leur travail quotidien diffèrent radicalement d'un endroit à l'autre. De plus, à côté de celles qui sont engagées à plein temps, il y a toutes les femmes qui font une journée de ménage par-ci par-là dans des familles qui n'ont pas les moyens d'avoir des domestiques à plein temps.

De toutes ces travailleuses, on sait peu de chose. Ce travail, tout comme celui de mère de famille, se fait dans le secret des familles. L'historienne Claudette Lacelle, qui a étudié la domesticité urbaine, recense à Québec au début du siècle la présence de domestiques dans un ménage sur cinq. En 1871, la proportion tombe à un ménage sur dix. Les employeurs sont des commerçants, des professionnels, des fonctionnaires ou des rentiers. Ce ne sont pas des gens assez riches pour avoir plusieurs domestiques et les deux tiers de celles-ci travaillent seules avec leur maîtresse; elles sont donc bonnes à tout faire.

Maîtresse faisant ses recommandations à sa domestique, en 1882.

Archives publiques du Canada

Au début du siècle, les contrats d'engagement sont peu explicites sur les tâches. La domestique s'engage à obéir à son maître «en tout ce qu'il lui commandera de licite et d'honnête». Dans la seconde moitié du siècle, cependant, ces tâches doivent être exécutées selon des règles de plus en plus précises, car on assiste à cette époque à un mouvement de rationalisation de l'organisation ménagère. De nombreux traités d'économie domestique et de manuels à l'usage des domestiques sont publiés en Europe à partir des années 1840 et inspirent les maîtres d'ici.

Les tâches sont multiples: la domestique est chargée de l'entretien de la maison, de la cuisine, de l'approvisionnement, du jardin ou de la vache que plusieurs maîtres possèdent, même à la ville, et parfois du soin des enfants. La lessive est souvent faite par une femme engagée à la journée spécialement pour cette tâche, mais il arrive que la domestique en soit aussi chargée. Il va sans dire qu'on lui réserve aussi certaines tâches particulièrement lourdes ou pénibles telles que l'allumage des feux au lever du jour ou le nettoyage des poêles.

La journée est longue: de seize à dix-huit heures de labeur quotidien, six jours par semaine, sous le même toit que ses employeurs. La nuit n'apporte pas nécessairement le repos: consoler les jeunes enfants qui se réveillent la nuit ou veiller les malades peut faire partie du travail. Le temps de congé se limite au dimanche après-midi.

Faire les courses constitue pour certaines d'entre elles un des rares moments de liberté ou de distraction de la journée. Au marché, il n'y a pas que les victuailles ou les diverses marchandises offertes: on y voit parfois des attractions, des forains et des spectacles de funambules. On y rencontre peut-être des connaissances, un amoureux, des amies et d'autres domestiques. On peut y bavarder, échanger les nouvelles... et, qui sait, y trouver un mari.

L'organisation spatiale des villes du XIXe siècle permet le voisinage et les rencontres fréquentes. Vers la fin du siècle, cependant, les familles nanties quittent les centres-villes et entraînent leurs domestiques dans leur émigration progressive vers les faubourgs. Plus loin des centres et des marchés, les domestiques connaîtront de plus en plus l'isolement de la ménagère moderne.

La domesticité n'est pas qu'un travail, c'est aussi un toit. En 1871, d'après Lacelle, 70 % des domestiques urbaines sont résidentes. Cette situation signifie donc que, lorsqu'elles sont mises à pied, elles perdent aussi leur logis. Généralement, elles sont logées au grenier ou près de la cuisine, dans une petite pièce meublée fort sommairement; lorsque plusieurs domestiques travaillent dans une même maison, les femmes ont des chambres plus petites que celles des hommes; ces derniers ont même parfois un vestibule devant leur chambre.

Peu d'informations nous sont parvenues sur les relations entre maîtres et domestiques. Dans la correspondance de la famille Papineau, on trouve çà et là des allusions au personnel domestique. Certains, comme Marguerite, qui élève presque tous les enfants du couple Bruneau-Papineau, font partie de la famille. Ainsi, Marguerite est tellement intégrée à la vie familiale qu'elle suit les Bruneau-Papineau en exil à Paris. À l'occasion, il est question d'elle dans les lettres que Julie Bruneau envoie à ses enfants restés en Amérique.

Cette attitude familiale envers une domestique, si elle est probablement fréquente, ne se retrouve pas partout. Dans les maisons où la patronne est trop exigeante, le roulement de personnel est élevé. Louis-Joseph Papineau fustige sa fille Azélie parce qu' «elle ne peut conserver ses engagés (...). Il lui en manquera toujours, parce qu'elle ne sait commander personne avec ménagement!» Si le grand Papineau se préoccupe des problèmes domestiques de sa fille, c'est que, lorsqu'Azélie perd ses domestiques, c'est la famille qui doit la dépanner... Ces remarques de Papineau sont intéressantes non seulement parce qu'elles révèlent les problèmes que causent aux familles les départs des domestiques, mais aussi parce qu'elles indiquent que ces dernières n'hésitent pas à quitter les patronnes trop autoritaires.

Femmes de la maisonnée, mais étrangères à la famille, elles vivent au milieu de gens d'une classe sociale différente de la leur, mais ne vivent pas comme ces gens. Elles sont aussi différentes puisque, le plus souvent, elles viennent d'un milieu rural ou encore d'un pays différent. Le service domestique est un moyen privilégié d'intégration des jeunes rurales à la ville et aussi la principale porte d'entrée pour les femmes seules et sans ressources qui désirent venir s'établir au Canada.

Les grandes vagues d'immigration modifient le profil des domestiques. Quoique, dans l'ensemble du Québec, elles soient encore majoritairement des Canadiennes françaises, en 1871, les domestiques d'origine irlandaise et écossaise forment près de 70 % du personnel résidant des quartiers cossus de Montréal; à Québec, 33 % sont irlandaises. Ces immigrantes sont particulièrement sujettes au mépris, à tel point qu'en 1903 *Le journal de Françoise* dénonce les réactions négatives de la population à l'annonce de l'arrivée d'une «cargaison» d'immigrantes «recueillies sur le pavé des grandes villes de la Grande-Bretagne».

Un travail dans une maison ne garantit certes pas l'intégration au milieu familial. Au cours du XIXe siècle, la construction d'escaliers de service menant de la cuisine à la chambre de bonne est en soi révélatrice de l'exclusion spatiale et familiale des domestiques. Généralement, elles prennent leurs repas à part dans la cuisine. Les familles ne semblent pas non plus considérer qu'elles ont des responsabilités sociales envers leurs domestiques. On assiste à Montréal, durant la période estivale, à plusieurs mises à pied lorsque la bourgeoisie va s'installer en villégiature dans les endroits à la mode sur la côte de Charlevoix ou à Cacouna, et également en période de récession économique. Il ne reste plus à ces femmes qu'à se dénicher dans la journée même un endroit où coucher et si possible un nouvel emploi. On est alors loin de la famille d'accueil qui protège la jeune campagnarde ou l'immigrante de la corruption et des dangers de la ville.

L'insécurité et la vulnérabilité des domestiques en chômage ou mises à pied montrent bien que, si le service domestique offre un toit, il n'offre pas nécessairement la sécurité, la chaleur et la protection de la vie familiale, contrairement à ce que prétendent les recruteurs de domestiques. La société canadienne tente à cette époque de régler ce qu'on appelait la «crise domestique» ou la «crise de la domesticité». Bien que formant encore 41 % de la main-d'œuvre féminine du Canada en 1891, les domestiques sont devenues rares. Pour les travailleuses, la domesticité n'est plus le seul débouché: l'usine offre des salaires et une liberté en dehors des heures de travail, incomparables aux conditions prévalant dans les maisons. C'est donc en grand nombre que les jeunes femmes vont en manufacture.

La crise domestique, c'est non seulement la pénurie de domestiques mais aussi les problèmes liés à la très grande mobilité du personnel. Quitter son emploi, changer de place, c'est souvent la seule façon de protester contre de mauvaises conditions de travail et d'améliorer sa situation. Crise, aussi, parce que les «bonnes» domestiques sont rares: les plaintes de maîtresses de maison concernant l'absence de formation des domestiques se font de plus en plus nombreuses.

Et vous êtes heureuse ainsi?

Henriette Dessaules, jeune fille de quinze ans de milieu bourgeois, raconte dans son journal intime sa rencontre, le 23 octobre 1875, avec la couturière qui travaille pour sa famille six
jours par semaine, douze heures par jour:

*J'ai découvert une belle âme. Rosalie notre petite couturière
(elle est très vieille, 30 ans au moins...) est toujours seule
dans la chambre de couture et hier je passais très nonchalante
près d'elle: «Vous êtes bien pâlotte, mam'zelle Henriette, êtes-
vous fatiguée?» «Je suis surtout bien "tannée" Rosalie.» «Et de
quoi?» «Oh de moi, je suppose!» «Vous êtes pourtant bien heureuse, mam'zelle.» «Moi heureuse?» «Mais oui, vous avez de
bons parents, tout à "souhaitte", vous êtes riche, vous restez
dans une belle maison, vous êtes servie comme si vous étiez
manchotte, vous vous instruisez dans toutes les sciences. Y'en
a pas beaucoup de si heureuses que vous!» Je ne répondis pas
tout de suite. À elle, que pouvais-je répondre? «Et vous Rosalie, questionnai-je, vous n'êtes pas heureuse?» «Faites excuse,
mam'zelle, je suis bien contente de mon sort.» «Vous demeu-
rez chez vos parents?» «Non, ils sont tous morts. Je loue une
petite chambre où je vis toute seule, mais pas longtemps,
ajoute-t-elle avec son bon sourire, puisque je travaille ici tous
les jours de 7 heures à 7 heures. Quand je sors d'"icitte" le
soir, je vais faire mes prières à l'église puis en arrivant je me
couche pour me lever à cinq heures le lendemain.» «Et le
dimanche?» «Je passe beaucoup de temps à l'église et de temps
en temps j'écris à mon neveu qui est vicaire aux États-Unis.»
«Et vous êtes heureuse ainsi?» «Oui, je fais mon devoir tant
que je peux et je sais que le Bon Dieu fera le sien vis-à-vis de
moi.» Je l'ai laissée, toute songeuse...*

Source: Fadette, *Journal d'Henriette Dessaules 1874-1880*, Montréal, Éditions Hurtubise HMH, 1971, p. 82.

Pour résoudre cette crise, on tente diverses solutions qui vont du
recrutement en milieu rural à l'immigration, de la formation professionnelle à des projets de services collectifs. Dès le XVIIIe siècle, on avait
favorisé l'immigration de domestiques portugaises. Au XIXe siècle, on
ira les chercher particulièrement dans les îles Britanniques. C'est le
moyen le plus populaire pour tenter de régler la crise domestique.
Des sociétés d'émigration se forment en Grande-Bretagne et des asso-

ciations vouées à l'accueil et au placement se développent dans les colonies. Entre 1884 et 1920, la British Women's Emigration Association est la principale agence de recrutement de personnel domestique en provenance des îles Britanniques. La bourgeoisie anglaise, tout comme la bourgeoisie canadienne, vit elle aussi la «crise domestique». Ce ne sont donc pas des domestiques d'expérience qu'on envoie aux colonies, mais des femmes sans métier, chômeuses ou paysannes qui, victimes de la pénurie de terres, affluent vers les villes.

L'immigration féminine est bienvenue au Canada, et même encouragée par l'État, qui subventionne une société telle que la Women's National Immigration Society. L'État fait même de la promotion: les agents d'immigration vantent les mérites de la société canadienne, qui serait plus démocratique et où les domestiques seraient intégrées à la vie familiale. Ils attirent des recrues en leur promettant des salaires deux fois plus élevés que ce qu'ils sont en réalité.

Mais cette immigration n'est bienvenue que dans la mesure où les femmes se font domestiques. Pour s'assurer qu'elles se rendront à bon port et qu'elles ne seront pas détournées vers d'autres emplois ni vers la prostitution, les sociétés d'émigration les envoient accompagnées d'un chaperon. À leur arrivée aux villes portuaires canadiennes, elles sont prises en charge par des associations qui leur offrent temporairement gîte et couvert jusqu'à ce qu'elles soient placées dans des foyers.

Ce recrutement externe ne résout toutefois pas la crise domestique. Ces immigrantes s'avèrent aussi «instables» que les domestiques nées au pays. Une des solutions préconisées par les femmes de la bourgeoisie est alors la professionnalisation du métier. Moins de domestiques, mais des domestiques plus efficaces et déjà formées par les institutions scolaires. Elles espèrent ainsi qu'une formation professionnelle leur évitera de recommencer sans cesse la formation sur le tas de leurs domestiques et que, par le fait même, on améliorera la réputation du métier en le rendant plus attrayant pour les jeunes femmes. C'est dans la foulée de ce mouvement que sont tentées diverses expériences. Ainsi, dès 1860, on initie au travail domestique les jeunes filles placées à la Home and School of Industry; on fait de même dans les orphelinats tenus par les communautés religieuses. En 1895, la Young Women's Christian Association (YWCA), qui créait dans les grandes villes canadiennes des foyers d'accueil pour immigrantes, fonde une école de couture et de cuisine. Les associations féministes en viennent toutes à préconiser l'intégration d'un programme d'enseignement ménager dans les écoles. C'est dans ce climat de pénurie de personnel domestique que se forment au Québec les premières écoles ménagères.

La crise domestique se prolongera et s'accentuera au cours des premières décennies du XXe siècle. Les tentatives de canaliser la main-d'œuvre féminine vers le travail domestique seront plus ou moins fructueuses. C'est que de nouvelles perspectives de travail s'offrent aux femmes en dehors de l'univers domestique.

Ouvrières

Avant 1850, on compte bien quelques industries, mais le mouvement d'industrialisation démarre véritablement dans la seconde moitié du siècle. Tant dans l'ensemble du Québec qu'à Montréal, un nombre restreint d'industries embauchent des femmes: industrie du vêtement, usines du textile (coton, laine et soie), manufactures de chaussures, de tabac et de caoutchouc. Ailleurs qu'à Montréal, on retrouve également des femmes dans des manufactures d'allumettes et des conserveries de poisson et de fruits et légumes.

Au Québec, en 1891, le cinquième de la main-d'œuvre manufacturière est formé de femmes. Comme une grande partie des industries qui emploient des femmes sont situées à Montréal et à Québec, dans ces villes, près d'un ouvrier sur trois est en fait... une ouvrière. Néanmoins, selon l'historienne D.S. Cross, cette participation baisse depuis une vingtaine d'années, les nouveaux emplois s'offrant moins aux femmes. Montréal souffre par ailleurs d'une pénurie d'emplois, ce qui la distingue des villes industrielles de la Nouvelle-Angleterre ou même de France et d'Angleterre, où les femmes mariées sont plus nombreuses à occuper un emploi salarié.

Les métiers féminins sont peu variés. Il se trouve bien entendu des exceptions, et, à cette époque comme aujourd'hui, l'exception sert souvent à camoufler l'étroitesse de l'éventail professionnel des femmes. En 1900, les rédactrices du recueil *Femmes du Canada* constatent:

> Les femmes se font placer dans beaucoup de genres d'ouvrages qui étaient considérés jusqu'ici comme des emplois exclusivement réservés aux hommes. (...) Parmi ces emplois, mentionnons la décoration des maisons (peinture d'intérieur), peinture à fresque, culture maraîchère (...). Quelques femmes s'occupent de l'exploitation d'écuries de louage, ou de commerce de la glace.

L'activité de quelques femmes dans des métiers «non traditionnels» est évoquée comme une glorieuse «preuve de ce que peut faire une femme». Ces observatrices constatent pourtant que les femmes touchent dans l'ensemble des salaires moindres que ceux des hommes. Cette réduction ne signifie pas, affirment-elles, que leur travail soit à plus vil prix, mais simplement qu'on leur assigne des tâches différentes de celles des hommes. La discrimination salariale s'accompagne déjà d'une forte ségrégation professionnelle.

La vie d'une ouvrière est très dure. Six jours sur sept, tôt le matin, il lui faut quitter son lit pour entrer à l'usine à 6 h 30. Le moindre retard entraîne d'importantes compressions de salaire. Dans les filatures de coton, une ouvrière surveille en moyenne quatre métiers à tisser. Ce travail ne demande pas une force considérable, mais il requiert surtout une attention soutenue, une concentration de tous les instants pour déceler les manques dans les tissus et une grande rapidité. Les erreurs d'inattention ou les maladresses sont punies d'une amende qu'on déduit à la source sur le salaire. Les cas d'amendes les plus extravagants se trouvent dans les manufactures de chaussures: l'ouvrière qui reçoit un centin pour chaque semelle se voit retirer quatre centins pour chaque semelle qui a un défaut!

Dans les filatures, la température est élevée, les machines bruyantes et l'air poussiéreux. Pour se détendre un peu, il faut attendre à midi, puis, après cette pause, le travail reprend jusqu'à 18 h 30 ou 19 h. Ce n'est qu'en 1885 que la journée de travail des femmes sera limitée à dix heures par jour et à soixante heures par semaine. Cette loi étant fort mal observée, les journées de douze ou treize heures ne seront pas rares jusqu'à la fin du siècle.

Règlements et châtiments dans les entreprises ont une allure nettement paternaliste. Une ouvrière a dû payer 25¢ d'amende pour avoir pris un morceau de papier de toilette pour se friser les cheveux. Georgina Loiselle, dix-huit ans, ouvrière apprentie dans une fabrique de cigares, est battue par le propriétaire parce qu'elle refuse de fabriquer cent cigares en surplus. Dans cette même fabrique, on a aussi l'habitude d'envoyer au *black hole*, espèce de cachot au sous-sol de la fabrique, les apprentis trouvés coupables de vols de cigares ou d'absences au travail. Le propriétaire justifie ces réprimandes devant la Commission du travail en invoquant que c'est à la demande même des parents qu'il châtie les apprentis. Dans bien des cas, la sévérité des employeurs envers les enfants ne devait apparaître aux intéressés que comme un simple prolongement de la discipline familiale, encore marquée par l'autoritarisme du père.

Ouvrières franco-américaines travaillant à la compagnie Amoskeag au New Hampshire vers 1895.

Magazine Ovo, vol. 12, n° 46, 1982

La plupart des femmes sont payées à la pièce et non à l'heure. Certaines entreprises paient les femmes au rendement et les hommes à la semaine. Travailler à la pièce signifie adopter un rythme de travail de plus en plus accéléré si on veut augmenter son salaire ou bénéficier de la prime de rendement. Travailler à la pièce, c'est aussi être à la merci de bris de machine sans compensation salariale, ou se retrouver devant des machines arrêtées parce que l'usine enregistre une surproduction.

Les salaires des femmes varient beaucoup selon l'âge et l'occupation. L'historienne Trofimenkoff, qui a analysé les dépositions des femmes qui ont témoigné devant la Commission sur les relations entre le capital et le travail, rapporte qu'une fille de quatorze ans gagne 2 $ par semaine dans une imprimerie, l'ouvrière de vingt ans d'une filature de coton touche 4 $, la couturière d'expérience, 7 $ et, enfin, la contremaîtresse d'une tannerie, 10 $ par semaine. L'historien Harvey, comparant des métiers identiques, rapporte que, en 1887, un cordonnier touche un salaire moyen de 8 $ par semaine, une cordonnière 4 $; chez les tailleurs, les hommes touchent 8 $ et les femmes 3 $. Il évalue qu'il en coûte à cette époque 9 $ par semaine pour assurer la subsistance d'une famille. Avec de tels salaires, on imagine aisément la misère des veuves ou des femmes qui gagnent seules le pain de leur famille.

Les maisons de pension et les institutions demandent 2 $ par semaine à leurs pensionnaires. Dans un tel contexte, ces ouvrières n'ont probablement pas d'autre choix que de vivre dans leur famille. Devant l'impossibilité de vivre seule avec son salaire, le fait d'unir ses jours avec un homme qui gagne le double de son propre salaire est souvent la seule façon de sortir de la maison ou de sa misère. C'est peut-être ce réflexe féminin qui fera dire à une contremaîtresse que «les jeunes couturières de son atelier sont plus intéressées à se marier qu'à prendre un travail permanent».

Plusieurs observateurs du monde du travail sont d'avis que l'apparente prédilection des femmes pour le mariage explique leur faible intérêt pour le travail et pour les luttes syndicales. Peu de recherches ont été faites sur les femmes et le syndicalisme aux débuts de l'industrialisation. Certains faits laissent cependant soupçonner qu'elles n'étaient pas totalement indifférentes à leurs conditions de travail.

Ainsi, c'est en 1880, aux moulins Hudon d'Hochelaga, qu'a lieu la première grève importante dans les textiles. Elle est menée par cinq cents ouvrières qui réclament des augmentations de salaire et des réductions d'heures de travail. Jusqu'en 1900, la Montreal Cotton de Valleyfield connaît, quant à elle, sept grèves; or, dans cette usine où plusieurs conflits sont violents, la majorité des ouvriers sont des femmes. À côté de ces grandes grèves, on signale de nombreux petits conflits spontanés. Harvey rapporte qu'à Saint-Hyacinthe quinze ouvrières de la fabrique de laine Granite débrayent spontanément parce que le contremaître exige d'elles une nouvelle tâche qui réduit leur salaire à la pièce de moitié. Ces grèves spontanées, sortes de «jacqueries industrielles», sont très fréquentes au XIXe siècle, et c'est souvent en dehors de tout soutien et de toute organisation syndicale que les ouvrières protestent.

L'organisation syndicale des Chevaliers du travail, qui regroupe les ouvriers non seulement par métiers, mais aussi par industries, est sensible aux problèmes du travail féminin. Elle compte même dans ses rangs des chômeurs et des ménagères. Dans son manifeste publié en 1887, elle exige «qu'on mette en application le principe: à travail égal, salaire égal pour les deux sexes». Le Parti socialiste ouvrier adopte une résolution similaire dans son manifeste de 1894 et exige même le «droit de suffrage universel et égal pour tous sans considération de croyance, couleur ou sexe».

Parallèlement à ces appuis militants se dessine un courant de méfiance et d'hostilité à l'égard du travail des femmes. Les salaires inférieurs des femmes exercent une pression à la baisse sur les salaires masculins, car cette main-d'œuvre sous-payée se trouve dans plusieurs secteurs industriels en concurrence directe avec la main-d'œuvre masculine. Alors qu'une partie du mouvement ouvrier veut en finir avec cette concurrence en réclamant des salaires égaux pour les femmes, une autre partie s'oriente plutôt vers une dénonciation du travail des femmes et réclame leur retour au foyer.

La Commission royale d'enquête sur les relations entre le capital et le travail, qui avait pour mandat d'étudier la condition ouvrière, a quasiment évacué les problèmes des travailleuses. Non seulement les commissaires entendent les ouvrières en plus faible proportion que les ouvriers (deux fois moins), mais ils leur posent, rapporte Trofimenkoff, des questions fort différentes: «Y a-t-il des toilettes séparées? Y a-t-il des filles enceintes?» Par ses questions sur l'état moral de ces femmes, cette commission d'enquête a réussi à passer à côté des conditions de vie et de travail des ouvrières et à éviter le débat de fond sur leur exploitation en considérant le travail féminin comme une question morale. L'image d'indifférence ou de docilité accolée aux ouvrières, finalement, n'est peut-être pas sans raison. Les employées de la Stormont Cotton Mills de Cornwall qui protestent contre leurs conditions de travail se font répondre que les remplaçantes sont nombreuses. Une ouvrière qui témoigne en Cour contre son employeur perd son emploi. La répression contre les indociles est vive. Devant la Commission du travail, 42 % des Canadiennes témoignent sous l'anonymat alors que seulement 2 % des hommes taisent leur nom.

Peur de parler, peur de protester. Peur de trop se faire remarquer puisque, déjà, on leur fait sentir que leur présence en usine est quasi illégitime et potentiellement immorale. Peur de protester parce que, déjà, elles savent qu'elles ne pourront plus compter sur l'appui des syndicats ouvriers.

Pionnières ou maîtresses d'école

Lorsqu'une jeune fille possède une certaine instruction, il n'est évidemment pas question pour elle de se faire ouvrière ou domestique. La plupart du temps, comme la plupart de ses contemporaines, elle participe à la production domestique avant son mariage. Néanmoins, un nombre croissant de ces filles décident, par choix ou par obligation, de chercher un travail entouré d'un certain prestige.

A priori, la plupart des professions libérales leur sont interdites, soit parce qu'elles n'ont pas accès à l'université, soit que les corpora-

L'institutrice et les commissaires d'école. Huile de Robert Harris, 1886.

J. Russell Harper, *Painting in Canada. A History*

tions professionnelles refusent d'accepter des femmes parmi leurs membres. Ainsi, à partir de 1889, seules une dizaine d'anglophones qui ont étudié la médecine à l'université Bishop deviennent médecins. L'université McGill n'admet les femmes qu'à son école normale et à sa faculté des arts: plus d'une centaine de filles vont y chercher des diplômes allant du baccalauréat au doctorat dans diverses disciplines humanistes ou scientifiques; mais elles doivent se tourner vers l'enseignement pour gagner leur vie. Les autres facultés de cette université leur sont fermées. En milieu francophone, la situation est encore plus désastreuse: les femmes ne sont admises à l'université que pour y écouter les conférences… Seules deux écoles normales, ouvertes en 1857 et en 1899, quelques écoles d'infirmières fondées à la fin du siècle et quelques écoles de secrétariat privées sont ouvertes aux filles. Enfin, de nombreux couvents offrent une formation musicale, ce qui produira de nombreuses «maîtresses de piano».

Çà et là surgissent donc des pionnières journalistes, pharmaciennes, professeures d'université, dentistes, éditrices, commerçantes ou encore fonctionnaires. Mais il s'agit d'exceptions qui méritent souvent le titre de «première» et qui ont dû parfois livrer des combats épiques pour pratiquer leur métier.

Parmi les professions dites «libérales», seul le journalisme est ouvert aux francophones. La prolifération des couvents a produit à la fin du siècle une pléiade de femmes instruites mais sans profession. Bon nombre d'entre elles verront dans l'écriture une façon de gagner leur vie. Parmi celles qui collaborent aux revues et journaux de la fin du siècle, quelques-unes réussissent à en faire non seulement un moyen d'expression littéraire, mais aussi un gagne-pain. Les grands journaux ont dans la dernière décennie du siècle leur chronique féminine et leur chroniqueuse, qui signe généralement sous un pseudonyme: à *La presse*, Gaëtane de Montreuil; à *La patrie*, Françoise; au journal *Le*

La journaliste Robertine Barry (1863-1910) publie en 1895, sous le pseudonyme de "Françoise", les *Chroniques du lundi* et *Fleurs champêtres*. Elle fonde aussi son propre journal, *Le Journal de Françoise*.

H.J. Morgan, *Types of Canadian Women, Past and Present*

temps, Madeleine; au *Montreal Star*, «The Hostess»; dans *Le journal*, Colette. Ces journalistes sont les premières femmes à entrer dans ce monde d'hommes que sont les journaux. En 1900, une enquête menée auprès de trente-deux journaux québécois dénombre au total quarante-neuf collaboratrices et correspondantes. C'est, par le biais des chroniques féminines, le premier petit pas des femmes dans les «professions masculines».

L'enseignement demeure sans contredit le principal débouché pour les femmes instruites. Certaines joueront un rôle pédagogique important. Marie Louise McLoughlin, devenue ursuline, réforme la préparation des religieuses à l'enseignement. Elle codifie les pratiques d'enseignement de sa communauté en 1844 et préconise que l'apprentissage des enfants se base davantage sur la compréhension que sur la mémoire. Ann Cuthbert Rae invente une nouvelle méthode d'enseignement de la grammaire anglaise et publie des manuels scolaires. Pour obtenir un brevet d'enseignement, on peut fréquenter un couvent et se présenter aux examens du Bureau des examinateurs catholiques, ou encore étudier à l'école normale et y obtenir un diplôme plus prestigieux. Les écoles normales produisent entre 1857 et 1888 deux fois plus de femmes diplômées que d'hommes. Cependant, les femmes ne reçoivent pour la plupart que le diplôme élémentaire et, à l'époque, aucun diplôme universitaire n'est décerné à une francophone.

Majoritaires parmi les diplômés, les femmes sont aussi majoritaires dans la profession. En 1856, elles forment 68 % du réseau public. Cette féminisation du personnel enseignant ne fait que s'accentuer au cours du siècle: en 1878, la proportion des femmes passe à 78 %. La féminisation de l'enseignement qui caractérise le réseau scolaire dès les années 1850 est un phénomène qui se produit partout en Amérique du Nord, les instituteurs cédant leur place aux institutrices.

L'historienne Alison Prentice laisse entendre que l'enseignement était probablement déjà féminisé et que, si un grand nombre de femmes est accepté dans cette profession, elles y tiennent généralement une position de subordonnées. La féminisation croissante du système scolaire va de pair avec une hiérarchisation du système scolaire où l'on retrouve les femmes concentrées dans les classes primaires et s'occupant des plus jeunes, et les hommes dans les classes plus élevées et les postes d'inspecteurs d'écoles. Enfin, il faut noter la présence importante des écoles privées avant 1850: plusieurs sont tenues par des femmes qui les dirigent. Cuthbert Rae a son école à Montréal, tout comme les sœurs Nichols, Miss Forrence ou Mme Trudeau.

Étudiantes de l'école de Mrs Watson, 1882.
Musée McCord, Université McGill, Montréal

À cette position subordonnée correspond un important écart salarial entre hommes et femmes. Des estimations des salaires les plus
courants en 1853 indiquent que les femmes touchent 40 % du salaire
des hommes. À la fin du siècle, cet écart de salaire entre les sexes persiste, mais on peut aussi constater d'impressionnants écarts entre les
institutrices elles-mêmes: si le salaire moyen est de 99 $ par an en 1899,
certaines enseignantes dans les High School montréalais sont parfois
payées plus de 300 $. Les moins bien rémunérées sont les institutrices
rurales: leur salaire varie en effet selon le degré d'avarice des commissaires d'école. Dans bien des cas, il est comparable à celui d'une
domestique, sauf qu'il arrivera qu'elle doive accepter d'être payée en
denrées agricoles ou qu'elle soit obligée d'acheter à même son salaire
le bois de chauffage pour l'école.

Les institutrices qui réussissent à obtenir un poste, ou un poste
mieux rémunéré qu'ailleurs, sont chanceuses, car nombreuses sont
les diplômées qui ne trouvent pas d'emploi. Souvent la seule femme
dans un rang ou dans un village à être payée par les taxes de la collectivité, son poste est souvent archiconvoité et ses faits et gestes semblent étroitement surveillés par la communauté villageoise. Même des
écarts de conduite commis en dehors des heures de classe peuvent

entraîner le renvoi de l'institutrice pour cause d'immoralité. Les commissaires du village de Saint-Hermas tentent ainsi, en 1871, d'expulser la maîtresse d'école parce qu'elle «aurait eu des rapports très intimes avec son amant maintenant son mari», et aurait donné naissance à un enfant trois mois après son mariage. Si cette institutrice de Saint-Hermas a pu profiter du logement de l'école pour se permettre des libertés peu licites à l'époque, la vie seule dans une école de rang devait constituer, pour la plupart des femmes, une source d'inquiétude. L'historien Normand Séguin rapporte que l'institutrice d'Hébertville reçut, une nuit d'hiver, la visite d'un homme au visage couvert qui tente de la violer ainsi que sa compagne. Il ne faut pas se surprendre que bon nombre d'institutrices aient préféré loger chez des parents d'élèves.

L'iniquité des conditions salariales des institutrices est dénoncée dès 1864. Le journal des instituteurs, *La semaine*, réclame «qu'il ne fût fait aucune distinction entre les institutions tenues par des instituteurs ou des institutrices et que leurs salaires fussent les mêmes». On ne sait si cette revendication témoigne de la peur qu'ont les instituteurs de la concurrence des femmes à bas salaires, ou encore d'une prise de conscience par les institutrices elles-mêmes de l'injustice de leur situation.

À la fin du siècle, des enseignantes montréalaises signent une pétition dans laquelle elles démontrent que leur salaire annuel est trop faible pour quiconque doit payer chambre et pension, et exigent une hausse de traitement. Miss Binmore, en 1893, écrit dans *The Educational Record* de Québec un article sur les conditions salariales des institutrices dans des villes nord-américaines. Dans ces villes, il y a de moins en moins de discrimination salariale mais, souligne-t-elle: *«In Montreal the distinction is retained; but let us not, therefore, feel discouraged. It can only be a question of time, when the difference shall be removed*[1].*»*

L'article de Miss Binmore témoigne d'une nouvelle attitude des travailleuses, maintenant conscientes de l'importance sociale de leur travail. Il témoigne aussi de la prise de conscience que les temps changent: *«It is no longer absolutely necessary that every woman in the family should be dependent upon the men — to be reduced to unknown straits and intolerable suffering on the death of the latter.»*

Enseigner et vendre au temps des semailles...

St. Arsène, 31 Décembre 1858
L'Hble P.J.O. Chauveau
S.E.
Montréal.
Monsieur
Depuis quelques années Messieurs les commissaires d'école de St-Arsène obligent les Institutrices de cette municipalité à recevoir la moitié de leur traitement en produits agricoles dont ils fixent le prix beaucoup plus élevé que le prix courant, de sorte que nous sommes obligés, outre le désagrément de courir les marchés pour nous défaire de ces produits, de les vendre à perte. Cette année, par exemple, le blé se vend cinq à six chelings, le seigle quatre chelings, et ces Mess. en ont fixé le prix pour le blé à huit chelings et pour le seigle à cinq chelings, il en est de même des autres produits.
Vous comprenez, Monsieur le Surintendant, qu'enfin (sic) de compte, Messieurs les commissaires ne nous paient qu'une partie de nos gages, sous prétexte que les lois d'éducation leur permettent d'en agir ainsi.
Je serais heureux (sic) que vous voulussiez bien me dire si les lois d'éducation sont à ce point arbitraires, et ce qu'il me reste à faire avec les commissaires à ce sujet. Remarquez que tous les commissaires sont des agriculteurs.
J'ai l'honneur d'être,
Monsieur,
Votre obéissante (sic)
Adeline Roy
Institutrice

Source: *Éducation Québec*, vol. 11, n° 1, p. 30.

La lutte pour l'autonomie financière et l'égalité salariale est néanmoins fortement handicapée par la cléricalisation de la profession, car dans de nombreux villages les institutrices sont moins en demande. À Hébertville, des paroissiens prétendent ne pouvoir envoyer leur fils à l'école parce que c'est une personne «du sexe» qui y enseigne. Ils veulent une école de sœurs (c'est bien connu, les sœurs n'ont pas de sexe). Même phénomène en 1852 à Saint-Grégoire de Nicolet: les paroissiens, inspirés par leur pasteur, avaient tenté en vain de faire venir chez eux les sœurs de la congrégation Notre-Dame. En attendant, c'est une enseignante, mère de cinq enfants, qui dirige l'académie de Saint-Grégoire. Le clergé ne trouve pas de meilleure solution que de provoquer la fondation, au village même, d'une nouvelle communauté, les sœurs de l'Assomption de la Sainte-Vierge.

Chaque village, chaque commission scolaire tente d'avoir ses enseignantes religieuses, qui ont fait vœu de pauvreté et coûtent ainsi moins cher à la collectivité. Alors qu'en 1830 on ne dénombrait que deux communautés enseignantes, en 1900, il y en a vingt dont dix possèdent plus de dix pensionnats. En 1853, une institutrice sur dix est religieuse; trente ans plus tard, la moitié le sont. La fille instruite qui veut enseigner a dès lors le choix entre l'exercice du métier en tant que laïque ou en tant que religieuse. Il est probable que, malgré le vœu de pauvreté que pratique la religieuse, ses conditions matérielles d'existence soient moins difficiles que celles de l'institutrice laïque: la religieuse bénéficie d'une sécurité d'emploi à toute épreuve, de la garantie de trouver un poste et de l'assurance du gîte et du couvert jusqu'à sa mort. La voie royale d'entrée dans la profession enseignante, à la fin du siècle, est devenue la vie religieuse.

Prostituées

Mais comment survivre si les usines n'embauchent pas assez ou si elles embauchent à des salaires si bas qu'on se refuse à y aller? Que faire si on a peu d'instruction? Que faire si on ne peut supporter de se faire domestique et d'être suivie à longueur de journée par une maîtresse de maison accaparante?

Pour certaines, la prostitution représente une façon de gagner sa vie qui, malgré la réprobation sociale qui l'entoure, offre au moins l'avantage de procurer des revenus la plupart du temps plus intéressants que ceux que les femmes peuvent toucher à l'époque.

À Montréal, les maisons de prostitution ont pignon sur rue. Selon les données de Jacques Bernier, on en dénombre 41 en 1871 et 102 en 1891 qui emploient 390 prostituées. Ces chiffres venant du chef de la police de Montréal ne portent que sur celles qui en font un métier à temps plein. On ne sait combien de femmes pratiquent la prostitution occasionnellement, à mi-temps, pour survivre lors des mises à pied ou pour boucler les fins de mois. En 1875, aux 245 prostituées travaillant dans des maisons, le chef de police ajoute une cinquantaine de vagabondes qui n'ont aucune résidence et une centaine de femmes entretenues, ce qui porte selon lui le nombre de prostituées à environ 400. Un peu plus de la moitié de ces femmes sont des Canadiennes françaises, les autres étant pour la plupart des immigrantes irlandaises ou écossaises.

Entre la littérature satanique et la prostitution

En 1836, paraît à New York le livre *Awful Disclosures of Maria Monk / Horribles exposés des crimes commis au couvent de l'Hôtel-Dieu de Montréal*, par Maria Monk. Ce livre à sensation connaît un immense succès aux États-Unis; 300 000 exemplaires auraient été vendus avant la guerre de Sécession. Monk y relate ce qu'elle aurait vu à l'Hôtel-Dieu. On y apprend, entre autres, que les religieuses exécutent de leurs propres mains toutes leurs supérieures dès que celles-ci ont atteint l'âge de quarante ans, que l'accueil d'une nouvelle sœur est toujours accompagné de la disparition par voie d'assassinat d'une ancienne, qu'on y fait périr à chaque année de trente à quarante enfants nouveau-nés, et plusieurs autres crimes tout aussi abominables.

Cette publication suscite, on s'en doute, tout un émoi, non seulement à l'Hôtel-Dieu mais dans tout le Bas-Canada et la Nouvelle-Angleterre. Tous les journaux de l'époque en font mention dans un élan unanime pour prendre la défense des religieuses de l'Hôtel-Dieu. Les journaux anglophones et protestants sont empressés à assurer cette défense; on organise des visites de l'Hôtel-Dieu en 1836; un journal de Boston démontre, preuves à l'appui, que les calomnies ont été copiées d'un ouvrage portugais de 1781.

Dans le but évident de faire de l'argent, Maria Monk et ses agents publient d'autres révélations encore plus sensationnelles. En 1849, on continue à publier des démentis et des réfutations des histoires de Maria Monk.

Maria Monk, jeune Irlandaise née au Québec, a été domestique dans la région de Montréal, à Sorel, à Saint-Ours, à Saint-Denis et à Varennes, entre 1831 et 1835. Emprisonnée plusieurs fois pour vol et vagabondage, elle a vraisemblablement séjourné quelque temps à la maison des Repenties de Montréal où des religieuses tentaient de réhabiliter les prostituées. En 1836, elle est à New York où elle sert de prête-nom au scandale des *Awful Disclosures*. Elle meurt en prison à New York, en 1849, à l'âge de trente-deux ans. La vie de Maria Monk est révélatrice de l'existence d'une société marginale. L'affaire Monk est vue par certains historiens comme un épisode des campagnes anti-papistes qui sévissent en Amérique.

Des femmes et des œuvres

Un bon mari ne constitue pas toujours une assurance contre tous les risques de la vie. Crises économiques, mises à pied, accidents de travail, maladie, mortalité, fléaux naturels, autant d'événements qui bousculent la vie quotidienne et plongent des milliers de familles dans la misère. Le «bon vieux temps», s'il a déjà existé, ne se situe certes pas au XIXe siècle. Dans les villes canadiennes, il y a toujours environ la moitié de la population qui peut être classée comme «pauvre», et, à cette époque, la pauvreté signifie l'absence d'un logis convenable, de bois de chauffage, de charbon, de vêtements ou de nourriture.

Les fléaux naturels, tels les incendies ou les épidémies, sont particulièrement cruels, car des milliers de personnes ont besoin de secours au même moment. À Québec, en 1845, deux incendies ravagent successivement le quartier Saint-Roch et une partie du quartier Saint-Jean, faisant 20 000 sans-abri. Dans la même ville en 1866, 1500 logis sont rasés par les flammes. À Montréal, le sixième de la population se retrouve sur le pavé en 1852. Les femmes y perdent à la fois le gîte et leur lieu de travail. Qu'elles soient ménagères ou ouvrières à domicile, elles perdent aussi leurs instruments de travail. Les grandes épidémies ont les mêmes effets perturbateurs. Le choléra de 1832 fait mourir le dixième de la population montréalaise. Nombreux sont les orphelins et les

En faveur de la tempérance...

Musée McCord, Université McGill, Montréal

veuves qui doivent avoir recours à la charité; les associations charitables sont mises à contribution, dont l'Association des dames de la charité, fondée par Angélique Blondeau en 1827:

> Un vaste champ attend les travaux de l'Association. Cent soixante-douze veuves et cinq cent vingt orphelins vont se trouver dans le plus grand dénuement pendant la saison rigoureuse qui s'approche. La charité des citoyens aidera sans doute les Dames de la société à les vêtir et à passer l'hiver[2].

Devant de tels fléaux ou face aux nouveaux problèmes sociaux engendrés par le peuplement rapide des villes, les anciennes structures d'entraide ne suffisent plus. On assiste alors à la création simultanée de deux orphelinats, soit l'orphelinat catholique de Montréal par les dames de la Charité et l'orphelinat anglo-protestant de la Ladies Benevolent Society. La veuve Émilie Tavernier-Gamelin investit son avoir et tout son temps dans l'organisation de refuges et de maisons d'accueil pour femmes pauvres, âgées ou malades. La veuve Rosalie Cadron-Jetté accueille chez elle des célibataires enceintes qui ne savent où aller. La conférence de Saint-Vincent-de-Paul de Québec met sur pied un refuge pour les ex-prisonnières et en confie la conduite à la veuve Marie Fitzbach-Roy.

Une organisation plus systématique de la charité s'impose. La veuve Gamelin fait signer des requêtes pour obtenir du gouvernement des fonds pour son asile pour femmes âgées. Elle fait du lobbying auprès de Marie-Amable Forestier et de Julie Bruneau, dont les époux sont les députés Viger et Papineau. Julie Bruneau en parle à son mari:

> (…) elle m'as *(sic)* bien prié de m'interesser auprès de toi(.) je l'ai prévenu *(sic)* que cela serait en vain que je savais que tu étais opposé à cette manière de surcharger la Chambre de pareilles demandes qui devraient se faire par souscriptions volontaires d'individus (.) mais tout le monde est à la gêne et elle dit que ces pauvres vieilles vont mourir de besoin[3].

Même si, en période de crise économique, il est difficile de recueillir des souscriptions volontaires, ces œuvres doivent se fier d'abord sur la charité privée. C'est à coup de collectes, de quêtes et de bazars que les femmes de la bourgeoisie anglophone et francophone font fonctionner ces services. De riches commerçants et des veuves fortunées donnent maisons, terrains ou numéraire. Marie-Amable Foretier, reconnue pour ses talents d'administratrice, soutient avec sa fortune personnelle plusieurs de ces initiatives. Les bazars, activités autant sociales que charitables, sont très à la mode et permettent la cueillette de sommes parfois fort substantielles.

À quoi sert la prison...

En 1852, le docteur Wolfred Nelson produit un rapport sur l'état des prisons au Bas-Canada. On y apprend qu'à la prison de Montréal, les femmes forment 47 % de la population carcérale au moment de l'enquête. Selon le shérif de Montréal, «il est très commun de voir incarcérer des personnes qui sont simplement sans asile et sans ressources. Des personnes avancées en âge, des malades, des infirmes et des fous sont souvent envoyés en prison sous l'accusation très indéfinie d'être des débauchés fainéants et perturbateurs de l'ordre.»

Le médecin de la prison de Montréal note quant à lui que «La prison de Montréal est improprement appelée prison seulement (...) on pourrait presque l'appeler une maternité, tant sont nombreuses les femmes enceintes qui y viennent, qui y font leurs couches... On pourrait la nommer une hospice pour les enfants qui y sont reçus en nombre très considérable et à un âge très tendre...» Souvent ces enfants se trouvent en prison parce que leurs parents y sont incarcérés et qu'ils n'ont pas d'autres lieux où aller.

Source: Raymond Boyer, *Les crimes et les châtiments au Canada français*, Montréal, Cercle du livre de France, 1966, p. 477, 482.

Si les veuves semblent particulièrement enclines à se dévouer, il pourrait être hasardeux cependant de se fier à leur seul bénévolat pour assurer la survie à long terme de ces institutions. L'État, qui intervient peu, laisse le champ libre à l'Église. Mgr Bourget, évêque de Montréal, fait lui-même une collecte auprès de ses ouailles pour recueillir des fonds afin de loger les vieilles de Mme Gamelin dans un nouveau lieu, l'asile de la Providence. Il fait des démarches auprès d'une communauté religieuse française pour qu'elle vienne prendre en charge l'œuvre d'Émilie Gamelin.

La prise en charge de ces œuvres charitables par des communautés religieuses devient la solution aux problèmes de financement, d'organisation et de permanence. De grandes fondations de communautés cana-

diennes, que l'histoire a attribuées au zèle et à l'envergure de Mgr Bourget, sont en fait la récupération d'œuvres mises sur pied par des femmes
laïques bénévoles. Les sœurs françaises ayant finalement refusé de
s'occuper de l'asile de la Providence, c'est Émilie Gamelin elle-même qui
fonde, en 1840, les Sœurs de la Providence pour assurer la permanence
de son œuvre. Mgr Bourget convainc Rosalie Cadron-Jetté d'ouvrir l'hospice Sainte-Pélagie «pour recueillir les filles tombées, les ramener à une
meilleure vie, assurer le baptême et l'éducation chrétienne à leurs
enfants». Trois ans plus tard, en 1851, les collaboratrices de Mme Jetté
deviennent les Sœurs de la Miséricorde. Scénario semblable à Québec,
où la directrice de l'asile du Bon-Pasteur, la veuve Fitzbach-Roy, devient
en 1856 la fondatrice des Sœurs du Bon-Pasteur. Les anciennes communautés se développent et envahissent elles aussi le champ des services
sociaux. L'orphelinat catholique de Montréal, après cinquante ans de gestion laïque, est abandonné aux Sœurs Grises.

Entre 1840 et 1902, vingt et une nouvelles communautés sont fondées. Ce sont les sœurs qui répondent dès lors aux besoins engendrés
par la nouvelle conjoncture économique et sociale, qu'il s'agisse d'éducation ou de services sociaux. Autant les institutrices laïques sont rem-

Loge maçonnique Princess, 1897.

Société d'histoire de Sherbrooke

placées par des sœurs, autant les organisatrices de la charité se voient reléguées au rôle de soutien financier de communautés religieuses et se transforment en dames patronnesses. Dans les deux cas, ce sont certes des femmes qui remplacent ces laïques, mais des femmes soumises à l'autorité ecclésiastique.

Cette cléricalisation de la charité et de l'assistance sociale touche surtout les catholiques du Québec. Chez les anglo-protestants, les laïques continuent à organiser la charité. C'est souvent à partir de groupes féminins basés sur des confessions religieuses que sont mis sur pied associations charitables, hospices, orphelinats, etc.

À partir des années 1870 et 1880, à la différence des francophones, les laïques anglophones ont le choix de s'engager dans des organisations philanthropiques laïques qui ont tendance à devenir multiconfessionnelles et à diversifier leurs interventions. Des organisations féminines comme la Young Women's Christian Association à Montréal (1874) et à Québec (1875), qui se consacre surtout aux problèmes des filles pauvres des villes, en viennent à définir des champs d'actions qui leur sont propres et à poursuivre des activités qui sortent des strictes limites de la charité.

Ménagères, les femmes deviennent de plus en plus dépendantes pour leur survie du salaire de leur mari ou de leurs enfants. Ouvrières, domestiques et institutrices ne peuvent généralement pas atteindre une certaine autonomie financière avec leur seul salaire et doivent compter sur les autres pour survivre. Dans un tel contexte, une existence isolée est impensable, non seulement parce qu'elle est inconcevable au XIXe siècle, mais aussi quasi impossible financièrement. Le mariage est et demeure pour la majorité des femmes le chemin le plus sûr vers une sécurité matérielle. La multiplication des communautés religieuses à partir de 1840 offre par ailleurs une solution de rechange sécuritaire au mariage.

Femmes d'églises

En 1870, il y a dix fois plus de religieuses qu'il y en avait en 1830. Au tournant du XXe siècle, un peu plus d'une Québécoise sur cent âgée de plus de vingt ans a pris le voile. À côté de toutes ces femmes qui font leurs vœux perpétuels, il y a toutes celles qui ont été novices quelques mois, voire quelques années, et qui ont quitté la vie religieuse le jour où elles ont compris qu'elles n'avaient pas la vocation. Ainsi, l'historienne Marta Danylewycz évalue qu'il faudrait multiplier par deux ou trois le nombre de religieuses recensées à chaque décennie pour avoir une idée du nombre de femmes qui ont expérimenté la vie religieuse. Par exemple, on enregistre des taux d'abandon avant les vœux perpétuels de 60 % chez les sœurs de la Miséricorde et de 35 % chez les sœurs de la congrégation Notre-Dame. Pour quelques milliers de Québécoises, la vie de novice aura été en quelque sorte une période de travail communautaire avant le mariage.

Si ces femmes répondent si massivement au besoin urgent de main-d'œuvre à bon marché des réseaux d'éducation, de santé et de services sociaux, c'est que la vie religieuse doit présenter certains attraits. Il s'agit là d'une solution fort intéressante pour échapper à l'exil en pays de colonisation ou aux États-Unis, ou à une vie passée en domesticité ou encore au mariage. Le célibat consacré signifie une vie différente de celle de sa mère, loin des grossesses à répétition, des nuits blanches au chevet d'enfants malades, du labeur de la ferme ou de la couture à domicile. Une vie débarrassée de l'insécurité matérielle, sauf pour les pionnières des jeunes communautés, obligées souvent de faire face à des problèmes financiers. Tout ça, avec en plus l'assurance d'un toit pour ses vieux jours et d'avoir enfin un lit à soi, en attire plus d'une.

Parce qu'elles ont troqué leur vie sexuelle et personnelle contre le voile, ces femmes jouissent de considération et d'estime de la part de leurs compatriotes, et certaines peuvent devenir des «femmes de carrière». Toute une myriade de professions s'ouvre devant celles qui veulent ou qui ont les moyens de réussir: supérieures, administratrices, économes, musiciennes, peintres, enseignantes, infirmières, pharmaciennes, historiennes, etc. Pour plusieurs la vie religieuse est la voie d'une ascension personnelle, sociale, intellectuelle ou artistique qui leur serait généralement interdite ou difficilement accessible «dans le monde».

Mais, évidemment, derrière chaque économe affairée aux transactions de sa communauté, on compte dix ou vingt sœurs qui changent les lits des malades ou qui besognent aux cuisines des hôpitaux. Les œuvres gérées par les communautés, foyers, crèches, hospices, asiles d'aliénés, hôpitaux, orphelinats, salles d'asile, exigent une main-d'œuvre abondante. Même si les communautés recrutent du personnel laïque ou font travailler leurs orphelines, prisonnières et filles repenties, une grande partie des cuisinières, blanchisseuses et ménagères qui voient quotidiennement à la bonne marche des institutions ont toutefois des cornettes sur la tête. Ménagères comme leur mère, leurs sœurs ou leurs grands-mères, les religieuses jouissent malgré tout d'une certaine considération sociale.

Le clergé saura aussi tirer parti de ce grand courant de bénévolat consacré. Si des sœurs peuvent être au service de Dieu en étant ménagères d'un couvent, pourquoi ne pourraient-elles pas exercer ce même apostolat dans des séminaires de prêtres? L'historienne sœur Marguerite Jean rapporte des cas d'ecclésiastiques incitant des jeunes filles à fonder des communautés dévouées exclusivement au service du clergé. Au XIXe siècle, deux communautés auxiliaires sont fondées.

Elles nous servent gratuitement...

En quêtant, les Sœurs font notre travail. Elles nous servent gratuitement. Elles sont nos commis-voyageurs auprès du Christ et de ses membres souffrants.

Beaucoup de Canadiens n'ont pas l'air de savoir que la société est tenue, en vertu du droit naturel, de prendre soin de ses pauvres, de ses malades abandonnés, de ses vieillards, de ses orphelins, de ses délaissés de tous noms. Et ne le sachant pas, ils oublient de dire merci à celles qui nous déchargent de cette obligation.

Les Sœurs se font les agents bénévoles de nos devoirs. (...) Ceux qui sont fatigués de donner ou de refuser un sou d'aumône à ces quêteuses du bon Dieu, paieront plus tard une piastre au gouvernement pour accomplir la même œuvre qu'avec un sou les Sœurs accomplissaient.

Source: Extrait de *Entre amis*, lettres du père Louis Lalande s.j. à son ami Arthur Prévost, 1881-1900, Montréal, Imprimerie du Sacré-Cœur, 1907, p. 273.

Les sœurs de Saint-Marthe de Saint-Hyacinthe forment une petite communauté de «religieuses domestiques» au service du séminaire de Saint-Hyacinthe. Leur constitution décrit clairement leur vocation d'épouses du Christ et établit une stricte dépendance de la communauté à l'égard du séminaire. «Notre pensée dominante, dit l'abbé Gendron du séminaire de Saint-Hyacinthe, a été de les faire absolument dépendantes de nous pour les forcer à n'avoir d'autres intérêts que les nôtres.» Et d'ajouter: «En pratique, les Sœurs gardent beaucoup des qualités et des défauts de leur sexe, et elles n'aiment pas beaucoup cette dépendance[4].»

Dans ces communautés auxiliaires, la vie religieuse présente d'étonnantes similarités avec la vie de milliers d'épouses-ménagères. Ces communautés auxiliaires forment cependant l'exception, car une telle caricature de la répartition traditionnelle du travail entre les hommes et les femmes ne se retrouve pas dans les autres communautés, où travaux manuels et travaux intellectuels ne se partagent pas selon la ligne des sexes: du bas de l'échelle jusqu'à la haute direction de la communauté, on ne retrouve que des femmes vivant entre elles des rapports hiérarchiques.

Devenir de vraies épouses...

D'après l'article premier de leur constitution, les sœurs de Sainte-Marthe doivent devenir de vraies épouses de Jésus-Christ:

Les sœurs de Sainte-Marthe, en se réunissant sous une règle commune, ont pour première fin de s'aider mutuellement dans l'œuvre de leur sanctification et de devenir des vraies épouses de Jésus-Christ. C'est pour cela qu'elles prennent le nom de sœurs. Elles sont aussi averties à tous les instants qu'elles ne forment toutes ensemble qu'une même famille dont le chef invisible est Jésus-Christ, à qui seul elles doivent chercher à plaire.

D'après une clause de leur décret d'érection canonique, les sœurs de Sainte-Marthe doivent aussi devenir de vraies ménagères:

Les Sœurs de Sainte-Marthe sont vouées à l'entretien et aux travaux du séminaire diocésain auquel elles s'identifient pour toujours, et à la charge duquel elles sont pour toute leur vie. Elles ne devront jamais s'occuper d'autre œuvre que de celles qu'elles ont acceptées en entrant dans l'institut, et Nous voulons qu'elles ne sortent jamais de ce but principal de leur fondation.

Source: Marguerite Jean, *L'évolution des communautés religieuses de femmes au Canada de 1639 à nos jours,* Montréal, Fides, 1978, p. 136.

L'absence des hommes dans l'organisation de la vie des religieuses ne signifie pas pour autant l'absence d'un pouvoir patriarcal dominant toute la communauté. Mgr Bourget, rapporte Marguerite Jean, s'est proclamé le premier supérieur des congrégations fondées avec son assentiment et a bien pris soin d'établir ces nouvelles communautés sous sa propre «dépendance» et sous sa «juridiction». Il a droit de regard sur l'admission des novices, le règlement quotidien et les nominations.

Le véritable pouvoir n'appartient pas nécessairement à la supérieure de la communauté ni à la fondatrice, mais à l'évêque ou à son représentant. Mère Marie-Anne (Esther Blondin), fondatrice des sœurs de Sainte-Anne, l'apprend à ses dépens. Elle se voit imposer un jeune chapelain ambitieux, l'abbé Maréchal, avec qui elle ne s'entend pas très bien. Ce chapelain se permet même de biffer des articles des constitutions qu'elle a rédigées pour sa communauté. Le conflit est tel entre mère Marie-Anne et le jeune abbé Maréchal qu'elle doit abdiquer comme supérieure de sa propre communauté. Pour être sûr que la fondatrice n'influence plus les destinées de la communauté, on l'envoie à Saint-Ambroise, où elle devient sacristine et doit s'occuper de l'entretien des robes des sœurs.

La rébellion de 1837 avait vu poindre un courant anticlérical. On voit à l'époque certaines initiatives visant à «protestantiser» les catholiques: les protestants francophones venus de Suisse viennent évangéliser les Canadiens français. Henriette Odin (Feller) fonde une mission à Grande-Ligne, où son action jumelle l'éducation gratuite des enfants, la prédication et les œuvres charitables. À sa mort, en 1868, Grande-Ligne compte neuf églises protestantes. Olympe Hoerner (Tanner) mène une œuvre similaire avec son mari dans la région de Belle-Rivière (Mirabel), Sainte-Thérèse puis Pointe-aux-Trembles. Ces femmes d'églises ont elles aussi œuvré dans des secteurs similaires à ceux des catholiques, mais dans un contexte de persécution constante.

Au XIXe siècle, compte tenu de l'absence d'éducation supérieure chez les francophones, la vie religieuse était probablement la seule façon d'éviter d'être soit mère de famille nombreuse, soit la vieille fille de la famille qui doit pensionner chez quelque parent. À court terme, c'était une stratégie intéressante de la part des femmes du Québec pour se soustraire à la dépendance directe des hommes. C'était assurément pour la majorité une assurance contre la misère et la pauvreté, pour certaines un moyen de contester le destin de la procréation et, pour quelques-unes, le moyen de faire une carrière.

Mais à long terme, cette stratégie a eu son revers. En premier lieu, les champs d'intervention des communautés religieuses ont contribué à ancrer la conception que le rôle des femmes dans la société ne pouvait s'exercer qu'en matière de dévouement ou de charité. En second lieu, parce que les femmes qui voulaient vivre autrement que leur mère pouvaient réaliser leurs désirs sans avoir à lutter contre l'opposition à l'éducation supérieure des filles et au travail des femmes, la vie religieuse est devenue une voie d'évitement. Alors qu'à la fin du siècle, partout dans le monde occidental, les femmes forçaient les portes des universités et des corporations professionnelles, les catholiques du Québec, elles, entraient en communauté.

Prendre la parole

Si les souffrances et les espoirs des femmes ont été dits, il n'en reste guère de traces écrites. Mais comment les femmes auraient-elles le temps d'écrire la vie? Julie Bruneau, pourtant assistée de domestiques, écrit à son mari:

> ... quant à moi je ne puis t'écrire rien de plus. je suis occupée et ne pouvant écrire qu'à la hâte je ne puis rassembler mes idées et je fais rien qui vaille. quand on a pas l'habitude. il faut un peu de temps pour le faire d'une manière passable. et puis je m'attends à te revoir bientôt je te dirai de vive voix ce que je sais et ce que je pense. je voulais seulement te donner des nouvelles des enfants...
>
> Ton amie et épouse affectionnée
> Julie Bruneau Papineau[5]

Soirée de musique chez les Normandin, rue Papineau à Montréal, vers 1895.

Collection privée — Jacques Léonard

Seules les femmes instruites et fortunées ont assez de temps pour écrire une fois que leurs enfants sont élevés. Plusieurs sont épistolières et décrivent la vie quotidienne dans des lettres adressées à des parents et amis. Mais ces lettres, probablement le lieu d'expression privilégié des femmes, ont rarement été conservées. Si une partie de la correspondance de Julie Bruneau s'est rendue jusqu'à nous et qu'elle a même été jugée digne de publication en 1959, n'est-ce pas d'abord parce que cette femme était l'épouse du grand et illustre Louis-Joseph Papineau? Certaines familles ont par ailleurs conservé des lettres, des journaux intimes ou des «mémoires de famille», qui prennent aujourd'hui seulement le chemin des imprimeries ou des archives.

La littérature québécoise du XIXe siècle décrit des préoccupations fort éloignées du quotidien. C'est l'heure de gloire de la «bonne littérature» aseptique et hors de la vie qui met à l'honneur des œuvres inspirées de l'histoire et valorisant les bonnes mœurs traditionnelles bien que souvent assaisonnées d'un sentimentalisme larmoyant. Hors de ces nobles orientations, il y a peu de chance pour un écrivain d'être publié.

Pourtant, dès 1832, dame Gosselin fonde le *Musée de Montréal* ou *Journal de littérature et des arts*. Ce journal montréalais destiné aux femmes constitue une œuvre d'éducation et de culture qui se propose d'éviter dans ses pages tout débat religieux et politique. Seul le premier numéro est totalement rédigé en français; par la suite, cette publication sera bilingue. Il ne s'agit certes pas d'une publication féministe comme on peut en trouver en Europe à l'époque. Au contraire, les modèles de femmes qui sont véhiculés dans le *Musée de Montréal*, mis à part celui de la femme de lettres, sont ceux de l'épouse et de la mère. Cette revue, par son existence, témoigne toutefois d'une prise de conscience que l'univers des femmes ne saurait être que domestique.

Le premier journal féminin

En 1832, Mme L. Gosselin publie à Montréal le premier numéro
du *Musée de Montréal* ou *Journal de littérature et des arts.*
Cette revue, aussi désignée familièrement sous le nom de *Ladies
Museum*, est publiée jusqu'en 1834. Dans leur inventaire de la
presse québécoise, les historiens Beaulieu et Hamelin précisent:
*La rédactrice affirme que sa revue sera une réponse défini-
tive aux remarques désobligeantes que formulent les étrangers sur le manque d'éducation littéraire des Canadiens;
cette revue sera un médium qui fera connaître «le génie
créateur canadien» (numéro de déc. 1832).*
*Dans tous les pays, poursuit Madame Gosselin, les femmes
ont joué et jouent un rôle important dans la carrière des lettres. Au Canada, les quelques rares entreprises littéraires se
sont soldées par des échecs: discussions politiques et controverses religieuses ont détruit les premiers essais d'établissement de revues littéraires.*
Le Musée *évitera donc les écueils passés en bannissant de ses
pages la politique et la religion. «L'éducation, le perfectionnement du cœur, la culture de l'esprit, l'avancement de la
vertu, tels seront les principaux objets que nous aurons en
vue.» Des extraits de littératures anglaise et française, des
nouveautés littéraires américaines alimenteront les pages de
la revue qui s'est assuré la collaboration des dames de Montréal, de Québec et du Haut-Canada.*

Source: A. Beaulieu et J. Hamelin, *Les journaux du Québec de 1764
à 1964*, Québec, Presses de l'Université Laval, 1965, p. 75.

Avant 1880, on trouve les écrivaines les plus prolifiques chez les
anglophones. L'une d'elles, Eliza Cushing-Foster, publie plusieurs
romans, nouvelles et poèmes et devient directrice du *Literary Garland*
de Montréal en 1851. Quelques années plus tôt, elle avait fondé avec sa
sœur *Snow Drop*, un périodique pour enfants. Rosanna Mullins-Leprohon
est lue par les Canadiens des deux langues. Fille d'Irlandais, elle étudie en
français chez les sœurs et commence fort jeune à écrire des romans. Sa
carrière littéraire, interrompue par son mariage avec un francophone
avec qui elle aura treize enfants, reprend quelques décennies plus tard.
Son biographe, John C. Stockdale, ne semble pas la considérer comme
une grande écrivaine: néanmoins, il lui concède un certain talent, particulièrement dans la description de querelles de ménages où le dialogue

devient plus incisif et les sentiments plus authentiques... Mais si Rosanna Leprohon peut publier cinq romans entre 1860 et 1873, c'est probablement parce qu'elle les publie d'abord en anglais avant de les faire traduire pour la presse francophone. Cette appartenance partielle au monde anglophone l'a peut-être aidée à se frayer un chemin interdit aux autres. Chez les francophones, à part Louise Amélie Panet (1789-1862) qui laisse des poèmes et de la prose, c'est pour soi et dans sa maison qu'on écrit; les femmes semblent être les grandes absentes de la littérature officielle.

Et en 1880, on entend la plus belle voix de femme du monde. Dans ces journaux du XIXe siècle où les femmes n'existent pas, on se met soudainement à parler d'une comédienne d'outre-mer, Sarah Bernhardt. Sa venue à Montréal est délirante: elle est accueillie à la gare par le maire, des notables, une foule d'étudiants et le poète Louis Fréchette, qui compose pour elle l'*Ode à la Diva*. À la porte du théâtre, on s'arrache les billets pour l'entendre. Sarah Bernhardt n'est pas qu'une vedette, c'est un mythe. Sa vie privée marginale, libre et excentrique est rapportée dans les journaux. Alors que certains voient dans sa venue un événement de théâtre autant qu'un événement patriotique, on peut y voir aussi la création d'un nouveau mythe de la femme: femme libre et scandaleuse qu'on admire d'autant plus qu'elle est loin du quotidien des Québécois.

La cantatrice Albani, née à Chambly sous le nom d'Emma Lajeunesse, a le même effet électrisant sur les foules montréalaises. En 1883, c'est 10 000 personnes qui l'accueillent à la gare et Louis Fréchette, pareil à un barde, y va d'un de ses plus beaux poèmes. Dans l'engouement pour la «diva Albani» se retrouve l'immense fierté de voir une «petite fille de chez nous» (mais élevée aux États-Unis) devenir une grande vedette internationale. Dans l'amour des femmes pour Albani se retrouve aussi, probablement, la fierté de voir pour la première fois l'une des leurs reconnue et admirée. Albani est la seule femme à être passée à l'histoire officielle du XIXe siècle québécois pour autre chose que sa charité ou son dévouement.

La venue de ces grandes artistes coïncide avec le premier dégel dans la littérature québécoise de ce siècle. Et ce dégel, on le doit à une femme, Laure Conan, qui écrit, en 1882, *Angéline de Montbrun*. Laure Conan, née Félicité Angers à La Malbaie, inaugure avec cette œuvre le roman psychologique. Ce roman est fondamental dans l'histoire de la

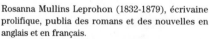

MADAME LEPROHON.   MADAME DANDURAND.

Rosanna Mullins Leprohon (1832-1879), écrivaine prolifique, publia des romans et des nouvelles en anglais et en français.
H. J. Morgan, *Types of Canadian Women, Past and Present*

Joséphine Dandurand, femme de lettres et féministe engagée, publia quelques pièces de théâtre et fonda un journal féminin, *Le coin du feu*, en 1893.
J. H. Morgan, *Types of Canadian Women, Past and Present*

littérature québécoise, mais au-delà de l'événement littéraire, Angéline, c'est aussi la première femme de la littérature québécoise qui dit sa peine d'amoureuse délaissée.

Sous la pression de l'abbé Casgrain, Laure Conan doit cependant abandonner ce type de roman et se consacrer, comme ses compatriotes, au roman historique. Mais elle saura pervertir ce genre littéraire et écrire des romans d'analyse sur un fond historique. Ses héros seront davantage les délaissés des historiens, les obscurs. L'œuvre de Laure Conan rapporte aussi la souffrance des femmes: ses héroïnes ont toujours tout pour être heureuses et ne le sont jamais.

À partir des années 1880, les femmes écrivent un peu plus. Anne-Marie Duval-Thibeault, née à Montréal, émigre en Nouvelle-Angleterre alors qu'elle est encore enfant. C'est toutefois à Montréal qu'elle publie un recueil plein de rêve et d'amour, *Les fleurs du printemps* (1892): cette poésie est l'une des rares de l'époque à ne pas s'inspirer des élans patriotiques. Adèle Bibaud, quant à elle, écrit deux romans. Françoise (Robertine Barry) publie un recueil de chroniques et un de contes, et Joséphine Dandurand écrit des contes et des pièces de théâtre.

Des femmes commencent à dire et à écrire. Cette écriture, contrairement à la tradition littéraire de ce siècle, sait dire plus facilement les peines d'amour, les chicanes de ménage, les rancunes d'amoureux, les peines d'enfants et la vie autour de soi.

Une écriture qui n'est pas sans s'attirer les remontrances du clergé. Laure Conan est rappelée à l'ordre par l'abbé Casgrain. Duval-Thibeault, poétesse, vit outre-frontière, loin des foudres cléricales. Françoise se fait reprocher par l'ultramontain Jules Tardivel l'inspiration naturaliste et peu religieuse de ses contes, *Les fleurs champêtres* (1895). Elle lui réplique qu'il n'est pas dans son intention d'écrire «un paroissien romain». Mais Françoise, c'est la journaliste libre-penseuse, une des rares féministes des années 1900 à oser critiquer le clergé, une femme qui appartient au nouveau siècle.

En 1893, Joséphine Dandurand fonde *Le coin du feu*, revue littéraire dont l'objectif est de relever le niveau intellectuel des Canadiennes françaises. Cette revue devient un forum littéraire où les grands noms de l'époque se rencontrent et où des féministes écrivent leurs premiers textes. Soixante ans après le *Musée de Montréal*, Joséphine Dandurand relance le journalisme littéraire féminin. Si on y trouve, comme dans la revue de Mme Gosselin, une valorisation de la sphère féminine, on y trouve aussi les nouvelles idées qui ont cours dans la bourgeoisie francophone. Après tout, Joséphine Dandurand et certaines des collaboratrices de son journal, dont Marie Gérin-Lajoie, ne sont-elles pas membres du Montreal Local Council of Women, organisation féministe qui est fondée la même année?

Une toute petite place pour les femmes

Même si ce siècle a l'allure d'un immense remue-ménage, même si des milliers de femmes font leurs bagages et partent avec leurs petits aux États-Unis, dans les Pays d'En-Haut, dans l'Ouest canadien ou à la ville, on n'entend guère de plaintes de femmes.

Même si la vie de mère, de domestique ou d'ouvrière est ardue, même si la soumission s'inscrit dans chacun des gestes, les protestations restent feutrées.

Même si la seule façon d'échapper à cette vie est de prendre le voile, les couvents ne laissent retentir que des cantiques à la gloire du Seigneur.

Tout semble en ordre. Pas de manifestations, pas de poèmes, presque pas d'associations revendicatrices. Comme si ce siècle de bouleversements n'avait pas bousculé les femmes, n'avait causé ni pleurs, ni rages, ni espoirs, ni désespoirs. Seul nous parvient le souvenir de milliers de femmes religieuses qui, silencieusement, soignent, consolent et nourrissent ceux qui sont frappés par les misères de ce siècle. Seules nous parviennent les images bucoliques d'un Québec rural immuable. Paradoxalement, ce XIXe siècle est identifié dans la mémoire collective comme «le bon vieux temps».

Et pourtant, ce siècle aura dessiné une autre place pour les femmes: elles ont perdu leurs anciens droits, et la vie politique et économique est devenue résolument masculine. L'économie domestique est totalement remodelée; plusieurs femmes deviennent des ménagères dépendantes d'un mari pourvoyeur. Les hommes redéfinissent seuls la nouvelle société qui s'instaure en fonction de ce qu'ils font, eux, et ils en excluent les femmes. Ils définissent également ce que sont les femmes, ce qu'elles doivent faire et ne pas faire. Ils leur réservent une toute petite place où elles sont reines prisonnières: la sphère domestique.

Or, le XXe siècle qui s'ouvre aux lueurs de l'électricité et dans le bruit de l'automobile ne viendra pas arranger les choses. D'une part, les changements qui se sont amorcés au XIXe siècle se poursuivront et s'accéléreront. Les femmes n'ont pas le choix. Tous les jours, elles dérogent au modèle idéal de «la» femme. Tous les jours elles souffrent des injustices découlant d'une société dont les normes sont définies par les hommes, et pour eux.

Au XXe siècle, on assistera à une redéfinition, par des féministes cette fois, de ce qu'elles sont, de ce qu'elles veulent être. L'image domestique des femmes, telle qu'elle est définie au XIXe siècle, sera sans cesse contredite par le quotidien féminin et le discours féministe.

Notes du chapitre 7

1. Miss E. Binmore, «Financial Outlook of the Woman Teachers of Montreal», Québec, mars 1893, cité dans R. Cook et W. Mitchinson, *The Proper Sphere, Woman's Place in Canadian Society*, Toronto, Oxford University Press, 1976.

2. *La minerve*, 29 octobre 1832, cité dans E. Nadeau, *La femme au cœur attentif Mère Gamelin*, Montréal, Éditions Providence, 1969.

3. Lettre de Julie Bruneau à L.-J. Papineau, novembre 1835, dans *Rapport de l'archiviste de la province de Québec*, nos 38-39.

4. Lettre de l'abbé Gendron, 6 juin 1887, citée dans Marguerite Jean, *L'évolution des communautés religieuses de femmes au Canada de 1639 à nos jours*, Montréal, Fides, 1978, note 23, p. 136-137.

5. Lettre de Julie Bruneau à L.-J. Papineau, 9 mars 1829, *op. cit.*

III
Les bouleversements
Orientations bibliographiques

BACKHOUSE, CONSTANCE C., *Petticoat and prejudice*, Toronto, Women's Press, 1991.

BRADBURY, BETTINA, «The Family Economy and Work in an Industrializing City: Montreal in the 1870's» dans *H.P./Ch*, Ottawa, CHA, 1979, p. 71-96.

BRADBURY, BETTINA, «Women and wage labour in a period of transition: Montreal, 1861-1881» dans *Histoire sociale*, vol. 17, n° 33, mai 1984, p. 115-133.

CLEVERDON, C.L., *The Woman Suffrage Movement in Canada*, Toronto, University of Toronto Press, 1950, 1974.

CLICHE, MARIE-AIMÉE, «L'infanticide dans la région de Québec (1660-1969) dans *Revue d'histoire de l'Amérique française*, vol. 44, n° 1, été 1990, p. 31-60.

————, «Morale chrétienne et "double standard sexuel". Les filles-mères à l'hôpital de la Miséricorde à Québec, 1874-1972» dans *Histoire sociale*, vol. 24, n° 47, mai 1991, p. 85-126.

COHEN, MARJORIE GRIFFIN, *Women's work*, Toronto, Toronto University Press, 1988.

CROSS, SUZANNE D., «La majorité oubliée: le rôle des femmes à Montréal au XIXe siècle» dans Marie Lavigne et Yolande Pinard, *Les femmes dans la société québécoise, aspects historiques*, Montréal, Boréal Express, 1977.

DANYLEWYCZ, MARTA, *Profession religieuse*, Montréal, Boréal, 1988.

DESGRANDCHAMPS, JACQUES, *Monseigneur Antoine Racine et les communautés de religieuses enseignantes*, Sherbrooke, Groupe de recherche en histoire des Cantons de l'Est, 1980.

DUFOUR, ANDRÉE, «Diversité institutionnelle et fréquentation scolaire dans l'île de Montréal en 1825 et 1835» dans *Revue d'histoire de l'Amérique française*, vol. 41, n° 4, printemps 1988, p. 507-536.

DUMONT, Micheline et Nadia FAHMY-EID, *Les couventines. L'éducation des filles au Québec dans les congrégations religieuses enseignantes, 1840-1960*, Montréal, Boréal, 1986.

DUMONT-JOHNSON, MICHELINE, «Des garderies au XIXe siècle: les salles d'asile des Sœurs Grises à Montréal» dans *Revue d'histoire de l'Amérique française*, 34, 1, 1980, p. 27-56.

FALARDEAU J.C. et P. GARIGUE, dir., *Léon Gérin et l'habitant de Saint-Justin*, Montréal, Presses de l'Université de Montréal, 1968.

GAFFIELD, CHAD M., «Canadian Families in Culturel Context: Hypotheses from Midnineteenth Century» dans *H.P./Ch*, Ottawa, CHA, 1979, p. 48-70.

GAGNON, FRANCE, «Parenté et migration: le cas des Canadiens français à Montréal entre 1845 et 1875» dans *Communications historiques*, Windsor, 1988.

GOSSAGE, PETER, «Les enfants abandonnés à Montréal au 19ᵉ siècle: la crèche d'Youville des Sœurs Grises, 1820-1871» dans *Revue d'histoire de l'Amérique française*, vol. 40, n° 4, 1987, p. 537-560.

GREER, ALLAN, «La république des hommes: les Patriotes de 1837 face aux femmes» dans *Revue d'histoire de l'Amérique française*, vol. 44, n° 4, printemps 1991, p. 507-528.

HAMELIN, JEAN et YVES ROBY, *Histoire économique du Québec 1851-1896*, Montréal, Fides, 1971.

HENRIPIN, JACQUES, *Tendances et facteurs de la fécondité au Canada*, Ottawa, B.F.S., 1968.

HUOT, GISÈLE, *Une femme au séminaire. Maire de la Charité, fondatrice de la première communauté dominicaine au Canada*, Bellarmin, 1987.

JEAN, MARGUERITE, *L'évolution des communautés religieuses de femmes au Canada de 1639 à nos jours*, Montréal, Fides, 1978.

LACELLE, CLAUDETTE, *Les domestiques en milieu urbain canadien au 19ᵉ siècle*, Environnement Canada, 1987.

LAFORCE, HÉLÈNE, *Histoire des sages-femmes au Québec*, Québec, Institut québécois de recherche sur la culture, 1985.

LAPOINTE-ROY, HUGUETTE, *Charité bien ordonnée*, Montréal, Boréal, 1987.

LEMIEUX, DENISE, *Culture de la nostalgie*, Montréal, Boréal, 1984.

Les femmes du Canada. Leur vie et leurs œuvres, Le Conseil National des Femmes du Canada, 1900.

LINTEAU, PAUL-ANDRÉ, RENÉ DUROCHER et JEAN-CLAUDE ROBERT, *Histoire du Québec contemporain. De la Confédération à la Crise*, Tomes I et II, Montréal, Boréal Express, 1979.

MALOUIN, MARIE-PAULE, *Ma sœur, à quelle école allez-vous?* Montréal, Fides, 1985.

MCLAREN, ANGUS et A.T. MCLAREN, *The Bedroom and the State*, Toronto, McClelland and Stewart, 1986.

OUELLET, FERNAND, *Histoire économique et sociale du Québec 1760-1850*, Ottawa, Fides, 1966.

PRENTICE, A. et M.R. THEOBALD, dir., *Women Who Taught Perspectives on the History of Women and Teaching*, Toronto, University of Toronto Press, 1991.

REEVES-MORACHE, MARCELLE, *Les Québécoises de 1837-1838*, Montréal, Éditions Coopératives Albert Saint-Martin, 1975.

ROBILLARD, DENISE, *Émilie Tavernier*, Montréal, Éditions du Méridien, 1988.

SÉGUIN, NORMAND, *La conquête du sol au XIXᵉ siècle*, Montréal, Boréal Express, 1977.

STODDART, JENNIFER et VERONICA STRONG-BOAG, «And Things Were Going Wrong at Home» dans *Atlantis*, I, 1, 1975, p. 38-44.

TÉTREAULT, MARTIN, «Les malades de la misère - aspects de la santé publique à Montréal, 1880-1914» dans *Revue d'histoire de l'Amérique française*, vol. 36, n° 4, 1983, p. 507-526.

TROFIMENKOFF, SUSAN MANN, «One Hundred and Two Muffled Voices: Canada's Industrial Women in the 1880's» dans *Atlantis*, 3, 1, 1977, p. 66-83.

VERDUN, CHISTYL, «La religion dans le journal d'Henriette Fadette: 1874-1880» dans *Atlantis*, vol. 8, n° 2, 1983, p. 51-61.

IV
LES CONTRADICTIONS
1900-1940

Les quatre premières décennies du XXᵉ siècle sont traversées par l'âge d'or du capitalisme, le premier conflit mondial et l'écroulement des rêves bourgeois avec la crise de 1929. Elles voient l'Amérique du Nord participer à un développement industriel sans précédent. Au Québec, ces changements continuent de susciter des réactions diversifiées, une partie des courants idéologiques favorisant cette évolution et une autre s'y opposant.

De nouveaux secteurs liés à l'exploitation des richesses naturelles se développent. On assiste à un développement massif de la production hydro-électrique et des pâtes et papiers. Les textiles, le vêtement et les produits alimentaires continuent d'occuper une place importante dans la production manufacturière. Les tendances à la concentration des entreprises transforment les structures financières de celles-ci et permettent la création de vastes ensembles de production et de vente. À titre d'exemples de regroupements, mentionnons la fondation de la Dominion Textile en 1905 et de la Wabasso en 1907, la construction d'un premier barrage à Shawinigan autour de 1900, et la fondation, par William Price, de la première papeterie électrifiée au Saguenay - Lac-Saint-Jean. On voit aussi les ouvriers chercher à mieux s'organiser par la syndicalisation.

La crise économique, dont le krach du 24 octobre 1929 est le détonateur, vient freiner cette croissance en frappant les exportations et en restreignant l'activité commerciale et manufacturière. À la fin de 1929, le taux des sans-emploi au Québec est d'environ 15 %. En 1931, il atteint près de 20 % et, au début de 1933, il dépasse 30 %.

Sur le plan démographique, le Québec connaît une évolution importante. La population augmente de 107 % et passe de 1 560 000 en 1896 à 3 230 000 en 1939. Ce changement est dû, bien sûr, à l'accroissement naturel, mais aussi à l'augmentation de l'immigration.

L'urbanisation se poursuit à un rythme rapide et transforme le visage du Québec: au début du siècle, un Québécois sur trois vit à la campagne; en 1940, la proportion est inversée. Ainsi, en 1931, près de 60 % des Québécois se trouvent dans les villes. Montréal, avec plus de la moitié de la population urbaine, et Québec demeurent les villes les

plus peuplées, et plusieurs nouvelles villes se développent, particulièrement au nord du Québec. Cette urbanisation se fait en liaison étroite
avec l'exploitation des richesses naturelles, car l'emplacement des
usines de pâtes et papiers, de produits chimiques et d'électro-métallur-
gie amène la création de nouvelles villes. Ainsi, des régions telles que la
Mauricie et le Saguenay - Lac-Saint-Jean s'urbanisent rapidement.

Cette émigration vers les villes modifie les fonctions familiales,
créant de nouveaux besoins, notamment pour la garde des personnes
âgées et l'aide à apporter aux indigents. Les nouvelles industries
requièrent une main-d'œuvre mieux formée, ce qui entraîne des réformes du système d'éducation. La Crise, avec le chômage qui en est le
produit, accentue ces difficultés.

Le mouvement de colonisation continue. Au début du siècle, le
Lac-Saint-Jean, l'Outaouais, le Témiscamingue, le Bas-Saint-
Laurent et la Gaspésie sont des régions de colonisation active. La Crise
suscite des tentatives d'implantation massive de colons dans certaines
régions de l'Abitibi, et, pendant les années 30, la colonisation est pratiquée au Québec de façon plus intense et plus systématique et avec une
plus grande collaboration des gouvernements que pendant les décennies antérieures. Plus de 200 000 personnes sont transplantées de la
ville à la campagne ou maintenues sur les terres grâce à différents programmes d'aide. Mais ce mouvement est en bonne partie une création
artificielle du clergé et de l'État, et plusieurs familles reviennent rapidement à la ville ou au village qu'elles ont quitté.

Les usines de textiles de la Nouvelle-Angleterre continuent d'attirer
hommes, femmes et enfants. Au début du XXe siècle, les départs
demeurent élevés mais représentent un pourcentage moindre de la
population totale qu'à la fin du XIXe siècle. Ce mouvement prend fin
dans les années 30. À partir d'octobre 1930, une loi interdit l'entrée aux
États-Unis à toutes les personnes non admissibles à l'obtention d'un
visa.

Quant à l'immigration, soulignons que le début du siècle est marqué par des arrivées massives de Juifs d'Europe de l'Est, d'Italiens et
d'Allemands qui font quintupler au Québec, entre 1901 et 1931, les
effectifs autres que français et britanniques. Ces immigrants s'établissent presque tous à Montréal. Le groupe britannique, concentré à Montréal, continue de former le groupe majoritaire parmi les ethnies autres
que françaises, même si son pourcentage par rapport à l'ensemble de la
population québécoise diminue entre 1901 et 1931, passant de 17,6 à
15 %.

C'est au début du siècle que l'État québécois prend certains traits de sa physionomie actuelle. Il devient un peu plus interventionniste et est amené à réglementer la vie économique et sociale, ce qui suscite les craintes du clergé. L'appareil administratif prend forme durant le long règne du premier ministre Alexandre Taschereau. On assiste, durant les années 30, à la montée d'un nouveau parti politique, l'Action libérale nationale, dont Maurice Duplessis se sert pour prendre le pouvoir en 1936 et fonder l'Union nationale. Duplessis est cependant défait en 1939 et le Parti libéral, dirigé par Adélard Godbout, prend le pouvoir.

Au cours de cette période, si on se fie à la littérature, le Québec francophone continue de se voir comme un «éternel assiégé», écrit l'historien Richard Jones. «Cependant, il ne faut pas oublier, ajoute-t-il, que c'est une élite minoritaire, composée largement de clercs et d'hommes des professions libérales éduqués dans les collèges classiques dirigés par l'Église, qui propage cette littérature.» Mais cette élite est-elle bien représentative des femmes comme des hommes? On peut en douter. Par ailleurs, les attaques de ces penseurs contre les Anglais, les protestants, les Américains, les Juifs, les bolchevistes, les féministes, ne sont pas sans avoir une certaine influence sur les masses. Les «attaques» à l'ordre social traditionnel sur lequel repose une bonne part de l'identification nationale des Québécois francophones — agriculture, catholicisme, langue française — font hésiter ceux-ci entre des possibilités d'organisation différente et l'abandon des traditions.

Par ailleurs, une partie de l'élite francophone et la majorité des anglophones ne se sentent pas concernées par ce discours d'arrière-garde, d'où l'émergence de tensions et de contradictions dans l'action.

Ce combat entre les forces du changement et celles de l'ordre établi marque la vie et la réflexion des femmes au cours de cette période. Dans un Québec qui se modernise, le début du siècle est marqué par de multiples contradictions. La distance entre un certain discours conservateur et la réalité s'accentue. Les débats qui s'amorcent autour du rôle de la femme mettent en évidence l'ambivalence de la société à l'égard des transformations de la vie de celles qu'on surnommait les «gardiennes de la race». Le mouvement nationaliste contribue à accentuer ce processus. En effet, le discours des élites politiques et religieuses a contribué à piéger les femmes qui se voyaient enfermées dans la nécessité nationale de leur subordination, leurs droits civils et politiques étant moins avancés que ceux de leurs sœurs canadiennes.

L'industrialisation, en marche au Québec depuis le milieu du XIXe siècle, entraîne une demande accrue de main-d'œuvre féminine, *cheap*

labor exploité dans des secteurs où le capitalisme se porte bien: vêtements, textiles, tabac, travail de bureau, commerce de détail, alimentation, et où le clergé domine: éducation, soin des malades, œuvres
sociales.

Dans une société où la pauvreté est perçue comme une tare individuelle et où on laisse croire que «celui qui veut peut tout», des centaines de femmes sont appelées à soulager les misères issues de la
croissance du capitalisme et de son achoppement: la crise des années
30. Bourgeoises pénétrées de l'idéologie réformiste et libérale aussi
bien que des enseignements des encycliques papales *Rerum novarum*
(1891), *Casti connubii* (1930) et *Quadragesimo anno* (1931) de même
que religieuses, trouvant là un canal d'expression à leur altruisme et à
leur potentiel intellectuel, s'enrôlent par milliers à l'appel du clergé et
des médecins pour combattre la misère.

Le début du siècle voit partout dans le monde industrialisé un
effort de regroupement à partir d'intérêts particuliers: ouvriers,
patrons, femmes tentent de s'organiser pour mieux faire face à de nouveaux besoins ou pour juguler leur insécurité, et se donnent des trem-
plins d'expression qui remportent des succès plus ou moins importants
suivant les périodes. Travailleuses, bourgeoises et fermières n'échappent pas à ces tendances. Elles s'unissent: les unes pour obtenir de
meilleures conditions de travail, s'engageant ainsi dans un processus
d'identification d'une condition spécifique; les autres dans la lutte pour
l'obtention des droits fondamentaux, et particulièrement du droit de
vote, se ralliant, par ces préoccupations, au combat féministe mené en
d'autres pays.

CHAPITRE 8

Femmes modernes

Comme depuis le début de la Nouvelle-France, les premières années de la vie de la petite fille lui servent à s'initier à son rôle de femme. La mère de famille lui enseigne très tôt les rudiments du travail domestique.

La fréquentation scolaire n'étant pas obligatoire, les enfants peuvent quitter l'école très jeunes. À la ville, en milieu ouvrier, il n'est pas rare que les fillettes âgées entre dix et quatorze ans soient chargées de garder les jeunes enfants pendant que la mère est au travail. Il est difficile d'estimer leur nombre, puisque les statistiques ne tiennent pas compte de ces travailleuses invisibles. Les filles sont parfois aussi appelées à remplacer une mère malade ou décédée et se retrouvent donc, souvent très tôt, à la tête d'une famille.

Faire comme maman et grand-maman

À l'heure des choix, il est convenable de se marier ou d'entrer en religion! Le célibat laïque est encore considéré comme un statut ridicule et condamnable, parce qu'il dénote, dit-on, un certain égoïsme. Pourtant, bien loin d'être un choix, il est souvent le lot d'une femme qui doit s'occuper de sa famille et gagner une partie du revenu annuel.

Les fréquentations et la sexualité sont peu abordées dans les témoignages actuellement recueillis auprès des femmes de cette époque. Cependant, ils permettent d'avancer que, en milieu rural, le romantisme des fréquentations s'assortit encore de préoccupations uti-

litaires. L'homme recherche une fille apte à remplir les tâches ménagères et la jeune fille se fait souvent conseiller par ses parents de choisir
un bon garçon «honnête et travaillant». C'est à cette époque que le
voyage de noces fait son apparition. Denise Lemieux et Lucie Mercier,
dans leur livre extrêmement riche en détails sur les cycles de la vie des
femmes au tournant du siècle, écrivent: «À côté de multiples survi-
vances des modèles traditionnels, il reste qu'un nouveau modèle s'insi-
nue peu à peu, qui favorise l'intimité du couple dans les premiers
moments du mariage.» Lemieux et Mercier, qui ont étudié plusieurs
autobiographies, soulignent que «l'amour conjugal semble avoir été
l'objet d'une grande sobriété d'expression».

De la belle amour…

*Ah!… fais pas simpe! De la belle amour… ça apporte-t-y à
dîner la belle amour? En tous les cas, moé, j'ai mis une
croix dessus à la belle amour! Si j'tais pas enfarmée icitte à
l'année je connaîtrais p'tête dans mon boutte un bon gars
travaillant pis pas buveur. Là ça me tenterait de faire mon
règne avec. Toutes les autres affaires, comme la belle amour,
c'est de la bouillie pour les chats. Nous autres les femmes on
a besoin d'un homme qui apporte de quoi faire bouillir la
marmite. Le reste, on s'en charge, élever les enfants, faire à
manger, tenir la maison propre.*

Source: Marielle Brown-Désy, *Marie-Ange ou Augustine*, Montréal,
Parti-Pris, 1979, p. 35.

Le recrutement d'épouses pour les colons isolés n'est pas sans rappeler, par certains côtés, l'épopée des «filles du Roy». Dans une monogra-
phie sur le village de Guérin, cette forme de fréquentations forcées est
décrite dans les termes suivants: «Les prêtres recruteurs de colons
devaient voir au recrutement des jeunes épouses. Au Témiscamingue, ce
recrutement se fit par celui des institutrices.» Les institutrices découvrent
souvent à leur arrivée dans ces pays de colonisation qu'elles ont été prises au piège et qu'on veut plus les voir épouser un colon qu'enseigner.

Les jeunes citadines, de leur côté, veulent de plus en plus faire des
mariages d'amour et refusent les prétendants qui ne leur conviennent pas.
Une célibataire née en 1890, qui a travaillé dans les usines de textile toute
sa vie, raconte: «À l'étranger comme ici, j'ai des prétendants; mais, pour

Le maillot de bain approuvé par la Ligue catholique féminine, 1936.
Almanach de la langue française, numéro spécial sur «La femme canadienne française»

me marier, il faut aimer, puis ceux que j'aime ne viennent pas, et ceux qui viennent ne m'intéressent pas; c'est pourquoi je suis encore célibataire. Vous pouvez dire aux jeunes filles d'aujourd'hui qu'on ne me fera pas croire que toutes celles de mon temps restaient chez elles près de leurs parents en attendant le prince charmant. Il y en avait comme nous qui ont connu l'autonomie.» En voilà une qui ne s'est pas fait imposer un mari!

Les mouvements de «modernisation» amorcés au cours de la période précédente prennent de l'ampleur. L'invasion de la radio, le développement du commerce de détail et du prêt-à-porter, l'arrivée des capitaux et, avec eux, des modes américaines, les déplacements plus faciles par automobile mettent les femmes en contact avec de nouvelles idées et de nouvelles modes.

Qu'elles soient bourgeoises, employées dans les services ou ouvrières, les femmes, influencées par les États-Unis, aspirent à une certaine modernité. Ces préoccupations ne cessent d'affoler le clergé catholique

Fille unique de Jos Cyr, levant des haltères.
Collection privée — Denis Cloutier

et les autorités civiles, qui condamnent ces nouveautés sans pouvoir
arrêter l'engouement qu'elles provoquent. On reproche aux jeunes filles
leur vernis à ongles, leurs sourcils épilés et leurs lèvres maquillées, de
même que leur goût pour la cigarette et les cocktails, toutes choses auxquelles, suivant leur fortune, elles ont plus ou moins accès.

Avec la guerre, des changements importants se produisent dans les
vêtements féminins: les robes deviennent plus droites et plus courtes.
Le vêtement se standardise et la mode, inspirée de Londres, Paris et
New York, prend une importance capitale, particulièrement durant les
années 20. Les bas de soie, les coiffures ondulées, les shorts, les *bree-
ches*, les pyjamas de plage font l'objet de discussions dans les revues
de mode. Les femmes doivent avoir l'air sexy. Les Américaines inven-
tent alors le mot *flappers* pour représenter le nouveau style. Aux États-
Unis, plusieurs Américaines croient que l'émancipation de la femme a
atteint un sommet. Il faut reconnaître que la *flapper* a permis d'at-

teindre certains objectifs auxquels les féministes ne s'attarderont pas: libérer la femme de ces accoutrements encombrants du XIXe siècle, lui faire accepter de porter des vêtements confortables dans lesquels elle se sent belle et athlétique. Mais ce n'est souvent là que l'instauration de nouvelles normes. Alors qu'on a jusque-là demandé aux femmes d'avoir l'air pures, on les convie maintenant à avoir l'air sexy. On voit donc grimper les ventes de produits de beauté.

Les plages, les danses, les excursions du dimanche font la joie des femmes. Les éléments conservateurs du clergé catholique font appel aux mères canadiennes en leur exposant, par exemple, qu'il est inconvenant et même dangereux que la natation soit enseignée aux personnes du sexe féminin par des instructeurs masculins. Mais ces interdits ont de moins en moins de poids.

La menace des hot-dogs

L'ambiance anglo-américaine tente aussi d'engendrer au Canada français un type de femme standardisée. Le cinéma, les magazines, les journaux, la musique même, empreints d'américanisme, exercent sur l'âme de la Canadienne française une influence qui contredit ses traits héréditaires. L'engouement de nos sœurs pour les frissons d'une aventure singulière, leur habitude du hot-dog, du sandwich aux tomates et des boîtes de conserve, leur penchant pour la musique folichonne du jazz, pour les cocktails et les films d'émotion violente; leurs initiatives souvent téméraires, leur béguin pour le colossal et le trompe-l'œil, ainsi que leurs allures de femmes affranchies, sont les conséquences d'influences américaines qui altèrent peu à peu leurs traits ethniques.

Source: *Almanach de la langue française*, Éditions Albert Lévesque, 1936, p. 12.

Le sport prend lui aussi une importance de plus en plus grande dans la vie des femmes. Le tennis, le ski, le canot, la natation sont pratiqués par les femmes, surtout par les jeunes bourgeoises qui ont évidemment plus de temps et d'argent à y consacrer. Le sport d'équipe n'existe à peu près pas pour les filles en milieu francophone.

Il est bien évident que la situation matérielle précaire d'une bonne partie des familles, conjuguée à la pénétration rapide des nouvelles idées apportées par le développement des communications et aussi par

Deux femmes à la pêche.
Société d'histoire de Sherbrooke

Une patineuse.
Almanach de la langue française, 1936

Le golf, sport d'élite, 1900.
Musée McCord, Université McGill, Montréal

Compétition équestre dans les Cantons de l'Est, 1914.   Musée Beaulne de Coaticook

Les femmes accèdent à la pratique du sport.

les immigrants, ébranle les modes de vie traditionnels et continue de fissurer les modèles de vie des femmes. Même si les rôles d'épouse et de mère, ou de religieuse, seront encore et pour longtemps dominants, de nouvelles aspirations apparaissent qui marqueront au sceau de l'ambivalence et de la contradiction le discours et l'action des femmes au cours des prochaines décennies. Céline Beaudet a analysé le journal *Radio-Monde*, paru pour la première fois en janvier 1939. Ce journal sur la vie artistique québécoise concède «à la femme le droit d'avoir une vie professionnelle, d'afficher une ambition dans son travail, mais pour autant qu'elle conserve les attributs de la femme ordinaire, c'est-à-dire ménagère et mère de famille. Le domaine privilégié de la femme, c'est l'amour, le mariage, la maison; celui de l'homme, c'est le travail.»

Une scène de vacances au lac MacDonald, 1924.
Collection privée — Françoise G. Stanton

Les grosses familles: une espèce en voie d'extinction

Amorcée au cours de la période précédente, la chute de la natalité persiste, de sorte que les Québécoises n'auront plus que trois enfants en moyenne vers 1940.

Mais le mythe des familles nombreuses n'en continuera pas moins d'avoir la vie dure pour plusieurs décennies à venir, et nous aurons pour longtemps l'impression que toutes les Québécoises avaient dix ou douze enfants. Si l'on sait que 20,5 % des Québécoises mariées nées vers 1897 (vingt ans en 1917) ont donné naissance à plus de dix enfants, produisant de la sorte plus de la moitié des enfants nés des femmes de cette génération, on peut comprendre qu'il y aura des centaines d'enfants qui pourront se vanter de venir d'une grosse famille. Mais ces grosses familles ne seront le lot que d'une Québécoise sur cinq!

Les femmes prolifiques sont donc une race qui s'éteint et, chez les femmes nées entre 1916 et 1921, seulement 7,6 % de celles qui se marieront auront plus de dix enfants, ce qui représente 24,3 % du total des enfants. Cette tendance s'accentuera chez la génération suivante (femmes nées entre 1922 et 1926), alors que seulement 3,5 % des femmes mariées auront plus de dix enfants et 19,2 % plus de six. Ce sont donc ces groupes de femmes, vivant pour la plupart à la campagne, qui sont responsables de la reproduction du plus grand nombre d'enfants, puisque 40 % des Québécoises mariées ont un ou deux enfants ou n'en ont pas du tout. Pour limiter les familles, on utilise le coït interrompu. L'usage des condoms et des pessaires (diaphragmes) se répand.

Lorsqu'une naissance va se produire, on raconte aux autres enfants de la famille qu'un bohémien ou «le sauvage» viendra porter un bébé à leur mère et essaiera de le lui donner. Devant son refus, il lui cassera une jambe et lui laissera de force le bébé, ce qui explique qu'elle soit couchée. Selon le sociologue Horace Miner, qui rapporte cette légende, le refus de la mère de prendre le bébé laisse entendre que les femmes appréhendaient les longues suites de grossesses. Il ajoute que c'est avant tout le mari qui désirait une grosse famille.

Dans les années 30, on relie souvent travail féminin, américanisation et contrôle des naissances. En 1935, un médecin, Joseph Gauvreau, écrit: «C'est auprès des ouvrières que fut poursuivie avec le plus d'activité la propagande de l'union libre et inféconde. Sournoisement, mais systématiquement, commencèrent les campagnes de stérilité et la stérilisation par les rayons artificiels. Et, chose inouïe jusque-là, l'on vit, chez nous, s'abaisser considérablement le taux des naissances.»

Dans *Trente arpents*, Ringuet décrit la visite de cousins américains qui n'ont que deux enfants. Le cultivateur demande à son cousin si sa femme est malade. Lorsque celui-ci répond que non, qu'il ne voulait tout simplement pas une grosse famille, le cultivateur répond: «Mais, on ne mène pas ça comme on veut.» L'Américain rétorque: «*Damn it!* ma femme pi moé on a décidé de mettre les brékes...» Le cultivateur en conclut qu'il s'agit sans doute là «de quelqu'une de ces pratiques monstrueuses dont M. le curé avait parlé un jour à la retraite des hommes et qui ont pour but d'empêcher de s'accomplir les desseins de la Providence». «La femme ne pourra à la fois se donner à la recherche du plaisir et aux charges de la maternité.»

Le procès d'Eastview, en 1936, fournit une somme d'informations intéressantes au sujet de la limitation des naissances, qui, comme l'indique le nombre d'enfants par famille, était pratiquée plus souvent qu'on ne l'a cru.

Eastview (aujourd'hui Vanier) est une banlieue canadienne-française de la région d'Ottawa où le chômage sévit fortement (17,6 % des familles vivent du secours direct) et qui compte 71 % de catholiques. Une infirmière, Dorothea Palmer, employée par le Parents' Information Bureau de Kitchener, visite les familles nombreuses pour leur offrir du matériel contraceptif ainsi qu'une brochure décrivant pas moins d'une douzaine de méthodes contraceptives. En 1936, Dorothea Palmer est arrêtée en vertu du Code criminel qui interdit toute promotion et vente de matériel contraceptif.

Le procès s'ouvre par le témoignage des vingt et une femmes que l'infirmière Palmer a visitées. Diane Dodd, qui a fait l'histoire de ce long procès, rapporte que ces femmes sont toutes catholiques et francophones, sauf une. Par l'intermédiaire du Parents' Information Bureau, elles ont reçu gratuitement, par la poste, une boîte contenant trois condoms et un tube de gelée contraceptive, ainsi qu'une bro-

Une infirmière débarque à l'Île-aux-Coudres, 1943.
Collection privée — Mme Adrienne Picard-Beaumont

chure en français intitulée *Le contrôle de la natalité et quelques-unes de ses méthodes les plus simples.* Pour obtenir à nouveau des produits, elles doivent payer si elles en ont les moyens financiers. Interrogées par le procureur de la Couronne, la plupart (sauf deux ou trois) répondent qu'elles ne voient aucun mal à la pratique de la contraception.

Ce procès amène aussi des Canadiens français à témoigner. Parmi les francophones, seul un travailleur social se déclare favorable à la contraception. Le Dr J.E. De Haître, opposé à la contraception, n'admet pas moins, lorsqu'il est contre-interrogé par la défense, que les avortements sont fréquents et qu'ils pourraient être évités grâce à l'usage de contraceptifs.

Le témoin vedette de la Couronne est le Dr Léon Gérin-Lajoie, professeur de gynécologie à l'Université de Montréal (et aussi fils de la féministe Marie Gérin-Lajoie). Ce médecin croit que l'on donne trop d'information médicale à la population; aucune méthode contraceptive, affirme-t-il, ne devrait se pratiquer sans examen médical. Les prescriptions de l'Église au sujet de la contraception sont rigoureuses, et l'encyclique *Casti connubii,* publiée en 1930, l'interdit explicitement. Malgré cela, il semble qu'au cours du procès des médecins doivent avouer que l'idéal catholique n'est pas toujours facilement applicable. L'extrait suivant de l'interrogatoire du Dr Gérin-Lajoie en témoigne:

> Q: *Do you think the mother should wait until doctors study this out to get unanimous (...) and when doctors have established it, a clinic can come along, is that your idea?*
> A: *No.*
> Q: *What will the poor mother do in the meantime?*
> A: *See her doctor.*
> Q: *Not you?*
> A: *Yes, on the contrary; you would be surprised.*

Finalement, Dorothea Palmer, passible de deux ans d'emprisonnement, est acquittée en raison du principe que son travail de promotion des contraceptifs est légal, parce qu'inspiré par le bien public.

Peu de temps après le procès, une infirmière du Parents' Information Bureau œuvre à Montréal. Léa Roback, qui travaille alors à Montréal à organiser le travail des ouvrières de la robe, l'accompagne chez des familles qu'elle connaît. Elle raconte que «cette infirmière était très consciencieuse. Elle expliquait aux femmes comment installer le pessaire (diaphragme). Mais la plupart des maris nous recevaient très mal. Nous avons visité quinze familles et réussi trois fois seulement à faire la démonstration. L'infirmière était très étonnée de l'autorité qu'avaient les maris et de leur volonté de ne pas voir leur femme empêcher la famille. Elle a décidé d'abandonner, ne voulant pas être cause d'ennuis, d'autant plus que le procès d'Eastview avait fait pas mal de bruit.»

À la campagne, les accouchements à la maison, avec l'aide du médecin ou de la sage-femme, sont encore monnaie courante. Les médecins étant souvent éloignés et les routes impraticables l'hiver, il y a toujours une femme apte à venir aider ses voisines. Une chroniqueuse du bas du fleuve écrit: «Toutes les femmes n'étaient pas qualifiées pour exercer cette profession. L'essentiel, c'était le sang-froid... Une autre femme de la parenté ou une voisine venait seconder la sage-femme. Le mari était presque toujours absent à cause de son travail aux chantiers ou ailleurs; de toute façon, il sentait qu'il ne faisait pas partie du décor: l'accouchement était une affaire de femmes.» Affaire de femmes, se faisant gratuitement, et qui est déjà devenue largement affaire d'hommes dans les villes, où les femmes sont accouchées la plupart du temps par des médecins.

Hélène Laforce, qui a étudié l'histoire des sages-femmes, montre comment l'intervention médicale évacue lentement les femmes d'une profession qui leur appartient. Il est devenu de plus en plus payant pour les médecins d'effectuer les accouchements dans les villes. On fait donc du bébé un malade en puissance. La population résiste à sa façon aux médecins et, en 1919, une pétition des habitants du village du Sacré-Cœur au Saguenay défend les sages-femmes dans un procès intenté contre elles par la Corporation professionnelle des médecins. Laforce mentionne qu'il y aura encore quelques sages-femmes jusqu'au moment où l'assurance-hospitalisation incitera les femmes à aller se faire accoucher à l'hôpital.

1914-1918: une première guerre qui fait avancer quelques attitudes

La première Grande Guerre ne va pas changer de façon radicale le rôle des femmes dans la main-d'œuvre. L'augmentation du nombre de femmes sur le marché du travail, à l'occasion de cette première guerre, ne marque qu'une accentuation de la tendance qui prend forme au tournant du siècle et se continue tout au long du XXe siècle. Cependant, la

Première Guerre amène une accélération soudaine et temporaire de la croissance du nombre de travailleuses, des changements dans les occupations et quelques changements dans les attitudes à l'égard du travail des jeunes filles.

La conscription ne survenant qu'à la fin de la guerre, la demande de main-d'œuvre féminine sera moins forte que durant le second conflit mondial. Comme l'a souligné l'historienne Ceta Ramkhalawasingh dans sa recherche sur les femmes, durant le premier conflit mondial, ce sont en majorité des célibataires qui occupent les nouveaux emplois, et cette donnée permet un changement important et définitif pour ce qui est des attitudes à l'égard du travail des jeunes filles. On reconnaît qu'il est convenable pour elles de travailler avant le mariage, d'autant plus que leurs salaires sont nécessaires aux familles pour se procurer les biens de consommation autrefois produits à la maison. De plus, on convient qu'elles peuvent assumer certains travaux dont on ne les croyait pas capables physiquement.

Ouvrière en métallurgie durant la Première Guerre mondiale.
Archives publiques du Canada

En 1919, Enid Price publie une étude sur la question des femmes et de la première Grande Guerre à Montréal. Elle avait visité des manufactures de munitions, des industries de chemins de fer, des grossistes, des magasins, etc. Elle se rendit compte que, durant la guerre, les femmes qui travaillaient dans l'industrie y avaient été affectées à des travaux plus lourds. Ainsi, dans les chemins de fer où, auparavant, seuls des hommes construisaient et réparaient les locomotives et les wagons, on voyait maintenant des femmes affectées à ces travaux. En 1918, à Montréal, il y avait 2315 femmes employées dans les chemins de fer, l'acier et le ciment, et occupées à des emplois qui avaient, jusque-là, été remplis par des hommes; dans les munitions, au sommet de la guerre, on retrouvait, à Montréal et en Ontario, 35 000 femmes, la plupart provenant d'autres secteurs manufacturiers. Price note qu'il y avait, dans les manufactures non concernées par l'effort de guerre, peu de changements dans la composition de la main-d'œuvre; par ailleurs, dans les emplois de bureau et les postes de secrétariat, la guerre permit d'accentuer la tendance au remplacement des hommes par des femmes.

En ce qui a trait au salaire, Ramkhalawasingh note que les femmes recevaient, dans les industries d'armement, entre 50 et 80 % du salaire des hommes. De son côté, Price a relevé qu'entre 1914 et 1918 les salaires payés aux commis de bureau passèrent de 10 à 60 % de ceux des hommes. En général, on note donc, durant la guerre, un rétrécissement des écarts salariaux, réduisant les énormes inégalités que l'on connaissait sans jamais les éliminer.

À la fin de la guerre, plusieurs femmes doivent faire face au chômage consécutif à la diminution de la main-d'œuvre dans les industries de guerre et au retour des hommes dans les secteurs où elles les avaient remplacés. Ce renversement confirme la théorie qui veut que les femmes forment un réservoir potentiel de *cheap labor* que l'on peut manipuler au gré des conjonctures économiques.

Infirmière servant lors de la Première Guerre mondiale, 1915.
Archives nationales du Québec (Estrie)

Débrouillardise en temps de crise

En octobre 1929, le marché boursier de New York s'effondre, lançant le monde dans la Crise qui durera jusqu'à la fin des années 30. L'univers des hommes s'écroule et les femmes doivent elles aussi en payer le prix.

La Crise marque profondément la vie des femmes. Elles en parlent abondamment lorsqu'elles racontent leur vie. Les taux de chômage élevés, les diminutions de salaires, la difficulté de se marier, les problèmes de logement et d'alimentation, aussi bien que ceux de l'habillement, les obligent à un surcroît de travail domestique.

Rappelons que le chômage au Québec passera de 15 % à la fin de 1929 à 20 % en 1931 et à 30 % au début de 1933. Plusieurs femmes doivent se chercher de l'emploi pour joindre les deux bouts et compenser le manque à gagner du mari. Dans un article sur le travail des femmes durant la Crise, Ruth Milkman constate que, en période de récession, la théorie d'armée de réserve utilisée lorsqu'on parle des femmes devient contestable. Elle remarque que la division sexuelle du travail fait en sorte que, du moins aux États-Unis durant la Crise, les femmes perdent moins vite leurs emplois que les hommes, la récession affectant particulièrement les secteurs masculins de l'emploi. Cependant, la Crise s'accentuant et les hommes ne trouvant plus d'emplois, la tendance se modifie. Un plus grand nombre de femmes cherchant de l'emploi deviennent comptabilisées dans la main-d'œuvre, ce qui augmente leur taux de chômage. Ces constatations font aussi ressortir le fait que les femmes n'occupaient pas des emplois qui auraient pu être postulés nécessairement par des hommes, comme on tenait à le faire croire.

Pour ce qui est du Québec, l'après-guerre et la Crise marquent un certain retour en arrière, succédant aux tentatives de redéfinition du rôle des femmes. Afin de protéger le travail féminin, les revendications du mouvement ouvrier telles que la fixation de salaires minimums, les allocations aux mères, la réglementation des heures de travail et la sécurité accrue, que l'on peut retracer par les résolutions des congrès annuels des diverses centrales syndicales, font place, particulièrement avec la nouvelle Confédération des travailleurs catholiques du Canada, à des dénonciations des travailleuses qui prennent les emplois des «pauvres pères de famille». Cette dénonciation atteint un certain sommet avec la présentation du projet de loi Francœur, en 1935, à la Législature provinciale. Ce projet décrète que «les femmes et les jeunes filles sollicitant un emploi devront faire la preuve qu'elles ont réellement besoin de le faire». On veut limiter le travail des femmes à celui de fermière, de cuisinière ou de domestique. Le projet de loi est rejeté à quarante-sept voix contre seize, mais il reflète bien l'état d'esprit d'une société partagée entre une idéologie conservatrice catholique et une idéologie libérale.

Lorsqu'elles témoignent de leur travail durant la Crise, les femmes racontent avoir fait des lavages à la maison, pris des pensionnaires, servi des repas, trouvé des logements moins dispendieux.

Afin de faire face à la situation durant la Crise, le gouvernement a recours aux secours directs et à quelques programmes de travaux publics. Les montants fournis doivent permettre de couvrir les dépenses de nourriture, d'habillement, de combustible et de logement. Ces sommes sont, pour la plupart, remises aux chômeurs par l'intermédiaire de la Société Saint-Vincent-de-Paul et du Montreal Council of Social Agencies. Ces fonds s'ajoutent à diverses autres mesures issues des sociétés de bienfaisance, comme les refuges et les «soupes populaires», mais cette aide est insuffisante et souvent mal distribuée.

Afin de protéger le niveau de vie des chômeurs, des militantes communistes, Blanche Gélinas, Bernadette Lebrun, Angéline Dubé entre autres, s'organisent et mettent sur pied en 1932 la Solidarité féminine, qui vient appuyer l'Association humanitaire et divers groupes organisés pour la défense des intérêts des chômeurs. Organisation uniquement composée de femmes, elle entend, dit une étude « (…) se préoccuper tout particulièrement de la situation des femmes qui sont habituellement négligées (situation des filles-mères, des mères nécessiteuses) et les amener à s'impliquer directement dans les luttes». En 1937, la Solidarité féminine organise à Montréal d'importantes manifestations: en mai, quelques centaines de femmes manifestent devant l'usine de MacDonald Tobacco et, le 25 juin, au Champ-de-Mars, près de quatre cents femmes se rendent à la Commission du chômage pour aller ensuite protester devant l'hôtel de ville, en utilisant gratuitement le tramway. La délégation n'est pas reçue par le comité exécutif et, de plus, on assiste à une intervention brutale des forces policières et à l'arrestation de cinq femmes. Enfin, en mars 1937, une délégation demande au comité exécutif de la ville une augmentation de 25 % des secours et proteste contre la hausse des loyers.

Fournier, qui note la faible représentation des femmes dans le Parti communiste, ajoute que ce mouvement s'organise pour agir concrètement auprès des chômeurs et pour élargir la participation des femmes au sein du parti. Les femmes recueillent vêtements, argent et nourriture, et, de plus, elles protestent contre les évictions et la vente de meubles de locataires incapables de payer. La tactique utilisée, raconte Bernadette Lebrun, est la suivante: «Quand nous savions qu'un huissier allait venir, nous formions un groupe d'une quinzaine de personnes et, à cinq heures du matin, on remplissait la maison. Or, d'après la loi, l'huissier était obligé de faire la vente sur place. Nous achetions le ménage aux enchères: une table, cinq cents, une chaise de cuisine, un cent. L'huissier se révoltait et tentait de raisonner les gens. Il amassait souvent deux ou trois piastres qu'il remettait au propriétaire. Et le groupe remettait les meubles au locataire.» La Solidarité féminine diffuse aussi des conseils sur l'utilisation de l'électricité et du gaz sans frais. Ce mouvement résiste jusqu'en 1939.

Quand la science s'en mêle: santé et bienfaisance

Dans le sillon du mouvement de réforme urbaine, l'organisation systématique de la santé et de la bienfaisance se poursuit. Les préoccupations scientifiques envahissent ces secteurs où s'affirme de plus en plus le pouvoir de la profession médicale. Les femmes continuent à exercer un rôle prépondérant dans la prestation des services d'aide sociale, comme laïques réformistes, par le biais des associations de bienfaisance ou comme religieuses œuvrant dans les institutions. Composées majoritairement de femmes appartenant à la bourgeoisie, créées pour soulager la pauvreté urbaine, les sociétés de bienfaisance sont soit d'inspiration individuelle, soit organisées à la suggestion d'une Église, d'une communauté religieuse ou de médecins hygiénistes, dont le pouvoir s'accroît considérablement.

Durant toute cette période, le zèle des femmes s'exerce dans une foule de domaines: orphelinats, asiles, crèches, hôpitaux, foyers, refuges, patronages, ouvroirs, bibliothèques, salles d'œuvres, associations pieuses. Ces organisations demeurent toutefois sous la coupe du clergé représenté par les aumôniers et les conseillers religieux, dont l'approbation ou la désapprobation peuvent en influencer la bonne ou la mauvaise marche. Quant aux femmes protestantes, leurs activités charitables sont fortement influencées par la religion et menées en étroite relation avec les Églises. Cependant, une hiérarchisation moins lourde que dans l'Église catholique permet aux femmes d'avoir plus d'autonomie, le pasteur n'assumant pas comme l'aumônier un contrôle direct de l'action des femmes.

Salle d'orphelines chez les Sœurs Grises.
Archives des Sœurs Grises

Les problèmes sont nombreux; les mesures sociales, de même que l'organisation plus systématique de la charité, amorcée au cours de la période précédente, ne suffisent pas à attaquer véritablement les fléaux suscités par l'insalubrité de l'environnement et des logements urbains et par les bas salaires d'une grande partie de la population qui y réside.

À Montréal, le niveau de mortalité est supérieur à celui de toutes les grandes villes occidentales, et il faudra attendre l'après-guerre pour voir cette situation se corriger de façon significative. Entre 1901 et 1929, la mortalité infantile est responsable de 12,6 à 17 % de tous les décès au Québec et frappe plus directement les quartiers pauvres des milieux urbains. En six ans, de 1910 à 1915, 78 000 enfants de moins d'un an sont morts au Québec.

La mauvaise qualité du lait et des eaux consommés est la cause majeure des nombreux décès dus à ce qu'on appelait la diarrhée infantile. À Montréal, on ouvre en 1914 une usine de filtration de l'eau, mais il faut attendre 1926 pour voir la pasteurisation du lait se généraliser. En 1914, seulement le quart du lait consommé à Montréal est pasteurisé et les grandes laiteries en limitent la distribution aux secteurs cossus de l'ouest de la ville.

Cette situation alarme les médecins hygiénistes, qui incitent alors les mères de famille à allaiter leurs nouveau-nés afin de leur éviter la consommation du lait contaminé.

Regroupés dans le Conseil d'hygiène de la province de Québec, fondé en 1887, ces médecins hygiénistes se lancent, entre 1895 et 1914, selon l'historienne Claudine Pierre-Deschênes, dans une phase d'éducation populaire, de croisades et de renforcement du pouvoir de la profession médicale. Comme ils arrivent difficilement à rejoindre les femmes de la classe ouvrière, les hygiénistes embrigadent dans leur croisade les femmes issues de la bourgeoisie, qui sont déjà convaincues du bien-fondé des mesures préconisées par les médecins. Un tract, préparé par le Conseil d'hygiène et intitulé «Sauvons nos petits enfants. Appel aux mères», est distribué systématiquement au cours de l'enregistrement des naissances. Il prône fortement l'allaitement maternel, qui doit être accompagné de toute une pratique d'hygiène infantile touchant la croissance, la dentition, la toilette, le vêtement, le régime alimentaire.

Une foule d'organismes assure «les Veillées des berceaux»: les Gouttes de lait, Ligue des petites mères, Garderie de nourrissons, Day Nursery, Baby Welfare Committee, Fédération nationale Saint-Jean-Baptiste. Le *prenatal work* importé des États-Unis s'étend au Québec. En général, ce sont les médecins hygiénistes qui dirigent ces organismes et les femmes qui font le travail, la plupart du temps bénévolement. Dans les

Jeunes comédiennes, *circa* 1920.
Société d'histoire de Sherbrooke

années 20, la campagne contre la mortalité infantile commence à donner des résultats probants. Donc, par le biais du développement scientifique, le savoir officiel concernant l'hygiène infantile et le soin des nourrissons, après celui de l'accouchement, échappe aux femmes. Les hommes construisent ce savoir, les femmes en appliqueront les recettes.

Donc, la professionnalisation de l'hygiène et de la bienfaisance accentue la domination du pouvoir patriarcal exercé sur les femmes dans ces deux secteurs. Au début du siècle, selon Pierre-Deschênes, s'organise un bio-pouvoir qui repose sur l'investissement et l'assujettissement des corps. L'hygiène devient un enjeu socio-politique important, source de contrôle et d'emprise, et il faudra attendre les années 70 pour entendre les femmes parler d'autosanté et de réappropriation de leur corps.

La création de la Charities Organization Society à Montréal, en 1900, puis celle du Montreal Council of Social Agencies, en 1919, visent à mieux coordonner l'action des sociétés de bienfaisance et à leur donner un caractère plus scientifique et professionnel. La Charities Organization Society n'arrive pas, cependant, à devenir l'organisme parapluie de la société francophone; la Société Saint-Vincent-de-Paul continue parallèlement son action. Cette modernisation n'est toutefois qu'apparente, car ces nouvelles organisations ne s'attaquent pas aux racines de la pauvreté, qu'elles continuent à considérer comme un problème individuel plutôt que comme un phénomène social résultant du chômage et des bas salaires.

Comme les autres, les femmes sentent elles aussi ce besoin d'améliorer la qualité scientifique de leurs interventions «charitables». La bienfaisance changeant de nature, les femmes voient que, pour être prises au sérieux, il leur faut maintenant se conformer à des critères scientifiques reliés à la qualité de la formation du personnel, à l'hygiène, à la tenue de statistiques concernant les interventions, etc.

Ces préoccupations font émerger au Québec, comme dans le reste de l'Amérique du Nord, une nouvelle profession, celle de travailleuse sociale. Deux femmes y font leurs armes au début du siècle, en suivant des itinéraires fort différents: une anglophone, Bella Hall Gould, et une francophone, Marie Gérin-Lajoie, fille de la féministe du même nom. Née en Ontario en 1878, Bella Hall Gould déménage au Manitoba en 1882. Elle poursuit des études musicales en Allemagne au tournant du siècle, et y constate la pauvreté dans laquelle vivent les masses, à côté d'une classe privilégiée. À son retour, elle s'occupe des immigrants et se rend à Winnipeg travailler avec J.S. Woodsworth, pasteur protestant qui fondera plus tard le Canadian Commonwealth Federation (CCF). Se rendant compte que le travail auprès des immigrants demande une formation spécialisée, elle entre en 1912 en service social à l'Université de Toronto. Vers 1915, à la recommandation de Woodsworth, elle accepte la direction de l'University Settlement, fondé à Montréal par un groupe de femmes diplômées de l'université McGill. Cette œuvre sociale offre aux femmes des quartiers pauvres un lieu où prendre une tasse de thé et une collation, se reposer et se divertir. Bella Hall se dissociera graduellement de cette forme d'intervention et dirigera sa réflexion vers le marxisme et son action vers les travailleurs et travailleuses, les chômeurs et chômeuses.

De son côté, Marie Gérin-Lajoie négocie avec sa mère le droit de demeurer célibataire, afin d'être dégagée des soucis de la famille et d'avoir la liberté de se consacrer aux œuvres sociales. Selon l'historienne Marcienne Proulx, son directeur spirituel l'incite à fonder une communauté afin de pouvoir poursuivre ses objectifs d'organisation du travail social à Montréal. C'est donc en 1923 que naît l'institut des sœurs Notre-Dame-du-Bon-Conseil de Montréal. Les démarches de Marie Gérin-Lajoie laissent deviner que, en dehors du cadre religieux, il était difficile pour les femmes francophones, même aussi instruites qu'elles pouvaient l'être, de sortir du rôle de bienfaitrice, de faire carrière dans l'action sociale ou simplement d'avoir une profession.

Le gouvernement, de son côté, se voit incité par les médecins et les organisations charitables à accroître son action, à réglementer les conditions sanitaires et à aider les plus démunis. Malgré quelques interventions au début du siècle, comme la vaccination antivariolique, rendue obligatoire en 1903, ce n'est que dans les années 30 que son action prendra vraiment de l'importance.

Jeunes filles et femmes de la bourgeoisie se sentent concernées par la misère des mères des quartiers ouvriers et fondent plusieurs organisations pour les secourir. Épouses d'hommes d'affaires ou de professionnels participant au développement industriel et foncier du Québec, Caroline Béique, Marie Gérin-Lajoie et bien d'autres utilisent les loisirs que leur laisse leur aisance pour secourir d'autres femmes. Devant l'absence de secours aux mères nécessiteuses, une femme, Caroline Leclerc Hamilton, démarre en 1912 l'Assistance maternelle, organisation destinée à venir en aide aux mères de familles pauvres, «(…) souffrantes, lourdement grevées d'enfants et de charges, et mettant au monde, dans le dénuement et l'angoisse, d'autres enfants qui ne feront que recommencer cette existence de peine et de misère». L'histoire de l'Assistance maternelle démontre, comme bien d'autres, comment le bénévolat fut une façon pour les femmes d'utiliser leur potentiel d'organisation sous le regard bienveillant de l'Église et de la profession médicale. L'œuvre veut soigner et secourir la mère pauvre, avant, pendant et après la naissance de son enfant. Des comités paroissiaux sont organisés. Formés d'équipes de bénévoles, encadrés de conseillers médicaux (médecins et infirmières), ils fournissent conseils médicaux, layettes, lingerie, literie, provisions et combustible. L'Assistance maternelle est affiliée à la Société Saint-Vincent-de-Paul et à l'hôpital Sainte-Justine. En 1936, cette œuvre donne des soins à 4294 mères accouchées.

En 1897, Georgiane et Léontine Généreux et Aglaée Laberge ont fondé l'hôpital du Sacré-Cœur, destiné à recueillir des cancéreux ou des invalides. En 1908, Justine Lacoste-Beaubien, épouse de Louis de Gaspé Beaubien, avocat et banquier, fondera l'hôpital Sainte-Justine. Atterré par le taux élevé de mortalité infantile chez les Canadiens français et par le manque d'espace dans les hôpitaux catholiques, où l'on refuse les enfants de moins de cinq ans, un comité se réunit en mai 1907, à l'appel du docteur Irma Levasseur, première femme médecin du Québec, pour discuter de ce projet. On retrouve dans le premier comité honoraire les noms des grandes bourgeoises montréalaises: Mmes Caroline Béique, épouse de Frédéric Liguori Béique, que le *Montreal Star* classera comme millionnaire en 1911, Joséphine Dandurand, épouse du sénateur Raoul Dandurand, Marie Thibaudeau, épouse de Rosaire Thibaudeau, sénateur et homme d'affaires s'occupant de commerce, de finance et du chemin de fer, Mme Leman, épouse de Beaudry Leman, gérant général de la Banque canadienne nationale, et Marie Gérin-Lajoie, épouse de l'avocat Henri Gérin-Lajoie.

L'hôpital ouvre ses portes en 1908. Le bureau médical s'organise en janvier et les dispensaires ouvrent en mars. Les cours d'infirmière et d'aide maternelle débutent peu après. Afin d'être en mesure de gérer l'hôpital, ces femmes doivent demander au Parlement québécois, comme leurs ancêtres qui avaient fondé des refuges cinquante ans plus tôt, d'être relevées de leur incapacité juridique, ce que leur permettra l'incorporation. À la suite de batailles juridiques, rapporte Thaïs Lacoste, secrétaire de l'hôpital, elles «(...) sortirent victorieuses d'une petite lutte, engagée contre nous, les femmes, qui voulions la plus grande liberté pour travailler le plus efficacement possible à notre chère œuvre, et messieurs les hommes qui, jaloux de leurs droits, ne voulaient pas, sans se faire prier un peu, les partager avec nous... serait-ce même pour la charité».

On voit que l'assistance aux mères vient des mères elles-mêmes, dans un premier temps, et que leur préoccupation va tout d'abord vers l'accouchement et les premiers mois de la vie. À travers l'histoire, on retrouve ce souci des femmes de s'entraider au moment de leurs maternités. Cependant, même si elles sont femmes de bourgeois, elles ont souvent peu de moyens pour poursuivre leur action. Elles sont, la plupart du temps, les instigatrices d'œuvres qu'elles démarrent difficilement et qui sont ensuite prises en charge par une communauté religieuse ou par l'État, quand elles ne sont pas «re-fondées» par un homme. Prenons comme exemple les Gouttes de lait, centres de puériculture destinés à informer les mères et à distribuer du lait de bonne qualité, que le gouvernement ne supportera par un octroi qu'en 1922.

En 1935, le docteur Joseph Gauvreau prononce une conférence au congrès-souvenir du 25e anniversaire de la fondation des Gouttes de lait. Il y fait l'éloge de Mgr Le Pailleur, qui, en 1910, fonda cette œuvre dans la paroisse Saint-Enfant-Jésus. Il rappelle «(...) qu'une tentative semblable avait été faite sur la rue Ontario, du 5 juillet au 24 novembre 1901, sous le patronage du journal *La patrie*, à l'instigation de sa correspondante féminine, Madeleine (Mme Huguenin), et de Mme L.-G. Beaubien (Justine Lacoste). Ce sont donc des femmes qui ont réellement fondé les Gouttes de lait!» Poursuivant sa causerie, le docteur Gauvreau décrit l'action de Mgr Le Pailleur, soulignant le rôle indispensable des médecins hygiénistes et le rôle *secondaire* mais fort efficace, «même indispensable», ajoute-t-il, joué par les mères elles-mêmes, par les dames patronnesses et par les gardes-malades.

Selon lui, les gardes-malades et les dames patronnesses font un travail efficace d'éducation mais, pour former, il faut plus «(...) que des charmes de séduction. Il faut une foi.» Et, cette foi, ce sont les médecins, précise-t-il, qui l'inculqueront. Les femmes sont «enrôlées» par Mgr Le Pailleur au service organisé de toutes les misères physiques et morales, et le fondateur assiste même aux «réunions mondaines» pour le faire. Les noms du groupe fondateur laissent songeuse. Le docteur Gauvreau y mentionne le souvenir de quelques gardes-malades bénévoles, «(...) dont la première et la plus fidèle au poste fut Mme Labelle, la femme du sacristain». On peut, sans risquer de se tromper et en lisant entre les lignes, penser que cette dame Labelle a probablement assuré la bonne marche de l'affaire et récolté peu de gloire!

La Loi de l'assistance publique, promulguée en 1921, et la Loi des pensions de vieillesse que le Québec adopte en 1936, neuf ans après sa promulgation par le gouvernement fédéral, marquent l'aboutissement des efforts de ceux qui incitaient à un nouveau partage des responsabilités en santé et bienfaisance. Selon l'historien Terry Copp, ces lois actualisent en général une espèce de compromis grâce auquel le gouvernement fournit les normes et le travail de planification, tout en mettant à profit le réseau déjà existant des organismes bénévoles privés. Les femmes passent d'un encadrement ecclésiastique plus ou moins marqué selon les ethnies à un encadrement étatique où, finalement, elles n'auront même plus, à long terme, le pouvoir que leur confère la gestion des communautés religieuses. Les années 30 et 40 annoncent une situation que la Révolution tranquille va rendre encore plus visible en faisant perdre aux religieuses les champs de la santé et de l'éducation des filles.

Ce n'est qu'en 1937 que l'État québécois se substitue aux efforts individuels en promulguant la loi instituant l'assistance aux mères nécessiteuses. Au début des années 30, la Commission des assurances sociales de Québec (commission Montpetit) recommande au gouvernement du Québec d'adopter une loi des mères nécessiteuses, comme l'ont fait sept provinces à l'appel des médecins, des féministes et des travailleurs sociaux, qui voyaient là une façon de conserver l'unité familiale et d'empêcher la mortalité infantile et la délinquance juvénile. Les féministes soutiennent que la mère de famille peut assurer, même si elle est seule, la direction de la famille, alors que des éléments plus conservateurs de la société soutiennent que la femme ne peut être autonome et qu'il faut l'aider si son mari décède. La Commission rappelle que les mères nécessiteuses ne peuvent pas compter sur le revenu normal du travail, ni sur l'assistance sociale octroyée en institution, ni s'en tirer uniquement avec la charité privée. La Commission incite le gouvernement à aider les mères ayant au moins un enfant de seize ans et dont le mari est décédé, interné dans un asile ou invalide, des mères dans le besoin et de bonnes mœurs, sujets britanniques et résidant dans la province depuis au moins trois ans. On exclut donc les mères séparées, divorcées ou dont le mari est en prison, ainsi que les immigrantes récemment arrivées.

La province de Québec est l'une des dernières à adopter une telle loi, qui existe aux États-Unis depuis 1911 et au Manitoba depuis 1916. Cette législation, qui permet une forme de salaire aux mères de famille, marque le début de la sécurité sociale au Canada et, selon l'historienne Véronica Strong-Boag, représente un tournant important dans l'histoire canadienne du bien-être de l'enfant. L'accent que ses promoteurs mettent à soutenir que le noyau familial est le meilleur environnement pour éduquer l'enfant marque une rupture avec les pratiques antérieures, qui mettaient l'accent sur les orphelinats et les refuges.

Instituée par le premier ministre Maurice Duplessis en 1937, la loi québécoise est plus sévère encore que celle suggérée par la commission Montpetit. Elle impose aux mères d'avoir au moins deux enfants de moins de seize ans, d'être mariées, d'être sujets britanniques depuis au moins quinze ans et d'avoir résidé dans la province durant les sept dernières années. De plus, il faut offrir des garanties raisonnables d'habileté à donner à ses enfants les soins de bonne mère, condition qui fait entrer en considération la conduite morale des mères. Il faut produire deux certificats: l'un provenant d'un ministre du culte, l'autre d'une personne désintéressée. Il faut aussi faire preuve de sa pauvreté. On imagine à quel point ces conditions exposent les femmes à des démarches humiliantes et vexatoires. En 1938, l'application de la loi permet au gouvernement du Québec de redistribuer 2 000 000 $ et de secourir 5000 femmes chefs de famille, alors que, la même année, l'Ontario secourt 12 000 femmes et dépense 5 000 000 $. Cette loi dénote une étape dans l'histoire des politiques sociales au Québec, en rejoignant des personnes dans le besoin, situées «hors les murs» des institutions d'assistance et en se démarquant de l'idéologie de la charité privée véhiculée à l'époque. Mais ces conditions d'admissibilité sont teintées de sexisme et d'une vision pour le moins moralisatrice du rôle de la femme dans la société.

CHAPITRE 9

Se débrouiller

Au tournant du siècle, la vie à la campagne n'est plus une réalité pour une bonne partie des Québécoises et ne sera le fait que d'une minorité en 1940. Les femmes doivent donc apprendre à vivre en ville, où les Québécois sont locataires à 80 % au cours de cette période. Le loyer et la nourriture absorbent les trois quarts de leurs revenus; la majorité de la classe ouvrière vit en dessous du seuil de la pauvreté, ce qui, pour les femmes, signifie créativité, énergie et intelligence pour joindre les deux bouts.

Les fées du logis

Au début du siècle, les bourgeois se déplacent vers les banlieues, ce qui laisse disponibles d'anciennes maisons qui sont subdivisées pour former plusieurs logements mal conçus, où l'on vit parfois à plusieurs familles. À Montréal, le stock de logements se détériore rapidement et on en construit en série, à la hâte. La maison montréalaise type construite à cette époque a deux étages et trois logements ou trois étages et cinq logements. Elle est dotée des célèbres escaliers extérieurs et se déroule en longueur avec, dans chaque logis, un corridor intérieur reliant les pièces. Ces logements mal éclairés et mal aérés n'ont souvent que des toilettes extérieures. Les propriétaires ont d'autant plus de latitude que la ville n'a pas de code de construction et se contente de quelques règlements d'hygiène, d'ailleurs peu respectés. Dans les quartiers ouvriers, les arbres et les espaces verts sont nettement insuffisants et les usines polluent

l'atmosphère. De plus, les équipements collectifs sont tout à fait défi-
cients. Les fenêtres ouvrent sur des rues poussiéreuses et les femmes
hésitent souvent à les ouvrir, tellement la poussière est envahissante.

Les maigres salaires ne permettent évidemment pas d'acheter beaucoup de meubles. En 1928, une enquête de la Fraternité canadienne des
cheminots sur le coût de la vie au Canada est menée dans plusieurs locali-
tés, incluant Montréal, et vise à savoir ce qui est nécessaire aux ouvriers
salariés pour avoir accès à un standard de vie convenable. À partir d'un
budget type de 2000 $ par année, jugé nécessaire à l'époque pour une vie
décente, on suggère l'achat des meubles suivants pour une famille de cinq:

a. Pour le salon: *du chêne, des fauteuils recouverts de cuir, un
divan-lit assorti, pouvant aussi au besoin servir de lit d'appoint, une
table en chêne et un tapis peu cher de dimension standard.*

b. Pour la salle à manger: *une table de prix moyen en chêne avec
six chaises, une rallonge et un bahut. Sur le parquet, un* congoleum.

c. Pour la cuisine: *une cuisinière à charbon; une table en pin de
48 pouces, deux chaises et une batterie de cuisine complète de prix
moyens (par ex., émaillée gris).*

d. Pour les chambres: *des lits modernes en acier, des meubles
simples mais durables en chêne; des tapis de catalogne; une literie de
qualité moyenne, durable et économique.*

Il a été convenu que ces articles avaient été achetés au moment où la
famille a pris possession de son logement. Ils constituent les meubles
meublants nécessaires à une famille de cinq pour leur assurer la santé et
une vie honnête. Le budget ne prévoit qu'un coût d'entretien de 7 %.

On remarquera qu'il n'existe aucun crédit pour des articles divers
comme les rideaux, les stores, etc. Ces articles doivent être achetés à
même les économies de la famille[1].

Lorsqu'on sait que, en 1931, les gains moyens des travailleurs masculins adultes sont de 1200 $, auxquels s'ajoutent parfois 200 $ provenant de la femme et des enfants, on comprend que la plupart des
familles n'ont même pas un minimum de meubles.

En milieu urbain, quel que soit son statut civil ou économique, la
femme est, à différents degrés, un citoyen de seconde zone. Privée de
plusieurs droits juridiques et des droits politiques, ayant peu ou pas
accès à l'éducation, enfermée dans la fonction de reproduction à laquelle
la société reconnaît une importance primordiale, elle devient, et particulièrement durant la crise des années 30, une «bricoleuse du quotidien»,
comme l'a écrit une historienne française, Pascale Werner. «Quand le
bricolage signifie invention, ingéniosité, savoir et pouvoir faire, les

femmes ont créé, dans la précarité du jour le jour, cette maille la plus fine du temps social autour de laquelle l'histoire s'est faite et défaite…»

Même si la pauvreté des données sur la vie quotidienne des ménagères occulte encore de larges pans de la vie des femmes, il est permis néanmoins d'affirmer que, et particulièrement en milieu urbain, si la femme travaille souvent de la même façon que l'homme et est soumise à une même instabilité socio-économique, cette symétrie du masculin et féminin vis-à-vis du travail n'est qu'apparente, car le rapport que la femme entretient avec son travail ne peut se séparer de son rôle familial. L'ouvrière doit accomplir une double journée de travail et les maris ne participent pas aux tâches ménagères. À la sortie de l'usine, on les retrouve souvent à la taverne ou à la barbotte, où, selon Léa Roback, s'engouffrent bien des salaires hebdomadaires. Le jour de la paye, les femmes et les filles doivent souvent attendre les hommes à la sortie de l'usine pour être certaines d'avoir un peu d'argent.

On a peut-être trop rapidement conclu que la disparition de la famille élargie et l'apparition de la famille nucléaire s'étaient produites automatiquement avec l'urbanisation. En effet, les histoires de vie de femmes que nous avons parcourues, les romans d'époque et les témoignages recueillis laissent voir que le réseau des relations familiales se perpétue à la ville et que la famille nucléaire vit souvent en situation de famille élargie. La plupart du temps, c'est très près les uns des autres que les membres d'une même famille continuent à vivre, et il arrivait fréquemment qu'un membre de la famille trouve un emploi pour un des siens et le fasse ensuite venir en ville, le logeant chez lui. Des familles d'immigrants venues d'Europe tentent de se reconstituer en noyaux dans des quartiers populaires où les familles peuvent s'entraider et où les communautés bâtissent leurs propres églises et synagogues.

Ainsi, un membre d'une famille montréalaise qui comptait quatre enfants en 1926 nous a raconté comment ils ont vécu avec un très petit salaire rapporté par le père ferblantier. Une fille, domestique chez un médecin, ajoutait son salaire à ce revenu et une autre demeurait à la maison pour aider sa mère et s'occuper du grand-père. Ces filles qui demeuraient à la maison étaient appelées des «sacrifiées». Une troisième fille, mariée, habitait le deuxième étage; son époux étant alcoolique, ses parents et ses sœurs s'occupaient des enfants la majeure partie du temps.

Cette réquisition des femmes pour assurer l'alimentation de la famille et apporter un supplément de revenu marque toute cette période. Les moyens de participation des femmes à l'économie familiale varient également en fonction de leur groupe ethnique. Si les

Juives célibataires peuvent travailler dans les grandes manufactures, d'autres communautés ethniques ne laissent pas encore les femmes sortir du milieu familial. Les Grecques travaillent à la maison ou dans l'entreprise familiale: boulangerie ou restaurant.

Budget pour un homme, une femme et trois enfants, dont une fille de treize ans et deux garçons de onze et neuf ans (1926)

Budget hebdomadaire	Prix locaux ou du quartier	
	Prix à l'unité	Total
Lait et fromage		
14 pintes de lait	0,14 $	1,96 $
1/2 livre de fromage	0,25	0,12 1/2
Œufs et viande		
3 livres de rumsteck	0,20	0,60
3 livres de bœuf salé	0,22	0,66
2 livres de haddock	0,12 1/2	0,25
1 livre de foie	0,30	0,30
1 douzaine d'œufs	0,45	0,45
Légumes		
4 livres de carottes	0,03	0,12
2 livres de raves	0,03	0,06
2 livres d'oignons	0,05	0,10
12 livres de patates	0,02 1/2	0,30
2 boîtes de tomates	0,10	0,20
Fruits		
6 oranges	0,30/doz	0,15
18 pommes	0,30/18	0,30
1 livre de prunes	0,12 1/2	0,12 1/2
1 livre de figues	0,12 1/2	0,12 1/2
1/4 de livre de raisins ou de groseilles	0,16	0,04
Pain et céréales		
14 livres de pain	0,12	1,68
2 livres de farine	0,07	0,14
1 livre de macaroni	0,08	0,08
1 livre de riz	0,09	0,09
1/2 livre de gruau de maïs	0,06	0,03
3 1/2 livres de gruau d'avoine	0,06	0,21
1/4 de livre de sagou	0,10	0,02 1/2
1/4 de livre de tapioca	0,10	0,02 1/2
1/4 de livre d'orge	0,10	0,02 1/2

1/2 livre de pois fendus	0,10	0,05
1/4 de livre de haricots	0,09	0,02 1/4
2 livres de sucre	0,07	0,14
Desserts		
1 livre de gelée	0,12 1/2	0,12 1/2
1/2 livre de sirop de maïs	0,09	0,04 1/2
Graisses		
1 1/2 livre de beurre	0,46	0,69
1 livre de graisse	0,21	0,21
1/2 livre de suif	0,18	0,09
Divers		
1/2 livre de cacao	0,16	0,08
1 boîte de beurre d'arachide	0,25	0,25
1/4 livre de thé	0,60	0,15
1/4 de paquet d'amidon	0,12	0,03
1/4 de paquet de poudre à pâte	0,32	0,04
1/4 de boîte de poivre	0,09	0,02 1/4
1/4 de sac de sel	0,10	0,02 1/2
		10,14 $

Source: T. Copp, *Classe ouvrière et pauvreté*, Montréal, Boréal Express, 1978, p. 169.

Gagner sa vie au service du capital et du patriarcat

«(…) la grande industrie tuant l'atelier familial, prit les rouets et les métiers et les riva à la manufacture, la femme et l'enfant qui avaient faim prirent le chemin de l'usine, et c'est là que nous les retrouvons aujourd'hui[2].»

L'histoire de la participation visible des femmes à la production continue, au cours de cette période, d'apparaître comme une vaste exploitation d'une main-d'œuvre en sursis, sur qui ne cesse de peser une sanction qui arrange à la fois le capital et les autorités civiles et religieuses: «Tu ne dois pas travailler.» Que ce soit pour déclarer que les jeunes filles sont en perdition sur le marché du travail, que les mères, en travaillant, négligent leurs enfants, ou que les femmes prennent, en période de récession, les emplois des hommes, le verdict est inlassablement le même et servira de prétexte à tous les types de discrimination: salaires, ghettos d'emplois, conditions de travail, etc. L'historien Terry Copp, en parlant des jeunes filles au travail à Montréal, en 1921, remarque que les inspecteurs de fabriques attachent peu d'importance aux conditions de travail qui leur sont faites parce qu'ils pensent qu'elles vont bientôt se marier et assumer des tâches ménagères non rétribuées.

Les conditions des travailleuses montréalaises à cette époque ont été particulièrement étudiées par Jennifer Stoddart et Marie Lavigne. Les secteurs des textiles, du vêtement et du tabac continuent de requérir une abondante main-d'œuvre féminine. L'alimentation et les services (bureaux, banques, vente au détail) se développent rapidement et les employeurs ne sont que trop heureux d'accueillir des femmes prêtes à travailler durant de longues heures pour des salaires dérisoires.

Montréal, point central de la production industrielle, fournit un bon exemple du travail féminin au cours de la période. Entre 1900 et 1940, la participation féminine au travail croît sans cesse, la guerre et la Crise n'interrompant pas ce mouvement irréversible. En 1941, les femmes forment 27 % de la main-d'œuvre montréalaise. Ces travailleuses sont, pour la plupart, des célibataires (en 1921, plus de 25 % des femmes qui travaillent à Montréal ont moins de vingt et un ans et 51 % moins de vingt-cinq ans) qui gagnent leur vie parce qu'elles sont seules ou qu'elles

Fabrique de bas Amoskeag, 1916.
Magazine Ovo

apportent un revenu de plus dans une famille ouvrière. Cependant, on note au Québec une légère croissance du taux d'activité des femmes mariées, lequel passe de 1,8 en 1921 à 2,8 en 1931 et à 3,3 en 1941. L'éventail des emplois demeure assez mince, la majorité se retrouvant dans les manufactures, les services ou le travail de bureau.

En ce qui a trait aux salaires, mentionnons que les femmes touchent en moyenne la moitié des salaires des hommes. Ainsi, à Montréal, elles reçoivent 53,6 % du salaire des hommes en 1921, 56,1 % en 1931 et 51 % en 1941. Cette stabilité dans les écarts de gains les réduit au statut de main-d'œuvre à bon marché.

Aux différences salariales s'ajoute, comme facteur de discrimination, le nombre d'heures travaillées, qui est plus élevé chez les femmes que chez les hommes, et chez les filles que chez les garçons.

Les manufactures

Le secteur manufacturier est celui qui engage la plus grande partie des femmes. Au Québec, en 1911, 63 % des ouvrières travaillent dans le textile et la confection, 6 % dans le cuir et les produits de caoutchouc, et 7 % dans le tabac. Cette répartition demeure sensiblement la même jusqu'en 1941. En 1911, 27 % et, en 1941, 30 % des ouvriers de la pro-

Ouvrières juives d'une manufacture de vêtements, *circa* 1930.
Jewish Public Library Archives

duction sont des femmes. La structure industrielle du Québec, basée sur une industrie légère, requiert une abondante main-d'œuvre à bon marché. Les ouvrières canadiennes-françaises, polonaises, italiennes, syriennes sont cantonnées dans des industries bien spécifiques: la confection, les textiles, le tabac et la chaussure. Ce sont les industries qui paient les moins bons salaires. La surexploitation des ouvrières est donc un élément important de la structure de l'économie québécoise à l'époque.

L'industrie de la confection ne nécessitant que de faibles investissements de capitaux, on a tendance à ouvrir de petits ateliers spécialisés dans la réalisation de sous-traitance où l'on retrouve une majorité de femmes. Les femmes y fabriquent, du matin au soir, des manteaux, des chapeaux, des cravates, des robes, et apportent souvent chez elles l'ouvrage non terminé afin de le continuer le soir avec les enfants et les grands-mères.

En 1919, le gouvernement du Québec passe une loi qui institue des minimums aux salaires des femmes. Elle ne sera pas appliquée avant la mise sur pied d'une commission chargée d'établir les heures de travail

Mme Maxime Routhier, lors d'un séjour dans une filature de la Nouvelle-Angleterre, vers 1910.
Vie économique et sociale de Saint-Charles de Bellechasse, Saint-Charles, juin 1980

et les salaires des femmes dans diverses industries manufacturières. Cette commission est instituée en 1925. Elle couvre d'abord deux secteurs: celui des buanderies, teintureries et entreprises de nettoyage à sec, et celui de l'imprimerie, de la reliure, de la lithographie et des fabriques d'enveloppes. En 1930, sa réglementation est étendue aux femmes travaillant dans les établissements commerciaux et en 1935, aux hôtels, clubs et restaurants.

La commission tente tout d'abord d'établir le budget de base d'une femme au travail. Elle fixe entre 10,35 $ et 19,81 $ par semaine le coût de la vie pour une femme célibataire. Elle arrête à 12,20 $ par semaine ou 634,40 $ par année le salaire minimum. Il semble qu'elle se soit laissée influencer par le salaire minimum payé dans la grande entreprise. Le président explique qu'avec 7,00 $ par semaine, une femme peut se loger et se nourrir; 11,50 $ par mois sont affectés à l'habillement et 11,00 $ aux dépenses diverses. Il reste, une fois déduit le prix des transports, 0,25 $ par jour pour économiser en prévision des ralentissements de travail et pour les autres imprévus. Le premier règlement de la commission entre en vigueur en 1928. Il s'applique à 10 189 femmes au travail dans trente-neuf filatures. L'employée expérimentée comptant plus de vingt-quatre mois d'ancienneté doit recevoir au moins 12 $ par semaine pour cinquante-cinq heures de travail.

Dans l'industrie de la chaussure, qui emploie 2304 femmes, on fixe le salaire minimum à 12,50 $ après deux ans. Dans l'industrie du vêtement, qui embauche, en 1929, 9510 femmes, près de la moitié des ouvrières sont classées parmi la main-d'œuvre inexpérimentée, avec un salaire hebdomadaire moyen de 8,50 $; les 5431 femmes dites expérimentées touchent leur minimum établi à 12,50 $ par semaine. On observe la même situation dans le secteur du tabac.

Pour tromper les inspecteurs, on utilise toutes sortes de tactiques, comme celle de classer comme apprenties des ouvrières expérimentées, ou encore celle de forcer deux ou trois femmes de la même famille à poinçonner la même carte de présence, de sorte qu'un seul salaire soit versé pour le travail exécuté.

En définitive, les diverses ordonnances sur le salaire minimum des femmes empêchent les patrons de commettre des abus trop flagrants. Cependant, cette loi ne remet pas en question les écarts salariaux entre les hommes et les femmes. Cette loi a pour effet de consacrer les femmes dans leur statut de travailleurs «pas comme les autres» et même de consacrer le principe de l'inégalité des salaires selon le sexe.

Ajoutons à cela que la confection des vêtements et d'autres travaux comme le blanchissage et le ravaudage sont effectués à domicile ou dans des petits ateliers plus ou moins clandestins. Denise Lemieux et Lucie Mercier expliquent que la généralisation de la machine à coudre et du chemin de fer avaient donné aux entreprises accès à une main-d'œuvre à bon marché dans les villes et les campagnes, ce qui permettait aux femmes de poursuivre leur tâche de mères de famille tout en ajoutant au revenu de la famille. Les revenus d'un tel travail sont extrêmement bas; malgré certaines dénonciations, les conditions de surexploitation de cette forme de travail se maintiennent au cours de la période. En 1935, une commission d'enquête fédérale sur les prix rapporte qu'une douzaine de pantalons courts confectionnés à domicile donne 0,25 $ à la couturière, alors que le même travail effectué dans une usine syndiquée est payé 1,50 $. Ce système, puisqu'il permet à la ménagère de concilier travail rémunéré et éducation des enfants, bénéficie de la complicité de cette dernière, et les féministes adoptent à son sujet une position ambiguë: d'une part, elles se prononcent contre l'exploitation des femmes à la maison, et d'autre part, elles voient dans cette formule une possibilité pour la femme de concilier travail rémunéré et soin des enfants.

De plus, comme on n'aime guère voir les femmes travailler à l'extérieur du foyer pour gagner leur vie, mieux vaut inciter celles qui sont obligées de le faire à œuvrer dans un milieu protégé. Ainsi, elles ne sont pas touchées par des idées subversives. D'ailleurs, on verra la Fédération nationale Saint-Jean-Baptiste, organisation féministe fondée en 1907, encourager les femmes à prendre des travaux de couture à domicile pendant la Première Guerre mondiale et pendant la Crise, afin d'arrondir le budget. À celles qui protestent contre un tel travail très peu payé, on répond que l'ouvrière à domicile rencontre moins de dépenses et qu'elle épargne sur ses vêtements. Ce travail lui permet aussi de s'occuper de ses enfants. D'ailleurs, ces derniers sont souvent mis à contribution pour aider leur mère.

Dans les manufactures, l'hygiène est fort déficiente et toutes les enquêtes la dénoncent. Ainsi, en 1938, la commission Turgeon sur l'industrie du textile recueille les plaintes des travailleuses. Elles dénoncent encore une fois la mauvaise ventilation, la poussière, l'humidité, la malpropreté, le bruit et l'insuffisance des lieux sanitaires; mais les améliorations sont longues à venir.

Les relations entre les cycles de vie et le travail des femmes ont été étudiées par l'historienne Gail Cuthbert Brandt. Selon elle, les jeunes travailleuses célibataires jouissent de peu d'autonomie personnelle à cette époque et elles doivent continuellement aider financièrement leur famille. Cette obligation retarde leur mariage et, avant 1940, l'âge moyen de celui-ci est de vingt-cinq ans. Les femmes ont un modèle de participation différent de celui des hommes et qui se caractérise par une alternance famille-travail.

Le service domestique

Malgré ces conditions difficiles, les jeunes filles préfèrent souvent l'usine et la manufacture au travail domestique. Vers 1920, une travailleuse du textile, entrée à la *factory* à quatorze ans aux États-Unis et revenue au Québec à dix-sept ans, déclare: «Tout ce que je trouve, ce sont des places d'aide familiale... Il y a si longtemps que je joue ce rôle chez nous et les salaires sont si peu élevés que cet avenir ne me sourit guère. Avec ma sœur de cinq ans mon aînée, je retourne dans les usines de textile, d'abord à Trois-Rivières, puis, de là, au Massachusetts.»

En 1891, les domestiques constituent au Canada 41 % de la main-d'œuvre féminine. En 1921, elles ne représentent plus que 18 %, tout en constituant encore la deuxième catégorie d'emplois féminins. L'historienne Geneviève Leslie note que le service domestique demeure un emploi qui occupera un grand nombre de femmes jusqu'à la deuxième Grande Guerre. Cependant, les conditions qui contribuent à faire en sorte que les femmes se retirent de ce secteur sont clairement visibles entre 1880 et 1920. En déplaçant la production à l'extérieur de la maison, l'industrialisation crée de nouveaux emplois qui permettent aux femmes de faire des choix et transforment à la fois la maison et la nature du travail domestique.

Ces nouvelles conditions permettent aux travailleuses de développer des mécanismes de revendication collective à propos des salaires et des heures de travail, ce que ne peuvent pas faire les domestiques. Ce type de travail, n'étant pas considéré comme partie intégrante de l'économie, est exclu des enjeux économiques et politiques. C'est un travail «non productif» se passant à la maison et dépendant d'une relation personnelle entre un employeur et une employée. Dans une société de plus en plus fondée sur la production de biens rapportant des profits, le travail domestique se dévalue progressivement, à mesure que la production ne se fait plus à la maison.

Uniformes de domestiques, 1901.
Catalogue Eaton, 1901

La situation des domestiques s'apparente de plusieurs façons à celle de certaines catégories de femmes. Leurs relations avec la famille se comparent à celles d'épouses, de fillettes, de «vieilles filles», de cousines pauvres qui ont toujours, comme on l'a vu, fourni un travail domestique gratuit ou misérablement rémunéré pour aider la famille à joindre les deux bouts.

N'étant protégées d'aucune façon, les domestiques mises à pied du jour au lendemain en période estivale ou au moment de récessions économiques doivent se trouver un endroit pour loger et un nouvel emploi. L'ensemble de ces conditions de travail fait des domestiques une catégorie de travailleuses particulièrement vulnérable.

Une enquête menée à Toronto en 1913 révèle que près de la moitié des prostituées de l'échantillon sont d'anciennes domestiques. Mais pourquoi donc? L'historienne Lori Rotenberg soutient que leur perte d'emploi entraîne une plus grande insécurité que chez les ouvrières, puisqu'elles perdent en même temps leur toit. L'isolement du travail domestique rend plus difficile, pour les immigrantes et les domestiques d'origine rurale, la création d'un réseau d'amis qui pourraient les secourir. Enfin, elle souligne qu'étant donné le peu de prestige social rattaché à ce métier, la perception d'une déchéance sociale est alors peut-être moins aiguë lors du passage de la domesticité à la prostitution.

Ces remarques ne nous autorisent en aucune manière à voir en chaque domestique une prostituée en puissance. Il faut plutôt voir en chaque servante, à cause de la chute même du service domestique, une ouvrière ou une mère de famille en puissance. L'insécurité et la vulnérabilité des domestiques en chômage ou mises à pied montrent bien que, si le service domestique offre un toit, il n'offre pas nécessairement la sécurité, la chaleur et la protection de la vie familiale, comme le prétendent les recruteurs de domestiques.

À Montréal, entre 1900 et 1940, la plupart des domestiques sont des jeunes filles fraîchement arrivées de la campagne québécoise ou d'Europe et qui s'engagent dans les familles résidant dans le quartier Saint-Antoine ou dans les nouvelles banlieues d'Outremont et de Westmount. Selon Léa Roback, de jeunes Irlandaises, Russes, Tchèques s'engagent à la journée et sont payées un dollar. Certaines patronnes leur donnent du linge et de la nourriture pour leur famille, tandis que d'autres les nourrissent très mal, ne les paient pas ou vont même jusqu'à leur lancer l'argent pour les obliger à le ramasser. Ces jeunes filles sont d'origine paysanne, peu habituées aux grandes villes, quasiment analphabètes et incapables, au moment de leur arrivée, d'aller travailler en usine.

Ailleurs dans la province, les jeunes campagnardes vont «servir» chez les patrons francophones ou anglophones installés à Trois-Rivières, Grand-Mère, Chicoutimi, Jonquière, Québec. Ces jeunes filles quittent le toit familial pour s'engager en ville dans une famille qui, leurs parents l'espèrent, les protégera des dangers moraux de la vie urbaine. Cependant, le harcèlement sexuel des femmes continue et, selon Léa Roback, les jeunes filles sont continuellement ennuyées par les maris et les fils de la famille: «J'en ai connu qui se sont enfuies sans se faire payer leurs gages.» Bien des jeunes filles du Saguenay et de la Gaspésie ont été ainsi violées par leurs patrons. Leur séjour dans une même famille n'est pas long, du moins à Montréal, et la bourgeoisie s'en plaint.

Dans une société très hiérarchisée, les domestiques sont totalement soumises aux conditions imposées par leur patronne. D'ailleurs, la soumission est considérée comme une qualité très importante dans le service domestique. Il faut savoir accepter les ordres, et les agents recruteurs qui travaillent pour l'Immigration reçoivent la consigne de trouver des jeunes filles sachant le faire. Tout acte de rébellion signifie une perte d'emploi. Au Québec, le clergé exerce lui aussi une surveillance étroite sur la vie des jeunes filles de la paroisse; on voit ainsi, comme chez les institutrices, des domestiques perdre leur place parce que le curé est venu à la maison blâmer leur conduite personnelle.

Quoique nous possédions peu de témoignages de domestiques, les nombreuses campagnes de recrutement de domestiques faites par l'intermédiaire des curés de villages québécois ou par le ministère de l'Immigration sont significatives du peu d'attrait qu'exerce le métier. La fameuse instabilité des servantes est probablement le signe de leur mécontentement. Cette catégorie de travailleuses ne verra jamais ses gages fixés par la Loi du salaire minimum. Même les femmes de la bourgeoisie, qui s'intéressent, à cette époque, aux conditions de travail des ouvrières, ne se préoccupent pas des longues heures de travail que doivent fournir leurs propres domestiques.

Autre facteur important de cette désaffection: le statut social très bas reconnu au travail domestique. Les ouvrières et les vendeuses sont, semble-t-il, mieux considérées que les domestiques, et les jeunes filles vont même jusqu'à dire que les jeunes gens les préfèrent comme épouses aux domestiques «(...) même si elles ne savent guère tenir maison».

Aussi, lorsque la guerre crée une grande demande de main-d'œuvre, on constate une chute du pourcentage dans ce secteur, alors qu'il se gonfle à nouveau, à Montréal, durant la crise des années 30, au moment où l'emploi diminue dans le secteur manufacturier. Le travail des domestiques, des cuisinières et des femmes de ménage semble donc jouer le rôle de réserve de main-d'œuvre pour le secteur manufacturier.

Au Québec, la ménagère du curé constitue un type particulier de domestique, puisqu'elle a un homme «consacré» comme patron. L'homme «n'étant pas constitué» pour les tâches domestiques, il lui faut une femme auprès de lui, une femme qui assume la bonne marche de la maison, qui l'aide parfois dans ses tâches religieuses et qui ne soit d'aucune façon visible. De plus, elle doit, pour être engagée, avoir l'âge canonique (quarante ans), ne se prêter à aucun commentaire défavorable et ne permettre, en aucune façon, que la réputation du curé soit remise en question par sa présence. C'est, en somme, servir un homme ou des hommes sans en retirer les avantages économiques ni la sécurité qu'offre le mariage.

Maîtresse de maison sans les honneurs

Le témoignage de Rose-Marie Dumais, qui a été ménagère de presbytère, fournit, à notre avis, une bonne illustration du service domestique et des analogies qui existent entre celui-ci et toute forme de travail domestique.

Une ménagère de presbytère, c'est comme une maîtresse de maison, avec la différence qu'elle n'a pas les honneurs. Elle voit à tout: la cuisine, l'entretien ménager, les achats, les choses à remplacer; elle est responsable du bien-être des êtres qui vivent sous le même toit, mais elle doit demeurer discrète et effacée; on sent sa présence, mais on ne la voit presque jamais. (...) Il existait des rivalités entre curés, au sujet des ménagères. Chacun voulait avoir la meilleure et au plus bas prix... Ainsi, les salaires pouvaient se situer entre 8,00 $ et 25,00 $ par mois. Je me souviens d'avoir entendu un curé dire à un autre: «Tu donnes trop à ta ménagère, tu vas faire monter les prix.» Dans les presbytères, c'était comme dans les familles: plus tu savais faire des choses, plus on t'en demandait... On s'occupait du jardin, de la mise en conserve des légumes, des confitures et, assez souvent, c'est aussi à nous que revenait l'entretien des ornements d'église: le lavage des chasubles, surplis et nappes d'autel... Si j'avais un conseil à donner, je dirais qu'il n'est pas toujours bon de se montrer trop habile, si nous ne voulons pas qu'on abuse de nos qualités.

Source: Jeanne d'Arc Lévesque-Martin et Liliane Greven-Raymond, *Les reconnaissez-vous?*, La Pocatière, 1980, p. 142-145.

Aussitôt qu'elles le peuvent ou qu'elles ont d'autres possibilités, les femmes rejettent le service domestique. De ce fait, la société va bientôt faire reposer entièrement le travail ménager sur l'épouse, en «glorifiant» tous les aspects de ce rôle.

Les technologies modernes qui pénètrent dans la maison n'abolissent pas le travail ménager, mais modifient les méthodes de travail. On tente donc de persuader les jeunes bourgeoises que la science ménagère est tout aussi importante que les autres sciences. Les historiennes Strong-Boag et Stoddart ont noté que cette idéologie domestique, qui glorifie le rôle multiple de la maîtresse de maison, consommatrice efficace et opératrice compétente d'appareils ménagers, n'est pas sans être appréciée par un grand nombre de femmes. Ironiquement, cependant, celles-ci se plaignent rapidement des mêmes inconvénients que leurs anciennes employées: solitude, heures interminables de travail, manque d'indépendance, gratification insuffisante, statut non reconnu, troubles de santé ou encore absence de motivation pour les tâches ménagères.

Dans les magasins et les bureaux

Les emplois de bureau exigent un minimum d'instruction et, de ce fait, sont accessibles aux jeunes filles issues de milieux ouvriers plus à l'aise ou de la petite bourgeoisie qui entrent dans cette profession en pleine croissance. En 1916, année de la fondation du O'Sullivan Business College, il existe à Montréal quatre autres *business colleges* où l'on peut apprendre la dactylo, la sténo, la pratique de bureau et l'anglais.

L'entrée des femmes dans les professions de bureau ne va pas de soi. Elles sont la cible idéale d'attaques contre le travail féminin, parce qu'elles envahissent un secteur qui, jusque-là, était strictement masculin. On brandit le spectre des dangers moraux. L'opposition prend aussi, au tout début du siècle, la forme d'une tentative d'expulsion des femmes de la carrière de sténographe et, plus tard, on voudra interdire l'accès des femmes à la fonction publique. Dans les années 30, une association de collets blancs effectue même une enquête sur le travail féminin, avec le but avoué de remplacer graduellement les femmes par

Travailleuses dans une compagnie de cinéma en 1915.
Musée McCord, Université McGill, Montréal

des hommes. Dans ce secteur aussi, les salaires féminins sont inférieurs aux salaires masculins, mais l'écart y est moins prononcé que dans d'autres secteurs. Par exemple, en 1931, les travailleuses de bureau touchent 73 % des salaires masculins.

Quant aux vendeuses, leurs conditions de travail sont passablement pénibles: elles font de longues heures, fréquemment des journées de douze heures, qu'elles passent debout à servir la clientèle dans des endroits où les courants d'air sont fréquents. Ces conditions attirent l'attention des femmes réformistes qui fondent l'Association des demoiselles de magasin. Durant les deux premières décennies du siècle, la Fédération nationale Saint-Jean-Baptiste et le Conseil local des femmes de Montréal organisent des campagnes pour la fermeture des magasins de bonne heure le soir et pour l'observance de la Loi des sièges. Cette loi demande qu'on fournisse des sièges aux vendeuses pour qu'elles puissent s'asseoir en l'absence de clients, mais, en 1927, une enquête permet de constater qu'elle est peu observée.

Le personnel employé à mi-temps se retrouve surtout dans les grands magasins: les magasins *Woolworth's* engagent jusqu'à 40 % de femmes à temps partiel, ce qui, selon la Commission sur les écarts de prix, empêche les femmes de se trouver du travail à plein temps ailleurs.

Secrétaire vers 1928.
Magazine *Ovo*

Un métier pour joindre les deux bouts

Comme les domestiques, les ouvrières et les vendeuses représentent des proies faciles pour les souteneurs! «La prostitution fleurit à Montréal à cette époque, mentionne Léa Roback. On utilise les hôtels, les bordels, les salons de massage. Les filles doivent fréquemment payer à leur souteneur, homme ou femme, le prix de leurs dessous de soie, qui est déduit de l'argent qu'elles rapportent. Les rues Saint-Laurent, Saint-Dominique, Guilbault sont pleines de bordels.» Andrée Lévesque, dans son ouvrage sur *La norme et les déviantes*, explique que le commerce sexuel au Québec touchait quelques milliers de femmes et était concentré surtout à Montréal, dans le célèbre district du *Red Light*. On considérait les prostituées comme des victimes ou des tarées, alors que la vraie cause en était souvent une situation sociale ou économique déplorable. Les jeunes filles qui gagnaient comme ouvrières ou vendeuses 6,00 $ ou 7,00 $ par semaine trouvaient là, explique Andrée Lévesque en s'appuyant sur des témoignages de l'époque, un moyen d'échapper à des logements insalubres et de gagner un peu plus d'argent. Alors que les écarts des hommes sont tolérés, ceux des femmes font l'objet d'une réprobation totale, signe d'une double moralité. En somme, la sexualité féminine ne peut s'exercer que dans le cadre de la maternité et toutes les pratiques en dehors de ce cadre sont condamnées.

Cette face cachée de l'histoire, nous la connaissons peu, car elle concerne les femmes et, parmi celles-ci, les plus pauvres et les plus démunies: celles qui ont souvent vécu une enfance difficile, celles qui se sont retrouvées très jeunes sur le marché du travail, sans métier et sans spécialité. Maimie Pinzer, l'une d'entre elles, née à Philadelphie en 1885, a vécu à Montréal vers 1913. Elle a laissé une abondante correspondance qui décrit la vie d'une prostituée au tournant du siècle.

Les naissances illégitimes sont nombreuses et les jeunes filles qui vont terminer une grossesse dans des refuges tenus par les religieuses, à la Miséricorde par exemple, sont considérées comme des pécheresses, alors que le milieu anglophone semble moins répressif. Les enfants illégitimes vont remplir des crèches où on a parfois cinq cents bébés dont on s'occupe avec peu de ressources. «De toute façon, disent les religieuses, ils feront des anges!» Léa Roback, dans son entretien avec Nicole Lacelle, raconte l'histoire d'une jeune travailleuse chez RCA qui, se retrouvant enceinte, ne veut pas garder le bébé. Léa Roback lui dit qu'elle connaît des endroits où se faire avorter. «C'étaient des cliniques privées. Il y en avait une rue Crescent, une autre, avenue du Parc...» Ces avortements coûtaient environ 200 $, ce qui à l'époque était une somme considérable que seule celle dont le partenaire acceptait de défrayer la note pouvait payer. La jeune fille est morte sur la table d'une charlatane qui lui avait demandé 50 $. Selon Andrée Lévesque, qui a parcouru les archives judiciaires et les dossiers médicaux de l'époque, les avortements étaient beaucoup plus nombreux qu'on ne l'imagine. Dans son étude, elle conclut que le discours intransigeant et officiel coexistait avec des pratiques beaucoup plus libres, qui demeuraient la plupart du temps impunies.

Malgré tout, selon Léa Roback, les travailleuses sont gaies et courageuses. Elles rient souvent entre elles et s'épaulent les unes les autres. «Je me rappelle, dit-elle, d'une débrouillarde qui, lorsqu'à l'été elle n'avait plus d'emploi, allait travailler à Old Orchard comme serveuse et se faisait beaucoup d'argent en exigeant un pourboire supplémentaire si un client lui relevait la jupe ou lui pinçait les fesses! Elle était excellente couturière et ses patrons voulaient la garder. Lorsqu'ils menaçaient une jeune fille timide, elle leur disait de lui ficher la paix et ils l'écoutaient souvent.»

Au service de Dieu: le célibat consacré

Au Québec, entre 1900 et 1960, on assiste à la fondation de dix-huit communautés religieuses féminines œuvrant au Québec ou en mission étrangère. Elles s'ajoutent aux vingt-trois déjà existantes. En 1901, il y a au Québec 6628 religieuses et, en 1941, un nombre de 25 488. Des démographes ont établi que le nombre des entrées en communauté est proportionnellement le plus grand durant la crise économique des années 30.

Les mouvements profonds de la société québécoise se reflètent sur l'implantation des communautés religieuses. La concentration de la population dans les villes, les problèmes sociaux issus de cette concentration et de l'exode rural, la pauvreté, la désintégration sociale et culturelle, la marginalité et la constitution de communautés ethniques incitent les communautés religieuses à accentuer leur action dans les centres urbains. La proportion de nouvelles communautés qui s'occupent d'œuvres sociales ou se spécialisent dans le service d'un milieu ethnique est plus grande. Cette importance est encore accentuée par le fait que le secours aux défavorisés et aux marginaux est encore largement laissé à l'initiative privée.

D'ailleurs, la Loi d'assistance publique de 1921 entérine, en quelque sorte, le système privé des institutions de bienfaisance, en leur reconnaissant un caractère d'utilité publique et en leur accordant des subventions statutaires, ce qui permet à l'Église de conserver son emprise.

En 1936, on évalue à cent cinquante le nombre d'établissements régis par des religieuses. Elles disposent de 30 000 lits où sont reçus orphelins, malades et personnes abandonnées. Souvent initiées par des femmes laïques au XIXe siècle, comme nous l'avons mentionné, ces œuvres passent ensuite aux religieuses qui en assument la gestion quotidienne; des groupes de femmes laïques bénévoles continuent d'y dispenser certains services plus reliés au rôle de dames patronnesses.

À cette époque, l'état religieux est, pour bien des femmes, une façon de choisir un célibat qui leur permettra de se réaliser et de faire carrière, car le célibat non consacré est taxé d'égoïsme. «Les femmes non mariées, c'est un fléau de l'humanité», dit, en 1925, un prédicateur à Notre-Dame, tandis que sœur Marie Gérin-Lajoie écrit: «Évidemment, toutes les femmes ne sont pas appelées à fonder un foyer, ni à concourir directement aux activités familiales. L'Église encourage le célibat pour des motifs surnaturels et confie à ses religieuses des tâches maternelles.»

Professions masculines, professions féminines

Partout dans le monde occidental, les femmes doivent mener des luttes acharnées pour pénétrer dans les professions libérales, d'abord pour accéder à l'enseignement supérieur, ensuite pour vaincre les préjugés des universités ou des corporations professionnelles. En 1918, l'université McGill ouvre sa faculté de médecine aux femmes, alors que l'Université de Montréal le fera seulement dans les années 30. La pratique du droit sera permise aux femmes en 1941, et celle du notariat, en 1956.

L'élite canadienne-française garde jalousement l'accès des professions les plus prestigieuses afin de laisser les femmes à la maison et dans les professions moins bien rémunérées, comme celle d'infirmière et d'enseignante.

La professionnalisation du métier d'infirmière se dessine au tournant du siècle. À ce moment, tous ceux qui peuvent éviter de se faire soigner à l'hôpital le font, car ceux-ci sont surpeuplés, sales et porteurs de maladies. Le développement de la science médicale crée une demande de travailleurs hospitaliers ayant une bonne formation de base. Le savoir médical devient le monopole de ceux qui sortent des écoles de médecine, et le service médical se centralise dans les hôpitaux. L'institution des services de santé contribue à évacuer les praticiennes indépendantes et, comme très peu de femmes accèdent à la profession médicale, elles deviennent infirmières.

O.B.I.

L'Institut dont je me fais gloire d'être l'élève, (L'Hôpital Notre-Dame) me délègue aujourd'hui vers vous. Notre devise à nous c'est: «O.B.I.»; donc je viens vous dire que l'entraînement hospitalier prépare admirablement la femme à ses devoirs dans la famille et dans la société.

(...)

Après trois années de travail et de lutte, quand l'étudiante a complété ses connaissances professionnelles, quand surtout elle a appris comment, sous la grande loi du devoir, la femme peut subjuguer toutes les répugnances de la nature, tous les élans de sa volonté et tous les désirs de son cœur, quand elle est mûre pour le monde qui souffre, on l'appelle une diplômée.

Source: P. Williams, «La carrière d'infirmière pour les femmes» dans *Premier congrès de la Fédération nationale Saint-Jean-Baptiste*, Montréal, 1909, p. 20-21.

Téléphonistes en 1913.
Musée Beaulne, Coaticook

En 1875, désirant offrir une formation adéquate aux infirmières, le Montreal General Hospital demande conseil à la fondatrice de la profession, Florence Nightingale. Elle délègue une diplômée de l'école qu'elle avait fondée en 1860. Cette jeune fille, raconte Judy Coburn, qui a examiné l'histoire des infirmières, est horrifiée de l'état sanitaire de l'hôpital et elle démissionne, de même que les trois infirmières qui lui succéderont. L'argent de l'hôpital sert, entre autres, à acheter du champagne pour les patients devant être opérés, afin de leur donner du courage, et les infirmières demeurent dans un vieil édifice où la neige pénètre facilement. On leur inculque une morale puritaine qui impose les valeurs de la classe bourgeoise aux filles de la classe ouvrière. Finalement, l'école ouvre en 1890. Les hôpitaux constatent rapidement les économies qu'ils peuvent réaliser en formant les infirmières et on retrouve soixante-dix écoles au Canada en 1909. Rapidement, la formation est étendue à trois ans, ce qui permet une exploitation éhontée, car les infirmières en formation ne gagnent à peu près rien.

Le fait pour les francophones d'avoir à subir la concurrence des religieuses leur rend difficile l'accès à la carrière d'infirmière. Ce n'est qu'en 1897 qu'un cours d'infirmière est offert à des laïques en langue française à l'hôpital Notre-Dame.

Les batailles pour obtenir une législation contrôlant l'accès à la profession sont longues. En 1922, c'est chose faite dans toutes les provinces, mais les législations sont loin d'être parfaites et permettent encore de nombreux abus dans les conditions de travail. L'accès à l'université est ardu. Au Québec, l'université McGill offre, vers 1920, un diplôme de premier niveau aux infirmières. Les conditions de travail vont cependant demeurer pénibles pour de longues années encore.

Le métier d'institutrice, de son côté, met en relief le stéréotype parfait de la travailleuse de l'époque, accomplissant «une mission» reliée au rôle maternel de la femme, dans des conditions la plupart du temps pénibles, aussi bien sur le plan matériel que psychologique.

Avant 1960, moins de 10 % des institutrices laïques catholiques enseignent dans les villes de Montréal et de Québec. On se souvient que la féminisation du personnel enseignant s'est faite au milieu du XIXe siècle. Elle se continue par la suite et, jusqu'en 1950, entre 80 et 88 % du personnel enseignant laïque et religieux est féminin. Cette situation inquiète les autorités scolaires, qui tentent, par des subventions, d'inciter les hommes à prendre des postes d'instituteurs, car «il faut un homme pour former un homme».

Institutrice dans sa classe en 1929.
Musée McCord, Université McGill, Montréal

Les institutrices rurales, qui forment le gros des effectifs laïques et catholiques, continuent d'être mal payées, mal logées, mal nourries, et sous la surveillance constante des commissaires, des parents et des curés qui n'hésitent pas à les congédier parce qu'elles ont reçu un jeune homme dans leur classe après les heures de travail, pris un verre de bière à l'hôtel, ou été jugées trop sévères avec un enfant.

Toujours moins bien rémunérées que les institutrices qui enseignent dans les villes, les institutrices rurales doivent aussi voir à l'entretien ménager de leur classe, chauffer le poêle l'hiver, déneiger et partager parfois leur dîner avec les enfants. De plus, ayant difficilement accès au perfectionnement et au recyclage, et possédant une formation souvent assez sommaire, les institutrices laïques catholiques enseignent surtout au niveau élémentaire. Les protestantes, de leur côté, n'ayant pas à faire face à la concurrence des religieuses, ont souvent un meilleur choix de postes.

Les statistiques canadiennes démontrent que, tout au cours de la période 1900-1960, les enseignants du Québec sont les moins rémunérés du pays, souligne l'historienne Maryse Thivierge. En 1924, sur 7262 institutrices laïques catholiques dans la province, 73 % reçoivent moins de 350 $ annuellement. De plus, si on examine certains métiers où les femmes se retrouvent en majorité, on constate que les institutrices sont les moins bien payées. Le temps des vacances scolaires les oblige à se trouver un apport budgétaire supplémentaire. On les voit s'engager comme domestiques, vendre des fruits aux touristes, travailler sans doute gratuitement sur la ferme paternelle. Durant la Crise, plusieurs institutrices expérimentées sont renvoyées et remplacées par des enseignantes engagées au rabais.

Le salaire des institutrices augmente, surtout après 1937. En 1936, le surintendant de l'Instruction publique dénonce «(...) l'injustifiable tendance de plusieurs municipalités à diminuer outre mesure le salaire des institutrices rurales. Pendant les cinq années précédant l'année 1931-1932, écrit-il, il n'y avait aucune institutrice recevant un salaire inférieur à 150 $ par année. En 1931-1932, les rapports en mentionnent cinq; en 1932-1933, on en compte près de quatre cents, dont cent trente-cinq ne retirant que 80 $ à 125 $. Alors que les institutrices protestantes gagnent en moyenne 1140 $, dit-il, les catholiques gagnent 394 $.»

«La disparité dans la rémunération sous toutes ses formes des institutrices tient à la mentalité générale voulant que la femme, sur le marché du travail, n'accomplit qu'accidentellement une tâche rémunérée, parce que sa vocation réelle est domestique. Tant que les institutrices elles-mêmes souscrivent à cet énoncé, aucun organisme ne peut changer leurs conditions économiques», conclut Thivierge, en ajoutant que patrons et syndicats n'ont que des privilèges à retirer de cette situation.

La fréquentation scolaire obligatoire jusqu'à quatorze ans ne survenant au Québec qu'en 1943, ce sont les parents qui décident si leurs enfants demeureront ou non à l'école. L'institutrice rurale doit donc fréquemment faire face à des parents qui désirent rapidement faire travailler leur fils ou leur fille. Les enfants quittent souvent l'école après la première communion, vers dix ou onze ans, et peu d'entre eux poursuivent leurs études au-delà de la sixième année. Une institutrice ayant travaillé en Abitibi cite l'exemple d'une mère à qui elle tentait d'expliquer les difficultés scolaires de son fils et qui lui répondit: «Quand j'ai marié son père, il ne savait pas faire son signe de croix et ça a fait pareil.»

Ces conditions de travail n'incitent pas les institutrices rurales à poursuivre longtemps cette carrière. Entre 1900 et 1964, près de 80 % enseignent pendant dix ans et moins, démontre Maryse Thivierge, en ajoutant que ce sont les institutrices rurales qui pratiquent le moins longtemps, avec une moyenne de 5,84 années, alors que les institutrices urbaines affichent une moyenne de 13,4 années. «En milieu rural, peu d'institutrices peuvent résister plusieurs années aux pressions exercées sur elles, ajoutées à l'insécurité du lendemain.» De plus, même si la loi n'exclut pas officiellement les femmes mariées de l'enseignement, l'usage et les mentalités les excluent pratiquement du marché du travail. Cependant, on voit dans les campagnes des institutrices mariées poursuivre quelque temps leur carrière afin d'empêcher la fermeture de l'école, faute de personnel.

La Scouine

Albert Laberge, dans son roman *La Scouine*, paru en 1918, raconte le renvoi d'une institutrice ayant donné trois coups de martinet à une fillette qui l'avait poussée à bout.

À sa mère alarmée, elle raconta que la maîtresse lui avait donné douze coups de martinet sur chaque main. Mâço (la mère) partit immédiatement. Elle arriva comme une furie et, devant tous les élèves, fit une scène terrible à l'institutrice l'accablant de mille injures... Le soir, dans toutes les familles du rang, on ne parlait que du drame qui s'était passé à l'école.

Le samedi, l'un des commissaires alla voir Mlle Léveillé et lui dit que pareille chose ne pouvait être tolérée... Il ajouta que tous les parents révoltés demandaient sa démission. Le dimanche, avant la messe, l'institutrice alla voir le curé et lui raconta les faits, tels qu'ils étaient arrivés. Patiemment, le prêtre l'écouta jusqu'au bout. Il parut reconnaître que la justice était de son côté mais, lorsque Mlle Léveillé lui demanda d'intervenir auprès des commissaires, il déclara que malgré son vif désir de lui être utile, il ne pouvait se mêler de cette affaire, car ce serait un abus d'autorité. La commission scolaire devait être laissée libre d'agir à sa guise.

Mlle Léveillé, la petite demoiselle blonde et mince, si gentille dans sa robe bleue, dut s'en aller après une semaine d'enseignement.

Source: Albert Laberge, *La Scouine*, Montréal, L'Actuelle, 1972, p. 25-26.

Présente et absente dans l'écriture et les arts

On a dit que les femmes ont toujours écrit parce que le papier ne coûte rien et qu'elles pouvaient facilement inscrire l'écriture à l'intérieur de leurs tâches quotidiennes.

La liste des femmes journalistes s'allonge et elles continuent de s'affirmer comme chroniqueuses. Certaines veulent aller plus loin que les pages littéraires féminines et fondent leur propre publication, comme l'avait fait Joséphine Dandurand au XIXe siècle. Ainsi, Robertine Barry rédige *Le journal de Françoise*, qui paraît de 1901 à 1908, Gaétane de Montreuil édite *Pour vous Mesdames*, de 1913 à 1915, et Madeleine Huguenin fonde en 1919 *La revue moderne*.

La parution de nombreux romans, contes pour enfants, recueils de poèmes et œuvres théâtrales peut être portée au crédit des femmes entre 1900 et 1940. Réginald Hamel a relevé plus de quatre-vingts romans ou recueils de poèmes produits par des femmes durant cette période. Les codes sociaux confinent cependant la femme à certaines limites, lui interdisant un féminisme agressif ou une écriture trop forte. Les auteures se replient donc souvent dans la production pour enfants ou le conte mélodramatique, reflétant en cela l'enfermement des femmes dans leur sphère domestique.

Les noms de Marie-Claire Daveluy, Michelle Le Normand, Gaétane de Montreuil ou Jovette Bernier défraient les chroniques littéraires. La poésie occupe plusieurs femmes, qui y abordent le terroir, le patriotisme, la nature, l'amour maternel. Dans leur *Anthologie de la poésie des femmes au Québec*, Nicole Brossard et Lisette Girouard relatent que les premiers recueils de poèmes écrits par des femmes voient le jour au début du XXe siècle. Pour elles, les années 1920-1935 seront des années fastes pour la poésie féminine. Là comme ailleurs, plusieurs femmes commencent à entrevoir une autre vie que celle à laquelle la tradition les dédiait. Blanche Lamontagne-Beauregard désire consacrer sa vie à la poésie. Les recueils de Jovette Bernier, Simone Routier, Medjé Vézina, Éva Sénécal, Alice Lemieux-Lévesque et Hélène Charbonneau révèlent selon Brossard et Girouard des femmes passionnées et animées du plus grand idéal esthétique et spirituel, ou encore de grandes amoureuses.

Après 1935 et jusqu'à l'après-guerre, les thèmes poétiques seront *Dieu, famille, patrie*. Voix discordantes au sein de cette période conformiste, Cécile Chabot, Reine Malouin, Rina Lasnier publieront des œuvres remarquables.

Les pseudonymes continuent d'abonder; on peut émettre l'opinion que les écrivaines voulaient ainsi dissimuler leur identité afin de pouvoir aller plus loin dans une expression personnelle que la société n'acceptait qu'avec réticence. En ce sens, les femmes sont présentes dans la littérature, la poésie et le journalisme tout en étant, d'une cer-

Pauline Donalda (1882-1970).
R. C. Brotman, *Pauline Donalda. The Life and Career of a Canadian Prima Donna*, Montréal, Eagle Publishing Co., 1975

taine façon, absentes. À quelques exceptions près, «(...) elles laissent les mots finir, le sens s'enfuir et, dans l'abandon le plus total, toute résonnance d'elles-mêmes s'évanouir», comme l'a écrit Gabrielle Frémont. Alors que les femmes journalistes s'associent aux demandes d'élargissement de la sphère féminine des féministes de l'époque, le roman, le conte et la poésie reflètent peu ces préoccupations. L'imaginaire féminin y est encore largement centré sur les valeurs dites féminines.

Les arts offrent une voie d'expression privilégiée pour les femmes. Sur les traces d'Albani, les musiciennes se font nombreuses. Pianistes, violonistes, cantatrices, elles gagnent le prestigieux «Prix d'Europe» et la plupart vont poursuivre leurs études à l'étranger. Un répertoire publié en 1935 dénombre cinquante-cinq musiciennes francophones qui ont eu accès à la notoriété internationale. La pianiste Germaine

Malépart, la violoniste Annette Lasalle, les chanteuses Béatrice Lapalme, Éva Gauthier et Victoria Cantin contribuent à la réputation musicale du Québec.

Comme la littérature, la chanson écrite au féminin est influencée par les valeurs de l'époque. Cécile Tremblay-Matte, qui a publié en 1990, après six années de recherche, un excellent ouvrage sur *La chanson écrite au féminin*, note que les auteures-compositeures de l'époque évoluent dans une sphère restreinte et créent des musiques ne suscitant aucun remous: chansons ou danses servant au cercle social et chants religieux. Adèle Bourgeois-Lacerte publie en 1914 des romans où elle intercale des chansons et des opérettes; ceux-ci se vendront à des milliers d'exemplaires. Elle mettra en musique des poèmes de son amie Gaétane de Montreuil. Joséphine Doherty-Coderre soutiendra et fera progresser la vie artistique dans la région de Sherbrooke pendant soixante ans. Tremblay-Matte a aussi relevé les noms et œuvres de plusieurs autres créatrices comme Léa Ménard, Hélène Graton et Yvonne Feuiltault-Dion, trois femmes connues pour leurs partitions et dont aucune notice biographique ne nous est parvenue.

La grande chanteuse de la Dépression sera sans contredit la Bolduc, Mary Rose-Anna Travers, qui viendra, écrit Tremblay-Matte, «illuminer la grisaille des années 30 par ses chansons savoureuses, humoristiques et fleurant bon la joie de vivre.» *La Bolduc, 1894-1941*. Le peuple l'adorera, alors que les intellectuels et les prudes l'ignoreront. On la salue aujourd'hui comme la première chansonnière du Canada français.

À la même époque, Aurore Beaulé, avec ses couplets sur l'actualité, Léah Aucoin-Maddix, avec ses reels à la bouche et Irène Laplante-Berthiaume, dont la chanson *On se souviendra des années 30* est bien connue, ravissent le «monde ordinaire».

Des comédiennes comme Mimi d'Estée, Marthe Thierry, Antoinette Giroux et Camille Bernard régalent les publics qui fréquentent des théâtres comme le Stella ou le His Majesty; l'apparition de la radio contribue à faire de ces comédiennes des vedettes du grand public.

Toutefois, même si les élèves qui fréquentent les écoles des Beaux-Arts sont majoritairement des filles, on ne trouve que peu de femmes peintres ou sculpteures. Sylvia Daoust et Simone Hudon semblent avoir été des exceptions. Du côté anglophone, Lilias Torrance Mewton, Mabel Lockerby, Kathleen Morris, Annie Savage, Sarah Robertson et

Prudence Heward dominent le Beaver Hall Hill Group, formé durant les années 20 à l'initiative du peintre Alec Jackson. Fait à remarquer, les artistes qui se créent une réputation sont presque toujours célibataires. On pourrait écrire de plusieurs d'entre elles ce qu'on peut lire dans une biographie de chanteuse: «Hortense Mazurette aurait pu briller dans le monde musical. Elle préféra fonder un foyer plutôt que de suivre la voie du théâtre.»

Un poème de Jovette Bernier

J'AVAIS DRESSÉ MON CŒUR...

J'avais dressé mon cœur comme une citadelle
Imposante, imprenable, à froides sentinelles:
Car on était entré dans ma cité d'amour,
Fourbes et travestis, en ennemis toujours.
Alors, me révoltant contre tant de bassesses,
J'élevai sourdement l'énorme forteresse.

Mais un page à l'œil noir à mes portes errait,
Et sa grâce rêveuse et douce m'attirait...
J'ouvris: C'était l'Amour, ma hantise suprême,
C'était l'amour menteur qu'on veut aimer quand même.
Je le voulais haïr, et j'allai l'embrasser
Pour la pâle souffrance de son cœur brisé.
Et depuis lors je souffre, amoureuse et hagarde,
En aimant ma douleur qui toujours me regarde.

Comme l'oiseau (1926)

Source: Nicole Brossard et Lisette Girouard, *Anthologie de la poésie des femmes au Québec*, Montréal, Les Éditions de remue-ménage, 1991, p. 71.

Les femmes investissent le monde musical

Parmi les centaines de femmes qui ont marqué l'univers de la musique, on note quelques noms que l'histoire officielle a oubliés.

Joséphine Doherty-Coderre, figure dominante de la musique à Sherbrooke durant soixante ans. Elle a composé plusieurs œuvres musicales qui ont été interprétées à la radio.

Albertine Morin-Labrecque a composé plusieurs œuvres pour piano, orgue, voix et orchestre. On lui doit un poème symphonique, *Le matin*, et deux concertos pour piano et orchestre.

Pauline Donalda, Montréalaise d'origine juive, est une chanteuse qui se range parmi les grands noms de l'opéra, à côté de Caruso, Melba. Après une brillante carrière de dix-huit ans (1904-1922), elle enseigne le chant à Paris où son cours est une pépinière de grands prix.
De retour à Montréal en 1937, elle fonde l'Opéra Guild en 1942, dont elle a assumé la direction artistique jusqu'en 1969. Elle poursuit également sa carrière de professeure.

Sources: M.T. Lefebvre, *La création musicale des femmes au Québec*, Montréal, Les Éditions du remue-ménage, 1990.
Ruth C. Brotman, *Pauline Donalda*, Montréal, 1975.

Syndicalistes et grévistes

Au début du siècle et jusqu'à la Crise, le syndicalisme est en pleine croissance au Québec. La Crise provoque cependant une chute radicale de ses effectifs. Les unions internationales regroupées au sein du Congrès des métiers et du travail du Canada (CMTC), qui se donne une aile québécoise en 1937, la Fédération provinciale du travail du Québec (FPTQ), et au sein du Congrès des organisations industrielles (CIO), ainsi que les syndicats catholiques et nationaux, incarnés principalement par la Confédération des travailleurs catholiques du Canada (CTCC), fondée en 1921, tentent de rejoindre les femmes.

Il existe aussi, avant 1920, des associations de secours et de protection des ouvrières. Par exemple, des associations affiliées à la Fédération nationale Saint-Jean-Baptiste regroupent, sur une base volontaire, les ouvrières soucieuses d'améliorer leur sort. Ces associations tentent de protéger leurs membres en veillant surtout à ce que les lois déjà existantes sur le travail féminin soient respectées; la promotion individuelle des membres est favorisée par une éducation qui doit faire de ces travailleuses une «élite» de la classe ouvrière. Les employées de magasins, les travailleuses en manufacture, les institutrices catholiques de Montréal, les aides ménagères et les infirmières sont regroupées dans ce genre d'associations qui déclineront après la Première Guerre, alors que l'Église appuie les syndicats catholiques naissants.

Lorsqu'elles sont organisées en syndicats, les ouvrières ne se soumettent pas allègrement à l'exploitation dont elles sont victimes. Ainsi, avant 1937, bien que seulement un faible pourcentage d'entre elles soit regroupé dans les unions (environ 2,6 % en 1923 et 5,6 % en 1937), elles y apportent une participation active et militante qui contribue à l'efficacité de l'agitation ouvrière.

Entre 1901 et 1915, au Québec, les textiles, où les femmes constituent 58 % des employés, et le vêtement, où elles comptent pour 60 %, sont, après les transports, les secteurs les plus affectés par le nombre de jours de grève ou de lock-out.

Les journaux rapportent que, lors de la grève de la Dominion Textile en 1908, les femmes se présentent aux assemblées syndicales parées de

Syndicat des allumettières de Hull lors de la grève de 1924.
CSN

leurs vêtements de fête et forment la grande majorité de l'assistance. Elles font preuve de courage et de solidarité. D'ailleurs, le syndicat qui dirige cette grève, la Fédération des ouvriers du textile, est composé aux deux tiers de femmes. Elles participent pleinement à la structure syndicale et sont généralement les vice-présidentes des cellules locales.

De nombreuses grèves éclatent après 1930. Plusieurs sont de petites grèves limitées à une seule boutique, pour des motifs très particuliers. Ainsi, à Montréal, une petite grève de quatorze presseuses a lieu entre les deux guerres dans une fabrique de corsages; celles-ci «(…) quittèrent le service à la suite d'une mise à pied de trois presseuses, provoquée par une modification du régime de travail à la tâche». Cette grève dure sept jours.

Le 21 août 1934, dans le secteur de la confection de la robe, une grève générale est déclenchée; 4000 ouvriers et ouvrières manifestent dans la rue. La Ligue d'unité ouvrière, centrale fondée sous l'impulsion du Parti communiste à la fin de 1929, dirige cette grève générale par le biais du Syndicat industriel des ouvriers de l'aiguille. C'est la première grande grève dans la confection pour dames et les femmes y jouent un rôle important. Des policiers municipaux et provinciaux montés à cheval dispersent les grévistes; les jeunes filles se défendent en enfonçant des épingles dans la chair des chevaux. Au cours d'une manifestation, le 28 août, dix femmes sont arrêtées, mais seulement deux hommes.

Le syndicat rejette une offre d'arbitrage: la grève se termine par une défaite du syndicat, qui n'est plus reconnu que dans quelques entreprises. Cependant, les ouvriers recevront, selon le représentant du ministre du Travail, une augmentation de salaire de 20 %. La Ligue est dissoute en 1935.

C'est l'Union internationale des ouvriers du vêtement pour dames (UIOVD), liée au CIO, qui ravive le militantisme des midinettes québécoises. Bernard Shane dirige l'Union, assisté de Rose Pesotta, une organisatrice de grand talent, nourrie dans sa jeunesse de doctrines libertaires et passionnée pour la cause syndicale. En 1934, raconte la journaliste Évelyn Dumas, elle assure une émission bilingue à la radio, prépare des circulaires et fait du porte à porte pour rejoindre les midinettes.

Une nouvelle grève éclate en 1937, année de crise où éclatent de nombreuses grèves au Québec. Cinq mille midinettes, en majorité canadiennes-françaises et juives, débraient pendant trois semaines et gagnent l'essentiel: reconnaissance de leur syndicat et meilleures conditions de travail et de salaire. Cette «grève dans la guenille» est suivie d'une autre, en 1940, qui se termine par une augmentation des salaires de 5 %.

Les syndicats défendent généralement bien les femmes, mais n'en continuent pas moins, lorsque celles-ci sont syndiquées, à ne pas les considérer au même titre que les ouvriers masculins. Peu de revendications concernant l'égalité salariale sont élaborées à cette période où la discrimination est à la base des négociations collectives. Ainsi, dans la convention collective des travailleurs de l'Union internationale du vêtement pour dames, en vigueur le 30 avril 1940, il est spécifié que le salaire horaire minimum des presseurs doit être de 54,5¢ et celui des presseuses, de 36,75¢: une différence de 18,75¢ pour le même travail...

Certaines revendications liées à l'exploitation spécifique des femmes remportent quelques succès. *La gazette du travail* rapporte que, dans une usine, l'usage des ascenseurs est interdit aux ouvriers parce qu'ils y importunent les femmes. Les ouvrières exigent des contremaîtresses plutôt que des contremaîtres ainsi que de travailler dans des services où seules les femmes sont admises, ou encore de quitter le travail, midi et soir, cinq minutes plus tôt que les hommes. Tout cela afin de contrer le harcèlement sexuel persistant dont elles sont victimes.

En 1967, on posait à Yvette Charpentier, qui participa activement dans les années 30 à l'organisation syndicale des ouvrières du vêtement pour dames (UIOVD), la question suivante: «La femme participe-t-elle à la vie syndicale?» Elle répondit: «Ses raisons de ne pas participer à la vie syndicale sont évidentes: elle n'a pas le temps puisque sa journée de travail ne se termine pas avec la fermeture de son atelier. La femme qui appartient, comme on dit souvent, au sexe faible, a une journée à entreprendre en rentrant chez elle.» Elle poursuit en affirmant que les femmes mariées peuvent travailler à condition que personne dans la famille n'en soit dérangé. Selon elle, les femmes célibataires et les veuves sont les plus militantes dans les syndicats naissants.

En somme, entre 1900 et 1940, la syndicalisation des femmes s'amorce et ce processus est révélateur des attitudes et des courants de pensée qui continueront de coexister dans les décennies suivantes. Paternalisme, protectionnisme, division des activités entre hommes et femmes, manque de partage dans les prises de décisions, identification de la travailleuse à quelqu'un qui est temporairement sur le marché du travail, voilà autant de paramètres qui, au gré des conjonctures économiques, prendront plus ou moins de vigueur.

En ce sens, l'histoire du Syndicat des allumettières de Hull, entre 1919 et 1924, qu'a rapportée Michelle Lapointe, est un bon exemple de ces attitudes. L'Association syndicale féminine catholique, qui regroupe les allumettières, est affiliée au Conseil central qui s'occupe véritablement de la négociation. La vie de cette association est marquée de deux conflits majeurs, en 1919 et en 1924. Les allumettières se mobilisent rapidement durant les deux conflits, mais, en 1924, «... pendant toute la durée du lock-out, plusieurs des différents membres manifestèrent des sentiments paternalistes à l'égard des allumettières. Cette attitude les amena à marginaliser la présence des ouvrières sur le plan décisionnel. Ainsi, des agents plus ou moins extérieurs au conflit prirent en main les leviers de commande au cours de la contre-grève.» Lapointe note que ce sont des femmes qui amassent les fonds, mais des hommes qui vont expliquer à la population les motifs du conflit de travail. Les négociations sont menées par les hommes, représentants syndicaux et aumôniers. L'auteur conclut que le syndicalisme féminin, dans ce contexte, constitue un double encadrement pour les travailleuses, et que, en remettant au syndicat masculin la négociation des conditions de travail, on évite que «... la femme ait pu développer une conscience de classe qui l'aurait amenée à défendre ses intérêts de travailleuse et ses intérêts de femme, se soustrayant ainsi, en tout ou en partie, aux paramètres étroits de son rôle traditionnel».

Les allumettières de Hull

L'organisation ouvrière féminine se distingue nettement de l'organisation ouvrière ordinaire, en ce que ses membres ne doivent, d'une manière générale, n'en faire partie que pour un temps plus ou moins long, selon qu'ils entreront plus ou moins vite dans l'état du mariage.

Nous n'apprendrons rien à personne en disant que toute jeune fille qui reste dans le monde doit avoir la légitime ambition de se marier un jour. Il peut y avoir des exceptions à cette règle, mais comme l'exception est toujours le très petit nombre, nous n'insisterons pas. D'ailleurs, la majeure partie de ces exceptions n'ont décidé ou ne décident de rester vieilles filles que pour continuer à élever une famille que la mère a abandonnée lorsque la mort est venue la ravir à l'amitié des siens ou pour soutenir de vieux parents...

Source: Thomas Poulin, *Le droit*, 29 octobre 1919, cité par Michelle Lapointe, «Le syndicat catholique des allumettières de Hull, 1919-1924» dans *Revue d'histoire de l'Amérique française*, vol. 32, n° 4, mars 1979, p. 611.

Depuis 1845, au Québec, il existe chez les enseignants des associations d'instituteurs à appartenance libre. Mais la plupart demeurent, et cela jusqu'à l'entre-deux-guerres, sous la surveillance plus ou moins directe des commissions scolaires et du département de l'Instruction publique. Après la guerre de 1914-1918, le corps enseignant se réveille grâce aux institutrices.

Laure Gaudreault, fondatrice du Syndicat des institutrices rurales (1889-1975).
Centrale de l'enseignement du Québec

L'instigatrice de ce réveil des enseignants est une jeune femme énergique, Laure Gaudreault, qui dit: «Le meilleur avocat dans sa propre cause, c'est soi-même.» À seize ans, en 1906, elle débute dans l'enseignement aux Éboulements pour un salaire de 125 $ par année. Jusqu'en 1937, elle enseigne dans diverses localités du comté de Charlevoix et de Chicoutimi. Elle collabore aussi à la chronique féminine du *Progrès du Saguenay*. Après avoir lancé dans ce journal l'idée d'une association des institutrices rurales, elle met son projet à exécution en 1936, à la suite de la décision du gouvernement de ne pas donner suite aux promesses d'augmentations de salaires faites aux institutrices. Au cours d'une conférence pédagogique, Laure Gaudreault expose son intention, recueille vingt-neuf signatures et fonde l'Association catholique des institutrices rurales.

De novembre 1936 à février 1937, Laure Gaudreault parcourt le diocèse de Chicoutimi et fonde trois autres associations (Jonquière, Saint-Joseph d'Alma et Chicoutimi) puis, le 19 février 1937, naît la Fédération catholique des institutrices rurales. Le siège social est établi à La Malbaie et la contribution annuelle est fixée à un dollar. Laure Gaudreault devient ainsi «permanente syndicale», à 450 $ par année, et durant les douze années qui suivent, le bulletin syndical *La petite feuille* prend la défense des intérêts des institutrices rurales. Jusqu'en 1943, la lutte est menée particulièrement sur le front des salaires, afin d'obtenir leur hausse et leur réglementation.

L'acception généralisée du rôle unique d'épouse et de mère pour la femme produit un climat qui ne peut guère mener à des changements d'attitude avant plusieurs années. Il n'en demeure pas moins, comme nous l'avons déjà dit, que ces croyances, parfois plus ou moins acceptées, vont commodément servir à justifier les plus énormes discriminations envers les femmes, et les syndicats n'en sont pas exempts.

Léa Roback

Léa Roback est née en 1903 rue Guilbault, près de la rue Saint-Laurent, à Montréal. Son père, originaire de la Pologne, est tailleur. La famille, n'arrivant pas à suffire à ses besoins, déménage à Beauport, près de Québec, où la mère de Léa ouvre un commerce qu'elle tient jusqu'en 1919. La vie est difficile pour cette seule famille juive dans un village catholique. La plupart des hommes du village sont des fonctionnaires pauvres et les femmes font le ménage la nuit. À seize ans, Léa, revenue à Montréal, travaille dans une boutique de nettoyage de 8 h 30 à 16 h 30 pour huit dollars par semaine.

En 1925, elle part étudier en France avec l'argent amassé en travaillant le soir, à vendre des billets dans un théâtre. En 1929, on la retrouve à Berlin où elle assiste à la montée de l'antisémitisme. Revenue à Montréal en 1932, elle ouvre la première librairie marxiste et travaille en 1935 pour Fred Rose, un militant communiste qui se présente aux élections générales.

Elle s'engage ensuite dans l'organisation des ouvrières de la robe. En 1937, on la retrouve animatrice de quartier dans Rosemont, où elle fait du porte à porte pour inviter les parents à envoyer leurs enfants dans un atelier d'art où elle les fait dessiner. En 1942, revenant à l'organisation syndicale, elle travaille chez RCA Victor, à Saint-Henri, où elle se mêle étroitement à la vie du quartier.

Source: Nicole Lacelle, *Madeleine Parent, Léa Roback. Entretiens avec Nicole Lacelle*, Montréal, Les Éditions du remue-ménage, 1988.

Notes du chapitre 9

1. T. Copp, *Classe ouvrière et pauvreté*, Montréal, Boréal Express, 1978, p. 177.
2. Marie Gérin-Lajoie, «Le travail des femmes et des enfants dans la province de Québec» dans *La bonne parole*, octobre 1920, p. 5-6.

CHAPITRE 10

Travailleuses invisibles... ou presque

Au Québec, l'agriculture demeure artisanale et la main-d'œuvre familiale continue de jouer un rôle très important dans l'unité de production agricole. Les Québécois utilisent moins d'engagés que les Ontariens et, jusqu'en 1931, alors que la moyenne des travailleurs engagés se maintient à 17,1 % en Ontario, elle n'est que de 10 % au Québec. C'est dire que le père de famille compte encore sur ses enfants pour s'assurer «les bras» dont il a besoin à la ferme.

Semer l'idée rurale

Les autorités civiles et religieuses s'affolent et tentent, sans beaucoup de succès, de contrer l'urbanisation. Les textes de l'époque ne cessent de vanter les avantages de la vie champêtre, même si les femmes continuent d'y mener une vie très rude, marquée au rythme des saisons, des naissances, des morts et des lourds travaux quotidiens. Au moment où l'agriculture, particulièrement dans les centres ruraux situés près des villes, devient une agriculture de marché, la production étant vendue par le mari, le travail domestique continue à être perçu par l'agriculteur comme une collaboration essentielle de sa femme, mais devient pour la société un travail invisible, non payé, car il n'est pas monnayable. Les femmes ressentent elles aussi cette situation et leur regroupement dans les cercles des fermières n'est peut-être pas étranger à cette perception de la perte de leur fonction économique traditionnelle.

Comme à la ville, la vie «sur la terre» se modernise. Le monde extérieur à la paroisse pénètre de plus en plus dans les foyers. La femme rurale consulte de plus en plus les catalogues d'*Eaton* et de *Dupuis frères*, et voit circuler des automobiles. La radio et l'électricité font timidement leur apparition.

Les tâches domestiques: «Mon Dieu, faites que j'aille au ciel en balayant la place»

La femme rurale assume encore durant cette période la cuisine, le potager, l'habillement, les récoltes en période des foins, la fabrication du pain, du savon et, une fois par année, des conserves.

De plus, la Dépression force plusieurs femmes, à la ville comme à la campagne, à travailler la nuit pour confectionner tricots, vêtements et couvertures qui seront vendus afin de grossir le maigre budget familial, et à abandonner l'achat de vêtements prêts à porter commandés par catalogue chez *Dupuis frères*.

 NOTRE-DAME-DES-PETITES-BESOGNES
Aidez-moi à assurer la propreté dans la maison de mon amour, à chasser la poussière des coeurs, à garder les esprits clairs et nets, afin que j'aille au ciel, en balayant la place.

(FRANCOISE GAUDET SMET)

Notre-Dame des petites besognes.
Collection privée — Michèle Jean

Bien que, comme le note l'historienne Geneviève Leslie, la plupart des précurseurs des appareils domestiques que nous connaissons maintenant aient été inventés vers 1920, ils sont peu répandus, particulièrement dans les campagnes et les milieux ouvriers urbains. Les premiers catalogues sont une bonne façon de se renseigner sur ce qui était mis en vente à l'époque. Le premier catalogue d'*Eaton* fait son apparition en 1885. Au fil des ans, on y voit annoncer de nouveaux poêles, de nouvelles brosses à nettoyer, etc. Les poêles continuent de chauffer au bois et au charbon durant cette période, bien qu'on note l'invention de quelques fournaises à l'huile. Le poêle au gaz apparaît en 1919, mais la cuisson demeure une activité salissante.

La réfrigération électrique n'est pas annoncée dans les catalogues avant 1920 et l'on voit, en 1909-1910, des illustrations de deux aspirateurs électriques. Avant 1940, les bourgeoises habitant les villes ont accès à certains de ces appareils modernes, mais les femmes de la campagne et les familles ouvrières des villes continuent d'utiliser des techniques rudimentaires. Enfin, Leslie ajoute que plusieurs Canadiennes cuisinent sur leur poêle à bois, lavent les couches à la main et nettoient la maison sans aspirateur jusqu'en 1940. Il en va de même, jusqu'en 1950, dans plusieurs régions du Québec.

De toute façon, ces innovations, même si elles réduisent la fatigue reliée aux tâches ménagères, n'éliminent pas le caractère répétitif et ennuyeux du ménage et du lavage. De plus, elles incitent souvent les femmes à nettoyer plus à fond ou à faire le ménage plus souvent.

La femme colonisatrice

La femme du défricheur vit sensiblement la même existence que celle du cultivateur, mais elle est cependant encore plus éloignée de la civilisation. Alors que les exploitations agricoles situées près des marchés urbains peuvent vendre leurs produits à la ville, celles qui sont loin des marchés demeurent encore autarciques.

Devant l'urbanisation croissante, les promoteurs de la colonisation organisent en 1916 la Ligue nationale de la colonisation, afin de garder à la campagne les ruraux et d'y ramener les fils du terroir. En 1923, les évêques publient une lettre pastorale pour appuyer la colonisation. L'Union catholique des cultivateurs, fondée en 1924, harcèle le gouvernement Taschereau pour qu'il s'en occupe. Ces incitations ont peu de succès avant la Crise, alors qu'une politique audacieuse de colonisation en permet un certain regain. Cependant, une bonne partie des exilés reviennent rapidement à la ville, démontrant le côté artificiel de ce mouvement.

Trois générations de femmes de Manouane au début du siècle.
Recherches amérindiennes au Québec, vol. 14, n° 3, 1984

En 1932, le gouvernement du Québec forme le Comité de retour à la terre, qui établit une liste de critères pour choisir les nouveaux colons. Cette liste comprend entre autres les critères suivants: tout aspirant colon doit avoir un certificat de mariage authentique, aller sur son lot avec sa famille seulement, avoir des vêtements pour l'hiver, un poêle, une machine à coudre, des ustensiles de cuisine et une épouse qualifiée. Celle-ci doit connaître la couture, le tricot et tous les travaux du ménage, et elle devra apprendre à cuire le pain, si elle ne le sait déjà. Un colon mal marié ne peut réussir.

Il est à remarquer qu'on souligne qu'un colon mal marié ne peut réussir. L'importance primordiale du travail de l'épouse du colon est donc reconnue. Pourtant, même si nos manuels d'histoire nous parlent des bûcherons et des défricheurs, ils ne mentionnent jamais la contribution tout aussi importante de leurs femmes qui, très souvent veuves dans la quarantaine et à la tête d'une nombreuse famille, continuent seules à défricher la terre.

Les mesures destinées à contrer la désertion des campagnes et le chômage connaissent un succès mitigé. Et, comme l'on croit à l'importance du rôle de la femme dans le maintien ou le retour à la terre, plusieurs écrits et discours ne se gênent pas pour les désigner comme les coupables de l'abandon des terres familiales et de l'exode vers les villes.

L'importance du travail des femmes est tout de même reconnue puisque, entre 1920 et 1940, les concours agricoles retiennent comme critères d'évaluation des actifs d'un propriétaire: ses productions agricoles, ses méthodes de travail, l'envergure du troupeau et... sa femme (le fait d'en avoir une augmente le nombre de points). C'est là peut-être ce qui fait dire à Adélard Godbout: «La ferme vaut ce que vaut la femme...» Selon les Romains, l'important pour l'homme était d'avoir une maison, un bœuf et une femme. Les siècles se suivent et se ressemblent!

Enrayer la désertion de la terre

L'affolement des autorités civiles et religieuses devant la désertion des campagnes suscite l'organisation de Cercles de fermières. Dès le début du XXe siècle, on songe à introduire dans les milieux ruraux une organisation d'économie domestique. Plusieurs modèles existent. Les Homemakers Clubs, fondés au Canada anglais en 1897, sont organisés en 1909, au Québec anglophone, à l'instigation de Mme G. Beach. Originaires des Cantons de l'Est, ces cercles travaillent en étroite collaboration avec le collège MacDonald. Cette association prend en 1920 le nom de Women's Institute. Il existe également une association de fermières en Belgique et c'est ce dernier modèle qui est finalement retenu et dont on importe les objectifs, les constitutions et le mode de fonctionnement. Alphonse Désilets et Georges Bouchard, agronomes au ministère de l'Agriculture, s'en font les propagateurs. À leur instigation, le premier Cercle de fermières est fondé en 1915, dans la région de Chicoutimi.

L'extension de ces cercles doit permettre d'attacher la femme à son foyer en utilisant les méthodes d'art ménager, et de garder «(...) nos fils sur la terre en empêchant nos filles de déserter la paroisse rurale».

En quatre ans, le nombre de cercles passe de cinq à trente-quatre et le nombre des membres est décuplé. Les premières présidentes sont des femmes des petites bourgeoisies locales. En octobre 1919, un premier congrès réunit à Québec les présidentes et les secrétaires de tous les cercles. On procède alors à leur véritable organisation: élection d'un conseil provincial qui assurera la liaison avec le ministère de l'Agriculture, création d'une revue trimestrielle, *La bonne fermière*, organisation d'une exposition annuelle de travaux domestiques et de travaux d'agriculture dite féminine (apiculture, aviculture, horticulture, floriculture, mise en conserve, culture du lin, production de la laine, jardins de plantes médicinales, etc.), affiliation à la Fédération nationale Saint-Jean-Baptiste et à la Womens' Institute Federation of Canada, et généralisation des cours d'éducation populaire subventionnés par le ministère de l'Agriculture. Selon la brochure de l'École sociale populaire, ces cercles permettent un progrès général dans la tenue des foyers, l'attachement des jeunes à la vie champêtre, la pratique modèle du jardinage, de l'aviculture, de l'apiculture et de l'embellissement des demeures.

Corvée de village pour le broyage du lin, *circa* 1915.
Société d'histoire de Sherbrooke

Qu'est-ce qu'un Cercle de fermières?

C'est un organisme qui groupe les femmes et les jeunes filles de nos centres ruraux, leur permet de mieux se connaître, de se comprendre, d'échanger leurs connaissances, de s'entraider, de s'intéresser davantage à l'étude de leurs problèmes, de s'entraîner mutuellement à faire plus et mieux pour l'amélioration des conditions matérielles de vie sur la ferme.

C'est un lieu de rencontre où les membres discutent de leurs travaux ou obligations, mettent en commun leur expérience pour augmenter leur valeur individuelle et leur personnalité. Dans une paroisse, un Cercle de fermières est une véritable école publique d'enseignement ménager-agricole. C'est aussi un milieu favorable à la pratique de la charité; le cercle fournit encore à ses membres l'occasion de développer un idéal et des convictions qui leur permettront de mieux remplir leur rôle.

Le Cercle de fermières est une œuvre éducative rurale qui embrasse toutes les autres œuvres, telles que: charité, service social, mouvement d'action catholique, hygiène, arts domestiques, embellissement des demeures, organisation des loisirs, bibliothèque.

Source: Constitution des Cercles de fermières, 1928.

Plus que ménagères:
femmes collaboratrices

Avec le développement des institutions modernes, plusieurs femmes deviendront partenaires de leur mari dans la mise en œuvre de projets économiques. Ainsi en va-t-il de Dorimène Roy-Desjardins, «épouse du fondateur du mouvement Desjardins» et dont le rôle important, comme celui de bien d'autres femmes, a longtemps passé inaperçu. Guy Bélanger, de la Société historique Alphonse Desjardins, l'a constaté en étudiant la vie de cette entrepreneure exemplaire. Dorimène Roy épouse, en 1879, Alphonse Desjardins qui allait fonder en 1900 la première caisse populaire à Lévis. Lorsqu'on parcourt la vie de Dorimène, on constate qu'elle a réellement été la cofondatrice du mouvement Desjardins. D'ailleurs, Guy Bélanger écrit que lors de son décès, le 14 juin 1932, le journal *L'action catholique* souligne que:

«Sans elle, reconnaissons-le, les caisses populaires Desjardins n'existeraient probablement pas.» Les filles d'Alphonse Desjardins, Adrienne et Albertine, comme secrétaires particulières de leur père, joueront aussi un rôle important dans la mise en œuvre du projet. Ces trois femmes, l'une cofondatrice et les deux autres, à toutes fins utiles, employées des caisses, ne furent longtemps connues que comme «l'épouse» et les «filles» du «fondateur» et non comme des collaboratrices!

En plus de leurs tâches quotidiennes, les femmes paysannes, durant la période 1900-1940, assument encore très souvent des tâches de pharmaciennes, d'infirmières, de sages-femmes, rôle qui va souvent de pair avec les soins à donner aux morts. Avec le développement de la poste, du téléphone, du travail de bureau et du commerce de détail, on les voit travailleuses de la poste, téléphonistes, épicières collaboratrices du mari dans une entreprise artisanale, «(...) sans jamais que leur nom ne paraisse nulle part sur aucun document», mentionne Jeanne d'Arc Levesque-Martin qui a recueilli les témoignages qui suivent.

Juliette Richard, téléphoniste rurale à La Pocatière, raconte que, en 1921, les abonnés devenant plus nombreux et les appels plus pressants, elle est engagée par Lucienne Dion qui «(...) tenait le bureau de téléphone pour la Cie Kamouraska. Le "Central", comme on appelait alors le bureau de téléphone, était une résidence privée. Un espace était aménagé dans une pièce de la maison où on installait le tableau de distribution... Le bureau ouvrait à 7 heures et il fallait souvent travailler le soir. Lorsque j'ai commencé à travailler, je gagnais 5 $ par mois.» Les augmentations portent plus tard le salaire à 10 $, puis à 15 $ par mois (vers 1923). Avec ce modeste salaire, la jeune fille doit habiter chez ses parents et arrive à peine à acheter ses vêtements. «Si ce sont les hommes qui ont inventé le mécanisme du téléphone, une fois les dispositifs installés, on faisait appel aux femmes pour faire fonctionner ces appareils... Je crois bien, de prime abord, qu'à cause des salaires offerts, les hommes n'étaient pas intéressés; ce n'était souvent qu'un appoint au revenu familial que la femme apportait tout en s'occupant de sa famille. Un autre facteur déterminant de l'utilisation des femmes comme téléphonistes, c'est qu'elles sont plus patientes, plus intuitives, qu'elles ont la voix plus douce que les hommes.» La narratrice mentionne aussi qu'il faut beaucoup de discrétion, car on apprend les nouvelles comme celle des «filles enceintes».

La poste rurale connaît aussi une expansion entre 1900 et 1940. Des maîtres de poste sont nommés dans les campagnes et leurs noms se retrouvent dans la petite histoire. Mais ils n'accomplissent pas seuls leur travail. «C'était son épouse et ses filles qui remplissaient bien discrètement la tâche, tout en vaquant aux travaux du ménage et au soin des enfants», mentionne un témoin de l'époque. Ce travail, commencé à 5 heures du matin, se termine à 6 heures du soir avec le départ du train. Ces bureaux de poste dans les maisons sont un lieu de rendez-vous et de communication entre les paroissiens. Travail de collaboratrices pour les femmes, comme celles qui distribuent le courrier dans les boîtes rurales avec leur mari, un peu plus tard.

Ces nouveaux rôles assumés par les femmes de la campagne, non seulement mettent en relief l'importance de la femme dans la vie rurale, mais encore possèdent en commun certaines caractéristiques annonciatrices d'un modèle féminin de cycle de vie qui se perpétuera jusqu'à nos jours. Elles exercent des tâches d'appoint, en plus du travail ménager, pour dépanner ou aider discrètement le père ou le mari, «en attendant», temporairement, souvent gratuitement ou pour un salaire dérisoire, avec bonne humeur et dévouement, même en étant, la plupart du temps, étroitement surveillées par les hommes. À l'analyse, ces emplois se révèlent souvent épuisants par les longues heures, la patience et l'énergie qu'ils exigent.

À la ville comme à la campagne, la vie moderne exige de plus en plus de connaissances scolaires, et l'accès au savoir sera réclamé par les femmes.

CHAPITRE 11

S'instruire et s'organiser

L'histoire de l'éducation des filles est le reflet des idéologies qui définissent le rôle de la femme. On a constaté, d'ailleurs, en examinant par exemple la professionnalisation du métier d'infirmière, l'évolution du travail de bureau ou l'entrée des femmes dans les professions, que certains champs de savoir sont réservés aux hommes et qu'ils acceptent plus facilement d'améliorer la formation des filles si cela peut leur permettre d'être mieux servis.

L'accès au savoir

L'évolution du système d'enseignement public trahit les mêmes préoccupations, mais elles sont souvent moins évidentes. Les contradictions et les tiraillements de la société à l'égard du rôle des femmes engendrent de multiples ambiguïtés dans la mise en œuvre des modèles éducatifs qui leur sont destinés, ceci valant plus pour le système catholique que pour le système protestant. Ces systèmes sont cloisonnés et comprennent divers niveaux d'enseignement imprécis et mal articulés entre eux. Alors que, en milieu anglophone, les filles ont accès aux High Schools publiques (neuvième à onzième année) et, de ce fait, à l'université, en milieu francophone, c'est par le secteur privé qu'elles arrivent à avoir une éducation plus soutenue, résultat de la conjoncture créée au XIXe siècle par le rôle et l'importance des communautés enseignantes. Chacune (elles sont plus de 32 en 1917) a développé son système et ouvert ses pensionnats, qui sont au nombre de 586 en 1917.

Dans le secteur public francophone, la scolarité se modifie. En 1923, le cours primaire atteint six années auxquelles s'ajoutent le cours complémentaire (deux ans), puis, en 1929, le cours primaire supérieur (trois ans). La scolarité totale est donc portée à douze ans, si on inclut le cours préparatoire. Cependant, les filles ont peu accès à ce système car, en pratique, les écoles supérieures de filles n'existent pas encore dans le secteur public. Elles n'ont accès à une éducation plus longue qu'en fréquentant les institutions privées où l'on peut parfois offrir le cours complémentaire, voire le cours primaire supérieur. Signe fort révélateur, l'enseignement postélémentaire des filles est absent des statistiques officielles durant la première moitié du XXe siècle. Il est fort difficile, dans l'état présent des recherches, de le quantifier avec certitude. La croyance populaire veut qu'au Québec les filles aient été plus instruites que les garçons, mais ce fait n'est pas encore démontré. Les recherches de la sociologue Thérèse Hamel démontrent que si, en milieu rural, les filles fréquentent un peu plus l'école que les garçons, en milieu urbain, c'est l'inverse qui se produit. L'urbanisation du Québec semble donc avoir eu un effet négatif sur la scolarisation des filles. L'obligation pour les filles de fréquenter une école payante y a sans doute contribué également.

C'est donc dans le secteur privé que les filles francophones doivent poursuivre leurs études au niveau secondaire et, fait remarquable, il s'y développe des programmes spécifiquement féminins. La période

Le petit orchestre du pensionnat, Granby.

Collection privée — Denis Cloutier

1899-1920 voit l'apparition successive de voies parallèles structurées, concertées et contrôlées, soit par le département de l'Instruction publique (écoles normales), soit par le ministère de l'Agriculture (enseignement ménager), soit par les universités (enseignement primaire-supérieur, cours lettres-sciences, cours classique).

Ce réseau privé d'enseignement de niveau secondaire est le résultat des revendications des religieuses. Dès le début du XXe siècle, elles réclament pour les jeunes filles un enseignement secondaire sanctionné par un diplôme. Trois grandes avenues féminines sont ainsi constituées.

La première est celle des écoles normales. En 1898, il n'existe au Québec qu'une seule école normale de filles, nombre qui passe à 22 en 1940. Cette augmentation est due à l'action concertée des évêques et des communautés religieuses. Mais le nombre de diplômées est restreint (il passe de 112 en 1901 à 907 en 1939), car les jeunes filles peuvent obtenir un brevet d'enseignement du Bureau des examinateurs catholiques sans avoir fréquenté une école normale. À Montréal, il n'existera, jusqu'en 1952, qu'une seule école normale dirigée par la congrégation Notre-Dame. Ceci permet de maintenir les institutrices laïques à la campagne et d'attirer les vocations religieuses, statut qui ouvre la voie à l'enseignement en milieu urbain. Les programmes de ces écoles normales sont fort critiqués et on déplore surtout le fait que la majorité des normaliennes ne recherche que le diplôme élémentaire le moins long à obtenir.

En 1910, les diverses communautés envisagent un premier cycle de cours classique qu'elles offrent déjà en matière de scolarité. Au fond, elles réclament un High School francophone. Ces démarches aboutissent, à Montréal, à la création du cours «lettres-sciences» et à Québec au cours dit «primaire supérieur». Ces programmes de quatre ans fort prestigieux sont surnommés «cours universitaires», mais n'offrent en réalité qu'une scolarité de onze ans. Cette seconde avenue féminine n'est fréquentée que par une minorité de filles des classes privilégiées. Cette minorité est cependant six fois plus élevée que celle qui fréquente les écoles ménagères régionales.

L'enseignement ménager, qui, pendant plus d'un siècle, sera au Québec le véhicule de l'idéologie de la femme épouse et mère, débute en 1882 par la fondation de l'École ménagère de Roberval. Elle sert alors de support au mouvement de colonisation, comme le dit Nicole Thivierge, qui a fait l'historique de ces écoles. Elle ajoute qu'avec le XXe siècle le mouvement servira à lutter contre l'exode rural. On veut alors former des femmes qui pourront retenir leurs maris à la ferme. En 1905, une autre école ménagère ouvre ses portes à Saint-Pascal de Kamouraska où elle offre un cours renommé.

Ces deux grandes écoles ménagères incitent le département de l'Instruction publique à reconnaître le cours ménager-agricole. Dès lors, la majorité des couvents de la province se transforment en écoles ménagères primaires qui offrent une scolarité de huit ans. Ces écoles ménagères atteignent un nombre considérable (plus de 160 en 1930). Toutefois, le recrutement pour les écoles ménagères supérieures est difficile: les parents sont fort réticents à l'idée de payer pour une formation de maîtresse de maison. En 1937, il n'y a que 230 filles qui poursuivent des études domestiques de niveau secondaire.

Le mouvement rejoint aussi la ville, et son idéologie comme sa pratique sont apprêtées à toutes les sauces. Comme la médecine ou la bienfaisance, la tenue de maison se doit d'être rationnelle et scientifique. Il faut viser à professionnaliser le travail domestique, à se prévaloir de ménagères urbaines efficaces pour la tenue de maison et à inculquer aux filles, dès l'enfance, les principes ménagers que le travail à l'extérieur du foyer ne leur permet plus d'acquérir.

Les bourgeoises songent alors à créer pour les autres femmes une école dans laquelle tous les aspects de la science ménagère seront enseignés. C'est la fondation de l'École ménagère provinciale, en 1904, sous les auspices de la section féminine de la Société Saint-Jean-Baptiste, aidée par un comité de citoyens. Elle constitue une des rares initiatives laïques chez les francophones. L'école offre aux jeunes filles de Montréal, le jour et le soir, des cours publics de techniques culinaires, de coupe, de couture et de confection de chapeaux. Les cours se donnent en français et en anglais. On veut ainsi, non seulement former des maîtresses de maison, mais aussi, et ceci est spécifique à cette école en milieu francophone, assurer aux employées de fabrique une formation professionnelle qui leur permettra d'obtenir de meilleurs emplois. La féministe Marie Lacoste-Gérin-Lajoie s'intéresse grandement à cette école; elle y donne des cours de droit et des conférences diverses sur des sujets tels que les régimes matrimoniaux.

À la suggestion d'Adelaide Hoodless et grâce à l'initiative de James Robertson et de Sir William McDonald, l'enseignement de l'économie domestique se développe en milieu anglophone. En 1902, ils expriment le désir d'offrir des cours pour former les filles dans la *domestic economy* ou la *household science*. En 1907, leur vœu se réalise alors que le collège McDonald fonde la School of Household Science. L'école se donne pour mission de satisfaire les besoins de la société en développant l'intelligence, l'énergie, l'habileté et le talent de la jeunesse féminine. Trois genres de cours sont offerts: un cours abrégé de trois mois, un cours de formation ménagère d'une année et, enfin, un cours d'enseignement ménager de deux ans, qui conduit à un diplôme.

Les cours qui y sont donnés préparent surtout les diplômées à la vie de femme mariée. Cependant, pendant la Première Guerre mondiale, on demande des expertes en diététique pour prendre la direction des services d'approvisionnement de l'armée. L'étude des sciences domestiques devient donc de plus en plus scientifique et de moins en moins domestique.

Plusieurs diplômées de cette faculté travaillent comme diététiciennes dans les hôpitaux, les entreprises publiques, les grands magasins ou, au cours de la Deuxième Guerre mondiale, dans les forces armées. Leurs connaissances en tant qu'expertes en chimie alimentaire sont pleinement reconnues. Même si cette faculté restera un ghetto féminin jusque dans les années 70, elle donne néanmoins à ses diplômées une préparation professionnelle beaucoup plus poussée que celle que reçoivent les diplômées des écoles ménagères du réseau catholique. En 1919, on ajoute un cours de quatre ans qui conduit au baccalauréat en sciences ménagères. Les deux premiers cours offrent une formation de maîtresse de maison, alors que les cours de deux et quatre ans préparent les jeunes filles à devenir des professeures spécialisées, des diététiciennes dans les hôpitaux ou les restaurants, des conférencières ou des apôtres de l'engagement social.

Le système continue de se développer et, à la fin de la période, la science ménagère, tant en milieu francophone qu'anglophone, tient une grande place dans l'éducation des filles, du primaire à l'université.

L'enseignement ménager fournit un lieu de prédilection pour discuter de l'éducation des filles, qui est d'ailleurs un sujet d'actualité au moment où des femmes commencent à remettre en question les modèles traditionnels.

Il est donc assez facile de convaincre une grande partie de la société de l'utilité des études en «sciences domestiques», car ce savoir semble être la voie parfaite de formation pour préparer ménagères et domestiques à aller au ciel «en balayant la place».

Cependant, il n'en est pas de même pour l'accession à l'enseignement supérieur et, de là, à l'université. Même si les anglophones sont admises à la faculté des arts de McGill depuis 1884, elles doivent s'y asseoir à l'arrière des classes avec leur chaperon. Il n'est cependant pas question de les intégrer à toutes les facultés universitaires, encore majoritairement réservées aux hommes, car on désire que les deux sexes demeurent rigoureusement séparés.

Que doivent apprendre les filles à l'école?

«*(...) L'éducation, pour être complète, doit comprendre tout ce qui intéresse la bonne tenue d'une maison. (...) Ce qui fait la femme forte* (sic) *utile aux siens, c'est l'art de leur procurer la félicité complète, qui provient de la bonne conscience et de la bonne humeur; celle-ci étant habituellement le fruit du dévouement maternel, qui sait fournir à tous le vêtement et l'aliment, dans une demeure de tenue irréprochable. Le monde lui-même, qui pourra pardonner à la femme son ignorance en bien des choses, se montrera toujours reconnaissant et plein de confiance à l'égard des couvents qui lui prépareront d'excellentes maîtresses de maison.*» *L'histoire, le calcul, le français et les arts d'agrément sont ensuite abordés comme autant de compléments qui pourront rendre service à ceux qui vivront dans la maison de femmes bien préparées à non pas devenir «des femmes savantes que leur ridicule vanité ne tendrait qu'à écarter de la vocation et des devoirs ordinaires à leur sexe (...) Il n'y a aucune comparaison à faire, aucun rapprochement à établir avec l'éducation des jeunes gens...*»

Source: Lettre pastorale de l'évêque de Valleyfield (1915) aux religieuses enseignantes de son diocèse.

Grâce à la générosité d'un des grands barons du chemin de fer du Canadian Pacific, Donald Smith (Lord Strathcona), qui donne presque un million de dollars, le Royal Victoria College est fondé. L'édifice, terminé en 1889, est sis en face du campus de McGill, au coin des rues Sherbrooke et Université.

Le collège Royal Victoria, du nom de la reine d'Angleterre, est un centre académique administratif et social pour les étudiantes résidentes et non résidentes. On y trouve des salles de conférence, une bibliothèque et de vastes salles publiques, aussi bien que des appartements privés pour les étudiantes. Au sous-sol, on trouve un gymnase bien équipé et, en arrière, des courts de tennis.

Les étudiantes, qu'on appelle «Donaldas», suivent les cours de première et de deuxième année universitaire au collège. La plupart des cours plus avancés et les travaux de laboratoire spécialisés se donnent sur le campus de McGill avec les hommes. D'ailleurs, une des conditions de l'octroi de Lord Strathcona au collège avait été le maintien de l'enseignement séparé à l'intérieur de McGill.

Ethel Hurlbatt, qui sera directrice jusqu'en 1929, défend ardemment le suffrage féminin. Autour de la Première Guerre, McGill devient un véritable centre de ralliement pour celles qui cherchent à modifier la situation des femmes. Le doyen de la faculté de droit appuie l'admission des femmes au barreau. Quelques-unes des féministes les plus radicales y enseignent: Carrie Derrick au département de biologie et, plus tard, Idola Saint-Jean au département d'études françaises.

En 1917, il y a plus de femmes que d'hommes à la faculté des arts de McGill. Sous la pression du nombre, il faut tenir de plus en plus les cours sur le campus et le principe de l'enseignement séparé tombe. Petit à petit, les écoles professionnelles de McGill s'ouvrent aux femmes: en 1911, le droit, où la première diplômée est Annie Macdonald Lagstaff, qui ne peut toutefois pas pratiquer sa profession, le barreau refusant d'admettre les femmes jusqu'en 1941; en 1918, la médecine, et en 1922, l'art dentaire, pour ne nommer que quelques-unes des professions dont la plupart demeureront pour longtemps encore des tours d'ivoire destinées aux hommes seulement.

De plus, à McGill, dès les années 1880, les femmes sont encouragées à suivre les cours d'éducation physique. Bien sûr, les sommes offertes pour les activités athlétiques féminines sont dérisoires en comparaison de celles des hommes, et l'équipement est d'une qualité bien inférieure à celui des étudiants. Cependant, les activités sportives

Étudiante de l'Université McGill.
Musée McCord, Université McGill, Montréal

deviennent une partie intégrante de leurs études. À une époque où, en Amérique du Nord, on débat toujours la possibilité pour une jeune fille de conserver sa féminité et ses aptitudes maternelles tout en faisant des exercices physiques rigoureux, quelques professeures de McGill se sont faites les championnes de la nécessité de l'éducation physique pour les étudiantes. Elles jouent au hockey, font de la gymnastique, du tennis, du basket-ball, et bientôt les équipes de McGill se joignent au circuit sportif interuniversitaire.

Du côté francophone, l'accès à la formation universitaire se heurte à de plus fortes résistances. L'Université Laval crée à Montréal des cours publics de littérature auxquels les femmes peuvent assister depuis 1904, mais elles ne possèdent pas les diplômes nécessaires pour s'inscrire aux programmes réguliers. Pour y avoir le droit d'accès, il faut passer par le cours classique; or un tel programme n'existe pas pour les filles. Les jeunes francophones désireuses de poursuivre leurs études doivent soit s'inscrire à McGill, soit étudier aux États-Unis ou en Europe, solution réservée, il va sans dire, à quelques rares familles fortunées.

Lucienne Plante, qui a examiné les étapes de la fondation de l'enseignement secondaire féminin, nous dit qu'au Québec, comme

Carrie Derrick, féministe et première présidente de la Montreal Suffrage Association.
Musée McCord, Université McGill, Montréal

ailleurs, on craint de sortir la femme du foyer, croyant que «toute tentative que fait la femme pour accéder à la culture humaniste est interprétée comme une démission, comme un désir d'imiter l'homme».

Néanmoins, chez les catholiques, des précédents existent, et les religieuses d'ici s'en inspirent. Ainsi, en Nouvelle-Écosse, la congrégation Notre-Dame dirige le collège Mont-Saint-Bernard pour jeunes filles, fondé en 1898, et aux États-Unis, à Namur, près de Washington, les religieuses font de même. Mère Sainte-Anne-Marie, née Aveline Bengle, religieuse de cette même congrégation et professeure au Mont-Sainte-Marie à Montréal, fait partie de la génération de religieuses qui croyait à la nécessité d'une formation préuniversitaire pour les étudiantes. Devenue supérieure de ce couvent en 1903, elle élabore le projet de l'ouverture d'un collège classique féminin: il lui faut convaincre tant les autres supérieures de sa communauté que le clergé, le Comité catholique de l'Instruction publique et l'Université Laval, de qui il faut obtenir l'affiliation.

Certains parents soutiennent le projet, de même que des féministes connues, telles Marie Lacoste-Gérin-Lajoie, Robertine Barry et Josephine Marchand-Dandurand. Mais le projet piétine jusqu'à ce que soit annoncée dans le journal *La patrie* du 25 avril 1908 la fondation d'un lycée pour jeunes filles qui serait tenu par des laïcs; les journalistes Éva Circé-Côté et Gaétane de Montreuil sont associées au projet. L'annonce déclenche un électrochoc: par crainte de voir se développer un enseignement que l'Église ne contrôlerait pas, les autorisations du clergé dégringolent les unes après les autres. La congrégation Notre-Dame peut annoncer deux mois plus tard l'ouverture de l'École d'enseignement supérieur pour jeunes filles, damant ainsi le pion au projet de collège laïque. C'est ainsi que s'ouvre en octobre 1908 le premier collège classique féminin, qui prendra le nom de collège Marguerite-Bourgeoys en 1926. La première diplômée, en 1911, est Marie Gérin-Lajoie, fille de la féministe du même nom. Elle obtient la première place lors des examens du baccalauréat, devançant tous les candidats inscrits. On refuse cependant de faire connaître publiquement son succès, car il ne semble pas convenable qu'une jeune fille se soit classée devant les garçons!

Quelques années plus tard, Québec emboîte le pas et fonde en 1925, à Sillery, le collège Jésus-Marie. À Montréal et à Québec, les communautés religieuses ouvrent tour à tour des collèges classiques, de même qu'en région, à Trois-Rivières et à Saint-Hyacinthe, en 1935, à Nicolet en 1937 et l'année suivante à Rimouski. En 1938, il existe en tout onze collèges classiques pour filles. Cependant, peu d'élèves les fréquentent et ces institutions font peu parler d'elles avant les années 50, le climat social n'étant guère favorable aux études supérieures pour les filles. Le gouvernement ne subventionnera ces collèges qu'en 1961, alors que les collèges de garçons le sont depuis 1922.

En milieux anglophone et francophone, l'éducation scolaire se complète par la participation à des associations. D'abord minoritaires partout sur le campus et exclues d'office des clubs masculins, les étudiantes de McGill fondent leurs propres associations. Dès 1885, elles créent la société Delta Sigma qui marraine des débats et des discussions d'intérêt public, aussi bien sur le suffrage féminin que sur le capital et le travail, le salaire égal pour un travail égal ou la tenue de maison selon une formule coopérative. Ce groupe fut probablement un des foyers d'origine du féminisme québécois. Très souvent, les débats portent sur la situation des femmes. D'autres sociétés à caractère philanthropique se forment: le travail de missionnariat, la culture française, la musique, la science, etc. Le mélange de protestantes, de juives et de catholiques fait que tantôt les femmes forment leur propre club, comme, en 1915, la société Menorah pour les juives, tantôt elles se font admettre aux sociétés masculines, telles la Newman Society pour catholiques, en 1925. Cependant, les femmes sont loin d'obtenir un statut d'égalité à McGill. Elles ne peuvent pas accéder aux postes de gestion de l'Association des étudiants avant 1931.

À l'École d'enseignement supérieur, ce sont les cercles d'étude, les conférences et les œuvres philanthropiques qui complètent la formation des filles.

Les cercles se forment à partir de 1910, autant dans les écoles que dans les associations. Ce sont des groupements homogènes travaillant à faire acquérir aux membres une formation intellectuelle ou sociale permettant d'influencer le milieu.

La formation continue

Ouvrières, femmes au foyer et institutrices ont accès, de différentes façons, à la formation continue. Des centaines d'associations et de regroupements offrent des cours et des conférences accessibles aux femmes de tous les milieux. Des milliers de femmes s'initient ou se perfectionnent en couture, en alimentation, en hygiène, en diction et en arts domestiques.

L'École des arts domestiques est fondée en 1930. Elle voit à faire sortir du grenier métiers et rouets, qui passent respectivement de 5000 à 80 000 et de 2000 à 52 000 en cinq ans. En 1935, 20 000 fermières suivent ces cours. Les arts et métiers inciteront bien des femmes à se lancer en affaires.

Certaines paroisses de Montréal, par le biais des activités de la Fédération nationale Saint-Jean-Baptiste, donnent des cours d'art culinaire et de couture, de coupe et de chapellerie. Selon les statistiques, une dizaine de milliers de femmes sont ainsi touchées chaque année dans sept à douze paroisses.

Bien que le prêt-à-porter soit largement accessible, les cours de couture permettent aux femmes de réaliser d'importantes économies. Elles peuvent aussi, en acquérant plus d'habileté, exécuter elles-mêmes des robes sophistiquées que leur revenu ne leur permettrait pas d'acquérir autrement. Plusieurs couturières gagnent aussi leur vie en travaillant dans les familles bourgeoises à fabriquer du neuf dans du vieux et à confectionner de nouveaux vêtements.

Les institutrices, de leur côté, ont accès au perfectionnement par les congrès, les conférences et les cercles d'étude, rapporte l'historienne Maryse Thivierge. La première conférence pédagogique eut lieu en 1886 et le premier congrès pédagogique, à Montréal, en 1901. Ces activités sont cependant difficiles d'accès pour les institutrices pauvres et éloignées des endroits où elles ont lieu.

Les cercles d'étude sont un moyen plus facile d'accès. À Montréal, ils existent depuis 1924; en 1934-1935, les inspecteurs régionaux organisent des cercles d'étude paroissiaux dans leurs districts. Ces cercles ont beaucoup de succès dans les grandes villes et là où des associations d'institutrices rurales ont été fondées.

Les groupes de gauche sont eux aussi très actifs dans la formation de leurs membres, et des femmes comme Bella Hall Gould, Léa Roback, Bernadette Lebrun et Annie Buller contribuent à développer de nouveaux modèles d'intervention.

Bella Hall Gould, directrice du University Settlement of Montreal, constate rapidement que la solution à la pauvreté ne peut pas venir d'une approche individuelle. Elle se lance donc dans l'étude du marxisme à New York, puis revient à Montréal où elle fonde avec Annie Buller, militante très active dans l'organisation des travailleuses du vêtement, le Labor College. On y dispense des cours sur l'économie marxiste, l'histoire du mouvement ouvrier et l'actualité, cours suivis majoritairement par des syndicalistes. À la suite de divisions internes, le

Labor College ferme ses portes en 1924; ses membres se divisent et adhèrent aux idées du Parti travailliste anglais et du Parti communiste canadien, fondé en 1922.

En milieu francophone, Albert Saint-Martin fonde en 1925 une université ouvrière afin d'y faire de l'éducation populaire. Située sur la rue Craig, rapporte l'historien Marcel Fournier, elle offre, le dimanche, des conférences sur le communisme, la Russie, l'histoire de France, la littérature canadienne, la religion, la géographie, l'astronomie. Les militants y acquièrent une formation de base: apprentissage de la lecture, travail en équipe, élocution, éléments de philosophie et de science politique. Plusieurs femmes suivent, non sans éprouver certaines angoisses, les activités de l'université, telle cette militante qui relate son expérience: «Je voyais le mouvement comme tellement juste et nécessaire... d'autre part, j'avais encore des croyances. (...) Ça m'a pris trois ans avant que partent mes croyances.»

Qu'elles soient de gauche ou de droite, les femmes militantes doivent, et pour longtemps encore, faire face à de multiples résistances. Ce qui n'empêche pas les premières féministes de s'organiser en vue d'obtenir leurs droits et d'élargir leur action.

Le mouvement des femmes: féminisme social et féminisme chrétien

Depuis la fin du XIXe siècle, les femmes bourgeoises participent au mouvement de réforme urbaine par le travail qu'elles accomplissent dans de multiples associations de bienfaisance.

Cette expansion de l'action laïque féminine contribue à donner aux femmes une pratique de l'organisation et de l'action collective. Ce qui va aider quelques-unes d'entre elles à s'organiser pour revendiquer les droits fondamentaux tels le droit de vote, le droit à l'éducation supérieure et le droit à un statut légal adapté à la vie moderne. Elles endossent alors l'idéologie féministe, au grand dam des autorités civiles et religieuses qui voient là, avec raison d'ailleurs, s'amorcer une profonde modification du rapport entre les hommes et les femmes. On pourrait même avancer que ce sont les hommes, peut-être parce qu'ils sont susceptibles d'être les grands perdants, qui voient avec le plus de lucidité à quoi les mènerait le fait de laisser les femmes travailler, s'instruire et voter. Les femmes, de leur côté, ne s'interrogent pas sur les sources de l'oppression des femmes, mais cherchent des remèdes à ses manifestations les plus criantes.

Au Québec, dans la foulée de la progression du mouvement des femmes dans le monde occidental comme au Canada, le mouvement commence à Montréal et articule ses buts autour de la réorganisation du travail philanthropique, de la défense de l'égalité des femmes au travail et de la promotion de leurs droits. Ces actions, les Québécoises les poursuivront d'abord au sein du Montreal Local Council of Women, filiale montréalaise du National Council of Women, fondé en 1893 par Lady Aberdeen, épouse du gouverneur général de l'époque. Ce Conseil national souhaite unifier les associations de femmes et séculariser le mouvement des femmes. Il veut aussi demeurer en dehors de toute politique partisane. Il est l'aboutissement d'un large mouvement visant à l'unification des regroupements de femmes. En effet, au cours des années précédant sa formation, on avait vu surgir au Canada une kyrielle d'associations féminines comme la Women's Christian Temperance Union, le YWCA, la Girl's Friendly Society, etc., regroupant en majorité des femmes de la bourgeoisie et de la petite bourgeoisie.

Yolande Pinard, qui a examiné les débuts du Mouvement des femmes, nous dit que le Conseil national veut, à une époque où l'indus-

Irma Levasseur, médecin et fondatrice de l'hôpital de l'Enfant-Jésus de Québec (1923) et de l'Œuvre des enfants malades de la province de Québec.
Santé, Société, numéro spécial sur «La santé et l'assistance publique au Québec, 1886-1986», 1986

trialisation menace de saper les fondements de la famille, sauvegarder cette institution des périls qui l'environnent et protéger la vocation traditionnelle de mère et d'épouse. La «nature» maternelle des femmes, trait unique de leur personnalité qui, dit-on, les différencierait de l'autre sexe, sert de critère pour légitimer leur intervention dans le domaine public. Cette croyance dans la théorie des deux sphères marque au sceau du conservatisme l'action du Conseil.

C'est donc un féminisme de l'engagement social qui incite des femmes à revendiquer principalement le droit à l'éducation supérieure, le droit à l'égalité juridique et le droit de vote. Mais ces revendications, très peu de femmes les font au nom de l'égalité entre les hommes et les femmes. La plupart, et notamment les Québécoises francophones, les font au nom de la différence entre les hommes et les femmes et de la complémentarité de leur rôle.

Les Américaines donnent le ton en fondant, en 1888, le Washington International Council of Women. Des Canadiennes comme Bessie Starr

Marie Gérin-Lajoie (1867-1945), cofondatrice de la Fédération nationale Saint-Jean-Baptiste.
Almanach de la langue française, numéro spécial sur «La femme canadienne-française»

et Emily Howard Stowe assistent à ce congrès de fondation, tandis que Lady Aberdeen, de son côté, participe aux travaux de plusieurs groupes de femmes en Grande-Bretagne. L'organisation des forces féminines leur apparaîtra donc de plus en plus comme une réponse adéquate aux problèmes engendrés par l'industrialisation et l'urbanisation, l'immigration et le développement de la classe ouvrière.

Au Québec aussi, les femmes bourgeoises veulent élargir leur rôle et réorganiser le travail philanthropique. Nous avons déjà parlé des efforts accomplis dans ce domaine, aussi bien par les francophones que par les anglophones. On décèle cependant chez ces dernières, nous dit Pinard, une laïcisation plus grande des institutions de charité, orientation que vient institutionnaliser la fondation, en 1893, du Montreal Local Council of Women (MLCW). Les francophones, de leur côté, se voient désapproprier de plusieurs associations catholiques, passées aux mains des religieuses et du clergé, comme de plusieurs autres œuvres dirigées par les médecins ou les travailleurs sociaux. Reléguées au rôle de soutien, elles ont peine à rattraper le retard causé par cette marginalisation, d'autant plus qu'elles doivent faire face à un antiféminisme féroce.

Définies essentiellement comme épouses, mères et ménagères, présentées comme les gardiennes de la langue et de la foi, les francophones catholiques ne jouissent pas de la même liberté d'action que les anglophones, qui n'ont pas à faire face à un clergé hostile. Néanmoins, certaines Canadiennes françaises épousent les idées du libéralisme réformiste, nécessaire à l'adhésion au féminisme social et au féminisme de revendication des droits égaux, condition nécessaire à l'organisation de l'action féministe à Montréal.

L'action des féministes sociales devrait, selon elles, permettre une organisation plus saine de la société et un niveau de moralité plus élevé. Ce sont les objectifs qu'elles poursuivront au sein du Conseil local des femmes de Montréal, organisation à majorité protestante dont la première présidente sera Lady Julia Drummond, épouse du président de la Banque de Montréal, où l'on retrouvera, au fil des ans, des féministes telles Carrie Derrick, Grace Ritchie England, Elisabeth Monk, et des francophones telles Marie Gérin-Lajoie, Joséphine Marchand-Dandurand, Caroline Béique, Marie Thibaudeau. Médecins, journalistes, professeures et femmes engagées dans les œuvres sociales se côtoieront au sein de ce conseil, où Marie Gérin-Lajoie commence à prendre la place prépondérante qu'elle occupera dans le mouvement féministe.

LA FÉDÉRATION NATIONALE SAINT-JEAN-BAPTISTE

(Voir A bâtons Rompus et Coups de Ciseaux)

Fondatrices de la Fédération nationale Saint-Jean-Baptiste.
Archives FNSJB

Même s'il est d'une extrême prudence dans ses engagements, le Conseil local suscite beaucoup de réticences, particulièrement en milieu francophone. Le Conseil s'engage dans de multiples actions visant à diminuer les problèmes sociaux de la métropole, et, dans toutes les œuvres que nous avons décrites, on retrouve plusieurs de ses membres. Il milite aussi, on le verra, pour la cause du suffrage, l'accès des femmes à l'enseignement supérieur et l'amélioration de la condition juridique de la femme.

Mais le catholicisme et la question nationale vont bientôt faire dériver les réformistes libérales francophones vers le féminisme chrétien. Elles ne se sentent pas tout à fait à l'aise au Conseil local, car elles sont partagées entre leurs croyances religieuses et nationales et leur réformisme. Le mouvement naissant du féminisme chrétien, qui démarre en France, leur ouvre une nouvelle voie et une façon de vaincre les résistances du clergé. Le féminisme chrétien devient une voie de réconciliation de la recherche des droits des femmes et de la religion. C'est cette idéologie qu'épouse, sans renoncer au féminisme social et au féminisme de revendication des droits égaux, la Fédération nationale Saint-Jean-Baptiste, fondée en 1907 par Marie Gérin-Lajoie et Caroline Béique.

Réunissant des associations féminines de tous ordres, elle polarise son action autour des œuvres de charité, des œuvres économiques et des œuvres d'éducation. Mais en tout, son ambivalence idéologique la fait hésiter entre un réformisme qui appelle des modifications profondes au statut de la femme et un catholicisme associé à un moralisme qui veut maintenir la femme dans son rôle traditionnel. La séparation d'avec le mouvement anglophone peut aussi avoir contribué à l'enfermement idéologique de la Fédération, dont les membres ne sont plus en contact quotidien avec des éléments plus progressistes de la société.

La Fédération ouvre malgré tout la voie à la libération des femmes sur le plan politique et juridique, en menant des luttes importantes dans ces deux champs d'action. Elle contribue à introduire la nouvelle conception plus scientifique de la charité, dont nous avons parlé. Très préoccupée de tout ce qui touche l'action féminine traditionnelle, elle établit des liens étroits avec l'hôpital Sainte-Justine pour enfants et l'œuvre de la Goutte de lait. Elle mène des luttes contre l'alcool, demande que soit versé aux épouses le salaire des maris prisonniers; l'assistance aux chômeurs, le logement ouvrier, la création de tribunaux pour enfants sont aussi des questions dont elle s'occupe.

Plusieurs causes sont à l'origine du déclin de la Fédération durant les années 20: la diminution des activités des associations professionnelles, supplantées par les syndicats, le conflit entre le réformisme et l'idéologie traditionnelle conservatrice et la difficulté pour les femmes de la bourgeoisie de s'entendre sur les types d'action à entreprendre pour rejoindre les femmes des autres classes sociales. Mais ces achoppements étaient inévitables et le rôle joué par cette première génération de féministes marque une étape importante dans le processus de libération des femmes.

Faire évoluer les lois

Au début du siècle, les femmes célibataires ou veuves jouissent d'une pleine capacité de droit privé. Il n'en va pas de même pour la femme qui convole en justes noces, et Marie Gérin-Lajoie ne se gênera pas pour qualifier le mariage de mort légale de la femme.

L'incapacité juridique de la femme mariée est le principe sur lequel repose toute l'organisation familiale. Le mari étant le chef incontesté de la communauté, c'est lui qui voit à l'entière administration des biens communs. Pour exercer des droits civils, les femmes doivent obtenir l'autorisation maritale. Au début du siècle, un juriste justifie l'exigence de cette autorisation maritale dérivant «(...) de la raison naturelle qui veut que, dans toute association, le moins apte aux affaires soit dirigé par le plus clairvoyant. Enfin, il est fondé sur l'intérêt commun de la femme et du mari, lequel serait blessé si le sort de leur association était livré à l'imprévoyance et à la légèreté de l'associé le moins propre à gouverner et que, par caractère, la nature appelle à la subordination.» Cette incapacité de la femme mariée ne découle pas de sa faiblesse et de son infériorité, dit-on, mais repose sur le principe de l'obéissance et du respect qu'elle doit à l'autorité de son mari. Comme la plupart des femmes se marient très jeunes, elles ont donc rarement l'occasion d'exercer cette indépendance. Naturellement, aucune femme, quelle que soit sa condition civile, ne peut accéder à des charges publiques.

Étant donné la condition faite à la femme mariée, il est plus que logique que la réforme du Code civil devienne le premier cheval de bataille des féministes du début du XXe siècle. Aussi, dès sa fondation en 1907, la Fédération nationale Saint-Jean-Baptiste inscrit à son programme la réforme du Code civil et attire de ce fait l'attention des législateurs sur les lacunes des lois. D'ailleurs, dès 1902, Marie Gérin-Lajoie publie un *Traité de droit usuel*, ouvrage de vulgarisation et de simplification du droit civil et constitutionnel. Ce livre est destiné à un vaste public et, en fait, selon les souhaits intimes de son auteure, spécialement aux femmes. Ses connaissances juridiques la font reconnaître en tant que la personne-ressource des féministes pour cette question et elle participera à toutes les luttes menées sur ce front durant cette période, telles la Loi du Homestead et la Loi Pérodeau.

Depuis 1897, la Loi du Homestead accorde un minimum de protection aux épouses dans certaines régions de colonisation. Cette loi empêche le mari colon d'aliéner sans le consentement de sa femme une certaine portion de ses biens qui est désignée patrimoine familial, et généralement constituée de la maison et d'une partie de la terre. Ainsi, les créanciers peuvent difficilement chasser la mère et les enfants de leur foyer. Mais, en 1909, on présente à l'Assemblée législative une modification à cette loi, le «Bill Charbonneau», qui éliminerait cette protection. Pour justifier ce changement, on prétexte que les créanciers sont lésés et que ces dispositions rendent difficile l'obtention de crédit pour le colon. La Fédération nationale Saint-Jean-Baptiste et le Conseil local des femmes de Montréal s'opposent vivement au «Bill Charbonneau». La docteure Grace Ritchie England, Marie Gérin-Lajoie et Caroline Béique se rendent à Québec pour présenter une pétition. Malgré leurs revendications, les modifications deviennent loi et les épouses de colons n'ont plus de protection contre les créanciers ou les maris de mauvaise foi.

Caricatures parues dans le *Montreal Herald* sur le Code civil de la Province de Québec, 1929.
Montreal Herald, novembre 1929

En 1913, Marie Gérin-Lajoie publie dans *La bonne parole* une série d'articles sur la condition de la femme afin de préparer l'opinion publique aux réformes que la Fédération entend prôner dans les conventions matrimoniales, puis, l'année suivante, la Fédération se rend en délégation devant Sir Lomer Gouin pour lui demander de réformer le Code civil et lui propose la formation d'une commission gouvernementale dans ce but. La Fédération réclame qu'on réforme le Code civil afin que la femme mariée puisse contrôler son salaire, que les femmes puissent être admises à la tutelle et au conseil de famille et que le mari ne puisse plus disposer à son gré des biens de la famille. Les problèmes amenés par la guerre relèguent cette suggestion aux oubliettes et ce n'est que quinze ans plus tard que le projet sera repris.

La Loi Pérodeau, adoptée en 1915, sera la seule amélioration apportée avant 1931. Avant cette loi, la femme mariée dont le mari décédait sans testament ne succédait à son mari qu'au treizième degré. Avec l'adoption de la loi, la femme mariée en séparation de biens — ce qui est le cas d'un nombre croissant de femmes — peut hériter de son mari mort sans testament en l'absence d'héritiers au troisième degré, c'est-à-dire père, mère, frère, sœur, neveu, nièce, ou avec eux, s'il en existe.

La Loi des banques, de juridiction fédérale, permet aux femmes mariées en communauté de biens de déposer en leur nom la somme de 500 $, et de 2000 $ pour les femmes séparées de biens. La Fédération et la Catholic Women's League demandent au gouvernement fédéral d'élever le dépôt de 500 $ à 2000 $ en ce qui concerne les femmes communes en biens; elle demande aussi à la législature provinciale de protéger ces dépôts afin que seules les femmes puissent retirer cet argent. Seul le gouvernement fédéral se rend à ces demandes. Gérin-Lajoie estime que ce n'est pas vraiment une amélioration, puisque aucune loi ne permet ou n'interdit au mari de retirer cet argent et que la jurisprudence leur reconnaît ce droit.

Une première commission d'enquête sur la situation de la femme

À la fin des années 20, la situation juridique des femmes au Québec semble de plus en plus anachronique aux yeux des féministes, des intellectuelles laïques et de la minorité anglophone. Pour les femmes qui vivent en milieu urbain et qui gagnent leur vie à l'extérieur du foyer, les restrictions d'une tradition légale qui n'a que peu changé depuis le XVIᵉ siècle semblent de moins en moins justifiées. Pour les femmes des classes bourgeoises, leur infériorisation légale à l'intérieur du mariage devient une source d'humiliation.

Bien que la Fédération nationale Saint-Jean-Baptiste ait demandé dès 1914 au gouvernement provincial une commission d'enquête sur les droits des femmes, on trouve toujours des excuses pour ne pas la mettre sur pied. Pour les élites nationalistes fortement influencées par le clergé, l'identité même des Canadiens français se retrouve dans le Code civil et dans la conception traditionnelle de la vie familiale. Remettre en question les règles de pratique de la vie familiale risquerait d'ébranler les fondements mêmes de la société, disent certains.

Néanmoins, à la fin des années 20, le premier ministre Taschereau se rend compte qu'il doit faire quelque chose pour apaiser les féministes, à qui il refuse, année après année, d'octroyer le droit de vote. Quelle meilleure façon de canaliser ces énergies féministes que de créer une commission d'enquête sur les droits civils des femmes? Après tout, il n'est aucunement obligé de suivre ses recommandations. En même temps, c'est un moyen de faire taire les critiques progressistes et surtout les anglophones, pour qui les provisions du Code civil ayant trait à la vie familiale sont devenues un objet de ridicule.

La commission Dorion, ainsi nommée d'après le juge très catholique qui la préside, se compose de quatre juristes masculins et francophones, en dépit des demandes d'y inclure une femme. Elle tient deux audiences publiques, une à Montréal et une à Québec, et reçoit de nombreuses soumissions écrites.

Voici les associations féminines qui présentent des mémoires: la Fédération nationale Saint-Jean-Baptiste (Marie Gérin-Lajoie), l'Association des femmes propriétaires, l'Alliance canadienne pour le vote des femmes (Idola Saint-Jean), la Ligue des droits de la femme (Thérèse Casgrain) et le Conseil local des femmes de Montréal. Leurs demandes sont, somme toute, assez modestes. Leur principale revendication est de donner aux femmes mariées le droit à leur propre salaire. Bien que moins de 10 % des épouses travaillent en dehors du foyer, celles qui le font sont souvent celles qui ont un besoin urgent de revenus. Selon le Code civil, le salaire de l'épouse mariée sans contrat tombe dans la communauté et le mari est libre d'en disposer comme il l'entend. Il peut même demander au gérant de banque de lui remettre les économies de son épouse. La commission Dorion a estimé que, vers 1930, 80 % des mariages se font sans contrat.

Une autre demande qui fait l'unanimité entre les groupes est celle qui veut faire limiter le pouvoir du mari de dissiper les biens de la communauté et même d'en disposer sans le consentement de sa femme. On veut que, dorénavant, toutes les femmes puissent devenir des tutrices aux enfants mineurs et curatrices aux personnes interdites. Traditionnellement, ce ne sont que la mère et la grand-mère, si elles sont veuves et aussi longtemps qu'elles le sont, qui peuvent, à la suite du décès du père, assumer cette responsabilité. Et, si elles se remarient, elles ne sont plus aptes à cet office, à moins que leur nouveau mari veuille bien assumer cette charge.

Ces dispositions, qui contredisent de façon flagrante la glorification du rôle de la mère et son aptitude soi-disant innée à s'occuper des enfants en bas âge, sont depuis longtemps la cible des féministes. De plus, celles-ci proposent que certains biens meubles de l'épouse soient exclus de la communauté. Puisque la plupart des femmes n'apportent que quelques meubles, un trousseau et des petites épargnes au mariage, tous ces rapports tombent immédiatement sous la surveillance du mari, qui ne doit même pas rendre compte de sa gestion à son épouse.

Parmi les autres suggestions pour rendre le Code civil plus équitable pour les femmes, mentionnons des procédures de séparation simplifiées et moins coûteuses, une part fixe garantie aux épouses lors du décès du mari et la liberté totale sur leurs propres biens pour les femmes ayant obtenu une séparation de corps. On veut également majorer l'âge du mariage pour les filles et rendre obligatoire le consentement de la mère.

L'Association des femmes propriétaires, secondée par Thaïs Lacoste-Frémont, sœur de Marie Gérin-Lajoie, ose même suggérer l'abolition de la nécessité de l'autorisation maritale. Également, le Conseil local de Montréal et l'Alliance canadienne sont d'opinion qu'une femme doit pouvoir se séparer plus facilement de son mari adultère, car le Code civil de cette époque stipule que seul le mari peut demander la séparation pour l'adultère de son épouse. Mais l'épouse ne peut le faire que si le mari établit sa concubine sous le toit conjugal.

Personne ne suggère l'abolition du régime matrimonial de la communauté de biens, ni du principe de l'obéissance de l'épouse. Quelques voix seulement remettent en question la position vénérée du chef de famille, mais personne ne suggère que les époux devraient gérer la famille ensemble.

Les commissaires écoutent avec respect les représentations plutôt conservatrices de la juriste Gérin-Lajoie. Mais il semble que certaines des femmes qui s'adressent à eux leur inspirent la plus grande répugnance, pour ne pas dire mépris: celles qu'ils qualifient dans le rapport de «bourgeoises intellectuelles» et dont les convictions féministes sont les plus radicales.

La commission Dorion écrit un rapport en trois volumes. Dans le premier, celui qui donne le ton, les commissaires justifient le *statu quo* des femmes au Québec et la nécessité, si l'on veut préserver l'ordre social, de laisser intact le Code civil. «La théorie des "droits égaux" est absurde, disent-ils, parce que la fonction de la femme est spéciale et différente de celle de l'homme. Les femmes doivent se sacrifier au bien général de la famille.» Même si les commissaires reconnaissent que le Code civil pose parfois quelques inconvénients aux femmes, ce ne saurait être, selon eux, que des cas exceptionnels. Plutôt que d'admettre la justesse des arguments féminins, ils les minimisent en les attribuant aux femmes qui ont mal choisi leur conjoint.

> Sans doute, il y a des femmes malheureuses dans leur ménage (des hommes aussi), elles sont malheureuses parce qu'elles sont mal mariées, non pas parce que la loi protège le mari plus que la femme[1].

Et, si la loi n'a guère changé depuis des siècles, c'est parce que les femmes, elles, sont toujours les mêmes, selon les commissaires.

Une telle philosophie n'admet pas de changement radical. On retient seulement les réformes qui laissent intacts la hiérarchie familiale et les rôles spécifiques de la femme et de l'homme. Une modification trop radicale pourrait déclencher la pire des catastrophes: le divorce. Dès le premier rapport, la véritable raison pour la formation de cette commission transparaît à chaque page: en s'appuyant sur le prestige des hommes de loi, faire taire les féministes et les critiques du Code civil.

Si les commissaires finissent par retenir quelques-unes des réformes proposées, on peut se demander si ce n'est pas parce que le Code civil français a déjà assoupli quelques-unes de ses règles concernant le statut des femmes mariées. Par exemple, le changement le plus important qui résulte de la commission Dorion, c'est-à-dire la création d'une catégorie de biens réservés aux femmes mariées, fait déjà partie du droit civil français.

Les recommandations de la commission Dorion sont très peu innovatrices. Ainsi, la plupart de ces recommandations sont retenues par le législateur. Dorénavant, une épouse mariée sous le régime de la communauté de biens est la seule à pouvoir toucher l'argent qu'elle gagne et administrer ou disposer des biens qu'elle achète avec cet argent. Voilà une dérogation de taille aux principes fondamentaux de la communauté. C'est la reconnaissance officielle qu'au XXe siècle l'épouse qui gagne sa vie à l'extérieur de chez elle n'a peut-être pas de raisons pour se confondre complètement avec son mari sur le plan financier. Mais à celle qui continue à demeurer à la maison, la loi continue à ne reconnaître aucun rôle dans la gestion de biens qui lui appartiennent à moitié. Et, pour celles qui trouvent avantageux le régime de communauté de biens, elles peuvent maintenant choisir d'en exclure tout ce qu'elles possèdent — même les biens immeubles, si elles en ont — avant le mariage.

D'autres améliorations dans le statut légal de l'épouse: elle peut opposer son veto si son mari fait don de certains biens appartenant à la communauté; si elle s'est mariée en séparation de biens, elle dispose librement de ses biens meubles; celle qui a obtenu une séparation de corps a le même statut légal qu'une veuve: plus besoin d'autorisation du mari ou du juge; toutes les célibataires et veuves sont aptes à devenir tutrices et curatrices; les femmes mariées le sont également, pourvu qu'elles soient nommées conjointement avec leur mari et, finalement, les femmes aussi peuvent être témoins pour les testaments faits devant notaire.

Mais la Commission ne croit pas bon de remettre en question le principe qui exige l'autorité maritale pour nombre d'actes légaux qu'une épouse peut poser. On rejette toute possibilité de donner à la mère les mêmes pouvoirs que le père au sein de la famille et on maintient l'inégalité des époux devant les conséquences de l'adultère.

Lorsque la commission Dorion affirme qu'il n'y a pas besoin de changer les lois puisque la plupart des femmes ne ressentent aucune injustice, elle n'est peut-être pas loin de la vérité: les célibataires jouissent des mêmes droits que les hommes et la plupart des épouses se consacrent aux travaux ménagers et à l'éducation des enfants, soulagées de laisser la gestion des ressources financières, si peu soient-elles, au mari; elles savent d'ailleurs que la moitié des biens accumulés depuis le mariage leur appartient.

Quelques femmes francophones, encouragées sans doute par le clergé, se déclarent franchement hostiles aux travaux de la commission Dorion. Par exemple, Rolande S.-Desilets, écrivant au nom du Cercle de fermières qui regroupe à ce moment-là 8000 femmes de régions rurales, prend la position suivante:

(...) nous affirmons que l'immense majorité des mères de famille et des épouses canadiennes-françaises désapprouveront ce mouvement féministe. Bien plus, elles demanderont aux autorités compétentes de mettre fin à cette agitation qui trouble la paix habituelle de certains foyers. Car, des scènes cocasses de ménage ont résulté des dernières conférences féministes tenues à Québec et à Montréal, où de jeunes épouses, jusque-là parfaitement heureuses, ont imaginé, au grand ébahissement de leurs maris, qu'elles étaient persécutées sans le savoir[2].

Situation juridique de la femme mariée selon le Code civil de la province de Québec de 1866 à 1915

		N° du Code civil
A — *Sur le plan individuel*		
1)	Incapacité générale (comme les mineurs et les interdits[1]):	
	a) Ne peut contracter;	986
	b) Ne peut se défendre en justice ou intenter une action.	986
2)	Ne peut être tutrice.	282
3)	Ne peut être curatrice.	337 a)
B — *Relations personnelles avec le mari*		
1)	Soumission au mari. En échange, le mari lui doit protection.	174
2)	Nationalité imposée par le mari.	23
3)	Choix du domicile par le mari.	83
4)	Choix des résidences par le mari.	175
5)	Exercice des droits civils sous le nom du mari.	Coutume
6)	*Loi du double standard:* Le mari peut toujours exiger la séparation pour cause d'adultère; la femme ne peut l'exiger que si le mari entretient sa concubine dans la maison commune.	
C — *Relations financières avec le mari*		
1)	Ne peut exercer une profession différente de celle de son mari.	181
2)	Ne peut être marchande publique sans l'autorisation du mari.	179
3)	En régime de communauté légale:	
	a) Le mari est seul administrateur des biens de la communauté;	1292
	b) Responsabilité face aux dettes du mari; non réciproque.	1294

4)	En régime de séparation de biens:	
	a) Ne peut disposer de ses biens[2];	1422
	b) Le mari ne peut autoriser sa femme d'une façon générale: une autorisation particulière est exigée à chaque acte;	1424
	c) Ne peut disposer de son salaire professionnel.	1425
5)	Ne peut accepter seule une succession.	643
6)	Ne peut faire ni accepter une donation entre vifs[3].	763
7)	Ne peut accepter seule une exécution testamentaire.	906
8)	Ne peut hériter de son mari mort sans testament qu'après les douze degrés successoraux.	637

D — *Situation dans la famille*

1)	Ne peut consentir seule au mariage d'un enfant mineur.	119
2)	Ne peut permettre à un mineur non émancipé de quitter la maison.	244
3)	Ne peut corriger ses enfants[4].	245
4)	Ne peut être seule tutrice de ses enfants mineurs.	282

[1] Toutefois, elle a le droit de faire un testament. 184 et 382.
[2] Toutefois, elle peut administrer ses biens avec l'autorisation de son mari ou, à son défaut, avec celle d'un juge.   1422
[3] Toutefois, le mari peut assurer sa vie en faveur de sa femme.   1265 (1888)
[4] Toutefois, la femme possède le droit de surveillance sur ses enfants.   Coutume

Source: Gérin-Lajoie, Marie, «Étude sur la condition légale des femmes de la province de Québec» dans *Femmes du Canada*, Ottawa, 1900, p. 44-53.

Pour Marie Gérin-Lajoie, les modifications au Code civil sont la récompense de toutes ses années de lutte pour améliorer le statut légal des femmes. Elle est cependant déçue que le Code ne punisse pas l'adultère du mari, sauf dans des conditions de véritable ménage à trois. Mais Thérèse Casgrain, qui garde un silence diplomatique à l'époque, porte le jugement suivant dans son autobiographie écrite quarante ans plus tard:

«En conclusion, on peut dire que le rapport Dorion, tout en apportant quelques modifications au Code civil, n'allait pas très loin.

Entre (ces) lignes, il est facile de constater l'attitude méprisante et orgueilleuse de notre élite masculine vis-à-vis les femmes qu'on traitait volontiers en inférieures, même dans la famille. Quelques années plus tard, je rencontrai le juge Ferdinand Roy (un des commissaires) à qui, naturellement, je fis part de notre désappointement au sujet du rapport de la Commission des droits civils de la femme. Le savant magistrat m'avoua alors que les juristes qui la composaient n'étaient pas allés assez loin dans les réformes qu'ils devaient apporter au Code civil[3].»

Les femmes selon les juristes de la commission Dorion

L'effet du mariage

En quittant sa famille pour en créer une nouvelle, la femme qui se marie prend le nom de son mari; sa personnalité, sans disparaître, s'identifie avec celle du père de ses enfants; conformes en cela à l'inéluctable nature et à nos mœurs chrétiennes, nos lois tiennent compte de ce fait qui modifie la condition de la femme, naturellement dépendante, et ne font pas autre chose que de sanctionner civilement les engagements de droit naturel, de droit divin, librement consentis par les deux époux. Et c'est ainsi que la femme qui, en se mariant, sacrifie sa liberté — tout court —, son nom et sa personne, sacrifie en même temps, et par conséquence, une part, non pas, comme on le dit, de ses droits civils mais de l'exercice de ces droits. (p. 234-235)

Le principe de l'incapacité juridique de l'épouse

À vrai dire, ce qu'il protège, ce ne sont pas les droits de l'homme au détriment de la femme, mais bien la société conjugale et familiale, en affermissant du poids de l'autorité civile une hiérarchie préétablie, en reconnaissant au mari le titre de chef qu'il tenait déjà du droit naturel et en ne lui donnant que les pouvoirs nécessaires à l'exercice de sa charge. (p. 241)

L'éternel féminin

Son activité a pu prendre des formes nouvelles, sa culture, explorer de nouveaux domaines d'instruction; ses attitudes qui paraissent nouvelles révèlent seulement que, dans les milieux où elle évolue, il y a quelque chose de changé, mais la femme n'a pas elle-même évolué essentiellement. Créée pour être la compagne de l'homme, elle est toujours, et par-dessus tout, épouse et mère. (p. 243)

Le privé et le public

L'émancipation de la femme est un mot qui s'associe à la fois à la question des droits civils et à celle des droits politiques de la femme. Mais la condition privée et la condition publique de la femme sont deux domaines différents: et il arrive trop souvent que nous en avons été témoins — qu'on les confonde, qu'on fasse chevaucher l'une sur l'autre... (p. 273-274)

Les féministes qui critiquent trop les lois existantes

Il ne nous a pas échappé non plus que, dans l'âme de certaines femmes, le zèle qu'elles mettent à signaler l'impuissance de la loi devant certains cas aussi exceptionnels qu'odieux, s'alimente d'une sorte de rancœur: on commence donc à se faire ici l'écho de ces voix d'outre-mer qui, par-delà les lois dites masculines, crient haro sur les hommes... (p. 273)

Le danger de la vie publique

La grosse question est seulement ici de savoir si ce sera un bien ou un mal social d'introduire dans la vie publique celles qui, par leur nature même, sont, sauf exceptions, appelées à remplir, dans la vie familiale et sociale, des fonctions, délicates et déjà absorbantes, qui paraissent à beaucoup d'esprits, masculins et féminins, incompatibles avec l'exercice et les rudes exigences de la souveraineté populaire. Ici encore, donc, il y en a de ces esprits qui se demandent si ce n'est pas aux dépens de la famille que la collectivité nationale profitera de la collaboration directe de la femme se faisant homme public (sic) ... (p. 274)

Source: «Premier Rapport de la Commission des droits civils de la femme» dans *Revue du notariat*, vol. 32, 1929-1930.

L'adultère

Quoi qu'on en dise, on sait bien qu'en fait la blessure faite au cœur de l'épouse n'est pas généralement aussi vive que celle dont souffre le mari trompé par sa femme.

(...) au cœur de la femme, le pardon est, naturellement, plus facile; parce que, aussi, pour son esprit, la blessure d'amour-propre est moins cruelle. L'opinion autour d'elle lui est indulgente et pitoyable; le mari trompé, lui, peut souffrir dans son âme tout autant, et ne reçoit du dehors, pour le déshonneur dont la famille est accablée, nulle sympathie; l'infidélité de sa femme l'expose, par surcroît, lui, aux morsures du ridicule.

(...) pratiquement, le mari ne peut pas désavouer l'enfant né de sa femme pendant le mariage.

Les enfants qu'il élève sont-ils à lui? Il est le seul des deux que cette question puisse angoisser. Et l'enfant, de conception incertaine, quand le mari connaît la faute, est un rappel constant du coup reçu et qui empêche la plaie de se fermer avec le temps.

Sans doute le mari peut avoir au dehors des enfants; la femme ne les élève pas. (p. 365-366)

Source: «Deuxième rapport de la Commission des droits civils de la femme» dans *Revue du notariat*, vol. 32, 1929-1930.

Quelques suffragettes à la conquête de l'égalité

Le Conseil local et certaines féministes de la Fédération vont faire de la conquête des droits civils et politiques de la femme leur principal cheval de bataille.

En 1893, à la fondation du Conseil local des femmes de Montréal, aucune femme ne possède le droit de vote, ni au fédéral, ni au provincial. Au niveau municipal québécois, seules les veuves et les célibataires contribuables peuvent voter. En 1902, le conseil municipal tente de retirer ce droit aux femmes locataires qui en jouissent. Marie Gérin-Lajoie mène, au nom du Conseil, une lutte pour conserver ce droit, particulièrement important aux yeux des femmes impliquées dans les mouvements de réforme urbaine. Le Conseil remporte là une importante victoire au nom de 4804 femmes qui peuvent continuer à voter aux élections municipales. Cependant, il échoue dans son projet de faire nommer une femme au poste de commissaire d'école au Protestant Board of School Commissioners même si, légalement, la chose est possible.

Si, depuis déjà quelques décennies, le vote des femmes est le sujet de nombreux débats dans les cercles littéraires, les sociétés de tempérance et les groupements ruraux, les choses progressent lentement. Vers 1880, les campagnes en faveur du vote sont nombreuses au Canada. Les femmes se réunissent et échangent dans leurs cuisines et leurs salons, car elles ne peuvent aller seules dans les endroits publics. Les femmes croient que le fait de voter leur permettrait de menacer et de convaincre, donc de susciter les réformes sociales qu'elles souhaitent.

Les femmes de l'Ouest, au nombre desquelles on retrouve Nellie McClung, sont les premières à obtenir le droit de vote en 1916. Le même processus se répète dans la plupart des provinces, et, en 1919, les femmes peuvent voter aux élections provinciales et être députées, sauf au Québec et à l'Île-du-Prince-Édouard.

Pourtant, le Québec est dans la lutte. La Montreal Suffrage Association est fondée en 1912 avec, à sa tête, Carrie Derrick qui participe aux revendications pour obtenir le vote au fédéral, ce qui est fait en 1917 pour les femmes qui ont un lien de parenté avec une personne ayant servi ou étant en service dans les forces armées, et étendu, l'année suivante, à toutes les Canadiennes.

Pour continuer la bataille et prendre la relève de la Montreal Suffrage Association, Marie Gérin-Lajoie fonde avec Mme Walter Lyman le Comité provincial du suffrage féminin où travaillent ensemble franco-

Conseil de la Ligue pour les droits de la femme.
La Presse

phones et anglophones. Les suffragettes se heurtent constamment à l'opposition des autorités civiles et religieuses, qui, pour des raisons différentes, tentent de garder les femmes en dehors de la politique le plus longtemps possible.

Le pouvoir religieux craint le suffrage féminin qui amènerait, selon lui, l'émancipation trop rapide de la femme et l'attiédissement de la foi dans les familles; le gouvernement en place redoute d'accorder le droit de vote aux femmes, car il présume que ces nouvelles voix iraient à l'adversaire, le Parti conservateur. Ce parti recrute de nombreux alliés parmi les membres du clergé et la femme canadienne-française est, selon le gouvernement, facilement perméable à l'influence religieuse.

Ces forces antiféministes retarderont la victoire jusqu'en 1940, et la virulence de leurs attaques tient bien des femmes à l'écart du mouvement. Lorsqu'un homme politique et un journaliste aussi respecté qu'Henri Bourassa trempe «sa plume dans le vitriol» pour dénoncer les féministes, comme le dit l'historienne Susan Mann Trofimenkoff, il devient presque indécent de se rallier à un mouvement qui veut faire des femmes des cabaleurs, souteneurs d'élections, députés, sénateurs, avocats, bref, de véritables «femmes-hommes», des hybrides qui détruiraient la femme-mère et la femme-femme. Qu'est-ce qui justifie, chez

Thérèse Casgrain (1896-1981), présidente de la Ligue des droits de la femme
et
Idola Saint-Jean (1880-1934), présidente de l'Alliance canadienne pour le vote des femmes du Québec.
Almanach de la langue française, numéro spécial sur «La femme canadienne-française»

un homme d'autre part intelligent, une telle violence? Trofimenkoff explique que la vision particulière de la femme chez Bourassa suggère une vision particulière de l'homme. L'homme est un être de raison et de logique à qui il appartient, à ses yeux, d'être le leader de la société. Il peut aussi être brutal et a besoin de la fonction compensatoire que doit exercer la femme par l'apaisement, la modération et la réconciliation des contraires. Il s'avère donc très important de ne pas mêler les fonctions des deux sphères. La pensée de Bourassa ressemble à celle de bien des hommes de sa génération et il ne faut pas chercher beaucoup plus loin les sources de leur opposition au droit de vote.

En 1922, les féministes décident de rencontrer le premier ministre d'alors, Louis-Alexandre Taschereau, et de lui demander le droit de vote. Ce premier pèlerinage des femmes à Québec est révélateur à plus d'un point de vue et donnera le ton à toutes les autres marches à Québec, car les réactions qu'il suscite de la part du clergé, des hommes politiques, des journalistes et des femmes seront à peu de chose près identiques tout au long des années qui suivront.

La première page du *Devoir* du vendredi 10 février 1922 rapporte cet événement: «L'annonce des délégations féminines ne créa pas, au Parlement de Québec, un mince émoi. S'il en est ainsi quand ces dames viennent demander des droits politiques, qu'en sera-t-il quand elles les exerceront?»

Taschereau se prononce contre le droit de vote et déclare: «C'est précisément parce qu'il veut que la femme remplisse pleinement sa mission qu'il veut l'écarter de la politique; elle a un ministère d'amour et de charité à remplir, auquel l'homme est absolument impropre.» Idola Saint-Jean affirme, de son côté, que le mouvement féministe est un courant mondial que personne, qu'aucune force ne pourra arrêter. Elle croit que la femme ne pourra donner la pleine valeur de sa responsabilité que lorsqu'elle aura obtenu tous les droits de citoyenne.

Les articles racontant cette démarche des féministes québécoises sont teintés de craintes, de descriptions physiques ridicules et d'un chauvinisme qui transforment la démarche des femmes en cirque de mauvais goût.

Quelques jours plus tard, le 17 février, *Le devoir* publie un article intitulé «Contre le suffrage féminin»: «Les organisatrices de la campagne en faveur du suffrage féminin rencontreraient beaucoup d'opposition dans leur mouvement, malgré que le Premier ministre, lors de la délégation, leur ait souhaité beaucoup de succès.» Ce sont des femmes qui lancent dans la province la campagne du suffrage féminin... et ce sont des femmes qui entreprennent une contre-campagne. Effectivement, beaucoup de Québécoises sont contre le vote des femmes, car on leur dit partout que la femme, en votant, perdrait tout: son autorité et le pouvoir que lui confère sa «noble mission».

Françoise Gaudet-Smet, dont l'influence n'est pas négligeable chez la femme de la campagne, est opposée au suffrage féminin. Pourquoi? Elle explique, dans un article paru à l'occasion du 25e anniversaire du droit de vote, en 1965: «Je n'étais pas contre, en principe. Mais la Québécoise, surtout dans les campagnes, n'y était pas prête. Elle ne s'en faisait pas sur son influence. Elle menait son foyer, oui, mais la société la tenait en dehors de la chose publique. La politique, alors, c'était un trafic de votes, une occasion de "soûlades", d'assemblées contradictoires et de batailles où la femme n'avait pas sa place. (…) La femme savait que sa force, son influence, ça n'était pas le jour des élections qu'elle se révélait, mais 364 jours par année.» Françoise Gaudet-Smet exprime ici une idée qu'on retrouve souvent dans l'argumentation concernant cette question, et qui veut que la femme ait tellement de pouvoir à la maison qu'elle n'a besoin de rien de plus.

Les campagnes contre le suffrage font en sorte que la lutte s'atténue entre 1922 et 1927 et reprend, en 1927, alors qu'Idola Saint-Jean, à la demande d'ouvrières, fonde l'Alliance canadienne pour le vote des femmes du Québec. En 1930, elle se présente aux élections fédérales et obtient 3000 voix dans le comté de Dorion-Saint-Denis. Thérèse Casgrain, de son côté, devient présidente du Comité provincial, en 1928, et l'année suivante, lui donne le nom de Ligue des droits de la femme. Année après année, les féministes regroupées dans ces deux associations, la Ligue pour les droits de la femme, présidée par Thérèse Casgrain, et l'Alliance canadienne pour le vote des femmes du Québec, présidée par Idola Saint-Jean, iront à Québec demander le droit de vote.

En juin 1938, les femmes sont invitées à la convention du Parti libéral. Ce fut leur planche de salut! Thérèse Casgrain, épouse du président des Communes, Pierre Casgrain, est alors vice-présidente des Femmes libérales du Canada. Elle fait inscrire quarante déléguées au congrès, lesquelles font ajouter le suffrage féminin au programme. L'assemblée approuve avec enthousiasme cet article. Adélard Godbout devient le chef du parti et des élections sont déclenchées en 1939. Durant la campagne, Godbout promet d'accorder le droit de vote aux femmes et, après sa victoire, les associations féministes lui rappellent sa promesse. Le discours du Trône de 1940 annonce que la promesse sera réalisée.

L'opposition du clergé se fait alors virulente et, le 1er mars 1940, le cardinal Villeneuve émet un communiqué: «Nous ne sommes pas favorables au suffrage politique féminin:

1. Parce qu'il va à l'encontre de l'unité et de la hiérarchie familiale.

2. Parce que son exercice expose la femme à toutes les passions et à toutes les *aventures* de l'électoralisme.

3. Parce que, en fait, il nous apparaît que la très grande majorité des femmes de la province ne le désire pas.

4. Parce que les réformes sociales, économiques, hygiéniques, etc., que l'on avance pour préconiser le droit de suffrage chez les femmes, peuvent être aussi bien obtenues grâce à l'influence des organisations féminines, en marge de la politique.

Nous croyons exprimer ici le sentiment commun des évêques de la province.»

Adélard Godbout est alors embarrassé et surmonte l'obstacle en menaçant de démissionner et d'être remplacé par l'anticlérical T.D. Bouchard. L'opposition du clergé s'éteint et la loi est sanctionnée le 25 avril 1940.

Mais le fait de voter ne va nullement accorder le pouvoir aux femmes, car il faudra attendre plusieurs décennies et l'avènement d'une nouvelle vague de féminisme, à la fin des années 60, pour voir l'analyse s'élargir et démasquer le sexisme et la misogynie des lieux de pouvoir, essentiellement dominés par les hommes.

L'histoire de la lutte pour le droit de vote marque un moment important de l'histoire du mouvement des femmes et de ses luttes pour sortir les femmes de leur domination. C'est une étape par laquelle il fallait passer et, sans lui accorder trop d'importance, il faut lui reconnaître sa juste place à l'intérieur de l'histoire des femmes.

Presque égales, mais marginales

Les hommes, surtout depuis le XIXe siècle, avaient défini les femmes en fonction de la sphère domestique et leur avaient construit un statut spécial. Cette définition était un carcan, et les analyses des premières féministes en avaient démontré l'odieux. Le militantisme des féministes et les pratiques quotidiennes de milliers de femmes font que, en 1940, une bonne partie des injustices officielles ont disparu: les femmes ont désormais le droit de vote ainsi que l'accès à l'éducation et à certaines professions.

Néanmoins, cela ne signifie pas que les hommes renoncent à définir le féminin et à contrôler la place des femmes dans la société. Les femmes ont le droit de vote, non parce qu'elles sont les égales des hommes, mais parce que leur rôle de mère doit s'étendre dans la sphère publique. Les femmes des milieux bourgeois ont accès au cours classique, forçant les unes après les autres les portes des facultés universitaires; mais l'immense majorité des Québécoises bénéficie autrement du droit à l'éducation qui prend principalement la forme d'avenues féminines particulières. Les femmes prennent donc des cours de femmes et sont désormais éduquées non pas pour concurrencer les hommes, mais pour être de meilleures mères et de meilleures épouses.

La systématisation de l'éducation donne aux hommes un moyen privilégié pour investir la sphère domestique et saper les bases du savoir historique des femmes. Jadis, elles soignaient, éduquaient et nourrissaient leurs enfants sans l'aide des hommes, tel qu'elles l'avaient appris de leur mère. Désormais, médecins, éducateurs et prêtres leur expliquent qu'elles n'ont pas la bonne manière de le faire. Des programmes d'enseignement ou des cliniques telle la Goutte de lait sont conçus. Au nom de la science, les hommes définissent et imposent leurs normes dans les champs réservés aux femmes: santé, éducation des enfants, puériculture. Les femmes doivent continuer à être mères et éducatrices, mais, pour bien le faire, elles doivent se conformer aux prescriptions masculines. Les femmes deviennent dès lors, dans la sphère domestique, les simples exécutantes du savoir des hommes.

Des idéologues bavards continuent de dénoncer le travail salarié des femmes, alors que tous les jours, et de plus en plus, les femmes doivent gagner un salaire. Le discours sur le travail féminin est en contradiction évidente avec le quotidien des femmes. On peut dénoncer cette absence d'ajustement des élites, on peut dénoncer leur chauvinisme, mais on peut se demander à quoi et à qui sert ce discours. Les femmes, à force de se faire répéter que leur place est au foyer et non au travail, se sentent probablement usurpatrices. Un des effets du discours contre le travail féminin amène vraisemblablement les Québécoises à ne pas contester leur marginalité sur le marché du travail.

La Deuxième Guerre mondiale vient bouleverser le jeu fragile d'équilibre entre les forces du passé et les forces du changement. De nouveau, les femmes doivent sauver la nation. On leur demande de quitter leur rôle de mère et elles entrent dans les usines de guerre. Quand la guerre cesse, on veut qu'elles retournent à la maison. Mais leur retrait du marché du travail ne sera que temporaire, car l'ordre économique qui s'instaure après la Seconde Guerre mondiale requiert une participation encore plus massive et continue des femmes au travail salarié. On entre dans une impasse: les femmes sont requises à la maison pour assurer la reproduction, mais on a besoin d'elles dans la plupart des sphères de la vie économique.

Notes du chapitre 11

1. «Premier rapport de la commission Dorion» dans *Revue du notariat*, vol. 32, 1929-1930, p. 249.

2. «Nos droits et nos devoirs» dans *La bonne fermière*, janvier 1930.

3. Thérèse Casgrain, *Une femme chez les hommes*, Montréal, Éditions du Jour, 1971, p. 94-95.

IV
Les contradictions
Orientations bibliographiques

BRANDT, GAIL CUTHBERT, «Weaving it Together: Life Cycle and the Industrial Experience of Female Cotton Workers in Quebec, 1910-1950» dans *Labour/Le travailleur*, printemps 1981, p. 113-126.

CASGRAIN, THÉRÈSE, *Une femme chez les hommes*, Montréal, Éditions du Jour, 1971, 296 p.

CHARLES, ALINE, *Travail d'ombre et de lumière. Le bénévolat féminin à l'hôpital Sainte-Justine, 1907-1960*, coll. «Edmond-de-Nevers, n° 9», Québec, Institut québécois de recherche sur la culture, 1990.

CLEVERDON, CATHERINE L., *The Woman Suffrage Movement in Canada*, 2e éd., Toronto, University of Toronto Press, 1974, 324 p.

COBURN, JUDI, «I See and am Silent: A Short History of Nursing in Ontario» dans *Women at Work, Ontario, 1850-1930*, Toronto, Women's Press, 1974, p. 127-163.

COHEN, MARJORIE, «The Decline of Women in Canadian Dairying» dans *Histoire sociale*, n° 34, novembre 1984, p. 307-335.

COHEN, YOLANDE, «Les Cercles de fermières: une contribution à la survie du monde rural?» dans *Recherches sociographiques*, vol. 29, nos 2-3, 1988, p. 311-329.

COHEN, YOLANDE et DAGENAIS, MICHÈLE, «Le métier d'infirmière: savoirs féminins et reconnaissance professionnelle» dans *Revue d'histoire de l'Amérique française*, vol. 41, n° 2, 1987, p. 155-178.

COPP, TERRY, *Classe ouvrière et pauvreté*, Montréal, Boréal Express, 1978, 213 p.

DODD, DIANE, «Women Functionalism and Reproduction: The Birth Control Movement in Canada», Ottawa, 1981, 39 p. (non publié).

DUCHESNE, LORRAINE *et al.*, «La longévité des religieuses au Québec de 1901 à 1971» dans *Sociologie et société*, vol. 19, n° 1, 1987, p. 145-153.

DUMAS, ÉVELYN, *Dans le sommeil de nos os*, Montréal, Leméac, 1971, 170 p.

DUMONT, MICHELINE et Nadia FAHMY-EID, «Recettes pour la femme idéale: femmes/famille et éducation dans deux journaux libéraux: Le Canada et La Patrie (1900-1920)» dans *Atlantis*, vol. 10, n° 1, 1984, p. 46-60.

FAHMY-EID, Nadia et PICHÉ, LUCIE, «Le savoir négocié. Les stratégies des associations de technologie médicale, de physiothérapie et de diététique pour l'accès à une meilleure formation professionnelle (1930-1970)» dans *Revue d'histoire de l'Amérique française*, vol. 43, n° 4, 1990, p. 509-535.

FERRETTI, LUCIA, «Mariage et cadre de vie familiale dans une paroisse ouvrière montréalaise: Sainte-Brigide, 1900-1914» dans *Revue d'histoire de l'Amérique française*, vol. 39, n° 2, 1985, p. 233-254.

FOURNIER, LOUIS, *Communisme et anticommunisme au Québec (1920-1950)*, Montréal, Éditions coopératives Albert Saint-Martin, 1979, 165 p.

HAMEL, RÉGINALD, *Bibliographie sommaire sur l'histoire de l'écriture féminine au Canada 1769-1961*, Montréal, Université de Montréal, 1974, 134 p. (non publiée).

HAMEL, THÉRÈSE, «Obligation scolaire et travail des enfants au Québec: 1900-1950» dans *Revue d'histoire de l'Amérique française*, vol. 38, n° 1, 1984, p. 39-58.

HEAP, RUBY, «Urbanisation et éducation: la centralisation scolaire à Montréal au début du XXᵉ siècle» dans *Communications historiques*, Ottawa, 1985.

JEAN, MICHÈLE, *Québécoises du XXᵉ siècle*, Montréal, Éditions du Jour, 1974, 303 p.

————, «Histoire des luttes féministes au Québec» dans *Possibles*, vol. 4, n° 1, automne 1979, p. 17-32.

LACELLE, NICOLE, *Madeleine Parent, Léa Roback. Entretiens avec Nicole Lacelle*, Montréal, Les Éditions du remue-ménage, 1988, 181 p.

LAFORCE, HÉLÈNE. *Histoire des sages-femmes au Québec*, Québec, Institut québécois de recherche sur la culture, 1985.

LAMOUREUX, DIANE, *Citoyennes? Femmes, droit de vote et démocratie*, Montréal, Les Éditions du remue-ménage, 1990.

LAPOINTE, MICHELLE, «Le syndicat catholique des allumettières de Hull, 1919-1924», dans *Revue d'histoire de l'Amérique française*, vol. 32, n° 4, mars 1979, p. 603-627.

LAVIGNE, MARIE, et PINARD, YOLANDE, *Travailleuses et féministes. Les femmes dans la société québécoise*, Montréal, Boréal, 1983, 430 p.

LEMIEUX, DENISE et MERCIER, LUCIE, *Les femmes au tournant du siècle, 1880-1940. Âges de la vie, maternité et quotidien*, Québec, Institut québécois de recherche sur la culture, 1989.

LÉTOURNEAU, J., *Les écoles normales de filles*, Montréal, Fides, 1981.

LINTEAU, PAUL-ANDRÉ, RENÉ DUROCHER et JEAN-CLAUDE ROBERT, *Histoire du Québec contemporain*, Tome I, Montréal, Boréal Express, 1979, 660 p.

LOWE, GRAHAM, *Women in the Administrative Revolution*, Toronto, Toronto University Press, 1987.

MINER, HORACE, *St. Denis, a French-Canadian Parish*, Chicago, Phoenix Books, 1963, 299 p.

MONET-CHARTRAND, SIMONNE, *Ma vie comme rivière*, Montréal, Les Éditions du remue-ménage, 1981.

PELLETIER-BAILLARGEON, HÉLÈNE, *Marie-Gérin Lajoie. De mère en fille — la cause des femmes*, Montréal, Boréal, 1986.

PERRON, NORMAND, *Un siècle de vie hospitalière au Québec. Les Augustines et l'Hôtel-Dieu de Chicoutimi, 1884-1984*, Québec, Presses de l'Université du Québec, 1984.

PETITAT, ANDRÉ, *Les infirmières, de la vocation à la profession*, Montréal, Boréal, 1989.

PIERRE-DESCHÊNES, CLAUDINE, «Santé publique et organisation de la profession médicale au Québec, 1870-1918» dans *Revue d'histoire de l'Amérique française*, vol. 35, n° 3, décembre 1981, p. 355-375.

PLANTE, LUCIENNE, *La fondation de l'enseignement classique féminin au Québec, 1908-1916*, thèse de D.E.S. (Histoire), Québec, Université Laval, 1968, 187 p.

ROUILLARD, J., *Ah! les États*, Montréal, Boréal, 1985.

STRONG-BOAG, VERONICA, «Wages for Housework: Mothers' Allowances and the Beginnings of Social Security in Canada», dans *Journal of Canadian Studies — Revue d'Études canadiennes*, vol. 14, n° 1, printemps 1979, p. 24-34.

—————, *The Parliament of Women: the National Council of Women of Canada 1893-1929*, Ottawa, Musées nationaux du Canada, division «histoire», document n° 18, 491 p.

TÉTREAULT, MARTINE, «Les maladies de la misère. Aspects de la santé publique à Montréal, 1880-1914» dans *Revue d'histoire de l'Amérique française*, vol. 36, n° 4, 1983, p. 504-526.

THIVIERGE, NICOLE, *Écoles ménagères et instituts familiaux: un modèle féminin traditionnel*, Québec, Institut québécois de recherche sur la culture, 1982, 475 p.

TREMBLAY-MATTE, CÉCILE, *La chanson écrite au féminin*, Montréal, Éditions Trois, 1990, 391 p.

THIVIERGE, MARYSE, *Les institutrices laïques à l'école primaire catholique au Québec, de 1900 à 1964*, thèse de doctorat (Histoire), Québec, Université Laval, 1981, 437 p.

TROFIMENKOFF, SUSAN MANN, *Women at Work, Ontario 1850-1930*, Toronto, Women's Press, 1974, 405 p.

TROFIMENKOFF, SUSAN MANN, et PRENTICE, ALISON, *The Neglected Majority*, Toronto, McClelland and Stewart, 1977, 192 p.

V
LA TRANSITION
1940-1965

Les femmes du Québec reçoivent le droit de vote au niveau provincial dans un monde en guerre. Dans ce contexte, il n'est pas surprenant que cette grande victoire, qui semble pourtant symboliser leur entrée définitive dans la vie publique, ne change guère leur statut. Elles sont cependant trop préoccupées par les effets d'un conflit mondial pour s'en apercevoir.

La dépression des années 30 avait accentué les frictions latentes entre les grandes puissances. Après l'invasion de la Pologne par Hitler, en septembre 1939, la France et l'Angleterre lui déclarent la guerre; quelques jours plus tard, le Parlement canadien les suit. Puis, deux ans après, les États-Unis se joignent aux Alliés contre le Japon, l'Allemagne et l'Italie. Pendant près de six ans, toute la vie de la collectivité est entièrement polarisée par la guerre.

Tout comme en 1914, le déclenchement de la Deuxième Guerre mondiale provoque une crise nationale au Canada, car si les Canadiens anglais, plus près de leurs racines britanniques, ne veulent épargner aucun effort pour secourir l'Angleterre, leur mère patrie, les Canadiens de langue française sont en général moins enthousiastes, ne s'identifiant ni à la France ni à l'Angleterre. La controverse qui règne autour de la conscription et la participation à la guerre donnent l'occasion aux nationalistes de dénoncer le pouvoir grandissant d'Ottawa et, à la fin du conflit, le gouvernement du Québec se retrouve affaibli face au pouvoir fédéral.

Par ailleurs, la situation de l'économie n'est pas favorable aux travailleurs. Après la pénurie et le rationnement, arrivent l'inflation et une répression sévère des conflits de travail. La conjoncture économique, ébranlée par la guerre, met du temps à engendrer de nouveaux modèles de prospérité et de développement.

Au Québec, l'après-guerre est complètement dominé par l'ombre envahissante du premier ministre Maurice Duplessis, célibataire. Son parti, l'Union nationale, est de nouveau au pouvoir depuis 1944 et l'emprise du chef sur la province est totale. «Les évêques viennent manger dans ma main», soutient-il, et il leur distribue octrois et subventions pour leurs grands séminaires, leurs hôpitaux, leurs couvents et leurs collèges. «La meilleure assurance-maladie, c'est la santé», déclare-t-il parfois, et il rejette du revers de la main de nombreuses tentatives de modifier la législation sociale de la province. Son cheval de bataille, l'autonomie provinciale, lui sert à la fois de bouclier et d'estoc, de javelot et d'armure.

Toutefois, les adversaires de Duplessis sont légion. On les retrouve à la direction de quelques revues et journaux, dans les mouvements d'action catholique, dans les syndicats, dans les universités et les collèges, dans les milieux littéraires et artistiques. Un groupe d'artistes signe un manifeste, *Le refus global*, symbole de l'expression de l'opposition. Duplessis les méprise ouvertement, les traite négligemment de poètes (prononcez *pouettes*) et répond à leurs attaques par d'épais calembours. De nombreuses commissions d'enquête produisent des mémoires résolument novateurs, mais, dans le climat conservateur qui règne, ils sont prudemment déposés sur les tablettes.

En même temps, on coule dans le béton des écoles, des hôpitaux, des autoroutes et des barrages hydro-électriques. Dans un Québec neuf et en pleine expansion économique, l'électricité, la radio et la télévision transportent jusqu'au plus lointain village les commodités de la vie quotidienne, les images de *La famille Plouffe* et, plus tard, de la traduction d'une émission populaire américaine, *Papa a raison*. Symbole de cette effervescence, la Côte-Nord s'ouvre à l'exploitation de ses ressources avec l'injection d'énormes capitaux américains. Les premières banlieues-dortoirs font leur apparition, suivies par les premiers centres commerciaux. Le Québec entre progressivement dans la société de consommation.

À l'automne de 1959, la mort de Duplessis, le bref passage de Paul Sauvé à la tête de l'État québécois et le remous causé par *Les insolences du Frère Untel* signalent que l'ère des réformes est arrivée. Le 18 juin 1960, l'«Équipe du tonnerre», les libéraux de Jean Lesage, prend le pouvoir à Québec. L'heure est favorable à une nouvelle orientation économique et aux législations nouvelles. Tous les secteurs sont touchés; une nouvelle classe de fonctionnaires-gestionnaires-technocrates s'empare des postes de commande. En effet, le gouvernement Lesage consacre tous ses efforts à transformer l'État québécois: on récupère des compétences naguère confiées à l'Église ou à l'entreprise privée, puis on adopte une série de mesures pour redistribuer les biens et les services. C'est que la reprise économique, qui s'amorce après 1962, permet toutes les audaces. Cette période, qu'on a baptisée «Révolution tranquille», coïncide en effet avec une phase d'expansion de l'économie capitaliste.

Les changements de toutes sortes sont profonds durant les années 50 et 60. La démocratisation des services éducatifs et des services de santé bouleverse la structure sociale. Les sociologues contemporains n'en finissent plus d'étudier les conséquences de ces transformations, qui se sont produites en même temps que la société québécoise vivait un processus rapide de déconfessionnalisation et de laïcisation, à la suite de l'adoption d'un nouveau code de travail et de la syndicalisation de la fonction publique, qui bouleversent littéralement les relations entre les patrons et les employés. Ces transformations s'imposent au moment où l'idéologie de la social-démocratie propose un nouveau modèle de société et coïncident avec une véritable explosion du fait culturel québécois.

La Révolution tranquille, toutefois, n'est pas une génération spontanée et 1960 n'est pas, pour les femmes, une date vraiment importante car, comme bien d'autres groupes, la révolution «tranquille», elles l'avaient commencée bien avant qu'on en parle. De plus, elles découvriront plus tard que, malgré son idéologie égalitariste, ladite Révolution tranquille aura mis en place des institutions créant un nouveau double standard, une nouvelle place, différente mais toujours inférieure, pour les femmes.

Dans la sphère féminine, des changements fondamentaux et inéluctables se produisent entre 1940 et 1965. Dans un premier temps, ces changements semblent être imposés par les circonstances exceptionnelles de la guerre et le matérialisme confortable de l'Amérique du Nord durant l'après-guerre. Par la suite, ils sont plutôt la conséquence des aspirations des femmes elles-mêmes, sollicitées de toutes parts pour être simultanément des reines du foyer et des citoyennes engagées dans de nombreuses sphères de la vie publique. En définitive, ces changements mettent en lumière l'impasse où se retrouvent toutes les femmes.

Pour les femmes, cette période a donc constitué une transition significative. En effet, alors que chacun s'attendait à ce que les femmes reprennent leur rôle traditionnel à la fin de la guerre, on dut plutôt constater que les changements suscités par la guerre étaient là pour rester. Mieux, de nouvelles transformations sociales provoquées par la modernité désormais irrésistible des années 50 et les élans de la Révolution tranquille ont laissé aux femmes l'impression que tous les espoirs leur sont maintenant permis.

Le pays a besoin de vous: des bombes aux bébés

Paradoxes de l'histoire des femmes au Canada, les guerres ont représenté pour beaucoup d'entre elles des moments extraordinaires, particulièrement la Deuxième Guerre mondiale.

Bien sûr, des mères y perdent leurs fils, des épouses leur mari, des sœurs leurs frères, et quelques jeunes filles ne se souviennent pas de leur père. Bien des familles récupèrent un soldat blessé, incapable de reprendre sa vie d'antan. Pour les mères et les amies de soldats envoyés au front, la guerre est une longue période d'attente. Lorsque les lettres du bien-aimé n'arrivent plus, on craint le pire. Parfois, ces anxiétés sont confirmées par un télégramme officiel annonçant sèchement la mort ou la disparition de l'homme aimé. Mais, somme toute, c'est une minorité de familles canadiennes qui perdent un des leurs à la guerre. Beaucoup d'hommes, mis en service au Canada, ne sont pas directement en danger, et beaucoup d'autres reviennent sains et saufs à la fin des hostilités.

La guerre, expérience décisive

C'est une des raisons qui expliquent pourquoi, pour bien des jeunes femmes, la guerre est vécue comme une sorte d'aventure. Pour la première fois, le Canada fait appel à toutes les femmes aussi bien qu'à tous les hommes, et chacune sent qu'elle doit y apporter sa contribution. Pour la première fois de leur vie, les jeunes célibataires ont le choix d'emplois laissés vacants par l'exode des jeunes hommes dans les armées. Et la production pour la guerre crée des milliers de nouveaux emplois que peuvent remplir même les travailleuses les plus inexpérimentées. Si, par hasard, leurs amis ou leurs fiancés sont partis, elles trouvent d'autres hommes en uniforme pour les accompagner. Chaque ville canadienne a ses casernes militaires où les jeunes soldats s'ennuient en attendant d'être envoyés au front; pour soutenir leur moral, on encourage les femmes célibataires à fréquenter les bals et autres activités sociales organisées par l'armée ou les groupes bénévoles.

Le Canada fait aussi appel aux femmes mariées. Au Québec, très peu d'épouses consentent à travailler en dehors du foyer, même pour aider l'effort de guerre. Mais chaque ménagère fait sa part, car le rationnement des denrées alimentaires les oblige à planifier soigneusement les menus et à surveiller les budgets. Aucun matériel utile pour l'effort de guerre n'est gaspillé, et c'est grâce aux ménagères qu'on peut conserver et recycler le métal, le gras et la laine pour faire des armes, des explosifs et des uniformes. On incite les femmes à faire du bénévolat dans leurs quelques moments de loisir: les associations féminines se mettent au service des autorités.

Ces expériences donnent à bien des femmes une nouvelle conscience de leur importance en dehors de la vie domestique. Sans elles, l'économie de guerre n'aurait pas pu se maintenir. Cette expérience les marque profondément, mais les séquelles n'apparaîtront que quinze ou vingt ans plus tard. Leurs enfants élevés, elles se retrouvent seules et, petit à petit, elles commencent à se chercher une vie en dehors du foyer. Quelques-unes reprennent un métier abandonné. Elles encouragent leurs filles à parfaire leur éducation et à se donner une formation professionnelle en fonction du marché du travail. L'expérience de la guerre ne sera pas absente de la remise en cause des valeurs féminines au Québec après 1965; les femmes auront acquis la connaissance de leur potentiel dans un ordre des choses différent de celui qui avait été le leur jusqu'à ce jour.

La guerre, une affaire d'hommes

Même si des populations civiles entières participent à la Deuxième Guerre comme elles ne l'ont pas fait depuis longtemps, la guerre demeure foncièrement une affaire d'hommes. Pendant six ans, le pays entier surveille avec anxiété les moindres agissements des hommes des forces canadiennes. Plus que jamais, le sort individuel et collectif des femmes doit dépendre des hommes.

Dès le déclenchement de la guerre, en 1939, les femmes s'inquiètent. Est-ce que leurs amis ou leurs fils devront aller se battre? Pour
beaucoup de jeunes hommes, la guerre offre une occasion d'aventure
et un emploi stable et valorisant, surtout après le chômage des années
30. Mais d'autres, qui n'ont pas envie de risquer leur peau pour une
affaire qui ne semble pas toucher directement le Canada, passent la
guerre entière à tenter d'éviter le service militaire.

Des milliers de femmes passent six ans à attendre que leurs hommes
reviennent: quelques-uns ne reviennent jamais; d'autres, gravement blessés. Partout au Canada, mais surtout au Québec, les hommes qui refusent d'aller à la guerre doivent se cacher lorsque les pressions pour s'inscrire deviennent trop fortes. Ainsi, à la fin de 1944, quand on se prépare à
envoyer pour la première fois des conscrits en Europe, plusieurs soldats
ne reviennent pas de leur congé de départ. Ceux-ci sont cachés par leurs
familles jusqu'à l'amnistie générale proclamée à la fin de la guerre.

Puisque les époux sont les derniers à être appelés pour le service
militaire, le mariage devient donc un moyen d'éviter l'armée. Lorsqu'on
annonce, le 12 juillet 1940, que les hommes célibataires seront mobilisés le 15 juillet, une véritable course au mariage se déclenche partout
au Canada: on fait la queue devant les portes des églises pour se

Mariés de l'époque de la Deuxième Guerre.
Collection privée — Françoise G. Stanton

marier. Les mariages en groupes permettent d'accélérer le rythme des bénédictions nuptiales. Entre 1938 et 1940, le nombre de mariages célébrés au Canada triple. Mobilisés soit par l'armée, soit par le mariage, beaucoup de Canadiens mettent fin abruptement à leur jeunesse.

Les femmes fiancées pendant la Dépression, qui attendaient pour se marier une meilleure situation économique, se sont peut-être réjouies malgré l'austérité de ce prétexte pour se marier plus tôt. Les tissus et les aliments étant strictement rationnés, la mariée met simplement sa meilleure robe et les invités apportent souvent leurs propres rations à la réception. Les femmes qui avaient épousé trop rapidement un homme pour le sauver de la guerre ont dû, parfois, regretter leur geste. D'autant plus qu'au Québec, dans les années 40, le divorce n'existe que pour celles qui possèdent à la fois les moyens financiers et le courage de braver la censure ecclésiastique, si elles sont catholiques. On ne peut obtenir le divorce que par une loi du Parlement.

Les autorités militaires découvrent que la meilleure façon de garder le moral des troupes, au front ou dans les camps d'entraînement d'outre-mer, est de leur faire parvenir des paquets et des lettres du Canada. On assigne donc aux femmes bénévoles des jeunes soldats qui reçoivent peu de courrier; pendant toute la guerre, elles doivent leur écrire pour les réconforter, leur donnant l'assurance d'être soutenus et appréciés chez eux.

Les femmes d'Europe continentale et de Grande-Bretagne accueillent avec joie l'arrivée des soldats canadiens qui se portent au secours de leurs pays. Les soldats en poste fréquentent les jeunes célibataires de la région et sont généralement vus comme de bons partis, car, de plus, en Europe, le choix de maris est considérablement réduit par la guerre. Vivre au Canada, pays intouché par les invasions et les bombardements, où presque tout le monde mange à sa faim, représente une perspective alléchante. Au Québec, l'Église et les milieux les plus nationalistes s'inquiètent des mariages entre francophones catholiques et anglophones protestantes, mais, pour la plupart, ces *War Brides* sont des Anglaises qui épousent des anglophones.

Le service militaire

La machine de guerre consomme tellement d'hommes que, dès le début des hostilités, on songe à recourir à la main-d'œuvre féminine, non pas pour se battre au front, bien sûr, mais pour accomplir des tâches auxiliaires, surtout au Canada, libérant ainsi les hommes pour le combat actif.

En 1941 et 1942, on met sur pied la section féminine du Corps royal de l'Aviation canadienne, le Corps féminin de l'Armée canadienne et le Corps féminin de la Marine royale canadienne. Ils sont appelés couramment, même par les francophones, les WD's, les CWACS et les WRENS, abréviations anglaises de leurs sections. Dès le début de la guerre, des milliers de femmes font déjà partie des corps de réserve et la campagne de recrutement des femmes s'intensifie. Madeleine Saint-Laurent, fille de celui qui succédera à Mackenzie King comme premier ministre du Canada, est capitaine, puis major, dans le Corps féminin de l'armée, et parcourt le Québec en incitant les jeunes francophones à se joindre à l'armée.

Pour être officier dans une des divisions féminines, il faut posséder un diplôme universitaire ou une qualification équivalente. Mais les simples recrues n'ont besoin que de sept à dix ans de scolarité, d'être âgées de dix-huit à quarante-cinq ans, d'être célibataires ou sans enfants, d'avoir bonne réputation et d'être en bonne santé.

Deux membres de la Croix-Rouge canadienne accueillant une femme juive et son enfant à la gare Windsor en 1944.
Canadian Jewish Congress

En 1942, plus de 17 000 femmes de partout au Canada font partie des forces armées. À la fin de la guerre, elles seront 45 000. Pour quelques-unes, c'est une façon de se rapprocher d'un mari ou d'un fiancé soldat et de l'appuyer pendant la guerre. Pour d'autres, c'est tout simplement une façon acceptable de quitter le foyer familial, d'apprendre un métier et, peut-être, de voyager un peu.

Les recrues doivent porter l'uniforme et leurs cheveux ne doivent pas dépasser une longueur réglementaire. Mais, puisqu'un des buts recherchés en admettant les femmes dans l'armée est d'encourager les soldats par une présence féminine, on leur permet le port d'un minimum de bijoux et de maquillage. Elles suivent un entraînement de base: conditionnement physique, règlements militaires, premiers soins, cartographie, etc. Ensuite, elles sont mises à la tâche, et même si elles mènent la vie militaire et dorment dans les casernes sur les bases militaires, elles accomplissent des tâches traditionnellement féminines: cuisinières, standardistes, blanchisseuses, serveuses et femmes de ménage. Quelques-unes sont chauffeures, mais aucune d'entre elles ne porte les armes. Vers la fin de la guerre, lorsque de plus en plus d'hommes sont envoyés au front, on forme des femmes pour les remplacer; ainsi, plusieurs deviennent mécaniciennes, télégraphistes ou techniciennes. Selon les historiennes Geneviève Auger et Raymonde Lamothe, beaucoup de femmes, parties à l'aventure et se retrouvant serveuses au mess des officiers, sont profondément déçues, d'autant plus que leur salaire est plus maigre que celui des hommes.

Mais la campagne de propagande intense et la promesse de l'aventure permettent au gouvernement d'attirer les femmes et de prolonger la discrimination salariale jusque dans l'armée; ce qui se justifie facilement puisque, après tout, les emplois féminins, dans la vie civile, sont presque identiques, et que les femmes doivent être prêtes à se sacrifier pour gagner la guerre.

Ce n'est pas seulement dans les emplois et dans les salaires que le double standard — un pour les hommes, un autre pour les femmes — se fait sentir. Dans l'armée, les femmes n'ont presque pas de pouvoir: les femmes officiers ne commandent que les femmes, jamais les homes, alors que les divisions féminines sont toujours sous l'autorité ultime d'un homme. Une controverse éclate pour déterminer si les hommes de grade inférieur sont obligés de saluer des femmes de grade supérieur; de toute façon, elles sont peu nombreuses, les chances de promotion pour les femmes étant minimes.

Selon les historiennes Auger et Lamothe, les femmes qui jouissent du maximum d'autonomie professionnelle dans les forces armées sont les infirmières. Elles sont essentielles au travail des corps médicaux pour seconder les médecins et, bien sûr, leur douceur et leur patience féminine sont indispensables, pense-t-on, pour veiller sur les soldats blessés et les convalescents.

Les infirmières forment un véritable corps d'élite. Elles deviennent automatiquement officiers dès leur entrée dans l'armée et reçoivent le même salaire qu'un homme du même grade: pour les Québécoises, c'est plus de trois fois ce qu'elles reçoivent dans les hôpitaux civils. Cet avantage s'ajoutant au goût de l'aventure, l'entrée dans l'armée exerce un puissant attrait. Plus de 4000 Canadiennes deviennent des infirmières militaires, alors que plus du double désirent être admises. D'autres professionnelles de la santé, telles les physiothérapeutes et les diététiciennes, sont aussi importantes et jouissent du même statut que les infirmières.

Un tiers des infirmières reste au Canada, travaillant dans les hôpitaux militaires, les foyers de convalescence et les bases navales et aériennes; la majorité d'entre elles sont envoyées en Grande-Bretagne, où sont basées les forces canadiennes qui préparent la reconquête de l'Europe et de l'Afrique du Nord. Elles travaillent dans des conditions inconfortables et dangereuses, dans les grands hôpitaux militaires où sont évacués les blessés du front, mais elles se sentent récompensées par l'appréciation des soldats et par leur popularité en général. Ce sont souvent les seules femmes qui, à proximité de milliers d'hommes vivant une existence dangereuse et monotone, sont l'objet d'une continuelle attention masculine.

Les fréquentations entre femmes et hommes inscrits dans les forces armées préoccupent énormément les autorités militaires. Au début de la guerre, la mauvaise réputation des femmes dans l'armée nuit au recrutement des effectifs féminins. L'éloignement des jeunes femmes de leurs familles, la proximité des soldats que les lendemains incertains et la vie de caserne incitent parfois à l'imprudence, la dureté de la vie militaire, voilà autant de facteurs qui peuvent suggérer à une certaine partie de la population canadienne une image de femme de petite vertu. L'historienne Ruth Pierson explique cette représentation désobligeante des femmes militaires. D'abord, la population francophone du Québec voit mal qu'une jeune célibataire vive loin de la surveillance parentale, et une partie de la population est même vivement opposée à l'effort de guerre. Ensuite, les jeunes militaires eux-mêmes n'acceptent pas, au début, la présence des femmes dans un univers masculin et ripostent en faisant des blagues obscènes au sujet des «filles à soldats». Le ministre de la Défense fait appel à l'aide du Conseil national des femmes, dont la présidente assure les mères canadiennes que leurs filles seront encadrées tout comme si elles étaient restées à la maison.

En réalité, la vie militaire est sévère et les fréquentations des femmes sont surveillées le mieux possible, non seulement pour protéger leur réputation (celles-ci, mariées ou non, sont congédiées si elles deviennent enceintes): le problème le plus urgent, pour les autorités militaires, est la recrudescence des maladies vénériennes qui peut réduire de façon significative le nombre d'hommes aptes au combat. C'est un problème grave, d'autant plus qu'avant 1943 et 1944 une guérison efficace n'est pas assurée.

Les autorités mettent sur pied une campagne d'éducation des soldats: on leur distribue des brochures expliquant les dangers de la syphilis et de la gonorrhée; on leur projette des films où on voit des scènes horrifiantes des effets des maladies vénériennes et puisque, après tout, on ne peut s'attendre à la continence de la part des hommes, on leur donne des condoms et des trousses prophylactiques pour se désinfecter. Selon Ruth Pierson, qui a analysé cette campagne, on présente aux soldats la femme de mauvaise vie comme étant la représentation vivante de la maladie qui les guette. Les femmes potentiellement porteuses de maladies ne sont pas uniquement les prostituées, mais toutes les femmes trop «faciles» qui se permettent des rapports sexuels en dehors du mariage.

Pour les CWACS, les WRENS et les WD's, les autorités comptent seulement sur leur chasteté et ne leur donnent ni contraceptifs ni trousse prophylactique. On espère que les femmes, bien informées par les brochures des forces armées et d'une moralité stricte, s'abstiendront de rapports sexuels. Nulle part, dans le matériel éducatif préparé pour les femmes, on ne représente les hommes comme source d'infection. Si elles sont infectées, elles ne doivent blâmer qu'elles-mêmes et ne peuvent faire de reproches qu'à elles-mêmes. Encore une fois, le double standard fait des femmes les seules gardiennes de la moralité et, par le fait même, les grandes responsables des maladies transmises sexuellement.

Chaque travailleuse compte

Deux des plus grandes contributions du Canada à l'effort de guerre des Alliés seront la construction d'équipement militaire, d'une part, et l'approvisionnement en denrées alimentaires, d'autre part. Pour réussir à maintenir les niveaux de production, on doit réorganiser toute l'économie du pays: toutes les industries et tous les services ne peuvent fonctionner que selon un plan d'ensemble. La guerre fait rapidement oublier au peuple le chômage de la Dépression. Une grande partie de la production militaire se fait au Québec: explosifs, avions, chars d'assaut, aluminium, uniformes. Ces industries absorbent la main-d'œuvre masculine non inscrite dans les forces armées, et déjà, en 1941, on manque de bras dans les industries de guerre. La solution: faire appel aux femmes.

Dès 1942, on admet les femmes aux stages de formation en technologie industrielle, et c'est ainsi qu'elles peuvent travailler comme mécaniciennes, électriciennes ou soudeuses dans les usines de guerre. Mais ce n'est que la minorité, car la plupart exécutent des tâches monotones et routinières, même si elles sont parfois très dangereuses. La production de munitions, par exemple, est un travail ennuyeux, mais la moindre inattention peut faire sauter l'usine!

En dépit des problèmes de santé et de sécurité au travail, les usines de guerre attirent les femmes en grand nombre. On sort de la Crise, on a besoin d'argent et les salaires dans les industries de guerre

Pendant la Deuxième Guerre mondiale, les femmes constituent une bonne réserve de main-d'œuvre.
Archives publiques du Canada

sont plus élevés. Mais, à travail égal, les salaires des femmes ne sont jamais aussi élevés que ceux des hommes. Les syndicats reconnaissent cette injustice; pourtant, ils ne font rien pour la combattre.

Les heures de travail sont extrêmement longues: une équipe travaille souvent jusqu'à douze heures de suite. Pendant la guerre, on fait lever l'interdiction faite aux femmes de travailler la nuit. Parfois, on travaille sept jours par semaine pendant des mois. Ce régime, ajouté à la nature difficile et malsaine de certains travaux — émanations toxiques, matériel dangereux, machinerie lourde et bruyante —, finit par attaquer la santé des travailleuses. Mais elles ne lâchent pas, car les salaires sont trop bons et la propagande incessante du gouvernement les incite à faire leur part pour hâter la victoire. Par contre, celui-ci tait tous les accidents graves qui se produisent, de peur de manquer de main-d'œuvre.

La production de guerre draine la main-d'œuvre féminine des autres secteurs, qui ne peuvent offrir d'aussi bons salaires. En 1942, les institutrices commencent à manquer et on leur défend, pendant l'année scolaire du moins, de prendre un autre emploi. En été, on les encourage à entrer dans les usines de guerre ou à travailler à la campagne pour aider les fermiers. Tout le secteur des services — hôpitaux, écoles, institutions, hôtellerie, transport, communications —, où les travailleuses étaient nombreuses, commence à subir les effets de la pénurie de main-d'œuvre à bon marché. Ainsi, le gouvernement passe à la prochaine phase de sa campagne: à partir de 1943, on encourage les ménagères à accepter des emplois à mi-temps.

Avec de telles chances, il n'est guère surprenant que de plus en plus de femmes refusent de faire du service domestique. Maintenant, en travaillant ailleurs, elles peuvent gagner beaucoup plus d'argent et avoir plus de temps libre. Les maîtresses de maison, surtout celles qui ont toujours eu des domestiques, sont prises de panique, mais elles ne peuvent guère empêcher leurs bonnes, attirées par les campagnes de recrutement, de les quitter pour un meilleur emploi.

La production agricole également a énormément besoin de main-d'œuvre, car des milliers d'hommes ont quitté les fermes pour le service militaire ou le travail en usine. Pour aider aux récoltes, on encourage les femmes, particulièrement les jeunes étudiantes, à passer leurs étés à la ferme, et, inversement, on tente de convaincre les fermières, durant l'hiver, de venir en ville prêter main-forte aux usines de guerre.

La vague de nouveaux effectifs sur le marché du travail renforce la position des syndicats, car ceux-ci s'empressent d'inscrire des nouveaux membres: au Québec, entre 1939 et 1943, le nombre d'hommes et de femmes qui font partie d'un syndicat augmente de façon considérable. Pour bien des femmes, c'est une première expérience de la vie syndicale, mais la plupart d'entre elles n'ont pas beaucoup de temps pour les activités syndicales et, même en temps de guerre, continuent d'être seules responsables de l'inévitable travail ménager.

Cependant, quelques femmes remarquables se distinguent comme véritables leaders des syndicats: Léa Roback, chez RCA Victor; Madeleine Parent, dans le secteur des textiles, et Yvette Charpentier parmi les travailleuses de la confection.

Même avec le gel des salaires et aussi, en théorie, des prix, le coût de la vie continue d'augmenter plus vite que les chèques de paie. Si l'on ajoute à cela le stress causé par l'accélération de la production, les nombreuses grèves qui éclatent s'expliquent facilement. L'organisation syndicale s'est renforcée depuis la guerre: on demande aussi la reconnaissance du syndicat par l'employeur.

En dépit d'une législation extrêmement sévère qui vise à minimiser les arrêts de travail coûteux, de nombreuses grèves éclatent. Au Québec, les industries du textile, de la chaussure, du vêtement et du tabac sont particulièrement touchées par ces conflits de travail. En général, pendant la guerre, les travailleuses marquent des points importants, car les employeurs font de trop gros profits pour risquer la fermeture de l'usine trop longtemps. La pression du mouvement ouvrier oblige les gouvernements de Québec et d'Ottawa à promulguer de nouvelles lois-cadres qui deviendront, par la suite, les codes du travail actuels.

Les femmes otages dans une guérilla politique

La question de la participation du Québec à la guerre occupe la scène provinciale pendant plus de six ans. Les anglophones et une partie de la population francophone sont prêts à tous les sacrifices. Mais l'autre partie des francophones éprouve des réserves quant à sa participation, pour des raisons variées: sentiment anti-britannique, aliénation dans un appareil militaire anglophone, philosophie d'isolationnisme, sympathie pour la France catholique et ultra-conservatrice que symbolise le maréchal Pétain, collaborateur des nazis, ou méfiance quant aux politiques de plus en plus centralisatrices que la guerre permet à

Ottawa de mener. Parmi les groupes critiques du leadership fédéral et de l'effort de guerre se trouvent une partie du clergé, les intellectuels et les politiciens les plus nationalistes, dont Maurice Duplessis, chef de l'opposition, Jean Drapeau, futur maire de Montréal, et André Laurendeau, qui deviendra éventuellement rédacteur en chef du journal *Le devoir*.

Ensemble, ces hommes mènent une véritable croisade contre Ottawa et l'effort de guerre. Une des cibles les plus faciles de cette campagne est le travail féminin et la présence des femmes dans l'armée: on accuse les femmes qui travaillent à l'extérieur de déserter leurs familles, de promouvoir la délinquance juvénile et de sacrifier les intérêts de la nation canadienne-française tout entière. Car, selon le nationalisme traditionnel, une des composantes de l'identité collective est la vie familiale selon le modèle habituel: mère au foyer, chef de famille masculin et de nombreux enfants. Les épouses travaillant à l'extérieur risquent de bouleverser cet ordre: la Confédération des travailleurs catholiques du Canada (CTCC), qui regroupe les syndicats catholiques et qui dénonce le travail féminin depuis longtemps, se joint à la croisade, comme le font la Ligue ouvrière catholique et la Jeunesse ouvrière catholique.

Les attaques se font de plus en plus virulentes. Les femmes qui travaillent dans les industries de guerre se font dire qu'elles mettent en péril les générations futures. Alors qu'on se souciait relativement peu de la santé et de la sécurité des travailleuses avant la guerre (et même après, d'ailleurs), on découvre soudainement que le travail en usine présente des dangers inacceptables. Le harcèlement sexuel (sujet d'autre part tabou) devient une raison de plus pour garder les jeunes filles à la maison, et on propose plutôt à celles-ci le service domestique dans un bon foyer catholique. Les associations féminines les plus conservatrices, telle la Fédération nationale Saint-Jean-Baptiste, adoptent elles aussi cette vision du travail féminin.

La campagne contre le travail des femmes mariées semble avoir réussi en partie. Si l'on n'a pas réussi à convaincre les jeunes travailleuses que le service domestique est préférable à l'usine, on a néanmoins culpabilisé les mères de famille.

Le gouvernement fédéral, prévoyant avoir besoin de mères de famille, met sur pied des garderies où celles-ci peuvent laisser leurs enfants pendant qu'elles travaillent dans les industries de guerre. Dès 1942, le Québec signe une entente avec le gouvernement fédéral pour le partage des coûts. En Ontario, à la fin de la guerre, on compte vingt-huit garderies, sans dénombrer les haltes-garderies et camps d'été créés pour libérer les mères travailleuses. Au Québec, on n'en compte que six, toutes à Montréal, dont quatre sont destinées aux anglophones protestants, aux Irlandais catholiques et aux Juifs. Une des deux garderies destinées aux enfants francophones catholiques doit fermer ses portes faute de clientèle, car les mères de ces enfants se sont fait répéter sur tous les tons que les garderies représentaient une intrusion de l'État dans la vie familiale et qu'elles s'inspiraient des théories communistes. Plutôt que d'affronter le curé, on laisse ses enfants à la voisine ou à une parente et, souvent, on retire sa fille aînée de l'école pour qu'elle s'occupe des plus petits. Sinon, on place les enfants dans une garderie privée, moins critiquée que celles du gouvernement, et aussi, sans doute, beaucoup de mères, n'osant pas braver les foudres du curé, préfèrent se contenter d'un niveau de vie plus modeste.

Les allocations familiales

Après la Première Guerre mondiale, le gouvernement fédéral accorde aux femmes le droit de vote; après la Deuxième Guerre mondiale, il leur donne les allocations familiales. Peut-on conclure qu'il faille des catastrophes pour reconnaître aux femmes des droits civils fondamentaux et une aide financière minimale, payée de leurs impôts, pour l'éducation de leurs enfants?

Il y a longtemps que certaines féministes se battent au Canada pour les allocations familiales, et la plupart des organisations féminines les réclament depuis des années. Au Québec, Thérèse Casgrain, Florence Martel et la journaliste Laure Hurteau répandent l'idée d'une pension de base, payable à toutes les mères, quels que soient leur fortune ou leur état matrimonial.

Lorsque, vers la fin de la guerre, le premier ministre Mackenzie King annonce la distribution prochaine d'allocations aux mères ou *baby bonus*, certains milieux s'effraient. Le gouvernement de Maurice Duplessis, revenu au pouvoir à la fin de 1944, y voit une ingérence du fédéral dans les champs de juridiction provinciale. Duplessis fait faire des études par d'éminents juristes qui déclarent que cette nouvelle loi serait inconstitutionnelle parce qu'elle enfreint les droits du père, chef de famille et seul administrateur des biens de la communauté pour les couples mariés sous le régime de la communauté de biens. Le gouvernement fédéral avait eu la témérité de faire préparer les chèques au nom de la mère!

Thérèse Casgrain, 1896-1981

De 1928, lorsqu'elle devient présidente de la Ligue des droits de la femme, à 1966, lorsqu'elle fonde la Fédération des femmes du Québec, Thérèse Casgrain semble dominer le mouvement féministe au Québec.

Née dans une des très grandes familles bourgeoises de Montréal, Thérèse Forget ne reçoit qu'une éducation couventine et se marie très jeune à un avocat libéral, pour élever ensuite quatre enfants. Mais elle vit dans un milieu où les riches industriels côtoient les hommes politiques notables et elle commence, dès les années 20, à s'occuper des questions sociales et politiques de l'heure. Charmante, intelligente et spirituelle, dotée d'une énergie infatigable, sûre d'elle-même et possédant un vaste réseau de connaissances dans presque tous les domaines, la jeune Thérèse Casgrain devient, dès 1921, lors de la fondation du Comité provincial pour le suffrage féminin, un des piliers du mouvement féministe, prenant la relève de Marie Gérin-Lajoie, de la professeure Carrie Derrick et de la docteure Grace Ritchie-England.

Pendant les années 20 et 30, elle se bat sans cesse pour améliorer le statut légal des Québécoises et pour leur obtenir le droit de vote aux élections provinciales. Son émission à Radio-Canada, *Femina*, la fait connaître partout au Canada français. Elle fonde en 1926 la Ligue de la jeunesse féminine, organisation où des bénévoles s'occupent de travail social, démontrant son esprit indépendant lorsqu'elle refuse d'y adjoindre un aumônier.

Pendant la guerre, Thérèse Casgrain s'occupe de la moitié du territoire canadien pour le Service aux consommateurs, tant dans la société anglophone que francophone. En 1945, le gouvernement canadien s'apprête à donner les premières allocations familiales aux mères de famille. Au Québec, des juristes, des prêtres et des nationalistes insistent pour que l'allocation soit versée au père, chef de famille. Casgrain mène une campagne de presse contre cette position. Son amitié avec le premier ministre Mackenzie King aidant, elle obtient un changement de dernière minute. Les chèques iront aux femmes du Québec.

Plus que féministe, Thérèse Casgrain est une grande humaniste, toujours prête à se lancer dans des luttes pour les libertés civiles et les droits de la personne. Ses convictions politiques l'amènent, en 1946, à se joindre à la Cooperative Commonwealth Federation (parti socialiste duquel est issu le

Nouveau Parti démocratique). Elle se présente plusieurs fois comme candidate de la CCF au Québec, sans jamais se faire élire. Dans les années 50, ses activités se concentrent sur l'organisation de la CCF au Canada, sur la participation aux rencontres internationales des partis socialistes et, avec des intellectuels et des syndicalistes, sur la lutte contre Duplessis.

La menace de guerre nucléaire la pousse à organiser en 1961 la filiale québécoise de la Voix des femmes, vaste organisation qui regroupe des femmes d'un peu partout en Occident qui sont opposées à l'armement nucléaire. En 1963 et 1964, elle se présente comme candidate de la paix au cours des élections fédérales. En 1966, elle fonde la Fédération des femmes du Québec afin de regrouper les organisations féminines existantes, puisque la Fédération nationale Saint-Jean-Baptiste refuse de se moderniser et veut demeurer un organisme catholique.

Les causes pour lesquelles Thérèse Casgrain s'est dévouée sont innombrables: mentionnons l'éducation des adultes, la Société des concerts symphoniques de Montréal, les victimes de la guerre du Viêt-nam et le statut des femmes autochtones. Elle fonde la Fédération des œuvres de charité canadienne-française et, bien des années plus tard, devient une fondatrice de la Ligue des droits de l'Homme.

En 1970, elle est nommée au Sénat, mais ne peut y rester qu'un an avant de prendre sa retraite obligatoire à soixante-quinze ans. Elle demeure active jusqu'à la fin de sa vie et reçoit beaucoup d'honneurs dans tout le Canada. Dans son autobiographie, elle définit comme suit sa vision de l'avenir:

La véritable libération de la femme ne pourra pas se faire sans celle de l'homme. Au fond, le mouvement de la libération des femmes n'est pas uniquement féministe d'inspiration, il est aussi humaniste. Que les hommes et les femmes se regardent honnêtement et qu'ils essayent ensemble de revaloriser la société. Le défi, auquel nous, femmes et hommes, avons à faire face, est celui de vivre pour une révolution pacifique et non pas de mourir pour une révolution cruelle et, en définitive, illusoire.

Des centaines de personnes assistent à ses funérailles. Jeanne Sauvé, oratrice de la Chambre des communes, prononce l'oraison funèbre devant les caméras de la télévision. Thérèse Casgrain, féministe et humaniste, termine sa carrière, comme elle l'a menée pendant plus de soixante ans, au centre de l'actualité.

Le clergé, qui avait combattu le projet des garderies publiques, n'hésite pas à attaquer cette nouvelle mesure qui menace l'autorité masculine au sein de la famille; quelques jeunes intellectuels et nationalistes l'appuient. Dans son autobiographie, Thérèse Casgrain décrit l'étendue de cette hostilité. Mgr Charbonneau, archevêque de Montréal, ainsi que plusieurs autres évêques, Gérard Filion, militant de l'Action catholique et futur directeur du *Devoir*, Daniel Johnson, premier ministre du Québec de 1966 à 1968, et François Albert Angers, économiste reconnu, déclarent tous s'opposer aux allocations aux mères. Encore une fois, quelques associations féminines à la remorque de l'idéologie clérico-nationaliste se joignent à eux. L'Union des fermières catholiques se prononce contre le projet, alors que la Confédération des travailleurs catholiques du Canada, l'Union catholique des cultivateurs et la Fédération des travailleurs du Québec prônent le paiement aux mères.

Face aux critiques, le fédéral cède et, exceptionnellement au Québec, fait adresser les chèques aux pères. Thérèse Casgrain se sert de son influence considérable auprès de Mackenzie King pour le faire changer d'idée. Entre-temps, elle mène au Québec une campagne de presse incessante pour expliquer le point de vue des femmes. Enfin, on trouve une astuce juridique qui permet de faire taire les critiques: d'après le Code civil, la femme mariée a un mandat tacite, appelé mandat domestique, pour acheter ce qui est nécessaire aux besoins courants du ménage et donc, sur ce principe, elle peut encaisser l'allocation familiale. On modifie les plaques d'imprimerie déjà moulées au nom du père, et, un mois plus tard que les autres Canadiennes, les femmes du Québec reçoivent enfin leurs allocations familiales.

La querelle des fermières

La guerre démontre au clergé et à ses alliés, les milieux nationalistes et conservateurs, à quel point leur domination sur les femmes du Québec est menacée, car malgré leur opposition, le gouvernement Godbout a accordé aux femmes le droit de vote et, en 1941, il a obligé le Barreau à accepter des avocates au sein de la profession légale. À la campagne également, les Cercles de fermières, organisation rurale de femmes dont le contrôle échappe au clergé, prennent une expansion considérable.

Les Cercles de fermières canalisent la participation des femmes de la campagne à l'effort de guerre. Ils sont bien vus par le gouvernement Godbout qui, aux yeux du clergé, risque par ses réformes scolaires de mener le Québec à la laïcisation. En 1940, les Cercles de fermières, qui regroupent quelque 30 000 membres, se dotent d'une organisation à l'échelle provinciale. Leur popularité est telle qu'on y compte 49 000 membres en 1944.

L'historien Robert Rumilly raconte que, dès 1941, Mgr Charbonneau encourage l'Union des cultivateurs catholiques, dominée par les aumôniers, à songer à une organisation féminine. On rêve de briser l'alliance entre le gouvernement provincial de l'époque et les femmes de la campagne.

En 1944, avec l'appui du haut clergé, les aumôniers créent l'Union catholique des fermières; dans chaque paroisse, on donne le mot d'ordre: l'évêque veut que les femmes adhèrent à cette nouvelle association.

Chez les fermières, c'est le désarroi. Que leur reproche-t-on? N'ont-elles pas des aumôniers? Ne sont-elles pas de bonnes chrétiennes? Les réactions sont variées. Dans le diocèse de Trois-Rivières, la totalité des membres décide d'obéir aux évêques, mais à Valleyfield, la directive est si tiède que le mouvement passe inaperçu. À Sherbrooke, à Nicolet, à Saint-Jean, à Québec, à Joliette, les paroisses se divisent en clans. Des curés ferment leurs salles paroissiales, d'autres ignorent les directives épiscopales. On exerce sur certaines présidentes des pressions subtiles: «Votre fils ne pourra pas être ordonné», ou on refuse de leur donner la communion. Des pamphlets circulent, associant les Cercles de fermières, œuvre de l'État, à une menace pour la religion catholique. Résultat: près de 10 000 fermières décident d'obéir aux évêques et de se joindre à l'association rivale.

Durant les vingt années suivantes, la rupture entre les deux associations deviendra de plus en plus nette. Comme le mouvement catholique introduit dans sa constitution l'obligation d'habiter à la campagne, les Cercles de fermières reprennent dans les villes les membres qu'elles ont perdues dans les campagnes. Mais qu'à cela ne tienne: l'épiscopat veille au grain. Dès 1946, il tente d'instaurer dans les villes des «Syndicats d'économie domestique». On soumet la question à Mgr Desranleau, spécialiste des questions syndicales. Mais l'évêque est bien embarrassé: «Les données du syndicalisme professionnel proprement dit, estime-t-il, ne s'appliquent pas tellement aux femmes mariées; sur ce plan, elles épousent plutôt la profession de leur mari.»

Ce n'est qu'en 1952 qu'une nouvelle association pour les femmes des villes, créée de toutes pièces par les évêques et une habile propagandiste, Mme Savard de Kénogami, est mise sur pied: les Cercles d'économie domestique. Les Cercles de fermières connaissent une nouvelle baisse de leur *membership*. Ils se voient même associés, sous le verbe coloré de certains prêtres, au spectre du communisme! Une petite brochure de l'UCC, *L'État et les associations profession- nelles*, ne déclare-t-elle pas, en 1945: «Depuis que les femmes ont été gratifiées du droit de vote, le fait qu'elles soient organisées en cer- cles dépendant de l'État comporte la possibilité qu'un gouvernement aux abois ou que des politiciens peu scrupuleux soient rentés *(sic)* de profiter de la situation pour influencer indûment leurs votes.» Ainsi, dans sa tentative de domination intégrale de tout le corps social, l'Église n'hésite pas, entre 1944 et 1952, à exercer une influence plus que contestable sur les femmes de la campagne et à accuser l'État des «crimes» qu'elle commet elle-même sans vergo- gne. L'affaire, on le verra, aura de curieux rebondissements dans les années suivantes.

Contrôler sa consommation

La guerre fait découvrir subitement aux gouvernements l'impor- tance des ménagères. On se rend compte que ce sont elles qui font la plupart des achats de consommation, et par conséquent qui décident, dans la mesure de leurs moyens, dans quels produits investir l'épargne familiale. Leurs habitudes ménagères déterminent ce que mange la famille, ce qui est conservé et ce qui est jeté à la poubelle.

Aussi le gouvernement commence à embrigader les ménagères dans l'effort de guerre: une publicité constante cherche à les impres- sionner par la nouvelle importance de leurs tâches quotidiennes dans l'économie nationale.

Pendant six ans, toutes les ressources du pays sont consacrées en priorité à la guerre. Il faut d'abord fabriquer des armements, nourrir les soldats et les populations alliées et loger convenablement les troupes avant de permettre à la population civile d'acquérir plus que le strict minimum.

La spéculation et la nouvelle demande pour les denrées alimen- taires amènent le gouvernement à instaurer un système de contrôle des produits alimentaires de base. Afin de s'assurer que tout le monde a accès aux aliments nécessaires et que les plus riches n'emmagasinent pas de produits au détriment des plus pauvres, on distribue des coupons à chacun dans tout le pays.

Pour obtenir du beurre, du lait, du sucre, de la viande, du thé ou du café, on doit remettre ses coupons à l'épicier. Ces coupons, sans aucune valeur monétaire, ne servent qu'à assurer à chacun sa part. Les malades et les gens soumis à un régime particulier ont des coupons supplémentaires. Pour les ménagères, ce système impose une planification fastidieuse des repas familiaux; les historiennes Auger et Lamothe racontent comment les gens doivent s'adapter à bien des nouvelles habitudes alimentaires. Par exemple, le sucre est un des premiers aliments à être rationné: la consommation hebdomadaire est fixée en dessous du niveau auquel les gens étaient habitués et il devient presque impossible de faire des confitures ou des marinades. Il est difficile de recourir aux substituts, puisque le miel, le sirop et la mélasse sont également rationnés. Par contre, les rations de viande sont sensiblement les mêmes qu'avant la guerre. La consommation de produits laitiers est réduite afin d'envoyer plus de beurre et de fromage à l'Angleterre dévastée. Le beurre est rare, la crème éliminée.

Les ménagères doivent faire preuve de patience et d'ingéniosité: elles s'échangent des recettes adaptées au temps de guerre, font des gâteaux qui ne prennent presque pas de beurre ou de sucre, renouvellent régulièrement les carnets de coupons de leur famille, troquent des coupons avec leurs voisines et essayent de s'alimenter par leurs propres moyens. Cultiver son jardin devient donc une nécessité si on veut varier quelque peu son régime alimentaire.

Malgré la menace de fortes amendes, le marché noir connaît son heure de gloire. Il est impossible aux autorités de surveiller tout le monde et bien des marchands font fortune pendant la guerre. Pour contourner le système, tous les moyens sont bons: falsifier des carnets, voler des coupons, s'approprier les carnets des morts et se faire envoyer des produits de la ferme par des cousines campagnardes. Selon ses besoins et ses convictions, tout le monde est plus ou moins complice.

L'inflation pose autant que le rationnement un défi aux ménagères. En principe, les prix et les salaires sont soumis à un contrôle strict, mais, en réalité, les prix continuent à grimper, particulièrement ceux de la consommation. Les salaires ont augmenté depuis la Crise, mais il n'y a pas tellement plus de produits de consommation à acheter. Les logements manquent, en particulier près des nouvelles usines de guerre. On ne sait où loger les gens qui y travaillent. Encore une fois, le gouvernement se fie aux ménagères et on leur demande d'accepter des pensionnaires chez elles. On va même jusqu'à modifier la Loi de l'impôt pour que ce revenu taxable soit largement exempt de la taxation, car comme il est attribuable aux femmes plutôt qu'à leur mari, souvent, elles n'ont pas assez de revenus pour qu'une taxe soit imposée. Dès 1943, la Commission des prix et du commerce en temps de guerre se charge directement des logements et des chambres à louer. Elle fixe le montant des loyers et essaie de loger toutes les personnes qui demandent un gîte; mais, selon les recherches d'Auger et de Lamothe, la demande dépasse l'offre.

Les pensions familiales ne répondent qu'en partie aux besoins de logement. Ainsi, on finit par mettre sur pied l'organisme qui deviendra par la suite la Société canadienne d'hypothèque et de logement. Celui-ci fait mettre en chantier des milliers de petites maisons de construction légère qui ne doivent servir, en principe, que pendant le temps de la guerre. Plusieurs familles se voient obligées de loger ensemble; soit on remet le mariage au lendemain, faute d'espace disponible, soit l'on consent à vivre chez sa belle-famille.

Les ménagères doivent économiser sur tout. On les encourage à réduire leur consommation d'électricité pour faire fonctionner les usines de guerre et à baisser la température des maisons pour épargner le combustible. Mais c'est dans le recyclage des déchets domestiques qu'elles font l'effort le plus remarquable.

Les historiennes Auger et Lamothe racontent comment l'Office national de récupération des déchets domestiques orchestre la campagne d'éducation, destinée surtout aux ménagères. On doit séparer ses déchets et les empiler pour la cueillette. Le métal étant l'une des substances essentielles pour la manufacture des armes, on demande aux ménagères de garder leurs vieilles casseroles, les boîtes de conserve et autres contenants métalliques pour ensuite les porter dans les récipients aménagés sur les places publiques. Tous les vieux chiffons et les vêtements usés sont ramassés et transformés en uniformes ou en équipement militaire. La graisse, soigneusement purifiée à la maison, est récupérée afin de fabriquer des explosifs, des médicaments et du savon. Même les os sont ramassés, car on peut en tirer de la glycérine, produit essentiel à la fabrication d'explosifs. Finalement, le papier est recyclé en contenants pour le transport de matériel militaire, mais les vieilles revues et les livres sont empaquetés et envoyés dans les casernes militaires où les soldats s'ennuient.

La guerre va jusqu'à dicter les modes. En 1942, presque tout le tissu étant approprié pour la fabrication d'uniformes, la Commission des prix et du commerce réglemente la longueur des robes. On interdit les modes qui exigent trop de tissu: franges, revers et même poches inutiles disparaissent. Des bénévoles donnent des cours de couture où l'on apprend à recycler les vêtements. Par exemple, des complets d'hommes deviennent des costumes d'enfants. Heureusement que les femmes en ont déjà l'habitude et savent depuis fort longtemps tailler des robes dans des sacs de moulée! Le service aux consommateurs de la Commission des prix organise dans les villes de tout le Canada des défilés de mode où l'on fait la démonstration du mariage possible du recyclage et de l'élégance.

Les organisations féminines en temps de guerre

C'est pendant la guerre que le bénévolat féminin connaît son apogée. Toutes les associations féminines, des plus conservatrices aux plus militantes, s'adaptent au rythme de la guerre. Le gouvernement trouve chez les femmes des ressources de main-d'œuvre gratuite inespérées. Habituées à se dévouer pour les autres, les femmes du pays se laissent facilement convaincre que leur temps de loisir doit dorénavant être supprimé au profit du travail.

Dès le début de la guerre, le gouvernement commence à profiter des ressources des organisations bénévoles. En 1940, on crée le nouveau ministère des Services matériaux de guerre et, l'année suivante, la division des Services volontaires féminins est organisée spécialement pour diriger le travail des femmes. Ce service, qui œuvre dans plus de trente centres à travers le pays, garde en fichier les noms de toutes les volontaires qui viennent offrir leurs services pour ensuite les diriger là où l'on peut le mieux utiliser leurs talents.

La défense civile compte énormément sur les femmes, car on ne sait jamais si les bombes ennemies atteindront le Canada et on doit se préparer au pire. L'association ambulancière Saint-Jean forme des auxiliaires qui suivent des cours de premiers soins en cas d'attaque; puisqu'il faut être célibataire, ce sont surtout les religieuses et les étudiantes qui y participent. À Montréal, on crée une section féminine de pompiers volontaires et, de plus, chaque ménagère doit savoir faire l'obscurité dans sa maison et éteindre les bombes incendiaires.

Le «Sewing Circle» de la Croix-Rouge juive, *circa* 1940.
Jewish Public Library

La Croix-Rouge compte principalement sur les femmes pour ramasser les vêtements, les articles de toilette et la nourriture qu'elle fait expédier en Angleterre ou aux troupes sur le front. On coud et on tricote des vêtements qui seront envoyés outre-mer, surtout le soir ou le dimanche, assises près de la radio ou sur le balcon; les femmes travaillent sans relâche. Au Québec, où les familles sont nombreuses, le clergé, réfractaire au travail des épouses en dehors de chez elles, bénit le travail à domicile. En 1942, 35 000 femmes du Québec cousent et tricotent pour la Croix-Rouge, et 80 % d'entre elles sont francophones. À la Fédération nationale Saint-Jean-Baptiste, celles qui, en 1910, brodaient les nappes d'autel, tricotent maintenant des chaussettes pour les soldats. D'autres femmes, plus mobiles, travaillent pour la Croix-Rouge à conduire les ambulances ou à administrer les cliniques de sang nécessaires pour les hôpitaux militaires.

Dans tout le Canada, le Conseil national des femmes du Canada, la Ligue catholique féminine, la Young Women's Christian Association (YWCA), l'Ordre des Filles de l'Empire et le Conseil national des femmes juives se jettent dans l'effort de guerre. Au Québec, la FNSJB et le Cercle de fermières en font autant, et les communautés religieuses mettent leur personnel et leurs locaux à la disposition de l'effort de guerre.

Les mères, épouses et sœurs des officiers de chaque division des forces armées forment un comité d'auxiliaires qui veille aux besoins des familles des soldats partis à la guerre. Elles distribuent des paniers de provisions, du combustible et des vêtements financés par des parties de cartes, des galas et des tirages.

En temps de guerre, l'administration de l'économie nationale s'appuie particulièrement sur les femmes. On canalise l'épargne populaire dans l'effort de guerre par les «bons de la victoire», obligations d'épargne émises par le gouvernement du Canada et qui servent à financer les dépenses militaires. Elles donnent 3 % d'intérêt, le meilleur rendement disponible à cette époque. Les ménagères qui, comme d'autres, craignent que la fin de la guerre ne soit suivie d'une autre dépression, mettent de l'argent de côté. On facilite la vente des bons par la mise sur le marché de toutes petites unités d'épargne, comme les timbres de 25¢. Le Comité consultatif féminin des finances de guerre, dirigé par Madeleine Perreault et Germaine Parizeau, fait campagne auprès des organisations féminines, et la FNSJB est particulièrement généreuse dans sa réponse à ces appels.

La collaboration des femmes est indispensable dans le contrôle des prix et le rationnement. À partir de 1941, la Commission des prix et du commerce en temps de guerre devient une lourde machine administrative qui surveille tout le marché de la consommation. Elle s'appuie fortement sur les femmes bénévoles, membres des différentes associations féminines à travers le pays, qui sont enrôlées dans le Service aux consommateurs. Charlotte Whitton, future maire d'Ottawa, et Thérèse Casgrain dirigent le travail des bénévoles divisées en comités locaux qui surveillent les prix dans leur quartier, veillent au maintien de la qualité des produits vendus et dénoncent les marchands qui ne respectent pas la loi. Elles font également des suggestions pour continuer le combat contre l'inflation. En 1944, au Québec, 3000 femmes font partie des bénévoles du Service aux consommateurs et les Cercles de fermières y sont particulièrement actifs dans les régions rurales. D'autres bénévoles, dirigées par le Service aux consommateurs, s'occupent de la distribution hebdomadaire des carnets d'alimentation: puisque ceux-ci ne sont pas envoyés par la poste, les femmes doivent se rendre aux centres de distribution où des milliers de bénévoles assurent le fonctionnement efficace du système de rationnement. En reconnaissance pour l'effort féminin, Mariana Jodoin, présidente du Comité consultatif féminin de Montréal, ainsi que Madeleine Perreault et Germaine Parizeau seront nommées membres de l'Ordre de l'Empire britannique, une des plus hautes distinctions civiles de l'époque. Thérèse Casgrain deviendra officier du même ordre.

La fin de la guerre soulage toute la population canadienne: les hommes reviennent du front, on relâche les restrictions du temps de guerre et les industries de guerre se reconvertissent aux besoins civils. Les impératifs du pays s'estompent; les impératifs de la famille priment maintenant pour les femmes. Les juives, qui ont craint le pire pour leurs cousins et leurs cousines d'Europe de l'Est pendant six ans, prennent la mesure des effets de l'Holocauste et s'affairent à accueillir les survivants chez elles.

Mais la vie n'est pas facile; on manque de tout parce que les besoins de la population civile ont été relégués au deuxième plan. La pénurie de logements est particulièrement difficile pour les jeunes familles; l'inflation persiste presque aussi durement que pendant la guerre et, en 1948, elle atteint un sommet de 12 %. Les épouses rentrées au foyer ou nouvellement mariées ne peuvent plus compter sur les bons salaires du temps de la guerre.

Le retour au foyer

La guerre finie, on craint la recrudescence du chômage des années 30. Autant le gouvernement avait déployé tous ses efforts pour recruter la main-d'œuvre féminine, autant il s'efforce maintenant de faire rentrer les femmes au foyer. Il modifie brusquement les lois fiscales pour pénaliser les maris dont l'épouse travaille et démantèle les garderies. Une nouvelle propagande fait miroiter les bienfaits du foyer. Au Québec, dans l'espoir d'attirer les travailleuses, la Jeunesse ouvrière catholique lance une campagne pour mieux réglementer le travail des domestiques.

Pour les hommes au pouvoir, il semble tellement évident que les femmes doivent maintenant reprendre ce qu'ils appellent leur «vraie place» au foyer que les forces armées canadiennes vont jusqu'à donner à certaines de leurs membres des cours de préparation à la vie domestique avant de les démobiliser. Celles qui désirent occuper un travail salarié, bien qu'elles profitent de la préférence que les employeurs doivent accorder aux anciens combattants, ne doivent surtout pas postuler les emplois dits d'hommes. Par exemple, celles qui, pendant la guerre, conduisaient les véhicules militaires ne deviennent pas chauffeures de camion; elles sont plutôt refoulées vers leurs secteurs traditionnels d'emploi. Le gouvernement entreprend de payer les études des anciens combattants; ainsi, bon nombre de jeunes gens ont accès à l'éducation supérieure, bien que peu de femmes se prévalent de ce programme: moins de cent cinquante d'entre elles étudieront dans les universités du Québec. On prête de l'argent aux vétérans pour s'acheter une terre, lancer une entreprise agricole ou construire une maison; ce programme est axé sur les besoins des hommes et peu de femmes en profitent.

C'est le mariage et les enfants qui occupent la plupart des femmes après la guerre. Partout en Amérique du Nord, on assiste au baby-boom, cette hausse rapide du taux des naissances. Pendant la Dépression, les gens qui pouvaient pratiquer la contraception limitaient le nombre des enfants ou encore, moyen plus efficace, remettaient le mariage à plus tard. La guerre ayant réduit le chômage, les gens pouvaient de nouveau se marier. Dans la population catholique, les enfants suivent tôt après le mariage et la hausse du taux des naissances se fait sentir dès le début des années 40. Partout, les revues féminines glorifient cette redécouverte de la vie domestique. Les mécaniciennes du temps de la guerre doivent se muter dorénavant en mères de famille hors pair.

La crise du logement est accentuée par le retour à la vie civile et l'explosion démographique. Certaines familles restent dans les «maisons de guerre», lesquelles, construites pour une utilisation temporaire, sont exiguës et souvent peu attrayantes; d'autres demeurent dans des logements trop petits où les enfants s'entassent les uns sur les autres.

Malgré ces inconvénients, la transformation de la femme guerrière en femme d'intérieur se poursuit. Partout, les femmes se font rappeler les joies de la vie domestique et de la féminité dans tous ses attraits les plus traditionnels. Quand Dior, la maison de couture parisienne, lance son *New Look* en 1948, les femmes de l'Occident entier essaient tant bien que mal de le suivre. C'est une mode qui se caractérise par les talons hauts, les tailles de guêpe et les jupes longues et volumineuses: tous des éléments qui soulignent la sexualité féminine et qui rendent à nouveau l'habillement très peu fonctionnel. Mais les femmes ne se livrent guère à ce genre de réflexion, car après des années de privation, elles ne sont que trop heureuses de se vêtir de robes volumineuses.

Les travailleuses protestent

En dépit de cette revalorisation de la femme au foyer, toutes les travailleuses ne peuvent se permettre de rentrer chez elles, car la participation féminine à la main-d'œuvre salariée ne cesse d'augmenter, même après la guerre. Durant la décennie 1941-1951, elle augmente de presque un tiers au Québec — plus vite même que la population féminine en âge de travailler.

L'hostilité des milieux cléricaux, nationaux et intellectuels à l'égard du travail féminin ne réussit pas à garder toutes les épouses chez elles. L'historienne Francine Barry constate que, en 1941, 8 % des travailleuses sont mariées; en 1951, elles sont plus de 17 %. Cet accroissement du travail des femmes mariées semble être plus perceptible chez les ouvrières du secteur de la production, car c'est effectivement la classe ouvrière qui est la plus vulnérable à la hausse des prix. C'est dans les familles ouvrières qu'on doit absolument s'assurer l'apport de plus d'un gagne-pain. Gail Cuthbert-Brandt, qui a étudié le cycle de vie des travailleuses à la Dominion Textile de Valleyfield, constate qu'à partir de 1940 un nouveau phénomène s'amorce: elles ont tendance à se marier plus jeunes que leurs prédécesseures et beaucoup d'entre elles retournent au travail après la naissance des enfants. Un tiers de celles qui se marient après 1940 tentent de limiter leurs familles en se servant de la méthode de contraception Ogino-Knauss, seule permise pour les catholiques.

Les travailleuses d'après-guerre font face à une conjoncture difficile. En 1944, le gouvernement Godbout promulgue le premier Code du travail, code qui a pour effet de restreindre sévèrement les conditions d'exercice du droit de grève à tous les travailleurs et travailleuses du secteur public. L'arrivée au pouvoir de Duplessis, à la fin de cette même année, est le signal de départ d'une véritable campagne de répression contre les syndicats. Duplessis n'hésite pas à se servir de son unique loi du cadenas contre les militants syndicaux. Il aménage les lois de sorte que l'on puisse retirer leurs certificats de reconnaissance aux syndicats jugés trop contestataires, ce qui les empêche de faire la grève dans la légalité. On déclenche une chasse aux communistes et à leurs sympathisants dans le mouvement ouvrier.

Au Québec, l'industrie du textile est, à cette époque, un des plus gros employeurs de femmes. Cependant, par rapport au total de la main-d'œuvre dans cette industrie, leur pourcentage n'est plus que de 32 % en 1951, alors que les femmes formaient la moitié des effectifs en

1911. La mécanisation a modifié beaucoup de postes, que les patrons préfèrent donner aux hommes. Les femmes sont de plus en plus reléguées au travail non spécialisé et mal rémunéré.

En 1946, les 6000 femmes et hommes qui travaillent à la Dominion Textile à Montréal et à Valleyfield se mettent en grève pendant cent jours. Leurs leaders sont Madeleine Parent et son mari, Kent Rowley, dirigeants du Syndicat des ouvriers unis du textile d'Amérique. Duplessis envoie la police provinciale pour intimider les grévistes et on arrête les dirigeants syndicaux à plusieurs reprises. Kent Rowley purge six mois de prison pour «conspiration séditieuse». Toutefois, les grévistes en sortent victorieux, obtenant la reconnaissance du syndicat, une première convention collective et la journée de huit heures. L'année suivante, le même scénario se déroule lorsque débrayent les sept cents employées des usines de textile Ayers à Lachute. Cette fois, la grève dure plus de cinq mois et se solde par un échec. Madeleine Parent et le président du syndicat sont trouvés coupables de conspiration séditieuse par un jury et condamnés à deux ans de prison. Ils ne purgèrent jamais cette sentence, car leur procès dut être annulé à cause de problèmes de transcription, et il n'y eut pas de nouveau procès. Cinq ans plus tard, Madeleine Parent et son mari seront expulsés du syndicat.

Mais la persécution de Parent n'effraie pas les ouvrières. En 1947, elles se joignent aux autres travailleurs de la Dominion Textile — 6000 personnes en tout — et déclenchent la grève aux usines de Montmorency, Sherbrooke, Drummondville et Magog. Cette fois-ci, les grévistes l'emportent. L'industrie du tabac emploie, elle aussi, beaucoup de personnel féminin. En 1951, les 3000 employées de l'Imperial Tobacco se mettent en grève et gagnent leurs revendications. Mais, l'année suivante, les forces syndicales ont moins de chance lorsque les employées d'une usine de textile à Louiseville débraient: Duplessis envoie la police pour aider à briser la grève, et, après onze mois, on rentre au travail, toujours sans syndicat ni convention collective.

En 1952, la grève de *Dupuis frères*, le grand magasin de Montréal, fait sortir quelque huit cents femmes dans la rue. Leur victoire, survenue quelques mois après, est particulièrement significative, car elle démontre qu'on peut mobiliser les travailleuses mal payées du secteur du commerce contre leurs patrons, même si ceux-ci sont, comme elles, des catholiques francophones. Après la signature de la convention collective, les autres grands magasins de Montréal doivent emboîter le pas, verser à leur personnel de meilleurs salaires et améliorer les conditions de travail.

Dans le secteur de l'enseignement public, les années 40 sont le théâtre de deux phénomènes conjoints: la laïcisation du personnel et sa syndicalisation. Il est difficile, toutefois, de connaître avec précision à quel rythme se produit la laïcisation, car l'existence du réseau privé brouille le panorama d'ensemble. Cet enseignement privé est complètement dominé par les communautés religieuses féminines. De plus, l'enseignement public dans les villes est également dominé par les religieuses. Les fonctions les plus ingrates et les moins bien rétribuées restent toujours les postes dans les écoles de rang, où on ne trouve que des institutrices laïques.

Entre 1940 et 1950, le nombre d'institutrices dans les écoles publiques passe de 9846 à 11 957, tandis que celui des religieuses baisse de 7184 à 6064. Le bas salaire des institutrices, à peine 600 $ par année en moyenne, explique la rapide progression de la syndicalisation des enseignants au cours de la décennie. Le premier syndicat d'enseignants, celui des institutrices rurales, aboutit en 1946, après de nombreuses étapes, à la fondation de la Corporation des instituteurs et institutrices catholiques de la province de Québec, la CIC. Ses membres sont évalués à plus de 10 000 (les religieux en sont exclus), dont 85 % sont des femmes. Le plus important syndicat de cette «centrale», l'Alliance des professeurs de Montréal, est dirigé par Léo Guindon. À la direction, trois femmes, dont Marianna Marsan et Fabiola Gauthier. En 1949, ce syndicat réclame de modestes augmentations de salaire, et, devant le refus de la CECM, les enseignants de Montréal décident d'opter pour une grève illégale; illégale, parce que cette mesure est interdite dans le secteur public.

Les enseignantes de Montréal payent cher cette désobéissance. Après six jours de grève, l'évêque de Montréal y va de son autorité morale pour leur «conseiller» (!) de rentrer au travail. Le syndicat perd son accréditation (il ne la retrouvera qu'en 1959). Le mouvement syndical des enseignants se divise en de nombreuses factions qui mettront du temps à refaire l'unanimité. Quand le syndicalisme enseignant relèvera la tête après ces années de crise, il sera entièrement dominé par les instituteurs.

Madeleine Parent

Madeleine Parent n'était pas une femme comme les autres, et c'est peut-être ce que la bonne société bourgeoise de l'après-guerre ne lui pardonnait pas. Malgré une éducation au couvent du Sacré-Cœur à Montréal, elle rencontre pendant ses études à McGill des socialistes de l'époque, et forme le désir de travailler pour modifier le sort de la classe ouvrière. À la fin de ses études, en 1940, elle fait de l'action syndicale bénévole et occupe un poste de secrétaire au Comité national d'organisation à l'effort de guerre. Ensuite, elle participe à l'organisation des travailleurs et travailleuses des industries de guerre et passe finalement à l'organisation syndicale de l'industrie du textile, secteur qui emploie beaucoup de femmes et où les salaires sont particulièrement bas.

C'est une organisatrice hors pair qui sait faire inscrire des milliers de travailleurs et de travailleuses dans le Syndicat des ouvriers unis des textiles d'Amérique. Son sens de la stratégie syndicale et ses dons de leader la classent parmi les grands chefs syndicaux de cette époque.

Duplessis veut faire discréditer Madeleine Parent et son mari Kent Rowley à tout prix, d'où les accusations d'agissements illégaux qu'il fait porter contre elle. Au cours de son procès pour conspiration séditieuse en 1948, le juge qui instruit l'affaire dit au jury:

(...) vous êtes douze hommes chevaleresques, généreux, peut-être y a-t-il des pères de famille, des époux parmi vous. Il est dur parfois de donner une leçon à un de ses semblables, surtout quand l'accusée est une jeune femme, d'une belle éducation, appartenant à une excellente famille, mais qui s'est fourvoyée dans un milieu qui n'était pas le sien et où nécessairement elle devait être broyée par son entourage.

C'est l'époque de la chasse aux communistes. En 1952, Kent Rowley, affilié au Parti communiste canadien, et Madeleine Parent sont tous deux limogés par la haute direction américaine du syndicat. Ils s'établissent en Ontario où ils continuent de mobiliser les ouvriers et ouvrières du textile de cette province, fondant plus tard la nouvelle centrale pancanadienne, le Conseil des syndicats canadiens.

L'éducation des femmes:
le torchon ou la toge?

C'est durant la décennie 1940-1950 que la mainmise cléricale sur l'éducation se fait sérieusement contester. En 1943, le gouvernement libéral d'Adélard Godbout vote la Loi de l'instruction obligatoire jusqu'à l'âge de quatorze ans. Le clergé se résigne à cette ingérence de l'État dans l'éducation, mais obtient un contrôle omniprésent sur le contenu des nouveaux programmes suscités par cette réforme scolaire. La décennie 1940-1950 est aussi l'époque où le contrôle clérical de l'éducation féminine atteint son apogée et commence à susciter des remises en question profondes et même amères.

Les jeunes filles du Québec, à cette époque, ont toujours été victimes de l'idéologie qui refuse de voir que les femmes peuvent s'épanouir ailleurs qu'au sein du foyer. Dominique Jean, qui a étudié la mise en œuvre de la scolarité obligatoire en 1943, écrit: «À l'été 1941, 2160 filles québécoises avaient abandonné l'école pour travailler sans salaire chez leurs parents. Au moins la moitié d'entre elles étaient occupées à des tâches domestiques.» Elle ajoute que les filles de quatorze et quinze ans quittaient l'école par milliers pour aider leurs mères à la maison et que la loi de 1943 sera la première mesure ayant le potentiel de réduire l'emploi des filles à la maison, celle-ci ne s'appliquant d'ailleurs qu'aux filles de moins de quatorze ans. Il est intéressant de noter que les motifs de quitter l'école dénotent une conception sexuée de la société. Ainsi, une enquête de la JOC, effectuée en 1941 et citée par Dominique Jean, révèle que la moitié des garçons avouent avoir quitté l'école parce que leur famille avait besoin d'eux, alors que 10 % seulement des filles donnent la même raison. La réponse de 61 % des filles sera: «Maman avait besoin de moi.» En 1941, on retrouve 46 % des Montréalaises âgées de quinze à vingt-quatre ans intégrées à la main-d'œuvre; une autre tranche de 16 % se retrouve à l'école et 16 % sont déjà mariées. Le reste, soit 22 %, n'entre dans aucune des catégories. Que font-elles? Force est de conclure qu'elles demeurent à la maison, assistant leurs mères dans les travaux ménagers, s'occupant des bambins dans les grandes familles ou soignant de vieux parents. Le sort de cette génération de femmes, vouées par les circonstances au bien-être de leur famille, est particulièrement frappant lorsqu'on sait qu'en Ontario, la province voisine, il n'y a que 3 % des femmes qui se trouvent dans des circonstances similaires. Même en déduisant celles qui se trouvent dans des communautés religieuses, il faut conclure que beaucoup de jeunes Québécoises ont pour seule perspective d'avenir les travaux ménagers.

L'abbé Tessier croit dompter Thérèse Casgrain

Thérèse Casgrain avait critiqué publiquement le choix d'un homme, l'abbé Albert Tessier, pour prendre la tête du réseau des écoles ménagères. L'extrait suivant de l'autobiographie de Tessier démontre pourquoi Casgrain exerçait une force redoutable contre les élites masculines traditionnelles: son esprit et son charme, sans parler de ses amis influents, désarmaient les adversaires.

Un ami commun, Jean-Marie Gauvreau, conseilla à Mme Casgrain de rencontrer le nouveau visiteur, l'assurant qu'elle changerait d'avis. Elle m'invita aimablement à dîner. Je lui répondis que j'acceptais, à condition de limiter le couvert à un couteau, une cuiller et une fourchette, afin de ne pas m'embarrasser et je la priai de ne pas me servir de gâteau, car je n'aime pas ce dessert, même quand il est réussi.

Le dîner fut très agréable. Au dessert, elle servit des «Madeleines» pour m'exprimer sa contrition.

Source: Albert Tessier, *Souvenirs en vrac*, Montréal, Boréal Express, 1974, p. 199.

Cette orientation unique en fonction d'une famille éventuelle est renforcée au cours des années 40 avec l'expansion des écoles ménagères. Le cardinal Villeneuve, ennemi du suffrage féminin, fait nommer en 1937 le dynamique abbé Albert Tessier à la direction des écoles d'enseignement ménager. Ami personnel de Maurice Duplessis, l'abbé Tessier réorganise complètement l'enseignement ménager: dans un monde de plus en plus urbain, cet enseignement naguère domestique et agricole se transforme en enseignement féminin et familial, car un véritable culte de la féminité et de la vie familiale y est créé. Les matières techniques et scolaires cèdent le pas à des matières exclusivement «éducatives»… ou plutôt endoctrinantes. Le cours s'est allongé de deux ans (jusqu'à la treizième année), mais il s'est allégé sur le plan strictement scolaire. Certaines diplômées ont de la difficulté à réussir l'examen régulier de onzième année. On

Elizabeth C. Monk, Suzanne Raymond Filion, Constance Barnet-Short et Marcelle Hémond, les quatre premières avocates à prêter serment, 1941.

«Dîner des premières», 29 avril 1991

compte en 1940 vingt écoles ménagères et une quarantaine d'écoles moyennes familiales, qui ne donnent qu'un enseignement allégé équivalent à une neuvième année. En 1950, on trouve trente-huit écoles ménagères (elles ont presque doublé) et soixante-dix écoles moyennes (augmentation de 75 %). Dès 1942, les diplômées peuvent atteindre le niveau universitaire en fréquentant l'École supérieure de pédagogie familiale d'Outremont, affiliée à l'Université de Montréal, qui décerne un baccalauréat en pédagogie familiale. À Québec, les religieuses de la congrégation Notre-Dame fondent une école supérieure ménagère intégrée à l'Université Laval, qui octroie un baccalauréat en sciences domestiques.

On se pique donc au Québec d'offrir un réseau complet d'enseignement spécifiquement féminin. L'abbé Tessier s'en fait l'habile propagandiste. Homme d'action et bon pédagogue, il introduit des réformes qui scandalisent les religieuses chargées de l'enseignement ménager, mais, sous son influence, elles finissent par céder: les uniformes noirs des étudiantes disparaissent; les écoles austères seront dorénavant décorées de couleurs vives; on renonce à ouvrir le courrier personnel des jeunes filles; les bourses sont nombreuses et faciles à obtenir, assurant ainsi la clientèle. Tessier voudrait bien que le diplôme décerné ne soit pas orienté vers le marché du travail, mais les religieuses lui font comprendre que les parents l'exigent. C'est pourquoi il accepte, en 1941, qu'on décerne à «ses» finissantes le diplôme dit «supérieur» donnant le droit d'enseigner les arts ménagers au primaire. C'est dans ce climat qu'en 1951 le nom d'«école ménagère» cède le pas à celui d'«institut familial». On vient de plusieurs pays étudier ce système original qui consacre la spécificité de la femme, vouée naturellement «à relever, perfectionner et défendre la vie au foyer». On surnomme ces couvents «écoles de bonheur», c'est tout dire! On y vit en vase clos, maintenant les étudiantes dans une vision idyllique de la réalité quotidienne. L'institut familial représente parfaitement l'image que l'élite francophone se fait alors de la place des femmes dans la société: elles sont des «maîtresses de maison dépareillées».

Toutefois, l'essor de l'enseignement ménager pendant les années 40 et 50 est contemporain d'un phénomène tout aussi impressionnant: l'expansion du réseau des écoles normales. À l'époque de la guerre, plus de 75 % des enseignantes catholiques n'étaient jamais passées par une école normale: elles ne possédaient qu'un brevet du Bureau des examinateurs catholiques, obtenu à la sortie du pensionnat. Conjuguée aux conséquences créées par la Loi de l'instruction obligatoire, la suppression du Bureau des examinateurs, en 1939, entraîne donc l'expansion du réseau des écoles normales. Pas moins de vingt-trois écoles normales de filles catholiques et francophones sont ouvertes au Québec entre 1940 et 1950, et le nombre annuel moyen de diplômées passe de 712 à 1636. Évidemment, les candidates se contentent en majorité du diplôme le moins exigeant, le diplôme élémentaire. Mais, malgré tout, un mouvement est en marche pour améliorer la formation des institutrices. Pendant ce temps, les anglophones, catholiques comme protestantes, continuent à fréquenter la School for Teachers au collège Macdonald de l'université McGill. Au même moment, le Québec se dote de quinze nouvelles écoles d'infirmières entre 1942 et 1946. Leur nombre était resté stationnaire depuis 1928.

Les stages de maîtresse de maison
à l'Institut de pédagogie familiale

Le stage de maîtresse de maison contribuait à sa façon au mûrissement des élèves. Les étudiantes de 3e et de 4e année y participaient obligatoirement. Durant une semaine, la maîtresse de maison avait la responsabilité entière du petit foyer. Au début des expériences de vie domestique, le petit foyer consistait en une salle plus ou moins aménagée, mais dans la suite il devint une vraie maison comportant une cuisine, une salle à manger, deux chambres, et tout l'équipement d'un foyer moderne.

Chaque stagiaire disposait d'un montant fixé selon les cotes du coût de la vie; cette somme devait suffire pour nourrir quatre ou cinq personnes pendant une semaine. En plus des repas quotidiens, un repas de cérémonie était prévu pour la réception des parents, du curé ou d'invités spéciaux.

La religieuse responsable du «Petit Foyer» devait laisser toute autorité à la maman de la semaine. Après avoir établi son programme, fixé des menus économiques et bien équilibrés, elle pouvait soumettre son plan d'ensemble, mais la religieuse ne devait intervenir que pour prévenir des erreurs trop graves de calcul ou de répartition des aliments. La maman devait faire elle-même son marché, assistée d'une compagne, non d'une religieuse. La «surveillante» se contentait, en fin de stage, de produire une analyse critique et de donner à chacune une appréciation motivée.

En plus des repas, la maman de la semaine devait s'acquitter des besognes normales d'un foyer bien tenu: ménage, lessive, entretien du linge, repassage, etc. Toutes étaient d'accord pour dire que cette semaine expérimentale valait des douzaines de cours théoriques.

Quand nous arrivions à l'improviste, la maîtresse de maison devait nous recevoir à table. Je me souviens d'un souper de fin de stage où il fallait consommer les restes... La petite maman était à court de beurre, mais elle avait un surplus de pain. Elle se rendit chez l'épicier et réussit à négocier un troc. Elle raconta ce petit incident avec humour et conclut: «En tout cas, si je me marie, je vais essayer de trouver un parti qui gagne plus que $ 30.00 par semaine.»

Source: Albert Tessier, *Souvenirs en vrac, op. cit.*, p. 255-256.

C'est à cette époque que plusieurs nouvelles professions féminines s'organisent: service social (1937 et 1942), bibliothéconomie (1937), diététique (1942), traduction (1942), technologie médicale (1943) et réhabilitation (1954). Le contexte de la guerre suscite cette situation, qui permet aux femmes plus instruites d'investir ces nouveaux secteurs qui n'ont pas de tradition d'exclusion féminine. Les programmes de formation sont tous sanctionnés par les universités et c'est par cette avenue professionnelle que les femmes peuvent accéder à un enseignement universitaire. Nadia Fahmy-Eid, qui a étudié tous les programmes du domaine paramédical, a constaté que les femmes laïques ou religieuses qui ont mis sur pied ces programmes ont visé, dans un premier temps, un niveau supérieur de formation générale et professionnelle. Toutefois, ces programmes seront progressivement mis en tutelle, par les autorités médicales surtout. Quant aux autres programmes, ils tentent de s'aligner sur leurs modèles anglophones, qui existaient depuis les années 20.

La société québécoise réalise donc que, même pour les filles, il faut un diplôme pour travailler. Cette idée va faire son chemin, régulièrement entretenue par les quelques féministes de l'époque qui, s'apercevant d'abord que l'essor de l'enseignement ménager mène les femmes vers une formation résolument traditionnelle sans même leur donner les avantages d'une culture générale, le dénoncent publiquement. De plus, la bourgeoisie francophone se rend compte que, pour que ses filles épousent un professionnel, il est très utile qu'elles aient au moins abordé les études classiques. Enfin, on fait tomber les dernières barrières à l'entrée des femmes dans certaines professions libérales: le droit, notamment, en 1941, et le notariat, en 1956. En 1946, l'université McGill remet un diplôme d'ingénieur à la première femme admise à la faculté de génie.

Des combats d'arrière-garde éclatent. Un collège classique féminin lance un débat public: «Vadrouille vs Baccalauréat.» En 1946, le collège Marie-Anne rafle presque tous les prix au concours de l'Association de la jeunesse catholique et distance de loin son plus grand rival, le prestigieux collège Jean-de-Brébeuf, ouvert, à cette époque, aux garçons seulement. Les journaux étudiants des universités francophones se remplissent de propos aigres-doux sur la présence des filles dans les collèges classiques. Manifestement, à l'heure où l'on crée les «instituts familiaux», l'éducation des filles est à l'ordre du jour.

La mystique féminine est inaccessible sans l'électricité.
The Family of Man, New York, Museum of Modern Art, 1955

CHAPITRE 13

Femmes d'aujourd'hui

Aux États-Unis, depuis les années 20, une minorité de femmes instruites et exerçant une profession avait imposé une nouvelle image de femme: la femme de carrière. Les années folles du charleston avaient popularisé l'image de la jeune femme émancipée et sexuellement avertie, la *flapper*. Le *birth-control* était devenu une réalité statistiquement visible dans presque tous les milieux. Comme partout, la guerre de 1939-1945, en mobilisant les femmes, avait créé une situation spéciale, justifiée par l'urgence de la conjoncture internationale. Ce modèle était également celui des Québécoises anglophones.

La mystique féminine

Après la guerre, aux États-Unis, tout le monde, hommes et femmes, a considéré le mariage et la famille comme le lieu le plus sûr pour se protéger de tous les problèmes. L'inflation sévissait et la mémoire de la Crise était fraîche encore. Les experts ont avancé que le marché du travail ne pouvait pas absorber les anciens combattants tout en maintenant en activité la main-d'œuvre féminine. Le désir de retourner à la vie normale contribuait à entretenir un climat social particulièrement conservateur. Les revendications féministes s'estompèrent; la proportion de filles aux études se mit à décroître; l'âge moyen des filles à leur mariage s'abaissa jusqu'à dix-neuf ans; le nombre d'enfants par famille se mit à croître, c'était le fameux baby-boom; les familles se déplacèrent par millions vers les banlieues. Une véritable concertation des autorités politiques, économiques et sociales persuada les femmes américaines que la carrière de bonne ménagère, *Good Housekeeping*, était le salut et le secret du bonheur pour toutes les femmes. *The Feminine Mystique* déferlait sur toute l'Amérique.

Cette idéologie est véhiculée au Québec par tous les médias. À vrai dire, le discours sur la mystique féminine n'avait rien de nouveau pour les francophones, mais cette ambiance s'est trouvée à rapprocher les anglophones des francophones. Les deux groupes manifestent soudain beaucoup moins d'écarts dans leurs comportements respectifs. La guerre avait pu signifier une transformation dans les rôles pour les unes et les autres. L'après-guerre et la mystique féminine marquent, pour toutes, un retour à des valeurs plus traditionnelles. Mais il se produit alors un phénomène curieux. L'idéal de la femme-mère-de-famille, heureuse de s'épanouir au milieu de ses enfants et à travers les mille gadgets de la vie moderne (qui souvent ne diminuent pas le temps consacré aux tâches domestiques), se retrouve partout: magazines, publicité, télévision, supermarchés, cinéma, etc. Les curés ont donc peu à peu mis la sourdine au discours traditionnel qui invitait les femmes à rester à la maison. Aussi étrange que cela paraisse, c'est à la faveur de la mystique féminine que les Québécoises modifient leur image d'elles-mêmes. Car le «beau métier de femme» est devenu une occupation très sophistiquée.

Faire la cuisine ne suffit plus. Il faut varier les menus, suivre les principes d'une alimentation saine, utiliser au maximum les ressources du congélateur, du *blender*, du *presto*, du *Corningware*, etc. Il faut courir les endroits les plus économiques pour faire son marché. Savoir coudre est devenu un impératif. Les machines à coudre font maintenant les plissés, les boutonnières, les piqûres et mille autres points. On passe des patrons *Simplicity* aux patrons *Butterick* en attendant d'accéder aux prestigieuses coupes de *Vogue*. Le nettoyage se raffine et le savon devient un produit qui se présente déguisé en canettes et en bouteilles. Faire le ménage représente une véritable entreprise. L'éducation des enfants se transforme en redoutable occupation. *L'école des parents* n'en finit plus de prodiguer ses conseils. Les dilemmes se multiplient: Faut-il permettre ou interdire? Quel jouet éducatif faut-il acheter? Comment devenir l'amie de ses enfants? Faut-il éduquer à la propreté à un an ou à deux ans? À quel âge peut-on autoriser les sorties mixtes? La maison doit être bien décorée et, de préférence, il faut tout faire soi-même: les tentures, les couvre-lits, le papier peint, la décoration florale. Il faut être jolie, bien coiffée et bien maquillée, surtout à six heures quand monsieur revient du travail. Il faut savoir recevoir, préparer les buffets, organiser les *parties* en laissant à monsieur le soin de mélanger les cocktails. Et dans ses moments de loisir, il faut aller aux réunions d'écoles, s'occuper de la bibliothèque municipale, de la campagne de souscription des scouts, fréquenter les associations d'action catholique et aider son mari à tenir la comptabilité.

Par ailleurs, il est devenu de plus en plus difficile de trouver des domestiques. Si certaines bourgeoises avaient espéré que la fin de la guerre leur ramènerait des servantes, elles doivent déchanter. De plus en plus de femmes doivent se tourner vers une nouvelle forme d'aide domestique: la femme de ménage. Mais surtout, la majorité des femmes deviennent progressivement les domestiques de leur famille, même les plus privilégiées. Dans une maison où l'on a accès à toutes les commodités, ce travail devenu facile peut être très créateur et valorisant, affirment les chantres de la mystique féminine.

La mystique féminine a affecté bien différemment les femmes de la classe ouvrière, car elles n'ont évidemment ni le temps ni l'argent pour se conformer aux images des magazines. Par ailleurs, ces images sont omniprésentes dans tous les médias, surtout la télévision, ouverte en permanence dans la cuisine. Il en résulte une attitude défensive et inconfortable, car les anciens modèles sont devenus insatisfaisants.

Des études sur la presse féminine ont démontré que les propriétaires de magazines féminins proposent à ces femmes un produit différent, moins axé sur la consommation de luxe, mais polarisé sur le rêve. Romans-photos, journaux illustrés consacrés aux vedettes, *Confidences* et autres magazines à la même farine constituent la version populaire de la mystique féminine. Tout dans ces messages est orienté pour diluer le constat des inégalités sociales et de l'injustice dans un univers idéaliste où les sentiments peuvent avoir raison de toutes les difficultés.

La réalité, on s'en doute, est tout autre. La dépendance économique de ces femmes est grande et elles savent qu'elles devront aller travailler si leur mari se trouve temporairement sans emploi. Pour elles, le travail salarié est une corvée à laquelle elles espèrent échapper, car seuls les emplois les moins gratifiants et les moins rémunérés leur sont accessibles. Dans ces ménages, l'autorité du chef de famille est peu discutée. La communication est réduite au minimum entre les conjoints, et les femmes en souffrent car elles sont plus que les hommes perméables aux messages venus des classes moyennes. Elles entretiennent entre elles des réseaux d'amitié pendant que leurs hommes pratiquent ensemble des loisirs dits «masculins».

Ne pouvant s'adonner à tous les raffinements dits «féminins» des femmes de la classe moyenne, elles se valorisent principalement à travers leurs enfants. Mais, comme elles ne peuvent leur offrir tous les avantages éducatifs ou économiques des «autres», elles en éprouvent une nouvelle frustration qu'elles réussissent difficilement à formuler.

En réalité, on connaît très peu de chose sur la vie des femmes de la classe ouvrière des années 50. Les premières études qui se sont penchées sur ces questions ont été faites au début des années 70. En fait, c'est toute la mémoire collective de la classe ouvrière qui est absente de notre connaissance du passé, même récent. Et les études sur la classe ouvrière ont évidemment laissé dans l'ombre les femmes d'ouvriers qui n'étaient pas elles-mêmes ouvrières. Il est certain que d'autres valeurs et d'autres problèmes ont marqué ces femmes, mais les transformations qui occupèrent le devant de la scène ont retenu toute l'attention. Il faut donc garder en mémoire que ce qui se passe dans les classes moyennes ne caractérise pas la vie de toutes les Québécoises, loin de là. Mais ce qui s'y passe sera déterminant pour l'avenir collectif des femmes.

**L'éditorial du premier
numéro de *Châtelaine* en 1960**

Il importe que la femme cultive avec une perfection toujours plus grande l'élégance et la beauté, ainsi que les divers arts ménagers qui perpétuent dans notre vie quotidienne les plus belles traditions françaises. D'autre part, les beaux-arts et la politique, l'éducation, la science ou les problèmes sociaux ne sont plus aujourd'hui une chasse gardée du sexe fort; il est bon aussi que l'«honnête femme» ait des «lumières sur tout», puisque son sort et celui de ses enfants sont liés au destin du monde.

Fernande Saint-Martin

Source: Châtelaine, vol. I, n° 1, octobre 1960, p. 3.

En effet, après 1950, les femmes accèdent sans bruit à ce qui leur semble être l'égalité. Elles se voient ouvrir plusieurs portes naguère fermement closes, à condition qu'elles demeurent de «vraies femmes» qui respectent leur vocation maternelle et familiale. Elles peuvent se préoccuper de questions socio-politiques, de culture et d'art à condition de demeurer des anges du foyer. Elles peuvent militer dans des associations multiples, en faisant la preuve que ni les enfants ni le mari n'en souffrent.

La période de 1950-1965 est donc la période type où de profonds changements structurels sont jumelés à d'irréversibles transformations de mentalités. Curieusement, cette époque est celle où le militantisme féministe est pour ainsi dire muet. Les Québécoises, à ce qu'il semble, sont trop occupées à changer leur vie personnelle pour militer collectivement en tant que femmes. Voyons plutôt.

Empêcher la famille

Au début des années 50, le taux de natalité de la province de Québec est à la hausse. Il a rejoint, à la faveur de la guerre, le taux précédant la grande crise économique des années 30. La revanche des berceaux, on le dirait bien, est repartie de plus belle. Mais ce baby-boom n'est qu'une illusion statistique. On ne doit pas perdre de vue que, depuis plus d'un siècle, le taux de natalité décroît régulièrement au Québec. Le phénomène est statistiquement évident au XIXe siècle et il se généralise de plus en plus durant la première moitié du XXe siècle. En réalité, la remontée du taux de natalité dissimule un phénomène bien différent. C'est le nombre de femmes qui ont effectivement des enfants qui augmente. En effet, un nombre beaucoup plus grand de femmes se marient et ont des enfants. D'autre part, la guerre a constitué un intervalle qui a obligé bien des couples à différer les naissances. Les grosses familles, elles, deviennent de plus en plus rares. Jacques Henripin, en commentant les statistiques vitales du recensement de 1961, affirme: «Ce sont les familles sans enfants et les familles de six enfants et plus qui tendent à disparaître, tandis que se produit une concentration des familles de deux à quatre enfants.» Toutefois, ce qui se produit au Québec est spectaculaire. À partir de 1955, le taux de natalité effectue une diminution rapide, baissant de dix points en dix ans, soit entre 1956 et 1966. Des phénomènes qui, dans d'autres sociétés, ont mis un siècle à se produire, se sont effectués ici avec une rapidité remarquable. Le mouvement s'amorce d'abord chez les femmes qui ont atteint le niveau d'études supérieures, pour rejoindre progressivement les classes moins scolarisées. De même, la tendance démarre dans les villes pour rejoindre, un peu plus tard, les régions plus éloignées. Que s'est-il produit?

La baisse de la natalité au Québec est un événement majeur qui mérite qu'on s'y arrête plus longuement. Un ensemble de faits d'origines variées définit le contexte extérieur du phénomène. Tout d'abord, l'information concernant la contraception s'est enfin mise à circuler. Longtemps interdite, on l'a vu, elle circule maintenant plus largement. Depuis 1944, l'Église offre aux futurs mariés un *Cours de préparation au mariage* qui comporte, entre autres, trois chapitres qui sont présentés avec un avertissement solennel, encadré de noir: «Vous ne devez, en conscience, communiquer ce cours à d'autres. Serrez-en *(sic)* le texte soigneusement.» Ces chapitres sont:

> 10 — Anatomie masculine et féminine
> 11 — Relations entre les époux, grossesse, naissance et allaitement
> 13 — Ce qui est permis, ce qui est défendu dans le mariage[1].

Ce dernier chapitre présente, dans un discours entièrement contaminé par la notion de péché, une section sur le contrôle des naissances. L'expression *planned parenthood* y est qualifiée de satanique. Toutefois, on informe les futurs époux de la méthode Ogino-Knauss et on dresse la liste des situations où on peut l'utiliser sans péché.

La conduite à tenir, on s'en doute, est d'une sévérité extrême. Mais le seul fait que l'information soit diffusée constitue un énorme progrès sur la génération précédente.

Par le biais des cours de préparation au mariage des associations catholiques telles que le Service d'orientation des foyers, les foyers Notre-Dame, la Ligue ouvrière catholique, des couples de plus en plus nombreux en viennent à discuter ouvertement de contraception. Autre innovation: dans un diocèse, celui de Mont-Laurier, on autorise les retraites fermées conjugales, où mari et femme partagent la même chambre, véritables vacances annuelles sans enfants dans le décor des Laurentides! À partir de 1955, une nouvelle méthode contraceptive est connue grâce à des revues médicales françaises, et diffusée dans les associations catholiques par un couple de Lachine, Rita Henry et Gilles Brault. La méthode sympto-thermique, mieux connue sous le nom de «méthode du thermomètre», vient de faire son apparition et, après bien des étapes, la première association officielle de contraception francophone voit donc le jour. C'est l'origine de Serena, association qui préconise l'emploi de méthodes naturelles. De 1955 à 1960, elle est la seule association à s'occuper officiellement de contraception et elle contribue à diffuser des idées nouvelles. Comme beaucoup d'idées nouvelles à l'époque, elle est issue des milieux de l'action catholique.

Cours de préparation au mariage

L'épouse désireuse d'avoir des enfants et opposée aux pratiques d'un mari onaniste peut se trouver dans des inquiétudes de conscience angoissantes. Que doit-elle faire? Le recours à un confesseur sera souvent d'un grand secours pour calmer sa conscience.

1° CAS OÙ LE MARI EMPLOIE DES INSTRUMENTS: L'épouse ne peut demander les relations. Elle ne pourrait non plus les accepter que par crainte des conséquences très graves de son refus, et à condition de refuser intérieurement tout consentement à la jouissance complète.

2° CAS OÙ L'ÉPOUSE SAIT QUE LE MARI va interrompre les relations pour répandre la semence en dehors du vagin:

a) Acceptation des relations par l'épouse:

1. L'épouse doit d'abord signifier à son époux qu'elle s'oppose à cette façon d'agir;

2. Après quoi, si elle craint des conséquences graves de son refus, elle pourrait accepter les relations et les jouissances même complètes qui se produiraient durant tout le temps que l'action se fait bien. Mais elle ne pourrait se procurer (ou se faire procurer) ensuite des jouissances au cas où elle ne les aurait pas eues.

b) Demande des relations par l'épouse:

1. L'épouse qui prévoit que son mari n'accomplira pas comme il le faut l'acte du mariage ne péchera pas en demandant les relations.

2. Pour ce qui est de la jouissance: elle pourra accepter les jouissances même complètes qui se produiraient durant tout le temps que l'action se fait bien. Mais elle ne pourrait se procurer (ou se faire procurer) des jouissances au cas où elle ne les aurait pas eues alors.

Source: Cours de préparation au mariage, chap. 13, p. 10, Action catholique canadienne, Service de préparation au mariage du diocèse de Montréal, Ottawa, *Le droit*, 1944.

Les réticences du monde médical sont aussi grandes, sinon plus, que celles du monde religieux. C'est l'époque où les femmes se passent le nom des «bons docteurs» et celui des «bons confesseurs».

À partir de 1960, la question de la contraception devient un pôle d'intérêt généralisé. Des articles-chocs qui paraissent dans *Time*, *La patrie*,

Actualité, Marie-Claire contribuent à propager l'impression qu'avant 1960 les Québécoises ne pratiquaient pas la contraception. En réalité, c'est l'accès généralisé à la consultation qui est organisé. Serge Mongeau lance les premières cliniques de planification familiale, au mépris du Code criminel qui les interdit. Les Éditions du Jour publient *Pouvez-vous empêcher la famille?* La pilule fait son entrée foudroyante et les «bons docteurs» se multiplient, de même que les «bons confesseurs». Les femmes ont encore besoin d'une permission masculine pour contrôler leur fécondité. Le mouvement, toutefois, ne dépasse guère les régions urbaines. En 1963, Renée Rowan publie dans *La revue populaire*: «La régulation des naissances: la joie d'avoir un enfant quand nous l'avons voulu». L'article a un retentissement considérable. Le courrier arrive à *La revue populaire* par énormes sacs postaux de toutes les régions éloignées, demandant de la documentation supplémentaire. De toute évidence, bien des Québécoises avaient pris la décision d'avoir moins d'enfants.

Cet ensemble de données ne fournit toutefois que des explications bien superficielles à la baisse du taux de natalité. Est-il possible de proposer des explications plus globales? Autrement dit, quelles ont été les motivations profondes des femmes pour «empêcher la famille»? La question est présentement débattue et les spécialistes ne s'entendent pas sur les théories les plus pertinentes. La première explication est d'ordre économique: au Québec, entre 1950 et 1965, les goûts et les besoins ont évolué plus rapidement que les ressources, avec des conséquences négatives sur la fécondité. La principale responsable serait donc la société de consommation. La deuxième explication est d'ordre social: les modifications structurelles — éducation, technologie, travail — ont amené les Québécoises à moins éprouver le goût d'avoir des enfants, tout en leur donnant le pouvoir social et les moyens techniques de faire respecter leurs désirs. La troisième explication est d'ordre culturel: la rapidité étonnante avec laquelle les Québécoises ont délaissé les valeurs et les préceptes traditionnels et religieux pour en adopter de nouveaux concernant la famille et la fécondité. Ces valeurs auraient été si peu intériorisées que les femmes ont pu les rejeter aisément. Le niveau de conscience morale aurait été si précaire et si peu autonome qu'il a suscité un besoin et un désir de se conformer rapidement à des valeurs nouvelles.

C'est vraisemblablement la conjoncture de ces trois courants qui explique la baisse spectaculaire de la fécondité des Québécoises. Mais n'est-il pas évident que ces trois explications ont un dénominateur commun, c'est-à-dire les femmes catholiques elles-mêmes, enfin libres de contrôler leur fécondité en dépit de tous les discours officiels? Avant de faire partie du discours féministe, la contraception a été une réalité vécue dans tous les couples. C'est ce qui s'est produit après 1950 au Québec.

Le mouvement concernant les accouchements, amorcé un siècle plus tôt, arrive à son terme. Accoucher à la maison devient une dangereuse anomalie. Jadis affaire de femmes, l'accouchement est dorénavant la chasse gardée exclusive des médecins, même à la campagne. L'anesthésie générale est utilisée systématiquement dans tous les cas, sauf pour les «filles-mères» *(sic)*, qu'on veut punir ainsi de leur péché. En 1956, l'accouchement sans douleur fait une timide apparition, sous les quolibets des médecins goguenards qui en découragent les futures mères. Après 1960, des techniques d'anesthésie locale commencent à être utilisées: l'épidurale, le «bloc honteux» *(sic)*, le bloc para-cervical. Mais le climat qui entoure ces techniques reste très expérimental et, comme c'est souvent le cas en médecine, les effets secondaires sont mal connus. Au milieu des années 60, la confusion la plus grande s'est instaurée dans le domaine de l'accouchement. Or, la variable clé qui explique les différences dans les «interventions», c'est l'âge ou les idées du médecin, et non pas les désirs de la future mère. Après avoir obtenu la possibilité de contrôler le nombre de grossesses, les femmes perdent leur autonomie face à l'accouchement.

Les écoles s'ouvrent

Les adolescentes québécoises se posaient depuis un siècle la même question au sujet de leur avenir: entrer chez les sœurs, se marier ou rester vieille fille? De toute façon, les trois solutions signifiaient en pratique une vie de travail. Travailler dans un pensionnat ou un hôpital, sans salaire mais avec des possibilités de promotion sociale et personnelle pour quelques-unes. Travailler dans sa famille à tenir maison et à élever ses enfants, sans salaire mais, depuis 1945, avec une allocation familiale. Travailler, si l'on était célibataire, dans l'entreprise familiale ou dans un bureau, un magasin ou une usine, à petit salaire. Mais, curieusement, le concept de travail n'était pas associé au statut des femmes. Le discours masculin a presque toujours tenté de donner une certaine illégitimité au travail des femmes et, on l'a vu, ce discours a atteint une grande véhémence durant la Crise et après la guerre.

À la faveur de la modernisation du Québec, plusieurs données de base vont soudain se transformer. D'abord, les études secondaires deviennent de plus en plus accessibles aux femmes. Pour chaque école publique, donc gratuite, qui augmente son programme jusqu'à la onzième année, c'est un pensionnat payant qui ferme ses portes. La réforme scolaire entreprise dans les années 40 à la suite de la Loi de l'instruction obligatoire finit par renouveler les structures et les programmes de l'école secondaire. On a pris l'habitude de considérer la réforme scolaire de 1964, celle du *Rapport Parent*, comme l'origine du renouveau pour l'éducation des filles. En réalité, la révolution scolaire de 1964 ne fera que renforcer des tendances déjà bien en place. De 1954 à 1959, l'institution d'un véritable cours secondaire public marque le début de l'accession des filles à une éducation prolongée.

Depuis 1954, le cours d'école normale est transformé. Il comprend de nouveaux diplômes — mieux structurés, exigeant des études plus longues — dont le premier permet d'obtenir un baccalauréat: les brevets A, B et C.

À partir de 1959, dans la région de Montréal, les écoles normales féminines et masculines forment un «marché commun» où est aménagé un réseau complet d'options. Normaliens et normaliennes se retrouvent ensemble, dans les diverses institutions montréalaises, pour suivre les mêmes cours. En 1961, le nombre de normaliennes diplômées atteint 5600 pour l'ensemble du Québec.

Après 1956, tout le réseau des écoles ménagères moyennes (qui vont jusqu'à la neuvième année) commence à se disloquer devant la pénurie de clientèle. Il faut dire que les parents sont de plus en plus réticents à payer deux années d'études inutiles à leurs adolescentes, car le secondaire commercial est beaucoup plus alléchant et le lien entre la poursuite des études et le marché du travail devient ainsi prépondérant. Le nombre de filles fréquentant les instituts familiaux augmente, mais il constitue une proportion de plus en plus mince de l'ensemble des filles qui poursuivent des études secondaires.

Après 1956 également, le cours «Lettres-Sciences», surnommé prestigieusement cours «universitaire», est aboli. On crée dans les écoles publiques des sections de latin-sciences et de latin spécial pour les jeunes filles, de plus en plus nombreuses, qui souhaitent entreprendre leur cours classique. L'école publique offre désormais quatre options: classique, scientifique, commerciale et générale. Pour conserver leur clientèle, les pensionnats se transforment petit à petit en externats. Dès 1955, l'université accueille, dans ses classes d'«immatriculation senior», les diplômées de douzième année ou de Lettres-Sciences désireuses d'entrer en technologie médicale, en réhabilitation et en diététique. Quinze collèges classiques féminins sont créés entre 1954 et 1962, dont deux dirigés par des laïques.

Même les *business colleges* se transforment durant les années 50. Naguère fréquentés par les garçons et les filles, ils deviennent progressivement des écoles de secrétariat réservées exclusivement aux étudiantes. De même, les écoles d'infirmières entreprennent des modifications substantielles dans leurs programmes et leurs règlements. Johanne Daigle, qui a étudié l'histoire de l'école Jeanne-Mance de l'Hôtel-Dieu de Montréal, a montré que le système d'apprentissage, qui englobait l'étude, le travail hospitalier et la vie personnelle dans une perspective culturelle qui identifiait les femmes aux soins, commence à se transformer en 1957. Ces modifications sont rendues nécessaires par la nouvelle conjoncture socio-économique qui affecte le travail hospitalier. Ainsi, force nous est de constater que l'ensemble des programmes scolaires destinés aux filles a subi une mutation significative avant la Révolution tranquille. Mais ces petites réformes avaient laissé intact le chaos structurel qui caractérisait l'ensemble.

En 1964, le *Rapport Parent*, en plus de ses réformes structurelles pour uniformiser les réseaux, recommande le droit pour les filles à une éducation identique à celle des garçons, l'ouverture de classes mixtes dans les écoles et la gratuité scolaire. Signe des temps, on sollicite deux femmes, dont une religieuse, toute cornette déployée, à siéger à la commission Parent. À première vue, on sent un souffle d'air frais qui transformera l'école québécoise. Mais, comme le démontre Francine Descarries-Bélanger, «(…) une lecture plus approfondie de certains passages du *Rapport Parent* permet cependant de vérifier qu'en aucun moment les pères de la réforme scolaire n'ont véritablement remis en question la division traditionnelle des tâches et des rôles, sur laquelle se fondent la spécificité et l'arbitraire de l'action pédagogique. En réalité, ils persistent à concevoir l'éducation des femmes en marge de leur "vocation" première…»

L'idée d'une éducation féminine persiste. On vise essentiellement à créer chez la femme des prédispositions-qualifications qui la prépareront à son rôle de maîtresse de maison, d'épouse et de mère. Complément ou substitut, le travail féminin conserve sa connotation-prétexte de «contrepoids à l'ennui» ou de salaire d'appoint. L'idée d'une dépendance première et entière envers la famille y est maintenue. À l'encontre de l'élite traditionnelle, ces nouveaux penseurs de la condition féminine concèdent bien à la femme le droit éventuel de s'intégrer à la population active, mais seulement une fois sa maison nette, ses enfants bien casés dans les écoles et le bonheur de son ménage assuré par son dévouement et ses soins diligents, ou encore dans le cas où ses espérances maritales seraient déçues.

Tandis qu'on demande toujours à la femme de veiller prioritairement au bonheur de sa famille, on recommande aux garçons «d'être utiles dans la société» (article 1023), «de comprendre mieux la somme de travail que comporte la tenue de maison» (article 1022)[2]. Au fond, les réformateurs du système scolaire ne se sont pas dégagés des archétypes traditionnels de la femme et de la mère.

Le *Rapport Parent* et l'éducation des filles

1019. *La préparation de la jeune fille à la vie ne doit pas se limiter à la formation ménagère, qu'on entende celle-ci dans un sens étroit: cuisine, entretien ménager, etc., ou dans un sens plus large: équilibre du budget, formation de la consommatrice-acheteuse, etc. D'une part, on doit intéresser toutes les jeunes filles à ces occupations et au rôle de maîtresse de maison, aussi bien celles qui seront médecins, professeurs et techniciennes que celles qui se marieront au sortir de l'école; d'autre part, on doit les préparer toutes, dans une certaine mesure, à être des femmes conscientes des grands problèmes de la vie conjugale, et des mères capables de prendre soin de leurs enfants et de les élever convenablement. Enfin, on doit fournir à toute jeune fille une certaine préparation à une occupation qui lui permettra de gagner sa vie avant ou durant sa vie en ménage ou quand ses enfants seront élevés. Cette formation, et cette activité de la femme qui a un emploi ou est capable d'en remplir un, peut faire d'elle un être plus éveillé et plus intéressant, souvent plus satisfait et plus équilibré, et possédant une certaine sécurité du fait qu'elle pourrait au besoin aider financièrement son mari, ou assurer la subsistance de la famille si ce dernier venait à faire défaut. Le nombre de femmes dans la trentaine ou la quarantaine qui retournent aux études et au travail augmente sans cesse; il y a là, pour un certain nombre de femmes, un besoin profond de faire contrepoids à l'ennui, de se sentir vivre dans un univers moins restreint, après quelques années consacrées aux occupations de la maternité et à l'éducation des enfants.*
1020. *(...) L'éducation familiale et ménagère doit faire partie de la formation des jeunes filles et les habituer à trouver un certain agrément esthétique et humain aux travaux de la maison.*
(...)

> **1024.** *(...) Sans vouloir, bien entendu, transformer les hommes en bonnes à tout faire ou les soumettre à une tyrannie domestique, on peut songer à leur simplifier la participation à la vie domestique par une certaine préparation. On devra en particulier les initier à la psychologie des enfants, les habituer à discuter du budget familial, à voir les problèmes que la femme doit se poser à cet égard...*
>
> *Source: Rapport Parent,* Rapport de la Commission royale d'enquête sur l'enseignement dans la province de Québec, Tome 3, p. 239, 241.

L'amour ou le travail

Les transformations du secteur de l'éducation ne sont pas les seules à modifier l'entrée sur le marché du travail. La laïcisation de la société québécoise joue ici un rôle considérable, particulièrement visible dans les emplois féminins. Deux secteurs d'emplois sont touchés: celui des infirmières et celui des institutrices.

À partir de 1950, il devient de plus en plus possible aux jeunes filles d'exercer ces deux professions sans être incitées, pour cela, à entrer en religion. De 1950 à 1960, le nombre d'entrées au noviciat s'est maintenu autour de 1990 postulantes par année et le taux de persévérance des novices se situe autour de 63 %. Après 1960, ces deux moyennes accusent une nette diminution, car de 1960 à 1964, le chiffre des entrées au noviciat baisse de 31,5 %. Cette baisse se produit au moment même où le nombre de femmes susceptibles d'entrer au couvent est en grande augmentation. Les démographes ont calculé que la diminution réelle est de 50 %.

Par ailleurs, il n'est certes pas inutile de rappeler que le taux d'entrée en religion baisse en même temps et au même rythme que le taux de natalité. La baisse s'est également produite au moment même où l'accès à l'instruction secondaire gratuite s'est généralisé au Québec. Au fond, la vocation religieuse n'est plus choisie par les jeunes filles depuis que la société laïque est en mesure d'offrir aux femmes autre chose que le mariage et la perspective de maternités nombreuses. Quand il devient possible pour une infirmière ou une institutrice d'accéder à des postes de responsabilités sans être religieuse, la vocation semble socialement moins intéressante. Cette évolution a permis de plus à ces deux fonctions de se libérer d'une éthique professionnelle basée exclusivement sur le renoncement, le dévouement et l'idéal de charité. L'amélioration des conditions de travail s'est ensuivie. Tout le monde du travail féminin s'en trouve bouleversé.

À la fin des années 50, le dilemme des adolescentes québécoises est changé. On n'effeuille plus la marguerite en chantant: «J'me marie, j'rentre chez les sœurs, j'reste vieille fille», mais en disant: «J'me marie, j'me marie pas.» Car, si une jeune fille a poursuivi des études, elle doit hésiter entre une carrière et le mariage. Certes, les femmes sont toujours nombreuses à se marier, et le plus grand nombre interrompt sa «carrière» quelques années, le temps d'avoir et d'élever quelques enfants. Mais, même en 1960, il y a des choses qui ne se discutent absolument pas, contrairement à aujourd'hui. L'amour signifie toujours le mariage. Et le mariage signifie toujours au moins deux ou trois enfants. Pour plusieurs, le mariage met fin à un travail routinier et sans perspective d'avenir. Dans ces conditions, c'est avec enthousiasme qu'elles entreprennent leur «carrière» d'épouse et de mère de famille. Mais un nombre de plus en plus grand de femmes font face à un nouveau dilemme, car leur travail est intéressant. Quel déchirement pour celles qui décident de se marier: devront-elles abandonner leur travail? et combien de temps? n'y aurait-il pas moyen de concilier les deux? Elles sentent bien que la société leur demande de faire un choix. Mais, au fond d'elles-mêmes, elles ne veulent pas choisir.

La participation des femmes au marché du travail s'est donc généralisée durant la période 1950-1970. Elle confirme la tendance déjà bien inscrite depuis le début de la révolution industrielle. Quelques phénomènes particuliers se dégagent. Énumérons-les brièvement en suivant les conclusions de l'historienne Francine Barry.

Le taux de croissance de la main-d'œuvre féminine est toujours nettement supérieur à celui de la main-d'œuvre masculine. De plus, l'écart entre ces deux taux s'accroît d'un recensement à l'autre: cet écart se chiffre à 10 en 1951 et passe à 26 en 1961.

Deuxième phénomène: l'entrée des femmes mariées sur le marché du travail. Alors que celles-ci ne constituaient que 17 % des femmes au travail en 1951, elles forment un groupe de 32 % en 1961. En ajoutant les veuves et les divorcées, on constate que les célibataires ne constituent plus que 62 % de la main-d'œuvre féminine. Et encore, ces chiffres ne comptabilisent pas les milliers de femmes qui travaillent sans salaire dans une entreprise familiale!

En troisième lieu, le niveau de scolarité des femmes au travail atteste plusieurs transformations. Le nombre de femmes ayant peu d'instruction (quatre années de scolarité ou moins) reste inchangé, environ 5 % entre 1951 et 1961. Le nombre de femmes en possession d'un diplôme d'études secondaires augmente régulièrement. Mais le nombre de femmes ayant seulement terminé leurs études primaires accuse une baisse notable, passant de 42 à 32 %. On constate donc que l'accession généralisée des filles à l'éducation secondaire a une conséquence directe sur la présence des femmes sur le marché du travail. De toute évidence, l'accès aux études garantit l'obtention d'un emploi mieux rémunéré, et l'intérêt de l'emploi est un facteur qui influence le choix de demeurer ou non au travail, même après le mariage.

Toutes ces modifications s'expliquent principalement par le développement colossal des services de toutes sortes, et surtout par la bureaucratisation, qui s'implante progressivement dans de nombreuses

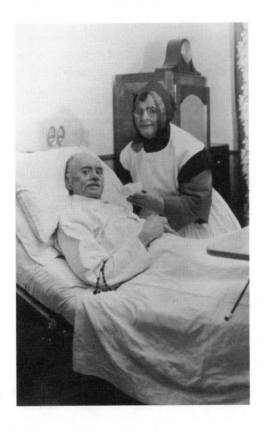

Religieuse infirmière, 1951.
Société d'histoire de Sherbrooke

entreprises privées et publiques. Ce fait se traduit d'ailleurs par des transformations notables dans des secteurs d'emplois. La proportion des ouvrières diminue: elles sont chassées des usines par la technologie et la mécanisation de l'outillage, selon le mouvement amorcé dès le début du XXe siècle. Le travail de bureau devient le secteur en pleine expansion: le quart de toutes les femmes au travail s'y retrouvent. Mais au fond, le travail féminin, en se développant, ne modifie rien de fondamental dans l'univers des «cols roses». Car, si les portes s'ouvrent, c'est pour orienter les femmes vers des avenues spécifiquement féminines. Les exemples pourraient être nombreux. Contentons-nous d'un seul, celui des infirmières.

Entre 1940 et 1965, le nombre d'infirmières est passé de 4167 à 27 396! S'il existe parmi les emplois féminins un ghetto type, c'est bien celui des infirmières. Or, ce ghetto-là, contrairement aux autres, vient tout juste de se constituer. C'est un phénomène récent, contrairement à une opinion courante, qui le croit ancien, et parce qu'avant 1950, et surtout avant 1940, il y a trop peu d'infirmières pour qu'elles comptent vraiment dans la main-d'œuvre globale. Le ghetto des institutrices s'est constitué entre 1850 et 1880; celui des ouvrières du textile, entre 1880 et 1920; celui des secrétaires et des téléphonistes, entre 1920 et 1940.

Infirmière laïque, *circa* 1945.
Archives nationales du Québec (Estrie)

Infirmière visiteuse en milieu rural, *circa* 1945.
Santé, Société, numéro spécial sur «La santé et l'assistance publique au Québec, 1886-1986», 1986

Celui des infirmières s'est formé en pleine période postindustrielle, à l'heure de la révolution technologique et bureaucratique, à l'heure aussi de la laïcisation de la société québécoise, au moment où des expériences nouvelles dans les temps de travail sont en train de s'opérer. Le travail des infirmières, c'est le microcosme par excellence du monde des «cols roses».

Plusieurs études récentes ont examiné l'évolution de cette profession. André Petitat a intitulé son livre *Les infirmières, de la vocation à la profession*, utilisant une formule qui a cours depuis une décennie parmi les infirmières. Ce titre exprime bien l'ensemble complexe de mutations qui a affecté cette profession féminine. «À la logique de la charité et du don de soi ont succédé la compétence et les revendications professionnelles. Mais les transformations se sont fait sentir à bien d'autres niveaux: dans le fonctionnement de l'hôpital, dans la façon de dispenser les soins, dans la formation professionnelle, dans l'organisation corporative et les modes de rémunération.» Mais, au début des années 60, il est encore trop tôt pour discerner ce que deviendront les spécialistes du *care* face au pouvoir médical responsable du *cure*.

Toutefois, durant la période 1950-1965, ce concept même de «ghetto féminin» est très peu utilisé. Ce qui est plutôt mis en relief, ce sont les «premières»: la première femme comptable, la première femme pompiste, la première femme ingénieur, la première femme notaire. On met l'accent sur les conquêtes des femmes profession-nelles, sans se rendre compte qu'elles forment la première série de ces femmes alibis dénoncées aujourd'hui. On constate d'ailleurs que l'opi-nion publique n'est alertée ni par la question des congés de maternité, ni par celle des garderies (sinon pour les condamner comme une inac-ceptable solution extrême), ni par celle de la double journée de travail. Il y a une explication bien simple. L'opposition entre le privé et le public domine encore les mentalités, car une femme ne peut à la fois travailler et élever de jeunes enfants. Faire l'un et l'autre constitue une prouesse que bien peu d'entre elles sont capables de réussir. La mater-nité n'est pas encore reconnue comme un acte social.

Fait significatif, même le travail bénévole se modifie durant les années 50. Aline Charles, qui a étudié le bénévolat féminin à l'hôpital Sainte-Justine de 1907 à 1960, a démontré que l'activité des bénévoles se transforme autour de 1950. «Les postes décisionnels leur échappent. (...) On assiste aussi à un processus général de déqualification [des tâches variées]. (...) Le caractère utilitaire de la couture, autrefois importante, s'évanouit définitivement.» La gratuité du service devient le principal obstacle au travail des bénévoles devant le travail rému-néré. «Au cours des années 50, le rôle des bénévoles se redéfinit comme accessoire, supplétif, en orbite du travail rémunéré[3].» On peut penser que ce processus s'est reproduit, avec des variantes, dans la majorité des organismes qui fonctionnent grâce à l'activité bénévole des femmes.

La période 1950-1965 constitue plutôt une transition vers l'accepta-tion sociale du travail rémunéré des femmes. Mais on en parle peu publiquement. Ce qui est caractéristique, au contraire, c'est le peu de mentions sur le sujet dans la presse écrite et le peu d'études qui lui sont consacrées. Un courant conservateur, représenté par la revue *Relations*, continue de se manifester, mais on constate aussi qu'il se développe une attitude plus réaliste de résignation et d'acceptation conditionnelle du travail féminin. Cette condition, on s'en doute, est celle qui condamne le travail des «femmes-mères-de-jeunes-enfants».

Les centrales syndicales, naguère si hostiles au travail des femmes, changent de cap. «Nous ne sommes pas opposés au travail féminin et nous croyons d'ailleurs que notre opposition serait vaine devant la puissance des forces qui incitent les femmes à travailler», déclare, en 1964, le président de la CSN. Mais entre cette belle position théorique et la pratique, il y a souvent des abîmes.

Certes, des femmes réussissent à accéder à l'exécutif des syndicats. À la CTCC (future CSN), le vice-président est toujours une vice-présidente: Jeanne Duval, de 1953 à 1964. À la FTQ, c'est Huguette Plamondon. Dans les syndicats enseignants, c'est Laure Gaudreault, la pionnière des années 30. Mais l'attitude fondamentale des syndicats est encore largement protectionniste. «Nous voulons, écrit Jean Marchand en 1964, que la "nature" des femmes soit respectée. Les femmes qui travaillent ont droit à un statut non seulement qui les protège comme des individus salariés, mais qui tienne compte aussi des besoins particuliers de leur condition de femmes ayant des responsabilités familiales[4].»

En 1963, une grève éclate à l'hôpital Sainte-Justine pour les enfants. Le public scandalisé regarde les infirmières piqueter pour réclamer des améliorations de leurs conditions de travail. Cette première grève dans le secteur des affaires sociales a valeur de symbole. Les femmes syndiquées seraient-elles des travailleurs comme les autres? Dans les différents syndicats, cette opinion est de plus en plus répandue.

Les centrales syndicales ont mis sur pied des comités féminins qui, grâce au dynamisme de Duval et de Plamondon, ont maintenu de façon positive des discussions sur la condition féminine. Au milieu des années 60, ces comités sont remis en question car on prétend que les membres féminins ne sont pas fondamentalement différentes des membres masculins et qu'elles doivent s'intégrer aux structures mixtes des syndicats. Ne réclame-t-on pas la parité salariale entre les hommes et les femmes? La «sexisation» des métiers et des tâches, il est vrai, permet à tous, employeurs et syndicats, de détourner les conséquences du principe. Mais avant 1965, il est rare que ces questions soient débattues publiquement. Ce qui est plutôt frappant, c'est la connivence tacite entre employeurs et syndicats pour bloquer l'embauche des femmes dans certains secteurs.

De toute manière, la syndicalisation des femmes est beaucoup plus basse que celle des hommes et il est bien connu que les secteurs féminins de l'emploi sont les moins syndiqués et les plus difficiles à syndiquer. L'absence de données complètes pour la période 1950-1965 ne permet pas de rendre compte des proportions de femmes syndiquées ou non syndiquées. Mais les études sur l'histoire du travail démontrent que, partout où les conditions de travail l'ont permis (nombre suffisant d'employés, objectifs précis, rôle des militantes), les femmes ont eu un comportement similaire à celui des hommes à l'égard du syndicalisme. Si, entre 1950 et 1965, les femmes sont encore moins syndiquées que les hommes, il faut donc en chercher les raisons dans le type d'emploi qu'elles ont exercé et dans l'organisation des entreprises qui les embauchent.

On doit noter toutefois que les militantes des années 40, Laure Gaudreault, Yvette Charpentier, Léa Roback, toutes célibataires, n'ont pas eu d'héritières durant la période 1950-1965. La répression qui s'est abattue sur les premières militantes syndicales explique peut-être le silence du syndicalisme militant des femmes durant ces mêmes années.

Au cours de cette période, quelques femmes d'affaires réussissent parfois à se tailler une place intéressante. Le cheminement de Jehane Benoit semble ici exemplaire, car il s'est déroulé dans un secteur traditionnellement féminin. La publication de son encyclopédie culinaire au début des années 60 vient couronner une carrière vouée à la recherche, l'enseignement, la restauration, la publication et la télévision.

Femmes engagées

De 1950 à 1965, les femmes n'ont pas l'occasion de militer dans des associations féministes, puisqu'il n'y en a plus. On se rappelle que, après l'obtention du droit de vote, les associations féministes se sont tues, faute d'objectifs précis à poursuivre. La mort d'Idola Saint-Jean en 1945 et celle de Marie Gérin-Lajoie en 1946 ont contribué à mettre une sourdine aux aspirations féministes. Thérèse Casgrain, elle-même, modifie son action publique, choisissant de militer dans des associations politiques: la Voix des femmes, mouvement international ayant pour objectif la paix dans le monde, et le Nouveau Parti démocratique, principale avenue de la gauche au Québec.

À la fin des années 50, la Voix des femmes est une tribune privilégiée pour la mobilisation des énergies féminines. Le mouvement est *canadian* et la présidente nationale, Laura Sabia, exerce un dynamisme peu commun. Comme tous les mouvements qui préconisent le désarmement, cette association est reliée aux mouvements de gauche et mobilise ses membres sur plusieurs fronts. Cet organisme a représenté une véritable école d'action politique pour les femmes. Les anglophones et les francophones y ont appris à travailler ensemble. Ses leaders, Laura Sabia et Thérèse Casgrain, sont à l'origine des revendications qui vont donner naissance, après 1965, à un nouveau féminisme.

D'autres mouvements mobilisent les femmes, entre autres le Mouvement laïque de langue française et les différents mouvements de l'Action catholique. Dans les milieux plus restreints de la contestation politique et sociale, on retrouve également des femmes engagées. Des femmes signent le *Refus global* avec Borduas. D'autres signent des articles dans *Cité libre*. C'est une femme, Louise Lorrain, qui préside l'Action de la jeunesse canadienne, la seule association nationaliste des années 50. Les groupes d'action catholique comptent autant de femmes que d'hommes parmi leurs dirigeants. À côté de Gérard Pelletier, on trouve sa future épouse, Alec Leduc; Fernand Cadieux travaille à côté de Rita Racette; Claude Ryan partage les objectifs de Madeleine Guay. Dans ces associations où des femmes prennent la parole et participent aux décisions, de nouveaux rapports entre les hommes et les femmes commencent à s'établir. Les valeurs du couple sont mises de l'avant face aux valeurs traditionnelles de la famille. Quelques femmes sortent de leur passivité. Elles rejettent l'image de la femme douce, tolérante, aimante, qui encaisse à tous les coups… et craque après quelques années. Dans ces milieux privilégiés, c'est la collaboration entre époux qui s'instaure. Et, même si le nombre d'épouses qui dactylographient les thèses de leurs maris est plus grand que le nombre de maris qui s'occupent du grand ménage, les images bourgeoises de la famille commencent à se modifier.

Certes, il n'est pas question de condition féminine dans ces milieux. L'opinion tacite est que la question féminine est résolue. Les femmes n'ont qu'à prendre les places qu'elles désirent et, tout en élevant leur famille, elles peuvent participer à toutes les causes de leur choix. La publication du *Deuxième sexe* de Simone de Beauvoir passe à peu près inaperçue. Des commentaires désapprobateurs paraissent un peu partout et même *Cité libre*, dans son seul numéro consacré à la question féminine, publie un article antiféministe avec, il est vrai, un avertissement de la rédaction qui se dissocie de son auteur, psychiatre comme il se doit.

On retrouve les féministes d'hier, si peu nombreuses, dans l'Association des femmes universitaires. Ce groupe participe au début des années 50 à une discussion publique sur l'enseignement des filles. Une circonstance fortuite, la visite du cardinal Tisserant, prélat romain, à l'institut familial de Saint-Jacques en 1950, donne naissance à une controverse publique. Le cardinal met en doute le bien-fondé d'une telle éducation. Albert Tessier, le grand défenseur de l'enseignement ménager, riposte en affirmant que plus on formera de vraies bachelières, moins on formera de vraies femmes. Il s'ensuit un débat animé au cours duquel une universitaire, Monique Béchard, psychologue, prend la défense de l'éducation supérieure des filles, laquelle, loin de les dénaturer, contribue à augmenter leurs possibilités. Les partisans de la formation ménagère s'emploient à défendre les «écoles du bonheur», mais leurs arguments ne convainquent qu'eux-mêmes. Cette querelle, au fond, reste très académique et influence très peu les milliers d'adolescentes qui atteignent désormais le secondaire. C'est d'ailleurs à cette clientèle que les femmes universitaires proposent par la suite des journées d'information destinées à inciter les étudiantes à poursuivre des études et à choisir une profession. Toutefois, en dehors de ce militantisme particulier, cette association n'exerce pas d'action très notable. Son influence est réduite et son fonctionnement la fait ressembler davantage à un club social, du moins durant les années 50.

Un seul mouvement féministe existe au Québec à cette époque: la Ligue des femmes du Québec, fondée en 1958 par Laurette Sloane. À vrai dire, cette association n'est qu'un petit groupe montréalais qui réunit principalement des femmes syndicalistes et militantes qui agissent dans un cercle limité. L'allégeance communiste qui les regroupe est un argument important pour décourager les adhésions. Aucune action collective n'a été reliée à cette association durant ses premières années de fonctionnement et elle est virtuellement inconnue du grand public. Toutefois, la Ligue des femmes du Québec illustre très bien les fissures qui désagrègent progressivement le monolithisme québécois. Fait non négligeable, c'est la Ligue qui maintient allumé le flambeau de la cause féministe à la fin des années 50.

Toutefois, cela ne signifie pas qu'il n'existe aucune association de femmes. Au contraire, le milieu rural est le théâtre de beaucoup d'agitation. Le conflit apparu après la guerre dans les milieux des Cercles de fermières reprend de plus belle. On se souvient que l'Église avait suscité une scission artificielle dans cette association. D'un côté, les Cercles de fermières, organisme issu du ministère de l'Agriculture; de l'autre, l'Union catholique des fermières, imposée par les évêques. En 1957, malgré les tentatives d'assimilation de 1945 et de 1952, les fermières sont toujours là. Une nouvelle offensive est alors lancée. On change le nom: l'UCF devient l'UCFR, l'Union catholique des femmes rurales, pour éviter toute confusion avec les Cercles de fermières. On envoie de nouvelles directives épiscopales pour dénoncer le risque des associations dirigées par l'État. Des brochures circulent pour expliquer aux curés comment transformer les Cercles de fermières en cercles UCFR. Mais les fermières tiennent le coup.

Cette rivalité, et ce fut une réelle bataille dans certaines paroisses, a duré vingt ans et s'est déroulée loin des feux des projecteurs. Les femmes de Montréal, évidemment, n'y participaient pas, ce qui explique le silence des médias. Mais les femmes de plus de soixante-dix ans, elles, s'en rappellent!

Toutefois, c'est surtout par le biais de ces deux associations qu'une conscience féminine collective peut continuer à se développer au Québec durant la période 1950-1965. Leur connotation traditionnelle peut leurrer, mais, en réalité, cet engagement social progressif des femmes par le moyen de cercles d'études a dû jouer un rôle décisif dans la mutation de la société québécoise. De plus, fait remarquable, le nombre de femmes touchées par cette évolution ne se restreint pas à un cercle fermé: plus de 80 000 membres sont touchées par ces associations. Les discussions concrètes suscitées par les sujets d'études proposés notamment par l'UCFR ont modifié un grand nombre d'habitudes sociales parmi les membres d'un milieu traditionnellement conservateur. Les femmes, soudainement, ont des opinions et les affirment publiquement. Cette réaction ne doit pas être négligée.

Dans les villes, et à Montréal en particulier, les femmes sont sollicitées, de plus en plus nombreuses, par une nouvelle forme d'engagement public, celui des médias. Car la vraie tribune des femmes, à ce moment-là, c'est la télévision, la radio et la presse. À côté des comédiennes et des chanteuses apparaissent soudain des commentatrices, des journalistes et des animatrices qui se mêlent de parler de sujets naguère réservés aux hommes: la politique, la psychologie, la philosophie, la littérature. Certes, on continue de parler de recettes de cuisine, du maquillage et de la décoration intérieure. Après tout, on est en pleine «mystique féminine»! Mais quand la journaliste Judith Jasmin vient expliquer la conjoncture internationale ou interviewer Pierre Mendès-France, des milliers de jeunes Québécoises commencent à penser: «Pourquoi pas moi?» Régulièrement, on présente des émissions sur les femmes. Avec l'arrivée de la télévision, les radioromans disparaissent. Pendant plus de quinze ans, ils avaient presque représenté la seule «marchandise» offerte aux femmes à la maison. Ils sont remplacés par des émissions d'information qui plongent les femmes au cœur de l'actualité littéraire et politique.

Dans les journaux, mêmes transformations. Les pages féminines se modifient, laissent tomber les rubriques traditionnelles de bals ou de prochains mariages pour aborder une variété de sujets. L'aventure du *Nouveau journal*, en 1961, apporte toute une série d'idées nouvelles et d'images inédites. On y trouve des chroniques politiques signées par des femmes, des pages féminines inédites, des bandes dessinées romantiques et passionnées rompant avec la pudeur hypocrite des produits américains.

Les journaux n'ont plus *une* journaliste comme auparavant, mais des équipes entières de journalistes féminines qui sont affectées à des rubriques de plus en plus variées, sauf dans le château fort inviolé des pages sportives. Renaude Lapointe accède au poste d'éditorialiste à *La presse*. Même les courriers du cœur changent de visage. Le plus cé-lèbre des années 50 est celui de Janette Bertrand dans *Le petit journal*. La rédactrice exige et obtient que les lettres reçues et leurs réponses soient publiées intégralement. Chaque dimanche, le courrier apporte aux milliers de lectrices ses propos-chocs sur le mariage, la domina-tion, les femmes battues, la sexualité, les fréquentations, l'ivrognerie, la contraception. Finis les conseils de résignation et les allusions voilées. Un langage clair, direct, provoquant à l'époque, invite les femmes à réagir, à répondre, à exiger.

Dans les universités, où les étudiantes commencent au moins à être «visibles», on retrouve des femmes dans tous les comités. Certes, on élit des «Miss Ceci» et des «Miss Cela» chaque année, et les femmes

Famille d'immigrants nord-africains.
Canadian Jewish Congress

sont concentrées dans les facultés dites féminines. Mais on retrouve des femmes même à la direction des puissantes associations étudiantes.

Nicole Neatby, qui a étudié les associations de l'Université de Montréal durant les années 50, a observé que les femmes y jouent des rôles importants, mais qu'elles ne manifestent aucune tendance à endosser une analyse de type féministe. Conscientes d'être parvenues à un degré exceptionnel, elles ne sont pas sensibles aux handicaps qui frappent la majorité des autres femmes.

En 1958, les universités québécoises crient famine et Duplessis refuse de les autoriser à toucher des subventions fédérales. Trois étudiants prennent la décision d'aller faire le pied de grue à la porte de son bureau pour le faire changer d'avis. Personne ne s'étonne à ce moment-là que, parmi le trio, figure une étudiante: Francine Laurendeau.

La création féminine fait les manchettes. Depuis le prix Fémina de Gabrielle Roy en 1947, les écrivaines se sont multipliées: romancières, poètes, dramaturges. Marie-Claire Blais, Suzanne Paradis, Anne Hébert, Charlotte Savary, Françoise Loranger, Rina Lasnier, la liste est impossible à dresser tant elle est longue. Même foisonnement dans le domaine des arts. Les troupes de théâtre sont dirigées par des femmes. Ludmilla Chiriaeff fonde les Grands Ballets canadiens. Les galeries d'art les plus célèbres sont dirigées par des femmes. Les diplômées des écoles des Beaux-Arts sont plus nombreuses à envisager sérieusement de faire carrière. Les bachelières en musique, diplômées par douzaines des Écoles Supérieures de musique des religieuses, prennent la même décision. Quelques interprètes brisent les frontières nationales, notamment Maureen Forrester, pendant que d'autres se signalent en musicologie, comme Andrée Desautels, ou en folklore, comme Hélène Baillargeon.

Bref, l'engagement des femmes après 1950 est un engagement à titre individuel. Toutes les causes sont bonnes: patriotiques et religieuses au début des années 50, pour devenir bientôt culturelles, sociales et politiques à mesure qu'on approche des années 60 et des bouleversements de la Révolution tranquille. La nouvelle génération de femmes arrive à l'âge adulte sans même remettre en question son droit aux études avancées, au salaire égal, à la contraception, à la participation à la vie politique et sociale. Dans une société désormais transformée, elle songe davantage à agir qu'à revendiquer. Pourquoi serait-elle féministe? Chaque jour, des dizaines de femmes alibis témoignent de leur réussite personnelle: «Ce que j'ai fait, chacune peut le faire.» Quoi de mieux pour démobiliser les femmes!

La femme inventée

La léthargie du féminisme après 1945 n'est pas un phénomène spécifiquement québécois, mais elle prend au Québec des allures presque paradoxales. Examinons brièvement les données de ce paradoxe.

Après la guerre, et surtout après 1950, une concertation de tous les pouvoirs incite les femmes à demeurer à la maison et à se consacrer à leurs enfants et à leur mari. Betty Friedan appela avec raison cette idéologie la mystique féminine. C'est pourtant le moment où les Québécoises décident et réussissent à pratiquer efficacement la contraception. C'est également le moment où leur présence sur le marché du travail se fait d'une manière plus accélérée et définitive. C'est le moment où elles cessent d'entrer chez les sœurs. C'est enfin le moment où les femmes s'engagent publiquement et de plus en plus nombreuses dans une cause. Que ce soit dans la Voix des femmes, dans les Cercles de fermières, à l'UCFR, à la radio, à la télévision, dans les journaux et les revues, dans les lettres et les arts, elles sont des milliers à concilier l'engagement public avec la vie familiale. Super-femmes en vérité. Nicole Germain tricote. Janette Bertrand fait la cuisine. Simonne Monet-Chartrand élève sept enfants.

Or, pendant que s'accomplissent tant de changements de structures et de mentalités, le discours féminin, lui, demeure presque inchangé. La presse féminine est nettement considérée comme un produit de consommation qui doit éviter à tout prix toute forme de contestation. Les grandes revues de l'époque, *La revue moderne*, *La revue populaire*, *Le samedi*, *Le film*, entretiennent les femmes dans une douce euphorie qui les coupe de la réalité. Les romans complets publiés dans ces revues sont une invitation à la rêverie et au romantisme.

L'exotisme est cultivé avec soin. *La revue populaire* publie 114 reportages sur Paris entre 1946 et 1956. Les chroniques dites féminines ne sortent évidemment pas du maquillage, de la couture et de la cuisine. *La revue populaire* ne publie même pas un reportage par année sur la condition féminine. Les revues des associations rurales, *La terre et le foyer* et *Femmes rurales*, répètent le discours clérical sur le rôle de la femme et sont recherchées surtout pour leurs conseils pratiques d'artisanat. Plus de la moitié des pages de *La terre et le foyer* sont d'ailleurs consacrées à l'artisanat. On y dénonce le travail des femmes sans paraître s'apercevoir que les lectrices travaillent en moyenne douze heures par jour sur la ferme et dans la maison. Les revues religieuses tentent de se moderniser. On publie même une «revue de culture et de mode», *Idéal féminin*, qui tente en vain de rivaliser avec les pages de mode de *Marie-Claire* et de *Elle*.

À vrai dire, la femme dont il est question dans toutes ces revues est une femme inventée. Elle est une image, charmante et réconfortante sans doute, mais une image. Ce n'est plus une mère aux hanches généreuses, mais une jeune femme svelte et intelligente. L'ONF produit d'ailleurs des films typiques de cette vision: *La beauté même, La femme-image*. La dissociation du discours avec la réalité vécue par les femmes est flagrante.

Cette dissociation est encore renforcée par la diffusion des théories nouvelles sur la sexualité et la psychologie féminines. Une génération après les anglophones, les Québécoises sont confrontées aux théories issues des travaux de grand-papa Freud. Le jansénisme des décennies précédentes avait refusé aux femmes un droit à l'expression sexuelle. La popularité des théories freudiennes rend la sexualité à la mode. Dorénavant, on parle ouvertement de sexualité, ce qui constitue toute une innovation dans la société québécoise. Mais en lieu et place des écrits de Freud, ce sont des sous-produits discutables de ses «disciples» qui circulent et qui enferment les femmes dans un nouveau corset: celui de la passivité. *Sélection du Reader's Digest* publie chaque mois des articles qui nourrissent la culpabilité ou le désarroi des femmes.

Elles sont responsables des problèmes émotifs de leurs enfants. Et leur sexualité est essentiellement passive. Et la frigidité est leur lot. Et «les menstruations sont les pleurs d'un utérus déçu». Et la crise de la ménopause est le regret de ne plus pouvoir enfanter. Qui ne se souvient d'avoir lu de ces bobards dans la petite littérature d'alors, dans les *Almanachs*, dans les pages féminines des journaux? La majorité des femmes ne se reconnaissent pas dans ces théories, mais le piège est inévitable: remettre la théorie en question est une preuve qu'on refoule le désir inconscient d'être un homme! Ah! l'envie du pénis!

Psychologie de la vie quotidienne
Théo Chentrier

Ce que j'admire le plus chez la femme, c'est la possibilité qu'elle a de faire des corvées, c'est-à-dire de faire un travail fastidieux et désintéressé. Qu'il puisse exister en ce monde des êtres qu'on appelle épouses et mères de famille, capables de faire tous les jours de l'année la besogne du ménage, de la cuisine, de la vaisselle, du blanchissage (même avec l'aide de machines) reste toujours pour moi un sujet d'étonnement. Cependant j'ai compris d'où vient chez la femme cette possibilité d'accomplir de pareilles besognes rigoureusement quotidiennes: de son amour pour son mari et ses enfants! Ce que j'admire le plus alors, c'est tout ce que l'amour peut faire d'ennuyeux. Ce que j'admire aussi, c'est cette note de beauté, de grandeur qu'il donne aux choses, même les plus insignifiantes. C'est aussi l'amour-propre, chez la femme, qui lui fait tenir sa maison comme si c'était un royaume. Ça l'est, en effet, même chez la plus pauvre.

Source: Théo Chentrier, *Vivre avec soi-même et avec les autres*, textes inédits choisis, présentés et annotés par Monique Chentrier-Hoffmann, Montréal, Éditions de Mortagne, 1981, p. 103.
Théo Chentrier a animé l'émission *Psychologie de la vie quotidienne* à la radio de Radio-Canada.

Après 1960, deux revues viennent transformer l'unanimité du discours féminin. *Châtelaine* prend la relève de *La revue moderne* en janvier 1961 et inaugure une nouvelle presse féminine. Ses éditoriaux et ses reportages se situent au cœur même de la vie que mènent un nombre de plus en plus grand de femmes. Il s'en dégage une certaine idée de la condition féminine, du moins l'idée que s'en font celles qui ont étudié plus longtemps, qui ont décidé d'avoir moins d'enfants et qui ont entrepris de conjuguer carrière et famille.

L'ambiguïté toutefois est loin d'être entièrement levée. Chaque année, *Châtelaine* élit une «Châtelaine de l'année» qui est toujours une mère de famille qui s'est engagée dans une cause. On chercherait en vain, dans toutes ces pages, le mot «féminisme».

Le même éclairage en demi-teintes se retrouve dans la nouvelle venue, *Maintenant*. Contraception, rôle des femmes dans l'Église, transformation des religieuses, avortement, aucune question n'est tabou pour les rédacteurs de *Maintenant*. Mais les prises de position sont malaisées. L'esprit de libération cherche timidement sa place dans une orthodoxie chancelante.

Ce qui se dégage en définitive de tous ces écrits, aux débuts de la supposée Révolution tranquille, c'est une dichotomie entre les paroles et les gestes. D'une part, une volonté très nette de changements par et pour les femmes. Trop d'exemples concrets le démontrent. D'autre part, une confortable sécurité dans le modèle moderne de la femme au foyer. Libérées des familles nombreuses et de l'obligation de gagner leur vie, beaucoup de femmes endossent l'image de la mystique féminine. La conscience collective des femmes est en pleine gestation, mais elle est muette. Et ce n'est certes pas la politique qui semble donner une voix à cette conscience collective.

Et la politique?

Bien sûr, depuis 1940, les Québécoises ont le droit de vote, mais à chaque élection, elles se sont contentées... de voter. Les quelques audacieuses qui se présentent comme candidates le font pour des partis marginaux et n'ont aucune chance d'être élues. Thérèse Casgrain elle-même, militante du parti CCF, puis du Nouveau Parti démocratique, ne réussit pas à obtenir une investiture parlementaire.

Après la mort de Duplessis en 1959, l'élection provinciale de 1960 se présente comme l'élection du renouveau. Cette élection marque, comme tout le monde le sait, le début officiel de la Révolution tranquille. Or, on ne trouve *aucune* candidate à cette élection historique. C'est même la seule élection depuis 1940 où on ne compte aucune candidate.

En 1961, le député de Jacques-Cartier, le Dr Kirkland, meurt, ce qui entraîne une élection partielle dans ce comté. C'est sa fille, Claire Kirkland-Casgrain, qui se présente sous la bannière du Parti libéral. Élue facilement, elle devient la première députée québécoise. Mieux, on la nomme immédiatement ministre, mais sans portefeuille.

La jeune femme concilie admirablement son rôle de mère et ses responsabilités de ministre. C'est ce que répètent avec insistance tous les articles qui soulignent cette belle victoire féminine. Elle devient titulaire d'une chronique dans *Châtelaine:* «Ce que j'en pense». Inconnue hier, elle figure soudain parmi les vedettes. Claire Kirkland-Casgrain est toutefois davantage que la première députée

québécoise: elle est la première femme-objet de la politique québécoise. Le Parti libéral se devait de présenter une image complètement rénovée. Quoi de mieux que de faire élire une femme! Fille du
candidat défunt et candidate dans un château fort libéral, elle a donc
été élue facilement. Ce n'est pas le talent de Claire Kirkland-Casgrain
qui est ici en cause, car elle a l'étoffe d'une personnalité politique
efficace. Ce qui est en cause, c'est le principe de la députée alibi qui
laisse croire aux femmes qu'elles ont voix au chapitre des décisions
politiques.

D'ailleurs, Claire Kirkland-Casgrain souligne magistralement son
entrée en politique: elle met sur pied un projet de loi pour modifier
en profondeur le statut légal de la femme mariée. Le premier juillet
1964, le parlement de Québec adopte la célèbre loi 16, dont les principales clauses mettent fin à l'incapacité juridique de la femme
mariée.

Avec près d'un siècle de retard sur leurs consœurs canadiennes,
les Québécoises mariées accèdent à l'égalité juridique avec leur con-

Claire Kirkland-Casgrain, 1964.
La Presse

joint. Une femme n'est plus tenue de présenter la signature de son mari pour effectuer des transactions courantes et peut exercer diverses responsabilités légales qui lui étaient interdites, comme, par exemple, intenter un procès ou être exécuteur testamentaire. On lui reconnaît enfin le droit formel d'être une personne autonome à l'intérieur de la société conjugale. Toutefois, les gérants de banque, les notaires, les grands magasins mettent du temps à s'y faire et continuent de réclamer la signature du mari.

Par ailleurs, depuis 1954, le double standard est officiellement aboli en matière de séparation légale entre les époux. Dorénavant, une femme peut exiger la séparation de corps si son mari est reconnu coupable d'adultère. On se souvient que ce motif, auparavant, était le privilège du mari seulement. Ce n'est certes pas par hasard qu'à partir de cette date les demandes de séparation se sont mises à affluer. Cependant, le divorce reste le privilège d'une minorité, car il exige des démarches coûteuses et une décision du Parlement fédéral.

La loi 16, qui transforme le statut juridique des femmes mariées, doit être considérée comme une étape importante dans l'histoire des femmes. Et pourtant, à l'époque, elle ne suscite aucun enthousiasme. Elle provoque même de nombreuses critiques de la part des milieux spécialisés, qui la jugent ou trop conservatrice, ou trop partielle. C'est que de nombreuses femmes étaient déjà «en avant de la loi». Par exemple, elles n'avaient pas attendu 1964 pour «exercer une profession différente de celle de leurs maris», ce qu'interdisait l'article 181 du Code civil.

Au fond, cette loi nous renseigne sur deux phénomènes qui n'ont rien à voir avec les clauses mêmes de la loi qui vient d'être votée. D'une part, on constate que les femmes, comme groupe, sont assez peu préoccupées par les lois qui les concernent. De toute manière, les femmes n'ont aucun pouvoir direct pour intervenir au niveau des législateurs. C'est particulièrement vrai en ce début des années 60, alors qu'aucune association féminine n'assure la défense des intérêts des femmes.

Ce qui est nouveau dans la loi 16

1. *Égalité* des conjoints dans la société matrimoniale.
2. La femme peut choisir un autre *domicile* que celui du mari si ce domicile présente des dangers.
3. La femme mariée a *pleine capacité juridique* sous réserve des restrictions découlant du régime matrimonial:
   a) la femme peut *représenter* son mari;
   b) la femme mariée peut *exercer une profession différente* de celle de son mari;
   c) *un juge peut suppléer à l'autorisation maritale* quand elle fait défaut et qu'elle est exigée.
4. La femme mariée sous le régime de la séparation:
   a) peut être *tutrice;*
   b) peut être *curatrice;*
   c) peut faire ou accepter une *donation entre vifs;*
   d) peut *contracter;*
   e) peut *ester en justice* et *intenter une action;*
   f) peut accepter une *succession;*
   g) peut accepter une *exécution testamentaire;*
   h) peut *administrer ses propres biens* et en disposer.
5. La femme mariée sous le régime de la communauté de biens:
   a) peut exercer les *mêmes droits* que la femme mariée en séparation avec l'autorisation de son mari;
   b) est *responsable* des dettes de son mari et réciproquement;
   c) peut *administrer* ses propres biens sous certaines réserves;
   d) peut *exercer un commerce* sans l'autorisation de son mari sous certaines réserves.
6. Élargissement des biens réservés.

Source: Micheline D. Johnson, *Histoire de la situation de la femme dans la province de Québec*, Ottawa, 1971, p. 47.

D'autre part, on s'aperçoit aussi que toutes les législations véhiculent plus ou moins explicitement le concept de la «loi naturelle». Or, les femmes sont très mal servies par cette «loi naturelle». En effet, les modèles *culturels* qui définissent la vie, le rôle, les droits et les devoirs des femmes sont si anciens que la société les considère comme naturels. On est étonnée aujourd'hui de voir la longue liste des attributs que les femmes devaient «naturellement» posséder: dévouement, pardon, fidélité, délicatesse, etc., et des activités qu'elles devaient «naturellement» exercer: broderie, raccommodage, soin des enfants et des nourrissons, ménage, lessive, etc. On conçoit que des systèmes de lois bâtis sur de telles présomptions enferment les femmes dans un statut très étroit et que les femmes, marquées elles aussi par les modèles culturels, se sentent impuissantes à les contester.

Les femmes-orchestres font la grève

Même si, depuis des millénaires, la nature et la culture s'étaient unies pour assujettir les femmes au mariage et à la procréation, les sociétés avaient constitué des avenues où il était possible aux femmes d'échapper à ce double destin. Valorisées ou dévalorisées, ces avenues avaient l'immense mérite d'exister. Désormais, on n'y échappe plus! Les couvents commencent à se vider et ne sont plus une solution de rechange au mariage. Les taux de nuptialité montent, le mariage devient le lot commun de l'immense majorité des femmes: statistiquement, les «vieilles filles» deviennent rarissimes. Les couples mariés sans enfant sont une espèce en voie de disparition. Au milieu des années 60, les crèches sont vides et les mères célibataires gardent désormais leurs enfants auprès d'elles. Les listes d'attente des sociétés d'adoption sont interminables.

Si chaque femme a de moins en moins d'enfants, la maternité devient une expérience à laquelle il est socialement (voire biologiquement) de plus en plus difficile de se soustraire. La vie de ménagère devient le lot commun de toutes les femmes: celles qui ont déjà eu les moyens de se payer des domestiques vivent une «crise domestique» encore plus intense que celle du début du siècle. Elles deviennent, malgré elles, les domestiques de leur propre famille.

Être éduquée au début de la Révolution tranquille signifie que, désormais, on se retrouve dans les mêmes programmes que les garçons: les écoles ménagères ferment. De plus en plus d'hommes enseignent aux jeunes filles! Les manuels féminins disparaissent! La démocratisation de l'enseignement ouvre en principe toutes les avenues à chacun. Curieusement, les filles se retrouvent dans des options où leurs collègues seront majoritairement… des filles. La plupart du temps, quand elles sont embauchées pour leur premier emploi, elles se retrouvent entre femmes. Lorsqu'elles font le budget pour leur futur ménage avec leur fiancé, elles constatent infailliblement que leur chèque de paye est beaucoup plus maigre.

Être une vraie femme, c'est être à la fois bonne amante, bonne épouse, mère de famille disponible, travailleuse compétente, bonne cuisinière et bonne syndicaliste, tout ça à la fois; être femme comme avant pour ne pas déranger l'ancien ordre des choses, mais également être une femme nouvelle liée à son travail. Toute femme qui a vécu quelques années à ce rythme se retrouve plus coincée que jamais. On lui fait payer bien cher le mirage de l'égalité!

Les femmes qui veulent se consacrer à l'éducation de leurs enfants doivent le faire dans un climat ambigu. D'une part, elles sont valorisées, mais à la condition de se soumettre aux avis des experts de tout acabit, et d'autre part, elles sont soupçonnées de mener une vie facile et confortable, tellement moins difficile que celle de leurs aïeules ou que celle de leur mari se tuant à la tâche pour les rendre heureuses...

Le processus de «scientisation» et de rationalisation qui, durant la première moitié du siècle, avait transformé les mères de famille ou les travailleuses en simples exécutantes du savoir des hommes, se poursuit au début de la Révolution tranquille. Ce processus atteindra aussi de nouvelles sphères. Avec la prospérité économique, l'infrastructure des services sociaux, hospitaliers et éducatifs n'a plus besoin de fonctionner sur le bénévolat ou le *cheap labour* des religieuses. Ainsi, les femmes, qui depuis trois cents ans géraient hôpitaux, écoles, couvents et hospices, deviennent la cible privilégiée de la nouvelle classe gestionnaire. On assiste alors à une entreprise de dénonciation, puis à une purge. Quelques années après la Révolution tranquille, les femmes seront totalement éliminées de la plupart des postes d'administration du nouveau «parapublic». Elles seront remplacées par de jeunes administrateurs qu'on présume compétents et qui réussiront à les déloger des seuls secteurs de la vie publique où elles avaient réussi à exercer des fonctions de pouvoir.

Pour l'immense majorité des femmes salariées, travailler signifie être surexploitée et manquer de services collectifs: garderie, congés de maternité, service domestique. Pour les femmes à la maison, la situation consiste à être une mère de famille dépendante, dont le travail est dévalorisé en dépit de son titre de «reine du foyer». D'ailleurs, ces femmes éprouvent les plus grandes difficultés à se réinsérer dans l'univers du travail.

La page est tournée, la transition est faite. Mais la transition a mené les femmes à une impasse. Or, avant 1965, le silence collectif des femmes reste assez impressionnant. Il dissimule pourtant une tension de plus en plus grande. Certaines femmes mettent en doute que l'important soit encore de savoir «comment une femme peut avoir une activité sociale intéressante tout en ayant un foyer». C'est l'éclatement. Nouvelles idées, nouvelles revendications, nouvelles pratiques, nouvelles revues, nouvelles associations apparaissent dans tous les milieux. Cette fois, c'est la société elle-même qui sera remise en question. C'est également toute la relation entre les sexes. Il suffira de l'anniversaire du droit de vote pour tout déclencher.

Notes du chapitre 13

1. *Cours de préparation au mariage*, Action catholique canadienne, Service de préparation au mariage du diocèse de Montréal, Ottawa, 1944.

2. *Rapport Parent*, Rapport de la Commission royale d'enquête sur l'enseignement dans la province de Québec, Tome 3, Québec, 1964, p. 239-241.

3. A. Charles, *Travail d'ombre et de lumière. Le bénévolat féminin à l'Hôpital Sainte-Justine 1907-1960*, Québec, Institut québécois de recherche sur la culture, 1990, p. 161 et suiv.

4. Archives de la CSN, *Procès-verbal du Congrès de 1964*, Rapport du Président, p. 8.

V
La transition
Orientations bibliographiques

AUGER, GENEVIÈVE et RAYMONDE LAMOTHE, *De la poêle à frire à la ligne de feu. La vie quotidienne des Québécoises pendant la guerre de 39-45*, Montréal, Boréal Express, 1981.

BARRY, FRANCINE, *Le travail de la femme au Québec: l'évolution de 1940-1970*, Montréal, Presses de l'Université du Québec, 1977.

BLAND, SUE, «Henrietta the Homemaker and Rose the Riveter: images of women in advertising, 1939-1950» dans *Atlantis*, vol. 8, n° 2, 1983, p. 61-87.

BRAULT, RITA HENRY, *Les idées nouvelles viennent de la base. Historique de Serena*, Ottawa, Serena, 1974.

BROSSARD, NICOLE et LISETTE GIROUARD, *Anthologie de la poésie des femmes au Québec*, Montréal, Les Éditions du remue-ménage, 1991, 379 p.

CASGRAIN, THÉRÈSE, *Une femme chez les hommes*, Montréal, Éditions du Jour, 1971.

CHARLES, ALINE, *Travail d'ombre et de lumière. Le bénévolat féminin à l'Hôpital Sainte-Justine, 1907-1960*, Coll. «Edmond-de-Nevers», n° 9, Québec, Institut québécois de recherche sur la culture, 1990, 190 p.

COHEN, YOLANDE, «Les Cercles de fermières: une contribution à la survie du monde rural?» dans *Recherches sociographiques*, vol. 29, n° 2-3, 1988, p. 311-329.

———— *Femmes de parole. L'histoire des Cercles de fermières du Québec, 1915-1990*, Montréal, Le Jour, 1990, 315 p.

CUTHBERT-BRANDT, GAIL, «Weaving It Together: Life Cycle and the Industrial Experience of Female Cotton Workers in Quebec, 1910-1950» dans *Labour/Le Travailleur*, n° 7, printemps 1981, p. 113-125.

DAIGLE, JOHANNE, *Devenir infirmière: Le système d'apprentissage et la formation professionnelle à l'Hôtel-Dieu de Montréal, 1920 à 1970*, thèse de doctorat (Histoire), Montréal, Université du Québec à Montréal, 1990.

DANDURAND, RENÉE B., *Le mariage en question. Essai sociohistorique.* Québec, Institut québécois de recherche sur la culture, 1988, 188 p.

DARDIGNA, ANNE-MARIE, *La presse féminine, fonction idéologique*, Paris, Maspero, 1979.

DESJARDINS, GASTON, «La pédagogie du sexe: un aspect du discours catholique sur la sexualité au Québec», dans *Revue d'histoire de l'Amérique française*, vol. 43, n° 3, 1990, p. 381-402.

DUCHESNE, LORRAINE *et al.*, «La longévité des religieuses au Québec de 1901 à 1971» dans *Sociologie et société*, vol. 19, n° 1, 1987, p. 145-153.

DUMONT, MICHELINE et NADIA FAHMY-EID, *Les couventines. L'éducation des filles au Québec dans les congrégations religieuses enseignantes, 1840-1960*, Montréal, Boréal, 1986.

————, *Maîtresses de maison, maîtresses d'école. Femmes, familles et éducation dans l'histoire du Québec*, Montréal, Boréal Express, 1983.

DUMONT-JOHNSON, MICHELINE, «La parole des femmes. Les revues féminines au Québec 1938-1968» dans *Idéologie au Canada français*, vol. IV, Tome II, p. 4-45.

FAHMY-EID, NADIA et JOHANNE COLLIN, «Savoir et pouvoir dans l'univers des disciplines paramédicales: la formation en physiothérapie et en diététique à l'Université McGill, 1940-1970» dans *Histoire sociale*, vol. 22, n° 43, mai 1989, p. 35-65.

FAHMY-EID, NADIA et LUCIE PICHÉ, «Le savoir négocié. Les stratégies des associations de technologie médicale, de physiothérapie et de diététique pour l'accès à une meilleure formation professionnelle (1930-1970)», dans *Revue d'histoire de l'Amérique française*, vol. 43, n° 4, 1990, p. 509-535.

FORTIN, A., *Histoire de familles et de réseaux*, Montréal, Éditions Saint-Martin, 1987.

FRIEDAN, BETTY, *La femme mystifiée*, Paris, Denoël-Gonthier, 1964.

GAGNON, MONA-JOSÉE, *Les femmes vues par le Québec des hommes: 30 ans d'histoire des idéologies 1940-1970*, Montréal, Éditions du Jour, 1974.

JEAN, DOMINIQUE, «Les parents québécois et l'État canadien au début du programme des allocations familiales: 1944-1955», dans *Revue d'histoire de l'Amérique française*, vol. 40, n° 1, 1986, p. 73-96.

————, *Les familles québécoises et trois politiques sociales touchant les enfants de 1940 à 1960: obligation scolaire, allocations familiales et loi contrôlant le travail juvénile*, thèse de doctorat (Histoire), Montréal, Université de Montréal, 1988.

LACELLE, NICOLE, *Madeleine Parent, Léa Roback. Entretiens*, Montréal, Les Éditions du remue-ménage, 181 p.

LAVIGNE, MARIE et YOLANDE PINARD, *Travailleuses et féministes. Les femmes dans la société québécoise*, Montréal, Boréal Express, 1983.

LEFEBVRE, MARIE-THÉRÈSE, *La création musicale des femmes au Québec*. Montréal, Les Éditions du remue-ménage, 1991, 148 p.

LÉTOURNEAU, JEANNETTE, *Les écoles normales de filles au Québec*, Montréal, Fides, 1981, 239 p.

LÉVESQUE, ANDRÉE, «Le bordel: milieu de travail contrôlé» dans *Labour/Le Travail*, n° 20, 1987, p. 13-33.

MONET-CHARTRAND, SIMONNE, *Ma vie comme rivière*, Tomes II, III, Montréal, Les Éditions du remue-ménage, 1991.

——————, *Pionnières québécoises et regroupements de femmes d'hier à aujourd'hui*. Montréal, Les Éditions du remue-ménage, 1990, 470 p.

PETITAT, ANDRÉ, *Les infirmières, de la vocation à la profession*. Montréal, Boréal, 1989, 408 p.

PIERSON, RUTH, «*They're still women after all*». *The Second World War and Canadian Womanhood*, Toronto, McClelland and Stewart, 1986, 301 p.

RIALLAND-MORISSETTE, YOLANDE, *Le passé conjugué au présent*, Cercles de fermières du Québec historique, Laval, Pénelope, 1981.

SULLEROT, ÉVELYN, *La presse féminine*, Paris, Armand Colin, 1975.

TESSIER, ALBERT, *Souvenirs en vrac*, Montréal, Boréal Express, 1975.

THIVIERGE, NICOLE, *Écoles ménagères et instituts familiaux. Un modèle féminin traditionnel*, Québec, Institut québécois de recherche sur la culture, 1982, 475 p.

TROFIMENKOFF, SUSAN MANN, «Thérèse Casgrain and the CCF in Quebec» dans *Canadian Historical Review*, vol. 66, n° 2, 1985, p. 125-154.

VI
L'ÉCLATEMENT ET
L'AFFIRMATION
1965-1990

Au cours du dernier quart de siècle de cette histoire (1965-1990), le rythme des modifications à l'échiquier politique et économique du Québec atteint une vitesse fulgurante. Le lever du rideau de cette période se fait en pleine Révolution tranquille.

Sur le plan politique, la période se caractérise d'abord par la montée d'un fort courant nationaliste différent du nationalisme traditionnel. En effet, le nationalisme actif centré sur la modernisation de l'équipe Lesage fait contraste avec le nationalisme passif et replié sur le passé de l'époque duplessiste. Cependant, la survivance de ce dernier courant assure la transition avec le gouvernement Johnson qui reporte l'Union nationale au pouvoir en 1966. Le nationalisme lui-même se diversifie en un large éventail d'options distinctes allant des bombes du FLQ aux partis souverainistes en passant par les revendications marxistes de Parti-Pris.

Par ailleurs, l'arrivée à Ottawa en 1965 du *French power* — Trudeau, Pelletier, Marchand — oblige les nationalistes à articuler d'autres options que le statu quo fédéraliste. La Commission royale d'enquête Laurendeau-Dunton conclut à la tragédie des deux solitudes au Canada et propose des mesures administratives pour créer des ponts, notamment la politique du bilinguisme. Conjuguée à l'expansion fulgurante de l'État québécois, cette conjoncture aboutit au dépérissement des idéologies traditionnelles.

La culture québécoise éclate sur tous les fronts. D'abord, l'épithète «québécois» supplante l'anachronisme «canadien-français». La fierté canadienne, créée par le succès d'Expo 67, rejaillit sur la fierté québécoise. De la chanson à l'architecture, la poésie, l'artisanat, la cuisine, la peinture, la télévision, le cinéma, toute l'activité culturelle s'accomplit dans l'affirmation québécoise. Les Québécois écoutent les chansons de Gilles Vigneault, de Robert Charlebois et de Pauline Julien et se disent: «On est bons!» Une réalisation économique d'envergure symbolise cette fierté: le barrage hydro-électrique de la Manic.

Par ailleurs, la fin de la décennie des années 60 est fertile en événements contestataires sur toutes les scènes de l'actualité internationale.

Le cœur du Québec bat désormais au rythme du monde. Les événements chauds se multiplient: manifestations monstres à saveur nationaliste, défilés de la Saint-Jean-Baptiste, grève des policiers, agitation dans les collèges et les universités. La crise d'octobre en 1970 et l'emprisonnement des chefs syndicaux en 1972 marquent le paroxysme de cette période. La participation des militantes à tous ces événements donne à celles-ci une confiance et une expérience politique qui seront déterminantes pour le féminisme québécois.

La décennie 1965-1975 marque l'étape culminante de la laïcisation de la société québécoise. La baisse systématique de la pratique religieuse coïncide avec la mise au rancart des structures des séminaires et des couvents et la transformation du discours religieux. Pour l'ensemble de la société, tous les codes sociaux sont maintenant modifiés. Et pour les femmes, ces transformations auront des conséquences paradoxales comme nous le verrons.

Pendant que l'actualité politique et sociale fait les manchettes, l'économie même du Québec se transforme graduellement mais sûrement. Une économie qui reposait sur les ressources premières, l'industrie du transport maritime et ferroviaire, la main-d'œuvre à bon marché et le statut de Montréal comme métropole du Canada, voit ces assises s'effriter. L'amiante et le tabac sont déclarés produits dangereux à cause de leurs effets cancérigènes. Le transport par la Voie maritime du Saint-Laurent est délaissé en faveur du transport par avion ou par camion. Les trains sont abandonnés pour les camions, avions, autobus ou voiture personnelle.

Pendant les années 60, le ministère de l'Éducation popularise le slogan «Qui s'instruit s'enrichit». Une population plus instruite, libérée du joug attentiste de l'Église, appuyée par les syndicats qui font miroiter des modèles de sociétés socialistes, ne fournit plus la main-d'œuvre docile et surtout bon marché dont certaines industries avaient besoin. Les industries de la chaussure et du textile agonisent. La fourrure autrefois essentielle pour bien passer l'hiver doit rivaliser avec de nouveaux produits synthétiques. Pendant les années 70, dans tout le Québec, les usines ferment.

Les sièges sociaux des compagnies se rendent compte que le centre économique du Canada se situe maintenant à Bay Street à Toronto. Les industries de production, telle l'alimentation, trouvent qu'il est préférable de se resituer autour du plus gros bassin de population en Ontario. Pour les travailleurs et les travailleuses, ces changements impliquent le choix de se recycler ou de déménager. Les anglophones, incluant la population d'origine britannique, européenne ou juive, choisissent souvent de partir à la recherche d'emplois, d'autant plus que la montée du nationalisme contribue à accroître leur inquiétude.

En 1970, le Parti libéral sous Robert Bourassa reprend le pouvoir à Québec en promettant 100 000 emplois. Il ne peut tenir sa promesse et toute la décennie des années 70 est marquée par une lente dégringolade due à la crise économique qui prend de plus en plus l'aspect d'une hydre à sept têtes: crise du pétrole, chômage endémique, inflation galopante, récession, hausse des taux d'intérêts, désastre des finances publiques, scandales variés, dont le plus célèbre est celui du stade olympique.

L'élection du Parti québécois en 1976 vient modifier de nouveau l'échiquier politico-économique et entraîne de nouvelles transformations significatives. En 1977, la Charte de la langue française établit le français comme seule langue officielle, langue du travail et de l'affichage public. La nouvelle économie du Québec repose dorénavant sur les institutions économiques du secteur public, le plus gros employeur de main-d'œuvre, ainsi que sur les petites et moyennes entreprises (PME) qui bénéficient d'avantages fiscaux importants. Ainsi le contrôle de l'activité économique passe des mains des multinationales et des grandes entreprises dirigées par des Canadiens anglais, aux mains des francophones.

En 1980, le Parti québécois propose enfin son référendum et la polarisation est extrême au sein de la population. L'échec du référendum inaugure une décennie d'accalmie politique accentuée en 1981-1982 par la pire récession économique depuis les années 30. Un vent de conservatisme souffle sur l'Occident et l'écroulement des régimes socialistes de l'Europe de l'Est donne un prestige renouvelé aux philosophies du libéralisme, des droits individuels et de la libre entreprise. Alors qu'une génération auparavant, le traditionalisme prônait l'effacement des femmes au sein de la famille, le nouveau discours conservateur sur les droits individuels sert de tremplin pour agrandir l'aire d'autonomie de celles qui peuvent en profiter. Les expressions culturelles au Québec délaissent le nationalisme pour puiser leur inspiration dans des thèmes universels — l'amour, la paix, la condition humaine, voire l'écologie. L'arrivée d'immigrants des Caraïbes, de l'Asie, de l'Afrique et de l'Amérique du Sud, qui s'établissent pour la plupart dans la région de Montréal, contribue à ce phénomène en faisant connaître des cultures et des religions radicalement différentes de celles qui avaient nourri le Québec jusque-là. Des problèmes d'adaptation et d'intégration de ces nouvelles populations se posent.

Le capital d'investissement au Québec est également multinational. Des investisseurs japonais, arabes et européens visitent régulièrement le Québec pour le situer dans les stratégies du développement de la planète. Dans les années 80, le mouvement Desjardins et la Caisse de dépôt et placement, créée en 1965, émergent comme des puissances économiques qui détiennent de vastes portefeuilles d'actifs.

En 1982, la Constitution canadienne, avec ses clauses d'égalité pour les femmes, est rapatriée sans l'accord du Québec. Après le départ de Pierre Trudeau, premier ministre pendant quinze ans, les conservateurs ayant à leur tête Brian Mulroney sont portés au pouvoir à Ottawa en 1984. L'année suivante voit le retour des libéraux de Robert Bourassa dans un Québec préoccupé par la conjoncture économique. La question constitutionnelle occupe de nouveau les manchettes lorsque les dix provinces canadiennes signent l'Accord du Lac Meech en 1987. Mais l'échec de sa ratification trois ans plus tard relance l'option souverainiste au Québec.

Au même moment, le chômage grimpe vers de nouveaux sommets. Au Québec, la transformation des usines de textile en copropriétés et du canal Lachine en parc de loisirs marque définitivement la réorientation économique. Mais la prospérité des années 60 semble être révolue. Une partie importante de la population vivote grâce aux programmes d'assurance-chômage, de sécurité du revenu et de santé et sécurité au travail.

Patrons et syndicats cherchent de nouveaux modèles de partenariat social et les gouvernements tentent de mieux coordonner leurs politiques budgétaires. Les grands programmes sociaux comme l'assurance-chômage, l'assistance sociale, les fonds de pensions, les allocations familiales, l'assurance-maladie voient leur universalité remise en question et les gouvernements coupent dans leurs programmes d'aide aux groupes associatifs.

Et pendant que la violence éclate au Liban, en Éthiopie, au Cambodge, au Pakistan, au Chili, au Salvador, en Pologne, en Iran, au Koweit; pendant que l'injustice s'étale dans les bidonvilles, les prisons, les camps de réfugiés, les goulags de toutes sortes; pendant que s'empilent, de part et d'autre du rideau de fer, des armements susceptibles de tout faire sauter; pendant que fleurissent de nouveaux cultes religieux, musicaux, sportifs et sexuels; pendant que le terrorisme international remet en cause les mécanismes démocratiques; pendant que l'interrogation écologique pose des questions de plus en plus redoutables, des femmes entreprennent de dire la vie autrement. On les accuse d'être violentes mais jusqu'ici elles n'ont déclaré aucune guerre, détourné aucun avion, pris personne en otage, au nom de la cause des femmes. Ce qui ne les empêche pas d'être de redoutables terroristes pour les autres causes. On les soupçonne de n'être qu'une mode passagère comme les hippies mais les théoriciennes précisent au contraire une analyse féministe de plus en plus rigoureuse. On les considère parfois comme des folles, mais c'est peut-être pour s'empêcher de voir que de plus en plus de femmes, publiquement ou au fond d'elles-mêmes, sont d'accord avec les féministes et tentent de modifier leurs vies.

Ce lever de rideau est différent des autres: la vie des femmes semble s'insérer maintenant plus aisément dans la trame de l'histoire des hommes. Les partis politiques, les gouvernements, les églises, les syndicats et les entreprises semblent désormais tenus de compter avec les femmes. C'est que, durant les années 70 et 80, ces dernières ont taillé des brèches de plus en plus larges dans les frontières qui séparaient les sphères privées et publiques, entre la vie des hommes et la vie des femmes. Elles acceptent de moins en moins de perpétuer l'impasse où les maintient l'opposition entre les attentes de la société et les nouveaux rôles qu'elles ont choisi de jouer.

Mais, si les femmes se situent elles-mêmes plus facilement dans cette trame historique, on continue souvent d'occulter les manifestations les plus significatives du mouvement des femmes. La conjoncture politique et économique suscite la publication de nombreuses chronologies ou synthèses explicatives mais on y tait encore les événements concernant les femmes. Ces ouvrages sont presque tous muets sur le mouvement féministe ou ils en parlent comme d'un greffon venu d'ailleurs, mal enraciné dans le terreau québécois. Comme si les changements survenus dans la situation des femmes s'étaient produits naturellement, par le simple jeu de l'évolution... Comme si le féminisme actuel n'avait aucune racine dans le passé collectif des Québécoises.

Aujourd'hui, le mur de Berlin est tombé mais les femmes se heurtent toujours au mur transparent qui les empêche d'aller où bon leur semble. Aujourd'hui, le libre-échange tisse de nouveaux réseaux économiques à travers la planète, mais les femmes ne gagnent toujours que les deux tiers des revenus des hommes. Aujourd'hui, la paix mondiale et la santé de la planète sont devenues des inquiétudes collectives, mais les divers gouvernements continuent de faire la sourde oreille aux idées que proposent les femmes. Aujourd'hui, hier, demain! Aujourd'hui on parle volontiers de l'après-féminisme. Les femmes savent bien, elles, que le féminisme perdurera.

CHAPITRE 14

Mais que veulent donc les femmes?

Comment évolue le mouvement des femmes entre 1965 et 1990? Tout processus d'affirmation et de libération est, la plupart du temps, marqué par deux temps forts: celui de la reproduction du modèle dont on veut se libérer et celui de la création d'un nouveau modèle bâti sur l'identification d'une spécificité. Ainsi en est-il du mouvement des femmes, où, dans un premier temps, comme on a pu le constater, elles ont visé à se donner les outils qui ont fait la force des hommes: accès à l'éducation, aux institutions économiques, au droit de vote, au travail, aux regroupements associatifs et politiques. Dans un deuxième temps, tout en continuant de poursuivre ces objectifs, elles entreront au cours de cette période dans un processus plus global de spécification.

Même s'il n'a pas échappé à ces étapes, le mouvement des femmes les vit de façon bien différente. Plusieurs éléments caractéristiques des autres mouvements de libération sont absents ou se présentent différemment pour les femmes, de sorte que leurs analyses et leurs actions en sont marquées. Ainsi, le rapport du mouvement des femmes à ce que les autres mouvements de libération (mouvement de libération ethnique, nationale, raciale, etc.) appellent «l'ennemi» ne peut être le même, d'où une certaine ambiguïté. Comme l'ont fait valoir les féministes du début des années 70, la vie privée est politique, donc objet potentiel de débat public au même titre que tout autre sujet. Les liens tricotés serrés entre la vie privée et la vie publique, entre ce que la femme vit dans son intimité et ce qu'elle vit en dehors de sa maison, sont donc si étroits et indissociables qu'elle ne peut pas compartimenter aisément sa vie personnelle de son engagement féministe. Le débat s'en trouve donc élargi, ce qui constitue également un source d'ambiguïté. Ces ambiguïtés ont marqué la réflexion des femmes depuis le début et on ne peut en faire abstraction. Car, comme l'explique Françoise Collin dans sa préface à l'ouvrage de Diane Lamoureux, *Fragments et collages*, les femmes ne sont ni une race, ni une classe, ni une nation, mais bien un ensemble d'individus atteint par des conditions particulières et «de manière singulière, jusque dans leur intimité».

Afin de mettre en forme leurs actions et leurs réflexions, les féministes, durant cette période, ont aussi cherché à utiliser des grilles d'analyse issues d'autres mouvements pour ensuite se tourner vers la recherche d'une grille spécifiquement féministe. Cette recherche, qui est encore tout à fait d'actualité, fait l'objet de débats de plus en plus intéressants. En ce sens, le concept de genre en tant que variable incontournable, non seulement de l'histoire des femmes, mais de toute l'histoire, dérange en même temps qu'il interpelle toute l'historiographie moderne.

Au Québec, la dimension nationaliste viendra compliquer les analyses. Comment et à quelles conditions peut-on jumeler lutte nationale et lutte des femmes? Comment concilier la conception moderne des femmes véhiculées par le néo-nationalisme avec la lutte spécifique des femmes?

Cette réflexion-action des femmes débouchera dans les années 70 sur l'émergence du féminisme radical, qui se pose comme le lieu premier de l'articulation spécifique de l'oppression des femmes, de la déconstruction des stéréotypes mère-épouse-putain pour construire un nouveau «je» (affirmation individuelle) et un nouveau «nous» (affirmation collective) des femmes. Les années 70 ont vraiment été les années chaudes du féminisme et ont secoué plus d'une certitude dans la vie des hommes et des femmes. Comme s'il fallait toujours l'affirmation d'un certain radicalisme pour faire avancer les idées réformistes, la présence d'un discours radical a dédouané et rendu présentables certaines revendications mises de l'avant par les groupes traditionnels.

C'est aussi à cette époque que les féministes ont été accusées de séparer les hommes et les femmes et d'être agressives, sinon violentes. Il est important de démystifier ces interprétations. Le féminisme, en effet, a essentiellement remis en cause les univers séparés dans lesquels fonctionnaient les hommes et les femmes et qu'on appelait «les deux sphères», en contestant justement les rôles et les lieux séparés dans lesquels vivaient les deux sexes: lieux éducatifs, culturels, de loisirs. Il s'est justement attaché à rapprocher les deux univers, à les décloisonner et à faire en sorte que le rapport entre les hommes et les femmes soit plus équitable. Il entraîne de ce fait des remises en question. Il rend le dialogue nécessaire et fait sortir de l'occultation le non-dit: cette démarche dérange obligatoirement. Lorsqu'on considère à quel point tous les autres combats de libération qui se mènent sur la planète usent de violence physique, il faut reconnaître que les accusations de violence portées contre les féministes tiennent du farfelu et que la violence n'a jamais été une stratégie utilisée par le mouvement des femmes.

Au terme de ces années mouvementées et intenses en militantisme collectif, on verra apparaître au début des années 80 une période d'affirmation individuelle.

Tous et toutes bénéficient alors de certains acquis et ne veulent plus du militantisme de maman. Ce qui s'organise le fait en fonction de problèmes précis et le savoir féministe prend une certaine place à l'université. On peut donc parler, pour la fin de cette période, d'une prise de conscience individuelle, d'une tentative d'occupation de territoires réservés jusque-là aux hommes et d'un certain progrès dans ce domaine.

Cependant, une chose est sûre: la démarche féministe est originale et originelle, elle s'invente au fur et à mesure et ne peut donc se mesurer à l'aune des théories toutes faites: le temps des femmes est long et différent.

Ces vingt-cinq ans peuvent se diviser en trois périodes: 1965-1969: L'égalité, oui, mais ce n'est pas suffisant! 1969-1980: Les années chaudes du féminisme. 1980-1990: Affirmation individuelle et féminisme stratégique.

L'égalité, oui, mais ce n'est pas suffisant
(1965-1969)

En 1965, le droit de vote a vingt-cinq ans. Un groupe de femmes décide d'organiser une rencontre de réflexion. D'ailleurs, au lendemain de la loi 16, il convient peut-être d'établir un bilan de la condition féminine. On retrouve à l'origine de cette initiative Thérèse Casgrain, l'infatigable militante des années 20, qui a travaillé au Comité du suffrage provincial, puis, dans les années 30 et 40, à la Ligue des droits de la femme, en politique active dans les années 50 et comme fondatrice de la section montréalaise de la Voix des femmes au début des années 60. Entourée et aidée par des femmes qui l'ont suivie depuis le début de son engagement, comme Florence Fernet-Martel, et de militantes de la Voix des femmes, comme Raymonde Roy et Simonne Monet-Chartrand, elle invite pour organiser cet aniversaire des représentantes des principales associations féminines d'alors. Comme on l'a vu, les femmes engagées dans des mouvements variés étaient alors très nombreuses. De l'Union catholique des femmes rurales à la Voix des femmes, des Unions de famille à l'Association des femmes diplômées des universités, tous les groupements féminins sentent implicitement le besoin de reprendre l'analyse là où la Fédération nationale Saint-Jean-Baptiste (FNSJB) l'avait laissée.

Un colloque de deux jours intitulé «La femme du Québec. Hier et aujourd'hui» est organisé pour examiner le statut juridique de la femme, la participation de la femme, l'économie et la présence de la femme dans la société. Claire Kirkland-Casgrain, l'unique députée, en est la principale conférencière, et Mariana Jodoin, sénateure, la présidente d'honneur.

Au cours de la séance de clôture, on vote à l'unanimité la fondation de la Fédération des femmes du Québec (FFQ). Cette association regroupera des représentantes de toutes les associations féminines ainsi que des membres individuels afin de permettre une coordination des actions de chacune pour la promotion et les intérêts des droits des femmes. On reprend alors, avec une saveur uniquement québécoise, le modèle de la FNSJB de 1907 et du National Council of Women de 1893.

Les journaux saluent avec enthousiasme la nouvelle association. «Une nouvelle force de frappe», écrit Renaude Lapointe dans *La presse*, alors que *Le devoir* publie la liste des revendications: enquête gouvernementale sur les conditions de travail des femmes, application de la loi du salaire égal pour un travail à valeur égale, création de garderies d'État, reconnaissance de l'autorité parentale des mères, instauration d'un tribunal de divorce et abolition des termes «ménagères» et «mères nécessiteuses». Ces contemporaines de la Révolution tranquille se rendaient compte, encore une fois, que le progrès d'une société n'est pas toujours obligatoirement accompagné du progrès de la condition des femmes. En 1965, avant les analyses plus poussées qui allaient théoriser sur de telles problématiques, elles prenaient conscience de la nécessité de se prendre en main; les questions sur lesquelles elles voulaient alors travailler rejoignaient toutes les femmes et font encore partie de l'agenda féministe. Le féminisme, qu'on avait cru mort, était bien vivant, même si le mot lui-même était peu utilisé à l'époque.

La charte est obtenue. La nouvelle Fédération sera non confessionnelle et multiethnique, ce qui n'étonne pas dans un Québec en voie de laïcisation. Cependant, pour les femmes, une telle orientation est nouvelle et marque le début d'une approche autonome des questions. Ce n'est plus «papa curé» qui sanctionnera les actions des femmes! Une grande réunion regroupe quatre cents femmes: trente-six associations ont envoyé des déléguées, trente-huit associations ont dépêché des observatrices et cent trente femmes sont venues de tous les coins de la province. Des femmes de toutes les régions et de toutes les confessions sont présentes: anglophones, francophones, paysannes et citadines. Une solidarité nouvelle est à construire: les femmes ne sont pas toutes sur la même longueur d'ondes. Certaines s'offusquent de voir figurer les mots «divorce» et «avortement» dans les documents. Mais l'association se met en marche et élit Thérèse Casgrain comme présidente honoraire. Les journalistes se demandent si l'unité sera possible entre les femmes. Ils mettent en relief l'opposition entre les femmes qui tra-

1966 — 1976

LE PREMIER CONSEIL D'ADMINISTRATION

1ere rangée: Mme Cécile Labelle et Mlle Luce Dumoulin; deuxieme rangée: Mme Rejane Colas, Mme Marie Gingras de Sherbrooke, Mlle Nicole Forget, Mme Lise Trudeau et Mme Raymonde Roy: troisieme rangée: Mlle Colette Beauchamp, Mme Pauline Larochelle, de Sherbrooke, Mme Yvette Rousseau de Coaticook; Mme Simonne Chartrand, de Longueuil; Mme Fernande Cantero et Mme Rita Cadieux. N'apparaissent pas sur la photo: Mlle Monique Begin, Mme Odette Dick de Québec et Mme Germaine Goudreault de Nicolet. (Photo La Presse, 25 avril 1966)

Le premier conseil d'administration de la Fédération des femmes du Québec en 1966.
Bulletin de la FFQ

vaillent à l'extérieur du foyer et celles qui «ne travaillent pas», les femmes campagnardes et urbaines, les femmes diplômées et celles qui ne le sont pas. D'ailleurs, ceci illustre un comportement qui sera constant dans les années à venir. On dirait que les femmes doivent s'entendre par nature, alors qu'il est évident que les associations masculines ne font pas l'unanimité entre elles. Il suffit d'avoir fréquenté un tant soit peu les coulisses du pouvoir masculin pour savoir que tout est objet de négociations secrètes, de «take-over», de conspiration, etc. On parle dans leur cas de saine opposition, de discussions viriles, d'échanges productifs de points de vue. Mais pour les femmes, on parle encore et toujours de chicanes et de divergences! Il est évident que sous ces réactions se cache la crainte de voir l'unité des femmes briser d'autres solidarités de classes, de groupes ethniques, etc., comme, durant la Deuxième Guerre mondiale, on craignait que la solidarité communiste ne devienne le rouleau compresseur du nationalisme.

L'un des arguments qui reviendra et revient encore continuelle-ment sera celui de l'appartenance des féministes à la classe bourgeoise. Il est évident, comme pour bien d'autres luttes, que l'éducation, la fré-quentation de certains auteurs, la connaissance des courants libéraux ou des droits de la personne, ont permis à des femmes de la classe plus petite-bourgeoise que grande-bourgeoise, ou plus exactement, à cette époque, d'appartenance bourgeoise à cause de leur mariage, de prendre conscience de certaines réalités et d'avoir le temps de s'en occuper. En effet, la grande majorité de ces épouses de petits commer-çants ou de professionnels ne travaillaient pas à l'extérieur du foyer. C'est souvent dans leur cuisine, au milieu des enfants, que se tenaient les réunions, que se préparaient les prises de position et que se rédi-geaient les bulletins de nouvelles et les communiqués. La Fédération donnera à plusieurs femmes l'occasion d'apprendre à militer; ses ses-sions d'éducation permettront à plusieurs de connaître les techniques modernes d'animation, de travail en groupe et d'organisation des revendications. Des femmes qui avaient milité dans le mouvement syn-dical ou enseigné dans les universités mettront leurs connaissances au service des mères de famille pour les initier à ces techniques. D'ailleurs, les grands courants révolutionnaires qui ont traversé l'huma-nité n'ont-ils pas été d'abord et dans tous les pays mis de l'avant par des penseurs d'origine bourgeoise? La différence pour les femmes est que lesdites bourgeoises se sont lancées dans la pratique avant d'écrire leur *Petit livre rouge* ou leur *Capital*. N'oublions pas que Mao et Karl Marx avaient une femme pour leur faire la cuisine et laver leur linge!

Associations membres de la Fédération des femmes du Québec — 1980

- Association d'économie familiale du Québec
- Association de familles monoparentales du Bas-Saguenay «La Ruche»
- Association de familles monoparentales de L'Estrie Inc.
- Association des cadres et professionnels de l'Université de Montréal
- Association des femmes autochtones du Québec
- Association des femmes diplômées des universités (Montréal)
- Association des femmes diplômées des universités (Québec)
- Association des puéricultrices de la province de Québec
- Association des veuves de Montréal
- Au bas de l'Échelle
- B'nai B'rith Women Council
- Centre bénévole de Mieux-être de Jonquière
- Centre d'information et de référence pour les femmes
- Cercle des femmes journalistes
- Cercle des rencontres du mercredi inc.
- Club culturel humanitaire Châtelaine
- Club Wilfrid-Laurier des femmes libérales
- Communauté sépharade du Québec
- Conseil national des femmes juives
- Fédération québécoise des infirmières et infirmiers
- Junior League of Montreal Inc.
- Les auxiliaires bénévoles de l'hôpital de Jonquière
- Ligue des citoyennes de Jonquière
- Montreal Lakeshore University Women's Club
- Mouvement des femmes chrétiennes
- Mouvement: services à la communauté; Cap Rouge
- Regroupement des garderies, région «C»
- Réseau d'action et d'information pour femmes (Saguenay)
- Sherbrooke and District University Women's Club
- Société d'étude et de conférences (Montréal)
- Société d'étude et de conférences (Québec)
- Voix de femmes
- West Island Shelter
- West Island Woman's Centre
- YWCA

Les puissants Cercles de fermières ne sont pas tentés de joindre la nouvelle association, qui est non confessionnelle. Ils ne veulent pas prendre le risque d'une nouvelle querelle avec l'épiscopat au moment où ils viennent de fêter leur cinquantième anniversaire. Cette association constituera dans les années à venir une tribune où les courants conservateurs pourront s'exprimer. Quant à l'autre organisme rural, l'Union catholique des femmes rurales (UCFR), il se joint à la Fédération: sa présidente provinciale, Germaine Gaudreau, fait partie du premier conseil d'administration.

L'UCFR est alors en pleine restructuration et discute de fusion depuis trois ans avec les Cercles d'économie domestique. Cette fusion se traduira en août 1966 par la création de l'Association féminine d'éducation et d'action sociale (AFEAS). Pour les membres du premier conseil d'administration, il faut, avant de songer à toute affiliation, encadrer fermement le nouveau départ, éviter la confusion et permettre un recrutement productif. Le membership de l'AFEAS est majoritairement rural. Au fil des ans, les membres y acquerront, par des cours d'animation et de formation, des moyens solides pour participer à la vie publique. Des femmes dynamiques et innovatrices réussiront à faire subventionner de multiples projets pour les «femmes ordinaires». L'association se révélera une véritable tribune d'action sociale. Azilda Marchand, l'une des premières militantes de ce mouvement, sera l'une des premières à affirmer, face aux discussions sur le travail des femmes à l'extérieur du foyer, que cette polémique est sans fondement, puisque toutes les femmes travaillent, et qu'il est plus urgent d'examiner les problèmes liés au travail effectif qu'elles accomplissent soit dans la famille, soit dans l'entreprise familiale. La Ligue des femmes, sous le leadership de Laurette Sloane, continue d'être active et défend particulièrement les intérêts des travailleuses immigrantes, qui sont souvent peu scolarisées et éprouvent des difficultés dans l'apprentissage de la langue française.

Ce redémarrage du féminisme, organisé en 1966, n'est pas fortuit. Les Québécoises comme les Canadiennes se préoccupent de l'état du monde. La Voix des femmes discute du désarmement, la contraception est une question largement débattue, les revues et les émissions féminines comme *Châtelaine*, *Femmes d'aujourd'hui* et *Fémina* abordent franchement tous les problèmes liés à la condition féminine grâce à des femmes telles Fernande Saint-Martin, Aline Desjardins et Louise Simard. Pour ce qui est de la contraception, les Québécoises discutent avec vigueur de la pilule, et le rejet de son utilisation par l'Église catholique sera la cause de la désaffection de plusieurs d'entre elles, qui associeront cette position au sexisme de la religion catholique. Sur ce sujet, les positions des Québécoises deviendront de plus en plus claires. Ainsi, en 1965, elles jouent un rôle de leader face aux autres provinces canadiennes au cours d'une réunion de la Voix des femmes qui aborde la question de l'avortement, alors que l'année précédente, la délégation québécoise s'était abstenue de voter. En 1966, une Québécoise explique les techniques utilisées à un comité de la Chambre des communes qui discute de la décriminalisation de la contraception. Plusieurs collaborations entre anglophones et francophones laissent entrevoir une solidarité renouvelée. Il est intéressant de rappeler que, en 1964, une délégation canadienne de la Voix des femmes, à l'«OTAN», est emprisonnée au cours d'une manifestation contre les armes nucléaires. Alors que les Torontoises désapprouvent cette aventure, Thérèse Casgrain est accueillie en héroïne à son retour au Québec.

L'idée d'une commission d'enquête sur la situation des Canadiennes fait son chemin: Jeanne Sauvé en réclame une depuis 1966, et l'idée avance. En 1966, stimulée par l'exemple du féminisme américain, Laura Sabia suggère la mise sur pied d'une nouvelle association canadienne, qui prend le nom de Committee for the Equality of Women in Canada. Les associations québécoises en font partie. L'une des premières réalisations de ce comité, en mai 1966, est l'établissement d'un consensus pour réclamer la commission d'enquête. Trente-deux associations endossent la démarche et le 19 novembre de la même année, une délégation se rend à Ottawa pour faire avancer le projet.

Malgré une conjoncture favorable et les exhortations de Judy LaMarsh, la seule femme ministre du cabinet, le gouvernement hésite. Laura Sabia avance alors l'idée d'une marche des femmes sur Ottawa et un quotidien torontois fait paraître un article intitulé *«Three million women to march on Ottawa»*. C'est peut-être cela qui emporte le morceau, et en février 1967, le gouvernement du Canada institue la Commission royale d'enquête sur la situation de la femme au Canada également nommée commission Bird du nom de sa présidente, Florence Bird, une journaliste torontoise. Jacques Henripin, démographe québécois, et Jeanne Lapointe, professeure à l'Université Laval, en font partie. Malgré certaines réticences constitutionnelles, les Québécoises participent largement au processus. La Commission, par les mémoires, les rencontres et les réflexions qu'elle suscite, aura une influence majeure sur l'articulation de la pensée et de l'action féministes des années à venir. Elle va traquer le sexisme dans des secteurs nouveaux et révéler la présence de celui-ci dans les sports, l'éducation des filles, les attitudes, les manuels scolaires, etc. Elle reçoit 469 mémoires et plus de 1000 lettres, tient des audiences publiques durant 37 jours dans 14 villes où plus de 890 personnes viennent exposer leurs griefs, commande 34 études sur des points particuliers et, pour terminer, publie le 28 septembre 1970 un rapport de 540 pages contenant 167 recommandations. Le sérieux *Toronto Star* écrit, le 8 février 1970: «À 14 heures 11 minutes, à la Chambre des communes, le Premier ministre s'est levé, a salué poliment l'Orateur et a déposé sur la table une bombe dont le mécanisme était déjà amorcé et tictaquait déjà. Cette bombe est le Rapport de la Commission royale d'enquête sur la situation de la femme au Canada. Il est bourré de plus de matière explosive que tout engin préparé par des terroristes. (...) Le livre porte sur les relations, non entre les francophones et les anglophones mais entre les hommes et les femmes. Les racines du problème qu'il tente de résoudre ne remontent pas à cent ans de Confédération, mais à l'origine du genre humain.» Sans le vouloir, ce journaliste posait la question qu'allait bientôt mettre en évidence le féminisme radical.

Coïncidant avec une nouvelle vague de féminisme, le rapport Bird allait fournir à des centaines de femmes les données statistiques et les études «sérieuses» qui leur avaient cruellement fait défaut au cours des années précédentes. L'ampleur du problème était mis en forme pour la

Germaine Mestinapéo, montagnaise.
Rencontre, vol. 12, n° 4, juin 1991

première fois, et des solutions concrètes proposées. Ce rapport représentait à la fois la somme du féminisme égalitaire et, par ses analyses, le début d'une pensée plus scientifique et plus moderne de cette question. Il avait donné l'occasion à de jeunes universitaires comme Monique Bégin et Francine Fournier de mettre leur nouveau savoir au profit de la cause des femmes, ce qui allait marquer toute leur carrière.

La Commission demandait l'égalité pour les hommes et les femmes dans tous les secteurs. Fonction publique, armée, éducation, responsabilités familiales, divorces, garderies: rien n'échappait à son regard. Elle mettait en évidence les problèmes vécus par les femmes autochtones, qui, en vertu de la Loi sur les Indiens, étaient privées de leur statut si elles épousaient un non-autochtone. Cette loi, qui datait du XIXe siècle, visait l'élimination graduelle des autochtones par l'exclusion progressive des femmes de leur statut. Entre 1965 et 1975, 95 % des femmes qui avaient perdu leur statut d'autochtones n'avaient pas choisi de le faire, mais avaient été victimes des lois.

**Enquêtes sur la condition féminine
menées au début des années 60**

États-Unis	1961-1963
Allemagne de l'Ouest	1962-1966
Danemark	1965
France	1966
Royaume-Uni	1966
Finlande	1966
Pays-Bas	1966
Autriche	1966

Source: Rapport de la Commission royale d'enquête sur la situation de la femme au Canada, Ottawa, 1970, p. 1, note 1.

Publié peu de temps après que le gouvernement fédéral ait voté une nouvelle loi sur l'avortement et levé l'interdit sur la diffusion d'information contraceptive, le rapport a des répercussions importantes au Québec. La Fédération des femmes publie un guide de discussion utilisé dans presque tous les groupes féminins. L'Université de Montréal offre un cours du soir où les participants peuvent se familiariser avec le Rapport. La généralisation de la discussion a été l'effet le plus important de la Commission.

Les années chaudes du féminisme (1969-1980)

En novembre 1969, à Montréal, près de deux cents femmes, militantes des divers groupes nationalistes et socialistes ou sympathisantes du changement social, décident de protester contre le règlement interdisant les manifestations. Afin de signifier leur désaccord, elles s'enchaînent et défilent dans la nuit. Les policiers n'osent pas les matraquer, mais ils les empilent dans des fourgons, non sans difficulté à cause de leurs chaînes, et leur font passer la nuit au poste de police. Que s'était-il passé et quel message voulaient livrer ces femmes?

Issues de mouvements politiques définis et dominés surtout par les hommes, les femmes enchaînées avaient ressenti le besoin de se regrouper en tant que femmes. Par leur geste, elles signalaient l'arrivée d'un nouveau féminisme qui allait modifier considérablement les perceptions liées à la condition féminine. Le féminisme sera spécifique et autonome, c'est-à-dire que l'expérience féminine sera vue comme spécifique et non plus comme un sous-produit de celle des hommes, et son organisation autonome décidera, selon le besoin, de se joindre ou non à d'autres plates-formes pour défendre certains objectifs.

Au cours des années qui suivront, différentes voies seront empruntées pour explorer ces nouveaux territoires, mais toujours, et cela fait partie de la spécificité, la réflexion sera le produit de l'action et s'inventera dans l'action. Il faudra attendre les années 80 pour voir des théoriciennes du féminisme qui n'auront pas été militantes sous une forme ou sous une autre. Pourquoi ces événements se sont-ils produits à ce moment précis?

À la fin de la décennie, les Québécoises ont moins d'enfants (leur taux de fécondité est passé de 3,77 en 1961 à 1,91 en 1971) et elles travaillent en plus grand nombre (leur taux d'activité est passé de 27,9 % en 1961 à 35,1 % en 1971 et celui des femmes mariées de 22,1 % à 37 %). Le salaire qu'elles rapportent à la maison est toujours moins élevé que celui des hommes. Avec la réforme de l'éducation, plus de filles terminent leur secondaire et ont la possibilité d'accéder au cégep et à l'université. À la fin des années 60, une grande enquête des femmes diplômées se demande si le cerveau des femmes ne coule pas dans l'évier de la cuisine. Certaines femmes qui ont déjà terminé le cours classique et veulent revenir aux études se rendent compte que les possibilités sont peu nombreuses.

Les constats du rapport Bird et de certaines autres études, la participation accrue des femmes au marché du travail et la désaffection religieuse constituent des ingrédients qui, mélangés à la réflexion politique, à l'action dans des groupes de gauche et à une prise de conscience de leur marginalisation, susciteront chez les Québécoises le désir de radicaliser leurs luttes.

Les revendications traditionnelles d'accès à l'égalité n'étaient-elles au fond qu'une façon d'augmenter sa charge de travail en assumant le rôle traditionnel d'épouses et de mères plus un nouveau rôle de travailleuses, se demandent certaines d'entre elles? L'école non mixte aurait-elle fait place à une école à ghettos où les filles se retrouvent toutes dans les mêmes options? Les nouveaux emplois disponibles à la suite de la Révolution tranquille ne sont-ils faits que pour les hommes? La laïcisation de la société est-elle un miroir aux alouettes qui prive les femmes du contrôle de secteurs où elles étaient autrefois administratrices: éducation des filles, services sociaux, santé? Comme l'a écrit Simone de Beauvoir, plusieurs femmes se demandent si elles ont été flouées.

Les États-Unis lancent au même moment un nouveau modèle de féminisme, le féminisme radical. De jeunes Américaines, initiées politiquement dans le mouvement pour les droits civils des Noirs et dans la contestation de la guerre du Viêt-nam, commencent à se demander pourquoi elles se battent pour la libération des autres alors qu'elles

Un slogan du féminisme radical, rue Dorchester à Montréal.
Forces, n° 27, 1974

vivent toujours une oppression particulière. Ces femmes, la plupart du temps bien instruites, se demandent pourquoi elles ne sont pas traitées comme leurs collègues masculins. Les contradictions leur semblent de plus en plus flagrantes et elles commencent à se demander s'il ne faut pas changer radicalement toutes les façons de penser et de vivre des hommes et des femmes.

La féministe Kate Millett publie en 1969 les fondements théoriques du féminisme radical. Son ouvrage, *La politique du mâle*, devient un succès de librairie. Elle y analyse la culture occidentale à travers les grandes œuvres de la littérature et démontre que le rapport fondamental du pouvoir dans la société est celui de la domination des hommes sur les femmes. Bien des femmes reconnaissent là une explication valable du malaise «sans nom» qu'elles ressentent. Kate Millett affirme qu'il faut retourner à la racine des choses, d'où le nom de féminisme radical, ce mot ne voulant pas être ici un synonyme d'action radicale ou violente, comme on l'a souvent laissé entendre. Les ouvrages de Germaine Greer *(La femme eunuque)* et de Shulamith Firestone *(La dialectique du sexe)* font eux aussi réfléchir les femmes.

Au Québec, comme on l'a vu, le terrain est prêt à recevoir ce genre d'analyse, qui se répand d'ailleurs dans plusieurs pays industrialisés. Au Canada, les premiers groupes de libération des femmes sont fondés en 1967 dans les milieux anglophones, à Toronto et à Vancouver. Le mouvement gagne l'Angleterre, puis la France après la contestation de mai 1968. Fin 1969, les écrits des féministes américaines et françaises circulent à Montréal, et en 1971, un collectif publie le *Manifeste des femmes québécoises*, qui utilise le schéma colonisateur et colonisé pour décrire la situation vécue par les femmes et les limitations de leurs luttes dans le contexte patriarcal.

Comme l'explique Diane Lamoureux, un des courants de ce nouveau féminisme visait à réinventer le domaine politique et puisait, dit-elle, «à l'élargissement de la sphère du politique et d'autre part à la tradition de gauche...» Au début des années 70, des féministes radicales s'organisent en groupes afin de définir la place des femmes dans la révolution socialiste. Cette approche entraînera de multiples controverses, qui iront de la dénonciation du féminisme comme idéologie petite-bourgeoise à la dénonciation de la gauche par des femmes qui s'y sentent récupérées et à l'étroit. Une autre tendance idéologique s'est articulée autour du thème: «La vie privée est politique», avançant l'idée que c'est dans la vie privée que commence le travail de déconstruction des rapports de domination. Enfin, entremêlé à tout cela et pour compliquer les enjeux, un débat se fera aussi autour du thème de la question nationale et des femmes. L'allégeance première doit-elle aller d'abord au fait d'être femme ou au fait d'être Québécoise? Doit-on travailler avec les femmes anglophones? Si les femmes militent pour l'indépendance du Québec, une fois celle-ci obtenue, leur dira-t-on, comme cela est souvent arrivé dans l'Histoire, de retourner à leurs casseroles? Non sans ambiguïté, encore une fois, on proclame: «Pas de libération des femmes sans Québec libre, pas de Québec libre sans libération des femmes».

Sans être complètement claires sur la théorie qu'elles mettaient de l'avant, des femmes de tous les âges et de tous les milieux se lancent au début des années 70 dans la découverte de leur identité. Des groupes de prise de conscience inspirés du modèle américain s'organisent, lieux où les femmes apprennent à parler de leur condition spécifique. Les lieux de femmes s'ouvrent, comme la Librairie des femmes ou la Maison des femmes.

Ces nouvelles approches seront à l'origine d'une vision renouvelée de toutes questions; travail domestique non rémunéré, production et reproduction, questionnement du savoir constitué, recherches sur l'identité individuelle et sur leur histoire. Les féministes posent de nouvelles questions, et posent surtout les questions autrement.

Toutes les femmes sont d'abord ménagères.
Photo Raymonde Lamothe

Au cours du fameux mois de novembre 1976, qui allait voir la victoire du PQ, un événement majeur pour le mouvement des femmes se passe à Montréal. «Pour moi, tout commença dans cet infiniment petit local qu'était la Librairie des femmes», écrit Francine Pelletier, ce qu'auraient pu écrire les quelques centaines de femmes qui participèrent à la semaine d'activités organisées ce mois-là pour souligner le premier anniversaire de cette librairie. Les échanges qui eurent lieu à cette occasion furent un des temps forts de la période. Alors, plusieurs femmes ont pris conscience que quelque chose pouvait changer et qu'elles étaient les moteurs de ce changement. Alors, elles ont pris conscience de subir une oppression commune et d'être toutes des ménagères. Plusieurs en sont sorties décidées à agir; plusieurs projets seront le fruit de cette réflexion.

Mais malgré des éléments communs, les femmes n'étaient pas toutes semblables et leur volonté d'atténuer les différences allait contribuer à user le combat.

Une des divisions qui allait apparaître assez tôt fut le clivage entre les lesbiennes et les hétérosexuelles. Les lesbiennes dites politiques, ayant choisi de se passer complètement des hommes, contribuèrent en effet à forcer des analyses plus centrées sur certains enjeux clairs, mais mirent en même temps en évidence l'impossibilité pour toutes les femmes de faire le même choix, concernant la sexualité par exemple. Comme le dit Diane Lamoureux: «Le questionnement sur le lesbianisme a d'abord été le fait d'hétérosexuelles qui mettaient en cause leur minorisation dans les collectifs féministes.» Selon elle, la question consiste plus à s'interroger sur la construction sociale de l'hétérosexualité. Les apports intéressants du lesbianisme, continue Lamoureux, auront été et sont encore sa résistance à l'ordre patriarcal, sa valorisation des femmes comme individues et le fait d'avoir posé «la question de l'identité des femmes comme quelque chose qu'il faut cesser de construire en référence à l'univers masculin».

Les grands mouvements comme la FFQ, l'AFEAS et les Cercles de fermières ou le YWCA (devenu plus tard le Y des femmes) continuent d'être actifs et regardent d'un œil curieux l'évolution du nouveau féminisme. D'ailleurs, et ceci est particulier au Québec, par rapport à la France, il a toujours existé une certaine interaction entre les universitaires, les mouvements traditionnels et les nouveaux mouvements. Ainsi, certaines féministes qui œuvraient encore à la FFQ et à l'AFEAS continueront, malgré leur engagement dans les nouveaux groupes, à avoir des contacts avec les grands mouvements traditionnels, ce qui permet des discussions et des explications et évite les dénonciations inutiles.

C'est en 1976, que, de la réflexion de l'AFEAS sur le travail des femmes dans l'entreprise familiale, naît l'Association des femmes collaboratrices, dont l'influence dans les années à venir va être très importante. De plus, soucieuse de redonner une place dans l'Histoire aux femmes des milieux ruraux et d'éduquer ses membres à la recherche historique, l'AFEAS demande à ses membres d'écrire l'histoire de la vie de femmes qui ont contribué au développement de leur collectivité. À la suite de ces recherches, elle publie *Pendant que les hommes travaillaient... les femmes, elles.* De tels ouvrages, ainsi que de nombreuses publications régionales, allaient dans les années suivantes révéler aux femmes leur visibilité dans l'Histoire.

Les théoriciennes du nouveau féminisme

Kate Millett: *La politique du mâle* — 1969 (traduction française, 1971): On appellera politique les rapports de pouvoir et les arrangements par lesquels un groupe de personnes en contrôle un autre.

Shulamith Firestone: *La dialectique du sexe* — 1970 (traduction française, 1972) développe l'idée que les hommes comme groupe ont dominé historiquement les femmes à cause de la capacité reproductrice de celles-ci. Les progrès scientifiques permettront la libération des femmes en leur enlevant leurs fonctions maternelles pour les confier aux laboratoires qui veilleront sur les bébés éprouvettes.

Germaine Greer: *La femme eunuque* — 1970 (traduction française, 1971) dépeint les femmes comme des êtres tronqués et incomplets et fait une description dévastatrice d'une société foncièrement orientée en fonction du sexe masculin. Le rôle féminin est réduit à celui de fournisseuse d'enfants, de travail et de gratifications pour les hommes.

La revue française *Partisans* publie en 1969-1970 dans un numéro spécial une collection d'écrits des nouvelles féministes radicales et des féministes marxistes. Parmi ceux-ci on trouve la traduction d'un article de la Canadienne Margaret Benston dans lequel l'auteure démontre que le système capitaliste repose en bonne partie sur le travail des femmes au sein des familles.

La Fédération des femmes du Québec, bénéficiant de l'aide du gouvernement et d'un noyau de militantes bien formées, continue d'être influente. En 1971, elle décide de pousser le gouvernement à créer un

Office de la femme afin de donner suite à l'une des recommandations du rapport Bird. Ses pressions, unies à celles d'autres groupes, aboutissent en 1973 à la création du Conseil du statut de la femme (CSF). Certains groupes trouvent le mandat du CSF trop restreint et craignent la mainmise du gouvernement sur leurs dossiers, alors que d'autres groupes accueillent favorablement cette création. Le féminisme institutionnel est né. Laurette Robillard est nommée présidente. Au cours des ans, le nouveau Conseil allait apprendre à naviguer entre les positions du gouvernement au pouvoir, telles qu'elles ont été exprimées par le Secrétariat d'État à la condition féminine, et les revendications des groupes de femmes. En 1973, on assiste également à la création du Conseil consultatif canadien de la situation de la femme (CCCSF). La sociologue Katie Cooke en sera la première présidente. À cette époque, d'autres mouvements se fondent, dont l'un des plus connus est le Réseau d'action et d'information pour les femmes (RAIF) sous le leadership vigoureux de Marcelle Dolment.

Les grandes associations participeront aussi de façon active aux forums régionaux tenus pendant l'année de la femme, en 1975. Cette année-là, que les mouvements radicaux voient comme une entreprise de récupération, donne lieu à l'Université Laval à un grand Carrefour où se retrouvent des déléguées de toutes les régions. D'excellentes analyses sur tous les sujets y sont présentées aux participantes des ateliers; des femmes de toutes les régions y découvrent, comme l'exprima l'une d'entre elles, que «ce qu'elles pensaient seules dans leur cuisine était partagé par des centaines d'autres femmes». Les recommandations sont lues et discutées, non par les femmes entre elles seulement, mais devant une brochette de ministres un peu surpris de l'impatience des femmes et de leur scepticisme profond devant les promesses gouvernementales.

L'année 1976 marque l'arrivée au pouvoir du Parti québécois, qui réussit à faire élire quatre femmes à l'Assemblée nationale. Parmi celles-ci se trouve Lise Payette, vedette de la télévision, qui projette l'image de la possibilité d'une participation vigoureuse au pouvoir. Cependant, la réflexion des dernières années en laisse plus d'une sceptique. Le PQ sera-t-il différent des autres partis dominés par les hommes? Lors de son congrès annuel en mai 1978, la FFQ présente à Lise Payette, alors ministre de la Condition féminine, un livre noir dans lequel elle fait le point sur les revendications majeures des femmes, qui, selon la FFQ, sont restées jusque-là lettre morte. La FFQ est alors divisée entre ses tendances libérales et péquistes, et le livre noir n'est guère apprécié par la ministre qui, en tant que membre d'un nouveau gouvernement, ne se sent pas responsable des lenteurs accumulées dans différents dossiers par le gouvernement sortant. Mais les femmes sont impatientes et veulent le signaler! Des militantes du PQ, marquées par leur participation à l'anniversaire de la Librairie des femmes et aidées par d'autres femmes, fondent en mai 1977 une association, le Regroupement de femmes québécoises, qui se voit comme un groupe de pression politique féministe et autonome. En juin 1979, le Regroupement tient à Montréal un tribunal populaire sur le viol afin de dénoncer la violence envers les femmes. Ce tribunal est ouvert aux femmes seulement afin de leur permettre de s'exprimer dans un climat de confiance. Comme pour tous les événements destinés uniquement aux femmes, des réserves sont exprimées. Le Regroupement n'arrivera pas à surmonter un certain nombre de dissensions internes sur ces orientations et disparaîtra au début des années 80.

La décennie s'était ouverte par le rapport Bird; elle allait presque se clore par son pendant québécois *Pour les Québécoises; égalité et indépendance.* Produit sous l'égide du Conseil du statut de la femme en 1978, ce rapport allait faire la somme des revendications des Québécoises à la fin des années 70 et projeter l'image d'un lien nécessaire entre lutte nationale et lutte des femmes. Même si, dans un premier temps, il a reçu un accueil mitigé, comme bien d'autres rapports, il aura servi à obtenir l'oreille des médias et à susciter la discussion. Le gouvernement décide alors de faire de ce rapport sa politique en matière de condition féminine et met sur pied un Secrétariat à la condition féminine, chargé de sa mise en œuvre.

À la fin de la décennie, les militantes sont essoufflées et la relève manque. On parle de récupération du féminisme. Les grandes discussions idéologiques semblent aboutir à des culs-de-sac. Après tout, Rome n'a pas été bâtie en un jour et on ne peut reconstruire en dix ans les rapports et surtout les attitudes qui ont existé entre les sexes depuis si longtemps, car cela aurait voulu dire rebâtir les façons d'être et de penser de toute une société. Après avoir identifié ce qu'elles ne voulaient pas, les femmes commencent à savoir ce qu'elles veulent et pourquoi elles le veulent. Plusieurs, fortes des connaissances développées, décident de tenter de faire adopter leurs points de vue à l'intérieur d'organismes tels la fonction publique, les universités, le milieu syndical et le monde des affaires.

Affirmation individuelle et féminisme stratégique (1980-1990)

On a beaucoup glosé sur la disparition du féminisme au début des années 80. On a alors parlé de recul, de récupération, de désaffection. Mais la réalité est bien plus complexe. D'une façon générale, on peut dire que c'est le féminisme militant, avec ses grandes manifestations et ses prises de position collectives, qui a presque disparu. Mais de nouvelles formes d'intervention sont créées et de nouveaux territoires ont été occupés.

En 1980 a lieu le référendum sur l'indépendance du Québec. Sur fond de crise économique montante, la campagne du OUI se tient dans un climat où tous les arguments sont bons pour effrayer les Québécois. Les femmes du PQ sont conviées à aider les partisans du OUI. On leur propose assez maladroitement Madeleine de Verchères comme modèle. Durant cette campagne, un malheureux commentaire de Lise Payette sur la soumission des femmes au foyer, où elle les compare à l'Yvette des manuels scolaires naguère en usage, déclenche une levée de boucliers des femmes pour le NON. La première interprétation des journalistes fut de voir là une réaction de femmes qui s'étaient senties mises de côté par le nouveau féminisme qui prônait l'autonomie économique des femmes et qui, disait-on, négligeait de prendre en considération le travail des femmes au foyer. Un courant social de résistance à un certain type de femme libérée trouve peut-être là une occasion de se manifester, mais, et c'est ce qui est le plus important, ces femmes veulent avant tout prouver par là qu'elles sont partie prenante de la vie politique, profitant de l'occasion pour le démontrer.

C'est donc beaucoup plus leur vitalité politique qu'elles démontrent que, comme certains l'ont dit, leur désir de voir toutes les femmes retourner au foyer. Les analystes ne trouveront d'ailleurs aucune trace d'anti-féminisme dans les discours qui seront prononcés lors de la réunion du Forum, et la dichotomie entre féministes partisanes du OUI et femmes au foyer partisanes du NON n'a jamais existé. En fait, tout cela fut avant tout une stratégie habilement mise de l'avant par les militantes du Parti libéral. Les analyses d'universitaires aussi bien que les témoignages de Louise Robic, la grande organisatrice, ainsi que de Solange Chaput-Rolland et de Monique Bégin le confirment: cette affaire a été organisée contre l'avis des stratèges du Parti libéral, même si, par la suite, ils ont été enchantés du résultat. Cet événement fournit également à certains une occasion de parler de la division des femmes et de prédire la mise au rancart du féminisme.

Au même moment, un courant néo-conservateur voit le jour. Ici comme ailleurs, les grands projets collectifs sont abandonnés. Les enfants nés au commencement de la Révolution tranquille ont vingt ans. Ils ont fréquenté les cégeps, ils ont pour la plupart des parents désabusés du climat politique, déçus du PQ. L'ère du Verseau est à la mode. Ils et elles s'intéressent à l'environnement, à l'écologie, à la psychologie ou aux nouvelles façons de s'alimenter, veulent réussir et se trouver un emploi et se rendent compte que la permanence et la sécurité des plus vieux leur nuisent. Les chemins tracés par les féministes ont ouvert des portes à la nouvelle génération: les filles sont plus confiantes en elles, les jeunes hommes plus prudents dans leur comportement et plus collaborateurs. Les sciences humaines subissent un certain discrédit, et de ce fait, peu d'étudiants choisissent l'histoire. L'économie semble plus importante que la découverte de ses racines, et le libre marché paraît avoir plus de vertu pour réussir sa vie que les tergiversations politiques et féministes de l'autre génération. Les grandes idéologies ne sont plus à la mode, le syndicalisme semble avoir produit une génération de travailleurs et de travailleuses soucieuse de protéger ses acquis et peu préoccupée des problèmes de la génération montante. C'est donc plus au nom d'intérêts particuliers que pour sauver des intérêts collectifs qu'on se lance dans la vie.

Sexgrégation

Le magasin *La Baie*, situé dans le centre-ville montréalais, possède, au septième étage, un restaurant, «self-service» très achalandé. Deux salles à manger sont ouvertes aux clients. L'une, réservée exclusivement aux hommes, s'appelle, comme par hasard, «Le Maître». Quant à celle qui accueille les femmes, elle se nomme très candidement «Le Caprice».

Source: Châtelaine, vol. 14, n° 8, août 1973, p. 12.

Ici, les rapprochements entre québécitude et féminitude sont intéressants. Car, de même que la Révolution tranquille et le passage du PQ au pouvoir auront donné aux Québécois la sécurité et la confiance en soi nécessaires pour progresser dans le champ économique, les travaux des grandes associations féministes et le militantisme de la décennie 70 auront donné aux femmes la sécurité nécessaire pour occuper des fonctions de gestion, lancer des entreprises, entreprendre des études dans des occupations et des secteurs où elles étaient peu présentes.

Fortes des réflexions et des recherches de leurs aînées, les femmes du Québec réclameront de plus en plus pour elles-mêmes des interventions spécifiques en éducation, en formation des adultes, en santé, en loisirs, etc. Et lorsque des problèmes surgiront, elles mettront sur pied les mécanismes nécessaires pour y faire face. Les activités des groupes issus des années 70 se spécialiseront dans une multitude de nouvelles associations ou comités, et le mouvement des femmes prendra des formes différentes. Dans le résumé d'une étude sur les groupes de femmes effectuée par Françoise-Romaine Ouellette, on souligne que presque tous les groupes spécialisés ont été mis sur pied après 1975 et qu'ils sont le fruit d'un choix de pratique délibéré. Ces groupes se préoccupent de socialisation, de politique ou de services. Cette étude nous apprend que la période de formation la plus importante de ces groupes se situe entre 1980 et 1983, au moment où les programmes de création d'emplois communautaires gouvernementaux se multipliaient. En 1985, on en dénombrait près de six cents.

Les groupes locaux et régionaux se composent souvent dans une large proportion de femmes seules avec des enfants. Femmes chefs de famille, femmes en situation problématiques ou femmes victimes de violence y trouvent expertise et soutien. Ces groupes se voient progressivement assujettis à des politiques gouvernementales portant sur les problèmes qu'ils ont fait reconnaître et risquent ainsi, note l'auteure de l'étude, de devenir des ressources alternatives indirectement gérées par l'État. Les femmes qui consacrent un temps considérable au fonctionnement de ces services, préparant les demandes de subventions, participant aux assemblées et aux regroupements, sont aussi la plupart du temps engagées dans un travail à temps plein ou à mi-temps. Elles sont donc très souvent fatiguées et doivent trouver une relève difficile à recruter!

La participation des femmes au travail salarié continue de s'accroître: celle des mères de famille passe à 62 %. Ceci limite évidemment le temps qu'on peut consacrer à participer bénévolement à un mouvement. Mais cela fait prendre conscience, encore une fois, que c'est dans le privé que le rapport entre les hommes et les femmes doit se changer. C'est souvent «lorsque l'enfant paraît» que les femmes, qui deviennent généralement mères au début de la trentaine, se rendent compte que le poids du privé repose encore largement sur leurs épaules et que ces questions sont difficiles à résoudre, car elles appellent souvent des solutions radicales. Aussi ne s'engagent-elles pas à l'aveuglette dans la maternité et se posent-elles ces questions plus rapidement que leurs aînées.

Plusieurs féministes de la décennie récente se retrouvent dans des organismes publics ou péri-publics où elles essaient consciemment de faire avancer les choses. En effet, on compte encore plus de femmes sur le marché du travail, et surtout plus de femmes appartenant aux groupes d'âges qui consacraient pas mal de leur temps à travailler dans des associations. Ainsi, le taux d'activité des femmes de 35-44 ans passe de 34,4 % en 1971 à 55,6 % en 1987. On comprend donc que le membership des grandes associations comme l'AFEAS et la FFQ change, que les profils d'activités des membres se diversifient et qu'il soit difficile de trouver une relève.

Avec à peu près la totalité de ses membres sur le marché du travail, la FFQ éprouve de sérieuses difficultés. Les fermières sont en compétition avec les cercles de l'âge d'or. Mais le travail continue. L'AFEAS se penche sur le patrimoine familial et la pollution, et prépare les femmes à entrer en politique. Dans les régions et les associations mixtes, les femmes s'organisent en fonction des problèmes, visant, comme le souligne l'étude du CCCSF sur les femmes en agriculture, à identifier la spécificité de leur condition, à démarquer la face cachée des statistiques et à intégrer leurs perspectives et leurs compétences dans les lieux où elles s'investissent. Ainsi, pour donner plus de force à leurs demandes, les agricultrices se donnent, à l'intérieur des structures de l'UPA, un comité provincial et des comités régionaux de femmes. En novembre 1986, elles fondent le premier syndicat d'agricultrices, puis, en 1987, la Fédération des agricultrices du Québec, qui regroupe les syndicats régionaux à l'intérieur de l'UPA. Les centres de femmes (80), les centres de santé (4), les maisons d'hébergement (66) se multiplient. Pour être moins spectaculaire, le féminisme n'en est pas moins très actif.

Mais en définitive, malgré des progrès évidents que nous détaillerons plus loin, on constate que la bât blesse encore là où il a toujours blessé: dans le travail domestique. Le mouvement des femmes collaboratrices, très actif, continue son dur travail de pionnier pour aider les femmes à apprécier la valeur de leur travail. Le CSF poursuit ses recherches sur le travail domestique comme production sociale. Dans son étude sur la situation socio-économique des Québécoises, le Secrétariat à la condition féminine soutient que le calcul de l'apport économique des conjointes au revenu familial devrait tenir compte de la production domestique.

À la fin de la décennie, l'état des finances gouvernementales et la remise en question des grands programmes sociaux entraînent des coupures dans les budgets des organismes féminins. Assisterons-nous au retour d'une forme de bénévolat sous-payé? Plusieurs indices signalent que les remises en question ne sont pas terminées.

La tuerie de l'École polytechnique

[Le mercredi 6 décembre 1989, un homme âgé d'une vingtaine d'années s'engouffrait dans les couloirs de l'École polytechnique de Montréal et y abattait quatorze étudiantes.
«Vous êtes des filles, vous allez être des ingénieures. Vous êtes une gang de féministes. J'haïs les féministes!» a crié Marc Lépine avant de commencer à tirer sur ses futures victimes...]
«Sur le plan politique, l'acte de Marc Lépine était double: terroriste et ciblé. Certes, l'acte terroriste contre les femmes a été condamné par l'ensemble de la presse, ce qui ne requiert pas beaucoup d'analyse et de courage. Mais il n'en est pas de même pour l'acte politique dirigé contre les féministes. Là, on a préféré se replier sur la folie de Lépine, puis un léger glissement a permis de suggérer que, de toute façon, les féministes sont des excessives, qu'elles sont monstrueuses de vouloir politiser le geste *dément* d'un jeune homme *désespéré*, puis peu à peu, on a pensé qu'il serait *sain* de donner la parole aux hommes pour qu'ils puissent s'exprimer et expliquer comment le féminisme gâche (fâche) leur vécu; puis on organise des pétitions contre la vente des armes, on parle de la violence comme si elle n'avait jamais existé avant les années 80... Tout pour éviter de se solidariser avec les féministes et le mouvement féministe.»
«Certes, on reconnaît qu'il y a une *certaine* exploitation des femmes, que *trop* de femmes sont battues et violées, mais simultanément on ne semble pas tolérer que les féministes communiquent leur analyse, leur réflexion et, disons-le, leur colère et combien leur tristesse spécifique. Se solidariser avec les féministes, cela voudrait dire admettre qu'elles n'ont pas exagéré l'ampleur du mépris des hommes à l'égard des femmes, admettre qu'elles n'ont pas inventé les preuves quotidiennes de la domination des femmes par les hommes, admettre que, derrière la discrimination, la pornographie, le viol, la pauvreté systématique des femmes, il y a des hommes de chair, d'affaires et de religion.»

Source: Nicole Brossard, *La presse*, 20 décembre 1989.

Puis le sida vient remettre en cause les fondements de la liberté sexuelle. L'été 1989 sera comme un coup de fouet pour les jeunes femmes. L'affaire Chantale Daigle viendra leur rappeler que leur corps ne leur appartient pas encore tout à fait et que tous les préjugés sont encore latents. Mais ce sont les événements de décembre 1989, alors qu'un jeune homme vient assassiner quatorze jeunes étudiantes de l'École polytechnique en leur criant: «Vous êtes toutes des féministes!», qui feront prendre conscience à beaucoup de femmes que les progrès accomplis ne font pas plaisir à tout le monde. Stupéfaction douloureuse et questionnement sont à l'ordre du jour du cocktail de lancement de *Femmes en tête*, où se retrouvent, le lendemain du massacre, les cinquante marraines choisies pour parrainer le 50e anniversaire de l'obtention du vote des femmes. Bizarre et triste rappel du fait que l'occupation des territoires traditionnellement masculins n'est pas sans danger… et que la PEUR séculaire des femmes n'est pas sans fondements! Les discussions sont alors nombreuses sur les mobiles et les causes de l'événement.

Marquées par ces deux événements, les fêtes du 50e anniversaire du droit de vote allaient regrouper et faire réfléchir des milliers de femmes en avril 1990. Lise Payette, devenue auteure de téléromans à succès, propose à Radio-Canada une série d'émissions sur le sujet, mais après avoir accepté, la Société d'État se désiste, faute d'argent. Évidemment, l'Histoire du droit de vote des femmes n'est pas aussi intéressante que la finale de la coupe Stanley! Lise Payette est chargée de présider *Femmes en tête*, qui organisera à l'Université du Québec à Montréal un vaste rassemblement de trois jours qui réunira plus de 5000 femmes et se clôturera par une soirée à l'aréna Maurice-Richard.

Malgré certaines difficultés rencontrées au sujet de la participation des femmes immigrantes à l'événement, celles-ci s'opposant à la position prise par Lise Payette sur les immigrants dans un documentaire de l'Office national du film intitulé *Disparaître*, le tout est couronné de succès. Cependant, le boycottage de l'événement par les femmes immigrantes démontre que le mouvement des femmes n'a plus l'homogénéité ethnique qu'il avait en 1940 ou en 1965.

Durant ces activités, les montages faisant appel à l'Histoire font découvrir à des centaines de femmes de tous les âges le contexte dans lequel leurs ancêtres se sont battues et les vexations dont elles ont été l'objet de la part des journalistes, des politiciens et des curés au moment de leurs revendications. La technologie moderne (vidéo, musique électronique) est au programme donnant ainsi de la force à l'écoute et à la visualisation de ces images et de ces paroles venues des années 40. Les femmes qui comblent l'aréna Maurice-Richard, le soir du premier mai, sont émues et reconnaissantes. Elles se perçoivent comme ayant un passé collectif et se découvrent des modèles: leur Histoire existe.

FRAPPE (Femmes Regroupées pour l'Accessibilité au Pouvoir Politique et Économique), un mouvement concerné par la participation des femmes au pouvoir, est fondé en mars 1985 afin de favoriser une présence accrue des femmes dans tous les lieux de pouvoir et d'encourager celles-ci à s'y investir. Ce mouvement organise au cours de l'été 1990 un colloque international intitulé *Femmes et Pouvoir*. Des femmes occupant des postes dans toutes sortes de services et de réseaux d'affaires, venues de tous les pays, se réunissent pour discuter des conditions de participation au pouvoir et des constats qu'elles y ont fait. Critiqué à cause du prix élevé exigé pour y participer, ce colloque n'en connaît pas moins beaucoup de succès et se clôture par la fondation d'un Secrétariat international permanent.

Le débat constitutionnel qui occupe l'entrée dans la dernière décennie du XXe siècle ignore largement les revendications collectives des femmes. Les femmes ont pourtant pris la parole à toutes les étapes de ce débat. Elles ont présenté des mémoires, elles ont fait valoir leurs idées, leurs objectifs. Elles exigent que le Québec du troisième millénaire place au centre de son identité le nouveau rapport des hommes et des femmes.

Au début d'une nouvelle décennie, on peut dire que les femmes sont en mouvement et que le féminisme, toujours bien vivant, s'inscrit partout et s'incarne de façons multiformes. Un danger le guette peut-être: c'est son académisation. Nous sommes en effet susceptibles, avec la création de chaires et de certificats d'études féministes, de voir sortir des universités des femmes qui n'auront qu'une connaissance théorique du féminisme sans avoir jamais milité. Cela n'est pas mauvais en soi, mais il faudrait essayer d'éviter la dissociation des théoriciennes et des militantes, comme ce fut le cas en d'autres pays. Mais les Québécoises ont toujours trouvé des solutions.

CHAPITRE 15

Du *Rapport Parent* à Polytechnique

Quand on considère l'ensemble des transformations qui ont affecté la vie des femmes depuis un demi-siècle, la tentation est grande de se demander quel a été l'élément déclencheur de cette irréversible révolution, qui a vraisemblablement modifié davantage la vie de certaines sociétés que bien des révolutions politiques. Certes, il s'agit d'un ensemble complexe dans lequel il est difficile de trancher. Mais on s'accorde à constater que le mouvement des femmes, qui a servi de gouvernail à cette révolution, a pu progresser en rapport étroit avec le développement de l'instruction des filles. N'est-ce pas l'instruction qui assure l'articulation intellectuelle de la prise de conscience? N'est-ce pas l'instruction qui détermine l'accès aux portes d'entrée sur le marché du travail, stratégie indispensable à l'autonomie économique des femmes? N'est-ce pas l'instruction qui permet de prendre du recul face aux diktats de l'idéologie dominante? N'est-ce pas l'instruction qui généralise l'accès au savoir et au pouvoir du discours?

Ce dernier quart de siècle a profondément transformé toute l'organisation du système d'éducation au Québec. Si la Révolution tranquille a été amorcée par la nationalisation de l'électricité, premier pas vers l'autonomie économique du Québec, elle s'est poursuivie, tout le monde en convient, par la révolution scolaire. C'est avec la création du ministère de l'Éducation, en 1964, comme on l'a vu à la section précédente, que les structures scolaires que nous connaissons actuellement se sont progressivement mises en place. Mixité, gratuité, accessibilité: au nom de ces trois objectifs, les bouleversements furent nombreux. Apparition des polyvalentes; organisation de l'enseignement professionnel; disparition des trois réseaux privés qui avaient si longtemps caractérisé le Québec: collèges classiques, écoles normales, écoles ménagères; introduction d'une innovation spécifiquement québécoise, un institut de transition entre l'école secondaire et l'université: le collège d'enseignement général et professionnel (cégep); intégration de la formation des maîtres à l'université; création du réseau de l'Université du Québec. Après 1974, on note un accroissement du nombre d'élèves allophones dans le système scolaire français et une diminution radicale du secteur anglophone.

On peut dire que c'est avec enthousiasme que les filles sont entrées dans les différentes étapes de la restructuration scolaire. Enfin, l'État sanctionnait, pour toutes, les possibilités dont seules quelques privilégiées avaient pu bénéficier durant les générations précédentes, grâce à l'entêtement de quelques religieuses éclairées. Fermées, les écoles ménagères qui, en définitive, préparaient si mal à la vie. Démodés, les uniformes des sages couventines, ou encore, dans les écoles privées, redessinés en coupes dernier cri. Terminée, la surveillance quasi policière des bonnes sœurs. Abolis, les règlements sévères des anciennes écoles d'infirmières.

Et quel bel éventail d'options. Les annuaires des polyvalentes, des cégeps et des universités sont si invitants. Enfin, toutes les avenues sont ouvertes et les filles peuvent penser à entreprendre une carrière. La gratuité du niveau collégial représente pour elles le véritable démarrage de leur instruction. Les dix-sept ingénieures, les cent cinquante avocates, les trois cent cinquante médecins, les sept architectes, les deux psychanalystes, les six urbanistes, cette poignée de femmes professionnelles que l'on dénombre au Québec en 1968, peuvent se réjouir: la relève des filles de la Révolution tranquille s'en vient. Elles se disposent à changer le monde!

Un quart de siècle plus tard, c'est le scepticisme qui est à l'ordre du jour. Les mécanismes subtils de la régulation sociale ont fait réapparaître autrement les anciens phénomènes de discrimination officielle. Certes, les filles ont dorénavant droit aux mêmes institutions (progressivement, la plupart des institutions privées deviennent mixtes) et aux mêmes programmes, par conséquent au même financement. Mais les auteurs du Rapport Parent, on l'a vu, n'avaient pas remis en cause l'ordre traditionnel. Au bout du compte, leurs idées ont prévalu sur les réformes structurelles qui viennent de se produire.

Tout se joue avant six ans

La généralisation des classes de maternelle, puis, dans certains milieux défavorisés, des classes de prématernelle, marque certes une rupture significative dans le système d'éducation québécois. L'école est maintenant considérée comme le milieu de vie indispensable des enfants. L'entrée à la maternelle de la petite dernière marque dorénavant une césure importante dans la vie des mères.

Très tôt, on réalise à quel point les différences de milieu familial interviennent dans le développement psychomoteur des enfants. «Tout se joue avant six ans», déclare-t-on à la fin des années 60. C'est dans cette perspective que Radio-Québec, la nouvelle institution québécoise de télévision, investit largement dans un projet intéressant: une émission de télévision destinée aux tout-petits et qui va tenter d'égaliser les chances de tous les enfants au moment d'entreprendre leur longue carrière scolaire. Projet ambitieux et «bien de chez nous», *Passe-Partout* vient offrir une solution alternative convaincante au prestigieux *Sesame Street* de la télévision américaine. Le résultat dépasse toutes les espérances: en quelques années, les comptines et les personnages de *Passe-Partout* pénètrent dans presque tous les foyers. *Passe-Partout* propose un nouveau modèle de société qui tend à mieux intégrer les différentes classes et groupes ethniques, et surtout à modifier les rôles sociaux attribués aux sexes.

À l'instar de *Sesame Street*, son succès est tel que les parents sont maintenant aux prises avec une retombée non prévue: comment persuader leur progéniture qu'il n'est pas indispensable de se procurer tous les albums, tous les disques, toutes les poupées, tous les ustensiles et tous les gadgets de *Passe-Partout*?

Au début des années 70, le besoin social de garderies peut dorénavant se greffer sur les visées éducatives de l'enseignement préscolaire. La garderie devient non plus une solution inacceptable, mais un moyen de contribuer au développement des enfants. S'impose alors le concept de la garderie sans but lucratif dirigée par les usagers, et c'est dans la mouvance du mouvement des femmes que le réseau commence à s'implanter. Cette stratégie n'est pas exempte de luttes idéologiques, mais, dans l'ensemble, un nouveau consensus social se formule autour de la politique des garderies. Le plan Bacon, instauré en 1974, constitue la première politique gouvernementale en matière de garderies. En 1979, la Loi sur les services de garde à l'enfance crée l'Office des services de garde, dont le mandat vise l'établissement et le financement de services de garde de qualité en garderie, en milieu familial et en milieu scolaire.

Bon nombre des garderies mises sur pied durant les années 70 se définissent comme des projets féministes qui permettent aux femmes de se libérer des soins des tout-petits pour occuper un emploi rémunéré, et qui font la promotion d'une éducation non sexiste. Toutefois, alors que le principe des garderies est de plus en plus accepté, le cadre idéologique qui le sous-tend perd de son radicalisme. En effet, l'institutionnalisation des services de garde va de pair avec une distanciation entre le mouvement des femmes et la mise sur pied de ce service.

Se développant plus tardivement que les grands réseaux de services mis sur pied dans la foulée de la Révolution tranquille, le réseau de garderies échappe à l'étatisation et, par le fait même, au type de financement qui y est rattaché.

Les garderies demeurent des institutions privées, dépendantes des subventions gouvernementales et des allocations versées par l'État aux parents-utilisateurs du service. Au cours des années 80, leur sous-financement sera un leitmotiv, et on fera état à maintes reprises des faibles salaires versés aux travailleuses en garderie.

Dans les années 80, «partir une garderie» n'est peut-être plus un projet féministe, mais cela demeure sans contredit un projet de femmes. Travailler dans une garderie est une occupation de femmes. Comme le dit un aphorisme des années 80: «Un gardien de zoo reçoit un meilleur salaire qu'une travailleuse en garderie.» Est-ce un signe de l'importance que l'État accorde aux prochaines générations? Chose certaine, la garderie reste malgré tout l'antichambre du système scolaire. Mais elle demeure également un symbole des stéréotypes sociaux. *Qui va chercher Gisèle à 3h45?* titrait un vidéo de Sylvie Groulx à la fin des années 80. On se doute bien de la réponse. Malgré tout, de nouvelles initiatives ont lieu: à partir de 1990, on parle de plus en plus de garderies en milieu de travail. Une entreprise aussi importante que Lavalin en établit une à la fin des années 80. Dans un milieu aussi conservateur que celui du droit, un projet collectif du «Jeune Barreau» avance même une nouvelle conception des horaires de travail pour s'ajuster au partage des responsabilités parentales.

La chasse aux stéréotypes

L'école élémentaire semble être la moins critiquée des étapes de la révolution scolaire. Les photos de groupes scolaires éclatent maintenant de mille couleurs et les mines réjouies des enfants ont remplacé les sourires figés des photos de naguère. Les nouveaux programmes causent quelques remous, mais bien des parents du réseau catholique se réjouissent de la nouvelle catéchèse, tandis que d'autres apprécient la nouvelle liberté de recourir à l'éducation morale; on se félicite des activités d'éveil, des cours d'arts plastiques, des projets collectifs, tout en s'inquiétant un peu de constater que les enfants interpellent parfois le directeur ou la directrice par son prénom. Des parents se lamentent: leurs enfants, élevés dans le plus grand respect de l'égalité des sexes, leur reviennent néanmoins de l'école avec des préjugés sexistes. Au même moment, les enseignantes, sensibles à la nécessité de déraciner les stéréotypes sexuels dans les manuels et les méthodes d'enseignement, se plaignent à leur tour que les enfants rapportent ce sexisme de leurs familles. C'est dire à quel point les modèles sociaux sont puissants et omniprésents. «Maman, y en a dans ma classe, leur mère a' travaille pas!» s'écrie une fillette en rentrant de son premier jour d'école. Dans la cour de récréation, les jeux s'organisent en groupes bien séparés: les filles sautent à l'élastique ou dansent à la corde pendant que les garçons s'escriment autour d'un ballon ou d'une rondelle de hockey.

REVISION

Guy pratique les sports: natation, gymnastique, tennis, boxe, plongeon. Son ambition est de devenir champion et de remporter beaucoup de prix.

Yvette, sa petite soeur, est joyeuse et gentille. Elle trouve toujours le moyen de faire plaisir à ses parents. Hier, à l'heure du repas, elle a tranché le pain, versé le thé chaud dans la théière, apporté le sucrier, le beurrier, le pot à lait. Elle a aussi aidé à servir le poulet rôti.

Après le déjeuner, c'est avec plaisir qu'elle a essuyé la vaisselle et balayé le tapis.

Yvette est une petite fille bien obligeante.

109

Guy et Yvette.
Gazette des femmes

Dans le sport organisé, les clubs se forment, fermement distincts sur le plan du recrutement, et plusieurs fillettes championnes au soccer ou au hockey font très tôt l'expérience de l'impossibilité où elles se trouvent d'être recrutées dans les équipes de compétition. Toutefois, les mentalités commencent à changer. En 1978, un jugement de la Cour supérieure condamne la Fédération québécoise de hockey sur glace pour avoir refusé d'admettre une fillette dans son association sportive.

Une prise de conscience significative à l'égard des stéréotypes sexuels des manuels scolaires s'est donc développée depuis les années 70. Une étude a été pilotée par le Conseil du statut de la femme, des directives ont été émises au ministère de l'Éducation. Si les manuels scolaires ne présentent plus comme modèle la petite Yvette lavant la vaisselle, la poupée Barbie, née en 1965, continue d'alimenter jeux et rêves de milliers de petites filles alors que G.I. Joe comble les instincts belliqueux des petits garçons par sa panoplie de modèles guerriers.

Mixité, jeans et autobus scolaire: polyvalente, la mal-aimée

Si la mixité de l'école primaire ne constituait pas une grande nouveauté (après tout, pendant des générations, les petits Québécois et Québécoises avaient fréquenté des écoles de rang mixtes; de plus, la ségrégation des sexes à l'école primaire ne s'était généralisée que durant les années 50 et constituait avant tout un phénomène urbain), il n'en était pas de même à l'école secondaire. À ce niveau d'études, garçons et filles avaient toujours été fermement séparés. Ils ne se retrouvaient ensemble qu'à l'église, où les enfants de chœur bénéficiaient du prestige de leurs surplis et de leur adresse à manier burettes et encensoirs! C'était d'ailleurs la différence la plus visible avec le secteur protestant, dont les High Schools suscitaient l'envie des élèves catholiques.

L'école secondaire mixte impose tout d'abord son uniforme contestataire: les jeans, tout comme elle impose son vestibule: l'autobus scolaire. Sans préavis, les adolescents et adolescentes du baby-boom se sont retrouvés assis sur des bancs inconfortables, sans surveillance, et dans l'atmosphère créée par le nouvel état d'esprit. On n'a jamais vraiment examiné sérieusement les modalités de cette conjoncture: au Québec, on a dû improviser une gérance de la mixité au moment où un discours libertaire mal assimilé faisait la promotion de la soi-disant «révolution sexuelle». Les professeurs assistaient, incrédules, à des séances de pelotage qui se déroulaient dans les corridors. Les activités scolaires, «discothèques», «danses» et autres surboums, s'organisaient dans un beau désordre, avec la complicité de quelques professeurs «libérés». Les parents aux abois ne réussissaient pas à se faire entendre. Il a fallu bien des expériences discutables pour que les écoles secondaires en arrivent à élaborer des normes de surveillance adéquates. Mais durant cette période de transition, les polyvalentes se sont dotées d'une terrible réputation, qui a beaucoup contribué au succès des écoles privées.

L'école secondaire est la première institution à révéler la supériorité des filles sur le plan de la réussite scolaire. Non seulement elles obtiennent les meilleures notes, mais, comme on peut le constater dans les statistiques des années 70, le décrochage scolaire semble être un phénomène résolument masculin. On note cependant depuis 1982, année fatidique où la note de passage a été relevée à 60 %, une certaine détérioration de la situation: les filles sont plus nombreuses à décrocher qu'auparavant. Il est cependant malaisé de fournir des chiffres précis, car le scandale de l'échec du système scolaire incite les divers responsables à se livrer à une guerre des statistiques.

On peut certes faire l'hypothèse que le décrochage scolaire des adolescentes est lié pour une faible part au phénomène des grossesses. Mais on doit noter également que garçons et filles vivent différemment les résultats de leur abandon scolaire. En effet, la gamme des emplois requérant moins de préalables scolaires ou assurant la formation sur le tas est plus vaste pour les garçons que pour les filles. Ils sont donc souvent moins handicapés pour s'intégrer au marché du travail.

Un autre questionnement a caractérisé cette période: celui de la réussite des filles en sciences et en mathématiques. Comment expliquer que leurs performances diminuent après la quatrième année du secondaire? De nombreuses études se sont penchées sur le rapport des élèves aux mathématiques, démontrant hors de tout doute que, dans cette affaire, ce n'est pas l'intelligence qui est en cause, ni la configuration des lobes du cerveau, mais bien la puissance des modèles sociaux.

Comment expliquer que les polyvalentes continuent de lancer sur la marché du travail tant de coiffeuses, de dactylos, d'esthéticiennes et d'aides-infirmières? Il est vrai que cette constatation ne concerne que la clientèle du secteur professionnel, de plus en plus minoritaire dans l'ensemble du réseau. Mais, ici, c'est toute l'organisation de l'enseignement professionnel qui est mise en cause, et pas seulement les succès scolaires différents des garçons et des filles. Durant les années 70, on se posait la question suivante: pourquoi, en dépit de leurs succès scolaires évidents, les filles ne capitalisent-elles pas autant que les garçons sur de tels succès? C'est par l'analyse des mécanismes de l'orientation scolaire qu'on explique alors la tendance au maintien des modèles sociaux.

Comme pour s'assurer que la roue ne tournera pas autrement, les conseillers en orientation dirigent souvent les filles dans les secteurs «féminins» et les découragent d'entrer dans les nouvelles avenues. De nombreuses études ont établi que les adolescentes ne pensent pas à leur avenir de la même manière que les garçons. En effet, si elles sont désormais mieux informées des possibilités qui leur sont offertes, elles sont plus portées à envisager leur avenir et leur futur statut social en corrélation avec le statut de leur mari éventuel et non pas en fonction de leur propre réalisation professionnelle. Les adolescentes croient que pour être acceptées et appréciées, surtout par leurs pairs masculins, il leur faut éviter l'écueil d'un comportement qui aille radicalement à l'encontre de l'image stéréotypée du rôle féminin traditionnel. Elles apprennent très tôt à rester à la place qui leur est assignée, et tout concourt à ce qu'elles ne l'oublient pas: parents, éducateurs, livres, et parfois même la documentation destinée à leur information professionnelle. Les adolescentes prévoient un choix de carrière compatible avec l'exercice de leurs futures responsabilités familiales. Il est certain que les conseillers en orientation ne portent pas seuls la responsabilité de tous ces phénomènes.

Ces idées ont commencé à se modifier avec le début des années 80. On a progressivement mis sur pied des projets qui visent de manière spécifique à contrer la force des mécanismes sociaux et à inciter les filles à choisir des professions non traditionnelles. Pour encourager les filles à se lancer dans les sciences, l'Association canadienne-française pour l'avancement des Sciences (ACFAS) crée le prix Irma-Levasseur, du nom de la première Québécoise à exercer la médecine.

Divers milieux, conscients sans doute de la force des stéréotypes sociaux, ont d'ailleurs tenté quelques expériences. Le cours d'économie familiale a été rendu obligatoire pour les garçons comme pour les filles. Les filles ont été autorisées à choisir le cours d'exploration technique. Des associations féministes ont mis sur pied des projets d'orientation professionnelle pour les filles, notamment Virevie, qui a produit d'intéressants résultats. De même, on a observé que les filles étaient de plus en plus nombreuses à s'engager dans les Conseils étudiants. Vers la fin des années 80, on voit poindre une nouvelle pratique: des équipes doubles sont élues dans certains Conseils étudiants, ce qui autorise une gestion nécessairement mixte des affaires étudiantes. Peut-être faut-il attribuer les transformations qui s'opèrent depuis quelques années dans les cégeps et les universités à ce genre d'initiative.

Malgré tout, filles et garçons du secteur général, qui semblent posséder autant d'ambitions professionnelles les unes que les autres, ont des perceptions différentes. «J'aurai mes enfants à la fin de mes études», disent les filles. Les garçons pensent plutôt attendre d'avoir une situation stable. Mêmes différences sur leur perception du travail rémunéré des femmes. «Mon mari n'aura pas le choix!» déclarent les filles avec assurance. «C'est son choix», concèdent poliment les garçons. On devine déjà que la vie aura beau jeu de défaire ces belles certitudes.

Mais, phénomène très symbolique, la grande activité de l'école secondaire est l'organisation de la remise des diplômes. Alors qu'au début des années 70, on croyait la coutume bel et bien disparue, elle revient en force avec le début des années 80. La fin du secondaire se dote donc de plus en plus du statut de rite de passage. Dès le mois de septembre se mettent en place le comité du bal, le comité de la bague, le comité de l'album de diplômés, où garçons et filles se partagent également les tâches pour arriver à l'apothéose: le bal de fin d'année. Avec sa panoplie de rituels dérisoires, cette coutume en dit long sur les attentes et les perceptions différentes des garçons et des filles. Les mêmes rituels revêtent alors des fonctions différentes pour chacun et pour chacune.

Quand le cégep remplace le collège classique

C'est au niveau collégial que la réforme scolaire de 1968 a tout d'abord produit ses effets les plus spectaculaires. La gratuité de ce réseau y a singulièrement contribué, notamment la possibilité pour les filles de se prévaloir du programme de prêts et bourses dès le niveau collégial. Alors qu'elles ne constituaient que 20 % des effectifs du second cycle du cours classique au début des années 60, les filles ont vite constitué la moitié de ceux du réseau collégial. Cette égalité marquait l'aboutissement d'un mouvement commencé au début des années 50. Certes, au début, elles étaient plus nombreuses dans le secteur professionnel, mais cette tendance s'est désormais inversée. Elles sont maintenant aussi nombreuses que les garçons à accéder aux études universitaires.

C'est par l'analyse du secteur des techniques que l'on peut observer les différences majeures entre collégiens et collégiennes. À la fin des années 70, les choix professionnels des uns et des autres présentaient un contraste saisissant.

Francine Descarries-Bélanger a bien illustré, dans son étude *L'école rose et les cols roses*, que les spécialités choisies par les étudiantes concordent avec les secteurs d'emploi que les femmes occupent déjà traditionnellement sur le marché du travail. Les données de 1976-1977 sont éloquentes. Y prédominent: secrétariat, techniques infirmières, technologie médicale, techniques de service social, éducation spécialisée. Les garçons, eux, sont largement majoritaires en électronique, en électrotechnique, en génie civil. Les filles sont donc bien peu nombreuses à surmonter les effets des déterminismes sociaux et culturels et à s'orienter vers de nouvelles carrières. Et il va trop souvent de soi que, dans les entreprises qui les embauchent, elles se retrouvent dans les échelons inférieurs.

On a toutefois noté quelques innovations au cours de la dernière décennie. Ainsi, les filles ont envahi le secteur des techniques policières. Alors qu'elles n'y représentaient que 12,8 % des effectifs en 1976, leur nombre augmente régulièrement depuis cette date. Il est toutefois trop tôt pour évaluer les résultats du phénomène. Mais on observe également d'autres processus. La bibliothéconomie, naguère profession féminine, a évolué selon un modèle bien particulier. Le programme, qui se situait au niveau du baccalauréat, s'est scindé en deux options: l'un au niveau de la maîtrise, où l'on retrouve majoritairement des hommes; l'autre au niveau collégial, «Technique de bibliothéconomie», qui attire surtout des femmes. Ainsi s'affirme, dès le niveau de la formation, une dichotomie entre les compétences respectives des hommes et des femmes dans le champ de la bibliothéconomie. On notera enfin que le processus fonctionne dans un certain nombre de professions qu'on considérait auparavant comme féminines, notamment tout le champ paramédical et le service social, permettant ainsi une hiérarchisation plus facile sur le marché du travail.

Mais c'est peut-être le niveau des collèges privés qui offre le panorama le plus contrasté. En effet, certains collèges privés, créés à partir d'institutions antérieures à la réforme scolaire, entre autres certains collèges commerciaux, dont les programmes sont souvent gérés en concertation avec le marché du travail, fonctionnent en conformité avec les stéréotypes les plus conservateurs. Leur publicité rigoureuse en fait foi, de même que les options choisies par leur clientèle. L'informatique et la technologie demeurent l'apanage des garçons, tandis que la mode et la bureautique restent le choix des filles.

Le réseau collégial se flatte toutefois d'être à l'origine d'une innovation intéressante pour les femmes adultes. En concertation avec plusieurs groupes de femmes, plusieurs collèges ont en effet mis sur pied, à la fin des années 70, des programmes destinés spécifiquement aux femmes qui désiraient retourner aux études, après avoir interrompu leur carrière ou leurs études pour élever leur famille. Ces programmes se nomment: «Repartir», «Aujourd'hui, je pense à moi», «C'est à ton tour», et ces appellations en disent long sur les objectifs qu'ils visent. À ce jour, ils ont attiré un flot continu de femmes qui y ont le plus souvent trouvé l'énergie de retourner au travail ou d'entreprendre des études universitaires.

Le bac, et puis après?

À l'université, les progrès des filles ont été plus lents à se produire, mais tout aussi spectaculaires. En 1966, juste avant les grandes réformes de l'éducation, les femmes formaient 34 % de la clientèle totale des universités, qui comptaient à ce moment-là près de 37 900 étudiants à plein temps. Cette proportion passe à 39 % si on tient compte des personnes inscrites à temps partiel, ce qui montre bien que les femmes sont nombreuses à devoir adopter cette stratégie pour avoir accès aux études universitaires. À cette date également, elles forment 40 % des candidates et candidats du premier cycle et 29 % au niveau des études avancées.

Si l'on considère les étudiantes et étudiants à temps plein du premier cycle, les filles se répartissent très inégalement selon les programmes. Toujours en 1966, elles forment 100 % du contingent des études en pédagogie familiale ou en «Home Economics», 75 % de la clientèle en musique, 60 % dans les programmes d'éducation, 20 % en sciences pures, 11,8 % en médecine, 8,6 % en droit, 5,6 % en chirurgie dentaire, 5 % en administration, 3,6 % en architecture, 0,02 % en génie et 0,04 % en théologie.

Vers 1970, les filles se retrouvent en majorité dans les programmes d'arts et d'éducation. Cela tient sans doute à la longue tradition de présence des femmes dans les écoles normales et les écoles supérieures de musique dirigées par les religieuses. La réforme de l'éducation, on le sait, a pris la décision de déplacer au niveau universitaire tous les programmes de formation des maîtres, ce qui a eu pour effet, à toutes fins utiles, de démembrer le principal réseau que contrôlaient les religieuses: celui des écoles normales. Mais l'accès gratuit au collégial modifie rapidement la situation.

Car, arrivées à l'université, les filles savourent enfin les retombées de leurs succès scolaires antérieurs. Comme, dans les diverses facultés, les mécanismes d'admission dépendent de plus en plus de la réussite scolaire, et qu'au surplus, les dossiers sont anonymes, les filles deviennent aussi nombreuses, voire majoritaires, dans les facultés naguère presque réservées aux étudiants de sexe masculin. Il est malaisé de comparer les chiffres des années 60 avec ceux des années 80, car les méthodes statistiques ont été modifiées dans l'intervalle. Malgré tout, on peut proposer quelques données permettant une comparaison avec les proportions rapportées plus haut pour 1966. En 1989, on trouve 72,9 % d'étudiantes en éducation, 59,3 % en arts, 58 % en droit, 53 % en médecine, 50,3 % en administration, 46,6 % en chirurgie dentaire, 46,7 % en architecture, 46 % en sciences pures, 23 % en génie et environ 50 % en théologie.

C'est ainsi qu'on voit les femmes dominer en pharmacie dès 1975, en chirurgie dentaire et en optométrie à partir de 1985; qu'elles comptent pour plus de la moitié des effectifs en droit, en médecine, en administration, en médecine vétérinaire, alors qu'elles continuent d'être minoritaires en sciences, et surtout en génie. Dans les corridors d'une faculté de chirurgie dentaire, on s'inquiète de la féminisation de la profession. Des professeurs de sciences appliquées chuchotent sur le ton de la confidence: «On a été obligés de renouveler entièrement notre stock de blagues depuis qu'il y a des filles en génie!» On n'a aucune peine à imaginer de quel type de blagues il s'agissait. Que sont devenues les théories savantes sur l'incapacité des filles à poursuivre des études avancées ou scientifiques?

Johanne Collin, qui a étudié la progression des étudiantes dans les facultés professionnelles de l'Université de Montréal de 1940 à 1980, a observé quelques facteurs intéressants. Elle se demande «si les étudiantes n'envahissent pas des domaines que leurs confrères ont déjà commencé à déserter. En pharmacie et en optométrie, la baisse et la stagnation des effectifs masculins précèdent d'une bonne dizaine d'années la démocratisation de l'enseignement collégial». Ainsi, à l'Université de Sherbrooke, les étudiantes expliquent à elles seules le doublement de la clientèle entre 1970 et 1990, dans les facultés d'administration et de droit. Ces transformations s'accompagnent le plus souvent de modifications structurelles importantes dans de nombreuses professions. Ainsi, le rôle du pharmacien est maintenant complètement modifié: il n'est plus un entrepreneur, mais un salarié qui fait des heures dans une officine de grande chaîne commerciale. Vraisemblablement, des modifications similaires sont en train de se produire dans la pratique des principales professions prestigieuses. Surtout, la création de nouvelles structures étatiques diminue l'autonomie des membres de plusieurs professions. D'après Johanne Collin, «l'accession des femmes aux facultés professionnelles et l'augmentation des effectifs féminins dans les facultés de tradition masculine ne permettent donc pas de conclure à une disparition progressive des clivages sexuels à l'université. Dans certains cas, elles constituent même plutôt l'indice d'une reproduction de la division sociale des sexes, mais à partir de conditions nouvelles.» Ces nouvelles conditions représentent le plus souvent une adaptation aux modifications structurelles du marché du travail.

C'est dans le secteur des études avancées que les filles ont le plus de mal à faire leur marque, notamment dans le troisième cycle. En 1988, les filles ont décroché 57 % des diplômes de premier cycle, (baccalauréat), 46 % des diplômes de 2e cycle (maîtrise) et 29 % des diplômes de 3e cycle (doctorat). Il semble que le conflit entre les études de troisième cycle et le projet d'avoir des enfants ait une incidence négative sur les réussites des femmes à ce niveau. La recherche récente de l'«Excellence» contribue également à défavoriser les femmes. Comme l'écrit Karen Messing, biologiste généticienne à l'UQAM: «Une femme a tout autant de chances qu'un homme d'être considérée comme une excellente chercheuse, à deux seules conditions: ne pas avoir d'enfants et ne pas paraître femme.» De jeunes chercheuses se font dire: «Ce n'est pas le temps d'avoir des enfants!»

On comprend dès lors que la présence des professeures sur les campus universitaires augmente si lentement. Elle varie de 14 % à 25 % dans les universités québécoises et la proportion a même baissé entre 1980 et 1990 à l'Université de Montréal. Devant l'absence de justification adéquate, on a examiné les modalités de la discrimination systémique à ce niveau d'enseignement, et la plupart des universités se sont engagées dans un processus de Programme d'accès à l'égalité.

Les étudiantes, de leur côté, tout à la satisfaction d'être parvenues si loin dans leurs études, estiment que la partie est gagnée. La lutte, c'était bon pour leurs mères qui leur ont ouvert la voie. Et pourtant, les universités doivent mettre sur pied des comités pour faire face au harcèlement sexuel. À l'Université Laval, les filles ont vite appris qu'elles devaient éviter à certains moments de la journée les tunnels, les bosquets ou les raccourcis; elles ont fini par exiger et par obtenir un service d'accompagnement pour les utiliser. Et pourtant, les rituels d'initiation et de carnavals continuent à déployer leurs litanies de blagues sexistes. «Femelles demandées!» proclame vers 1975 une banderole en lettres d'un mètre, accrochée dans les fenêtres d'une résidence à l'Université de Sherbrooke. À l'automne de 1989, le cas d'une plainte de viol collectif commis à l'université McGill attire l'attention des médias et révèle la persistance d'un certain machisme chez les étudiants. La coutume du *date rape* n'est pas éliminée. Même les étudiantes modifient leur comportement. «À Poly, nous confie Nathalie Provost, l'une des rescapées du massacre de Polytechnique, j'ai appris à vivre en "gars", à faire des farces de gars, à comprendre l'humour des gars.» Est-ce le prix à payer pour poursuivre ses études à l'université?

D'ailleurs, étudiants et étudiantes continuent à faire face très inégalement aux responsabilités familiales et domestiques. «Je vais me marier. Je suis tanné de me faire à manger», confie un étudiant à son copain. Les nouveaux régimes de prêts et bourses permettent à un nombre de plus en plus grand d'étudiants de se marier. Les étudiantes mariées se heurtent cependant à des réticences pour se faire accepter, dans un premier temps. À la fin des années 60, l'Association des femmes diplômées des universités a bien du mal à faire annuler le règlement interne de la faculté des sciences sociales de l'Université de Montréal, qui limite à trois le nombre de femmes mariées admises aux différents programmes. Mais le sort des étudiants mariés est bien différent de celui des femmes mariées qui fréquentent les facultés. Souvent, une jeune épouse subvient aux besoins du couple pendant que le mari étudiant termine son baccalauréat, voire sa maîtrise; l'entente tacite est qu'après ses études ce sera son tour à elle. On aimerait connaître le nombre de femmes, infirmières ou secrétaires, qui ont ainsi subventionné les études de leur mari tout en leur procurant le service domestique. Combien d'entre elles se sont vu leurrées? Pour plusieurs, leur tour n'est jamais venu, et d'autres se sont retrouvées seules, divorcées, après la fin des études de monsieur.

L'école à vie

Mais on a beau décrire les transformations spectaculaires qui viennent de se produire dans les divers paliers de l'éducation, il n'en reste pas moins que la société québécoise est encore formée de milliers de personnes qui n'ont pas pu avoir accès à l'instruction. C'est pour elles que les structures de l'éducation permanente ont été mises en place.

Ici, il faut noter la grande imagination dont ont fait preuve les groupes de femmes. À la fin des années 70, on met sur pied des groupes de «Nouveau Départ» où des femmes au foyer viennent échanger sur les nouveaux choix qui s'offrent à elles maintenant qu'elles ont élevé leur famille. Plus de 12 000 femmes ont utilisé ce service. D'autres groupes se donnent des programmes de formation sur mesure: cours d'initiation aux affaires, cours de relations personnelles, cours de fonctionnement en groupes, cours sur les assemblées délibérantes, etc.

En 1980, on met sur pied une commission d'enquête sur les besoins en formation des adultes; la Commission, présidée par Michèle Jean, est particulièrement attentive aux besoins des femmes. On y explore les diverses avenues de la formation professionnelle et on y propose la mise sur pied de programmes particuliers visant à donner aux femmes un plus large accès aux formations non traditionnelles. On y constate également que les femmes ont acquis de nombreuses expériences dans leurs diverses responsabilités, mais qu'elles ne peuvent pas les faire reconnaître dans l'analyse de leurs dossiers. Peu à peu s'impose la dynamique de la «reconnaissance des acquis», offrant des mécanismes propres à permettre aux femmes de faire créditer certaines de leurs expériences.

Enfin, depuis quelques années, on a découvert les laissés-pour-compte de la révolution scolaire, ceux et celles qui n'avaient pas réussi à maîtriser les rudiments du savoir en dépit d'une présence parfois longue dans les écoles. Ces nouveaux analphabètes, où l'on retrouve entre 35 et 40 % de femmes (les opinions varient), ont maintenant des programmes qui leur sont destinés, mais les analyses démontrent que les hommes y ont plus facilement accès parce qu'on continue de juger qu'ils en ont davantage besoin. C'est le cas, en particulier, de la clientèle immigrante, dont les femmes sont nettement désavantagées face aux critères d'accès des différents programmes de formation.

Au fond, depuis 1965, les femmes ont été de grandes usagères des différents programmes de l'éducation permanente, mais sans que cela améliore leur situation économique. Certes, elles ne sont pas les seules. Mais leur expérience des études est passablement différente de celle des hommes. Écoutons l'une d'elles: «Les jours où je quittais la maison, en fin d'après-midi, pour assister à mes cours, personne ne pouvait m'accuser de négliger les miens. J'avais aplani toutes les difficultés pour eux: les différents plats au menu pour le repas du soir avaient été précuits et il suffisait de les réchauffer quelques minutes au fourneau avant de les servir; (...) sur l'horaire de télévision, les émissions intéressantes étaient cochées au cas où ma famille voudrait le consulter; quand les enfants étaient jeunes, ils avaient pris leur bain et enfilé leur pyjama avant mon départ. En toute tranquillité, les miens pouvaient passer des heures agréables durant mon absence; il me semblait que j'avais tout prévu pour assurer leur confort. Puis, exténuée, je courais vers le métro, je brûlais le feu rouge en piéton irresponsable et je parvenais enfin à l'université. Je m'installais à mon pupitre, essayant de refaire le plein d'énergie pendant que le professeur me perdait dans les méandres du structuralisme. Ce n'est qu'après la pause-café que je reprenais mon souffle, redevenais moi-même et que les lumières vertes de mon cerveau s'allumaient pour laisser passer l'information. Je venais de changer de peau.»

Le 6 décembre 1989, lorsque quatorze jeunes femmes sont assassinées pour l'unique raison qu'elles poursuivent des études en génie et qu'elles sont donc présumément féministes, toutes les femmes comprennent que leur projet de vie, qui est de «prendre leur place», se heurte encore à un courant de pensée qui estime qu'elles prennent une place qui ne leur revient pas.

**La liste des quatorze étudiantes assassinées
le 6 décembre 1989 à l'École polytechnique de Montréal**
Bergeron, Geneviève, 21 ans
Colgan, Hélène, 23 ans
Croteau, Nathalie, 23 ans
Daigneault, Barbara, 22 ans
Edward, Anne-Marie, 20 ans
Haviernick, Maud, 29 ans
Klueznick, Barbara Maria, 31 ans
Laganière, Maryse, 25 ans
Leclair, Maryse, 23 ans
Lemay, Anne-Marie, 27 ans
Pelletier, Sonia, 28 ans
Richard, Michèle, 21 ans
Saint-Arneault, Annie, 23 ans
Turcotte, Annie, 21 ans

«Nous ne sommes pas féministes!» ont protesté les victimes de Polytechnique. «Vous êtes toutes des féministes!» avait proféré Marc Lépine. Nous ne devons pas oublier que c'est ce cri-là qui a servi à organiser sa folie meurtrière, et que ce n'est pas par hasard qu'il s'est justement rendu dans cette prestigieuse école. Ce geste nous a permis de réaliser qu'il faut se garder de faire «une lecture erronée des progrès accomplis». Cette «lecture erronée tient plus à l'occultation de la résistance aux changements et de l'ampleur de cette résistance qu'à la rapidité des changements survenus».

Malgré tout, on comprend les jeunes femmes des années 90 de rester persuadées que l'heure des combats est terminée. En vingt-cinq ans, le tableau s'est tellement transformé qu'elles ont le sentiment de vivre dans un monde où tous les rêves, toutes les ambitions, toutes les aspirations sont possibles. L'examen du marché du travail nous permettra toutefois de mettre quelques bémols à ce bel optimisme.

Au lendemain de la tragédie de Polytechnique.
Photo: Jacques Grenier, *Le Devoir*

CHAPITRE 16

Le mode d'emploi des femmes

Le marché du travail est l'un des fils conducteurs les plus importants pour dresser un portrait de la situation des femmes. Son analyse permet de constater que les femmes au travail, même si elles vivent un ensemble de situations communes, font face à des conditions très diversifiées. En effet, au cours de cette période, grâce à des revendications qui ont finalement débouché sur des législations importantes, ou encore grâce aux fruits qu'ont portés les luttes antérieures, certaines ont pu faire des percées dans de nouveaux secteurs ou des avancées dans certains champs d'intervention où les femmes étaient déjà présentes. D'autres se retrouvent encore dans une situation difficile où il est parfois ardu d'entrevoir la lumière au bout du tunnel.

De plus en plus, et grâce aux recherches des féministes, il est reconnu que, pour les femmes, le droit à l'emploi se joue sur deux fronts: dans la sphère économique et dans la sphère familiale, dans la production comme dans la reproduction. En effet, la vie des femmes a été profondément déterminée par la famille; l'avènement de l'industrialisation les a peu à peu transformées en ménagères alors que l'homme s'est retrouvé cantonné au rôle de pourvoyeur.

Les mutations profondes des dernières décennies, telles que la diminution de la taille des familles de même que l'extension du salariat, ont amené les femmes à devenir à leur tour les pourvoyeurs *de* leur famille tout en conservant leur rôle traditionnel *dans* la famille, donc à être à cheval sur les univers de la production et de la reproduction. Bien sûr, la technisation du travail ménager s'est poursuivie: depuis la

Révolution tranquille, les appareils électroménagers de base tels que les réfrigérateurs, les cuisinières et les lessiveuses se sont largement répandus. Rapidement, de nouveaux appareils sont entrés dans les foyers: ainsi, en 1961, 2 % des ménages possédaient un lave-vaisselle, alors qu'en 1989 c'est le cas de 43 % des foyers. La même année, 10 % des ménages possèdent une sécheuse, 45 % un congélateur et 60 % un four à micro-ondes!

Parallèlement, les fonctions traditionnelles des ménagères entrent dans le système de production marchande de biens et de services: à mesure que s'ouvrent les garderies, on le voit bien, la garde des enfants se met à avoir un prix. Il en va de même pour le ménage, qu'on peut payer en s'adressant à une multitude d'entreprises d'entretien, ou encore pour les repas qu'on achète surgelés, prêts à passer aux micro-ondes, ou qu'on prend au restaurant ou dans les fast-foods. On peut se demander pourquoi le calcul du produit national brut comptabilise dans la richesse collective le coût de la fabrication d'un repas au restaurant, alors que le repas préparé à la maison n'a pas de valeur marchande!... Pourquoi, lorsqu'on passe de l'ouvrage invisible des femmes à la maison au travail à l'extérieur, passe-t-on d'un travail accompli gratuitement à la maison, par amour, devoir ou instinct, à un emploi ayant une valeur marchande? Cette question a constitué au cours des années 70 une préoccupation majeure du mouvement des femmes. Des troupes de comédiennes ont fait le tour du Québec avec la pièce *Môman travaille pas, a trop d'ouvrage!* Des économistes ont étudié les budgets-temps et la valeur du travail ménager: certaines études ont révélé que la production domestique au Canada vaut entre 35 % et 40 % du produit national brut, alors que le travail domestique effectué dans chaque ménage du Québec a été évalué à 18 749 $ par année. *Toutes les femmes sont d'abord ménagères!* Ce slogan, peint sur un mur en face d'une station de métro de Montréal au cours des années 70, rappelait que, en dépit d'une croissance du travail salarié, le travail ménager continue d'être fait par les femmes.

De plus en plus de femmes deviennent femmes-orchestres, devant être à la fois bonnes amantes, bonnes mères, bonnes ménagères, bonnes travailleuses, écologiques, sportives, etc. Cette condition commune à l'égard de la vie familiale, vécue par un grand nombre de femmes qui ont maintenant intégré l'univers des hommes, a-t-elle entraîné un élargissement de l'univers des hommes vers l'univers domestique jadis réservé aux femmes? On peut dire que le vocabulaire s'est modifié. Chez les couples des années 60, le mari «aidait» sa femme; chez les nouveaux couples, vingt ans plus tard, les médias nous font voir régulièrement que les «nouveaux hommes» «partagent» le travail domestique! Les femmes auraient-elles réussi à ne plus cumuler deux emplois? Ce phénomène est loin d'être évident, puisqu'une enquête de Statistique Canada indique qu'en 1985, pour les couples ayant des enfants et dont les deux conjoints travaillent à temps plein, la femme consacre en moyenne 3 heures 20 minutes par jour aux travaux ménagers et aux soins des enfants, alors que l'homme n'y consacre quotidiennement que 1 heure 32 minutes. Cependant, selon une étude de Le Bourdais, Hamel et Bernard, les comportements diffèrent selon les générations. Chez les couples à deux revenus, les femmes âgées de plus de cinquante-cinq ans consacraient au travail ménager douze heures de plus par semaine que les femmes âgées de moins de trente ans. Mais on entend encore dans la majorité des chaumières une voix qui dit: «Peux-tu m'aider?» Et cette voix est celle d'une travailleuse.

Si l'on se penche maintenant sur la plupart des variables liées au travail salarié, on constate qu'il y a eu des progrès durant la période 1965-1990, mais des distorsions majeures persistent: écarts salariaux, ghettos d'emplois, précarité de l'emploi, mi-temps, difficulté de concilier travail et responsabilités familiales, etc.

Examinons plus en détail quelques-unes des tendances principales du marché du travail féminin au Québec, telles que les a décrites Louise Paquette dans son ouvrage intitulé *La situation socio-économique des femmes*. Elle démontre que les femmes qui sont sur le marché du travail ont tendance à y rester, même lorsqu'elles sont mariées et qu'elles ont des enfants. Alors que, en 1967, 30 % de celles qui ont des enfants de moins de trois ans ont un emploi, en 1987, c'est le cas de plus de la moitié des mères de très jeunes enfants (57,2 %). Les familles avec deux revenus deviennent la norme: toujours en 1987, seulement 28,7 % des familles biparentales québécoises ne comptent qu'un seul revenu. Le besoin d'autonomie et la nécessité de plus d'un revenu pour une seule famille sont les facteurs qui amènent les plus jeunes à ne pas quitter le marché du travail et les plus âgées à y revenir: le taux d'activité des femmes mariées est passé de 22,1 % en 1961 à 54,3 % en 1987 et les femmes qui ont entre vingt-cinq et quarante-quatre ans ont vu leur participation passer de 20 % à 70 % entre 1951 et 1987. En 1993, on prévoit que huit femmes sur dix âgées entre vingt-cinq et quarante-quatre ans seront sur le marché du travail.

Par conséquent, les femmes sont quatorze fois plus nombreuses sur le marché du travail en 1987 qu'en 1911, leur taux d'activité étant passé de 16,2 % à 52,3 % entre ces deux dates. Les hommes sont trois fois et demie plus nombreux en 1987 qu'en 1911, mais leur taux de participation a baissé, passant de 87,3 % à 75,3 % en 1987. D'ici l'an 2000, on prévoit que le taux d'activité des deux sexes sera identique. Le taux de féminité de la main-d'œuvre est passé de 27,1 % en 1961 à 42,3 % en 1987.

Cette persévérance des femmes sur le marché du travail se fait en dépit de la faiblesse des mesures de soutien à la maternité qui ont été élaborées durant cette période. Au cours des années 70, des prestations du programme d'assurance-chômage sont versées à la maternité; les travailleuses admissibles bénéficient de prestations équivalentes à 60 % de leur salaire brut pendant quinze semaines. En 1978, le gouvernement du Québec complète ce programme en ajoutant deux semaines de prestations. Dans certains milieux de travail syndiqués, principalement à la Fonction publique et para-publique du Québec, les travailleuses obtiennent, à la fin des années 70, un plein remplacement de revenu durant leur congé de maternité de vingt semaines. Dans le cadre de la Loi sur la santé et la sécurité au travail, les travailleuses enceintes dont les conditions de travail sont dangereuses pour la santé de l'enfant à naître peuvent être réaffectées à un autre poste ou être envoyées chez elles, si aucun emploi n'est disponible, tout en recevant une indemnisation équivalente à 90 % de leur salaire net.

De façon générale, les employeurs ont préféré donner congé aux travailleuses enceintes plutôt que d'éliminer les dangers pour la santé que présentaient certains lieux de travail. Les travailleuses, quant à elles, ont aussi préféré bénéficier d'un congé, qui constitue, pour un grand nombre d'entre elles, le seul congé de maternité pouvant compenser adéquatement la perte de revenu associée à la naissance d'un enfant. Paradoxalement, ce programme, vu par les femmes comme un grand acquis, a pour fondement non pas la reconnaissance du rôle social de la maternité par une compensation de la perte de revenu, mais la protection de l'enfant à naître. Même le choix que font les employeurs d'envoyer les femmes enceintes à la maison plutôt que d'assainir le milieu de travail reflète jusqu'à un certain point une vision d'incompatibilité entre la grossesse et le travail salarié.

La récession des années 80 a mis en veilleuse les projets d'amélioration des conditions de travail entourant la maternité. Des réactions négatives sont apparues: certaines ont accusé l'État de n'élaborer des mesures que pour les travailleuses, délaissant ainsi les mères au foyer. Malgré les incessantes demandes des femmes, ce n'est qu'à l'aube des

Grève des téléphonistes de Bell Canada, été 1977.
Photo Josée Coulombe

années 90 que certaines améliorations sont apportées. Le gouverne-ment fédéral, en modifiant la loi sur l'assurance-chômage, ajoute au congé de maternité dix semaines de congé parental pouvant être utilisé soit par la mère, soit par le père. Dans la foulée de cette réforme, le Québec ajuste le montant octroyé pour les deux semaines, qu'il com-pense depuis une décennie, et modifie en 1990 la Loi sur les normes du travail. Désormais, une travailleuse pourra s'absenter de son travail pour une durée équivalente à un an tout en étant assurée de retrouver son emploi; le père, quant à lui, aura un droit d'absence pouvant aller jusqu'à trente-quatre semaines. Si ces modifications protègent l'emploi des femmes comme des hommes lors d'un congé de maternité ou d'un congé parental, les diverses associations préoccupées par la question sont déçues: qui pourra se permettre de quitter son travail sans salaire pendant six mois ou un an pour s'occuper d'un enfant? demandent-elles. Elles rappellent alors au gouvernement libéral sa promesse élec-torale d'instaurer une caisse de maternité visant la compensation du revenu pendant ce temps-là.

Le travail à mi-temps, lui aussi, est largement le lot des femmes. On sait que les travailleuses à temps partiel sont la plupart du temps moins bien rémunérées que celles qui travaillent à temps plein. En 1987, au

Québec, 71,3 % des travailleurs à temps partiel sont des femmes, comparativement à 66,5 % en 1975, et 34,6 % se retrouvent dans cette catégorie non par choix, mais à cause du manque d'emplois à temps plein. Un peu plus d'une femme sur cinq travaille à temps partiel, alors que c'est le cas d'un homme sur dix. Au Canada, en 1986, 70 % des femmes appartenant à la catégorie des salariés économiquement faibles travaillaient à temps partiel.

Malgré tout, le travail à mi-temps continue à faire le bonheur de bien des femmes et, au cours des années, de multiples législations sont venues le rendre plus sécuritaire, permettant l'accès à des régimes de pensions et à l'assurance-chômage lorsqu'un certain nombre d'heures de travail sont accomplies. Ainsi, au Québec, en vertu de la Loi sur les normes du travail, qui protège un grand nombre de personnes à faible revenu, à partir du premier janvier 1992, un employeur ne pourra plus accorder à un salarié un taux de salaire inférieur à celui des autres salariés qui effectuent les mêmes tâches dans le même établissement, pour le seul motif que ce salarié travaille à temps partiel.

Les écarts salariaux entre les hommes et les femmes demeurent encore impressionnants. En 1971, au Québec, pour chaque dollar gagné par un homme, une femme gagnait 52,38 cents; en 1986, une femme gagne 61,1 % du salaire masculin, écart que n'atténuent ni une formation ni une expérience équivalentes. En 1989, le Québec se plaçait à l'avant-dernier rang des provinces canadiennes pour la réduction de l'écart salarial, les femmes y gagnant 62,4 % du salaire moyen des hommes.

Mais où travaillent-elles?

Mais où sont toutes les femmes qui travaillent? Sont-elles cantonnées dans des ghettos d'emplois? Leur participation quantitative au marché du travail s'est-elle accompagnée d'une amélioration qualitative? Si l'on examine en 1981 les dix principales professions où l'on retrouve 40 % des Québécoises, on constatera que les femmes sont encore largement cantonnées dans les emplois traditionnels et que les principales professions féminines demeurent celles de secrétaires, d'employées de bureau, de vendeuses et de caissières. En 1981, le taux de féminité de la profession d'infirmière est de 91,1 %, celui de secrétaire et de sténographe de 98,4 %. La ségrégation sexuelle demeure donc importante. Par ailleurs, dans la main-d'œuvre active, on constate qu'un plus grand nombre de femmes possèdent un diplôme ou un certificat postsecondaire: 19,1 % contre 13,6 % pour les hommes.

D'autre part, dans la population active ayant effectué entre zéro et huit ans de scolarité, ce sont les femmes qui sont minoritaires, comptant pour 10,7 % alors que les hommes comptent pour 17 %. Seulement 22,3 % des femmes moins scolarisées participent au marché du travail, alors que 54,1 % des hommes sous-scolarisés s'y retrouvent. Manque de confiance des femmes qui les porte à mieux s'équiper pour le marché du travail, crainte de la discrimination?

Si l'on examine maintenant l'accès aux métiers dits non traditionnels, on constate que ce n'est pas chose facile! L'étude intitulée *Bâtir l'avenir: profils de femmes de métier au Canada* fournit à cet égard des témoignages révélateurs. La plupart des femmes qui exercent des métiers autrefois «réservés» aux hommes adorent leur métier et y gagnent bien leur vie. Mais les attitudes sexistes et discriminatoires sont loin d'être totalement éliminées.

TNT
Travail non traditionnel

Nicole Juteau, née en 1954, première femme policière au Québec:

«... en septembre 1972, j'entre au cégep Ahuntsic en techniques policières, en même temps que mon frère cadet. À ce moment-là, le chargé de cours en techniques policières était une femme... Malheur! Mon inscription complétée, elle s'est efforcée de me faire changer d'orientation. Avec sa complicité, le conseil d'administration m'a fait signer un document comme quoi le cégep ne se tenait pas responsable de moi et que je ne pouvais pas légalement poursuivre l'institution parce que j'étais dans une concentration où il n'y avait aucun débouché féminin... Et j'ai signé!

«En juin 1975, je suis la première femme policière au Québec, engagée par la Sûreté du Québec. Je suis engagée comme policière, mais il y a un problème à l'ombre. Je vais à l'encontre de la Loi de Police, règlement no 7, qui dit qu'un policier doit mesurer 5'7" et peser au moins 140 lb: je ne mesure que 5'4" et ne pèse que 125 lb. La Loi fut changée par le Conseil des ministres en septembre 1975 et je fus assermentée le 11 du même mois. Mon problème d'uniforme ne fut réglé que plusieurs mois après mon entrée en service.» (p. 35)

Suzanne Roy, née en 1928, p.-d.g. de Mercury Suzanne Roy:
«Ma première expérience de travail s'est déroulée comme secrétaire à la Société coopérative de Saint-Anselme. Après quatre années, soit en 1950, je mets fin à cet emploi pour me marier et fonder une famille avec Eugène Dallaire.

«Après mon mariage, comme il était d'usage, j'étais administratrice au garage de mon mari. Celui-ci exploitait un commerce de voitures d'occasion et de réparations générales dans la municipalité de Saint-Anselme.

«En 1965, devant mon insistance, puisque je cherchais à élargir les possibilités financières de la famille, mon mari accepta notre déménagement à Lévis. Nous avons fait l'acquisition d'un terrain assez près du Rond-Point pour y construire un garage et consolider notre avenir.

«De 1965 à 1968, nous avons exploité un commerce de voitures d'occasion. Finalement, entrevoyant la vague de voitures japonaises, nous portons notre candidature et nous devenons concessionnaires Nissan en 1968.

«En conclusion, considérant que j'ai été la cheville ouvrière de deux entreprises florissantes de la région et que j'avais à cœur de mériter la confiance des consommateurs tout comme celle de la compagnie Ford, qui m'a personnellement favorisée en m'accordant une concession automobile, je puis dire sans me tromper que j'ai contribué à donner à mes enfants la chance d'acquérir l'expérience nécessaire qui leur permet de bien diriger ces deux entreprises.» (p. 55-56)

Source: Esther Fortin-Gobeil, Michel Roch et Luigi Trifiro, *Témoignages. Histoire au féminin*, 28e congrès de la Société des professeurs d'Histoire du Québec, Sherbrooke, 1990.

Ces difficultés n'empêchent pas les femmes de s'intégrer ou de se réintégrer au marché du travail et de se qualifier pour ces métiers non traditionnels par le biais de l'éducation des adultes. En 1984, le ministère de l'Éducation publie une analyse qui porte sur la situation des femmes inscrites à l'éducation des adultes dans un programme de formation professionnelle menant à l'exercice d'un métier non traditionnel, et qui fournit à cet égard des données intéressantes. Les cinquante-neuf femmes interviewées avaient entre vingt et un et trente ans; elles avaient toutes une certaine expérience sur le marché du travail et 29 % d'entre elles possédaient un niveau de scolarité supérieur à celui de la formation qu'elles avaient choisie; 19 % d'entre elles étaient soutiens de famille et 42 % avaient des enfants. On peut donc se demander s'il ne vaudrait pas mieux, afin de favoriser la motivation des femmes pour choisir ces métiers, augmenter les programmes de stages et d'apprentissage en milieu de travail dès le secondaire, afin de leur fournir assez tôt une expérience de travail dans ces domaines.

Si l'on examine maintenant le travail non traditionnel au sens large, incluant non seulement les métiers, mais aussi les occupations et les professions qui avaient été traditionnellement occupées par des hommes, on constate que, comme pour les métiers, la satisfaction des femmes qui les exercent est très élevée. En effet, dans une étude réalisée en 1986 par le ministère de l'Éducation du Québec, intitulée *Au-delà des mythes: les hauts et les bas des travailleuses non traditionnelles* et qui a sondé 851 travailleuses, dont 123 diplômées du secondaire, 369 du collégial et 359 du niveau universitaire, occupant toutes un emploi non traditionnel, on a conclu que la situation professionnelle des travailleuses non traditionnelles paraissait enviable à plusieurs égards.

Les conclusions de cette recherche permettent de prendre une certaine distance par rapport aux mythes qui entourent cette question. Neuf travailleuses interrogées sur dix se disaient satisfaites ou très satisfaites de leur emploi; l'environnement au travail leur paraît agréable, et même si le tiers de ces travailleuses rapportent être souvent ou parfois la cible de blagues ou de remarques à caractère sexuel, neuf travailleuses sur dix estiment que le harcèlement sexuel n'est pas un problème grave dans leur milieu de travail, et l'évaluation qu'elles font de leur période de formation est plutôt positive.

Cependant, et c'est là, selon les auteurs de la recherche, l'aspect moins rose du portrait, la travailleuse non traditionnelle a une chance sur dix d'avoir un collègue, un supérieur ou un conjoint hostile à son orientation, une chance sur dix d'être mal accueillie à son arrivée, trois chances sur dix d'être confrontée au harcèlement sexiste, une chance sur dix de vivre un problème grave de harcèlement sexuel, une chance sur dix que son opinion compte moins que celle de ses collègues ou que ses chances de promotion soient moins élevées, deux chances sur dix que le fait d'être une femme lui nuise et seulement une chance sur dix d'avoir été encouragée par sa parenté. Toutes ces contraintes varient avec le niveau d'instruction et le taux de féminité associés à l'emploi ou au programme de formation qu'elle a choisi.

L'armée est l'un des corps d'emploi non traditionnel où le statut des femmes s'est beaucoup modifié au cours de la période 1965-1990. Bien sûr, on trouve depuis longtemps une certaine quantité de femmes dans les rangs de l'armée, où elles ont occupé des postes de secrétaires, d'infirmières ou d'autres tâches traditionnelles. Cependant, leur participation aux unités de combat a fait l'objet de nombreux débats aussi bien chez les hommes que chez les femmes: la position de plusieurs groupes de femmes a été de réaffirmer l'importance de la paix, mais aussi de se prononcer contre le sexisme dans l'armée.

En février 1985, en vertu de la Loi canadienne des droits de la personne, un tribunal exigeait le retrait dans les forces armées de toutes les restrictions d'accès à l'emploi basées sur le sexe. La seule exception: l'emploi dans certains sous-marins, où le degré d'intimité nécessaire à la cohabitation ne pouvait atteindre des normes satisfaisantes. La mise en application de cette décision devait se faire sur une période de dix ans. De ce fait, les femmes peuvent maintenant poser leur candidature à tous les postes. Elles s'entraînent avec les hommes et ont les mêmes possibilités de carrière. En avril 1991, on comptait au Canada 9024 femmes dans les forces régulières, soit 10,5 % de l'effectif total. Elles étaient 6204 dans la réserve. Il y avait vingt-deux femmes pilotes, dont quatre majors. Lors de la guerre du golfe Persique, c'est à titre de membres de l'équipage de navires de ravitaillement qu'elles ont participé aux opérations.

Au cours des dernières années, le discours sur les secteurs traditionnels et non traditionnels s'est nuancé. On s'interroge maintenant sur l'opportunité de continuer à affirmer que les emplois dits traditionnels devraient être délaissés à tout prix par les femmes, ou s'il ne vaudrait pas mieux viser à obtenir des salaires raisonnables par une meilleure évaluation et un enrichissement des tâches. En somme, la réflexion sur le travail des femmes a peut-être été entachée par des perceptions liées à la conception de leur rôle! En un mot, si un emploi appelé traditionnel est aussi rémunérateur et intéressant qu'un métier dit non traditionnel, pourquoi faudrait-il l'éviter?

La présence des femmes sur le marché du travail est irréversible. C'est un fait accompli! Mais après avoir regardé le «portrait de famille», si l'on examine plus en détail celui de quelques-uns de ses membres, on constate que les situations varient entre les mauvaises et les meilleures.

Témoignage d'une prostituée

«Quand j'étais petite, j'avais peut-être douze-treize ans, mon père me demandait de coucher avec lui, mais moi, ça ne m'intéressait pas. Je refusais à chaque fois. Alors, il s'est mis à me proposer de l'argent pour que j'accepte. Quarante piastres. Mais j'ai jamais voulu. Un jour il s'est tanné, et il m'a crissée dehors. J'avais quatorze ans. Je suis partie vivre avec un bonhomme. Je suis restée deux ans avec lui. Je travaillais dans ce temps-là, j'étais ouvrière chez London Records. Mais je me suis aperçue qu'il restait avec moi rien que pour mon argent, même si j'en avais pas beaucoup, et qu'il profitait de moi. Alors je l'ai laissé puis j'ai quitté mon emploi, et j'ai décidé d'aller me prostituer parce que c'était plus payant. Tu travailles moins longtemps, et t'as moins de problèmes. Je connaissais une fille qui faisait ça ici, c'est elle qui m'a montré.

«Eh oui! c'est ça, c'est comme ça! C'est pas compliqué de comprendre pourquoi la prostitution existe, pas la peine d'aller chercher bien loin: ce sont les pères qui prostituent leurs filles. À la campagne, au Québec, c'est monnaie courante. Et si, par miracle, la fille avait un père pas trop pire, qui n'essayait pas de la coincer dans son lit, la nuit, quand la mère était endormie, c'est le monde des hommes tout entier qui la précipite dans le plus vieux métier du monde. Ce qu'il faudrait se demander, ce n'est pas pourquoi il y a des prostituées, mais pourquoi il n'y a pas davantage de femmes qui se prostituent.»

Source: Catherine Texier et Marie-Odile Vézina, *Profession: Prostituée*, Rapport sur la prostitution au Québec, Ottawa, Montréal, Éditions Libre Expression, 1978, p. 114-115.

Le plus vieux mensonge du monde

«Je suis devenue putain pour faire de l'argent. J'avais besoin de manger.» Ce genre de témoignage pourrait se répéter à des centaines d'exemplaires si l'on interrogeait assez de prostituées. C'est le constat auquel est arrivé le Comité spécial d'étude de la pornographie et de la prostitution au Canada, créé en 1983 et qui a remis son rapport en 1985. Ce Comité, qui a étudié la prostitution sous toutes ses formes, a constaté combien il était difficile de recueillir des données quantitatives sur le sujet. Il estime que pour une ville comme Montréal, le nombre de prostituées peut varier de cinquante à cinq cents selon les définitions utilisées. De façon unanime, le Comité a reconnu que la prostitution continue d'être liée à des facteurs économiques et sociaux, mais il a cependant refusé de décriminaliser complètement la prostitution. Seule dissidente, l'avocate Andrée Ruffo, qui, condamnant les tentatives de législation visant à cacher le phénomène, déclara que les prostituées devaient être traitées comme toute autre personne qui exerce une activité commerciale, et donc protégées de la même façon.

Semblables dans un corps différent

Autre catégorie de femmes pour qui le marché du travail est parsemé d'embûches: les femmes handicapées, en dépit de récents programmes d'accès à l'égalité, n'ont guère vu leur situation s'améliorer. Leur taux de participation au marché du travail est moins élevé que celui des hommes de la même catégorie. En effet, il n'atteint que 28,4 % au Canada en 1986. Dans un rapport de recherche sur la condition des femmes handicapées paru en 1985, dont nous tirons les faits qui suivent, les auteurs se demandaient si les militantes féministes avaient oublié que certaines femmes étaient en quelque sorte frappées d'interdit social, et soulignaient à quel point les problèmes de ces femmes sont mal connus. Cependant, selon les recherches de l'Américaine Nancy Mudrick, les études se font de plus en plus nombreuses à cause de l'augmentation des femmes en général sur le marché du travail, d'une part, et de l'augmentation du nombre de femmes chefs de famille, d'autre part. Les femmes atteintes d'une déficience constituent 60 % des personnes handicapées à faibles revenus; elles sont encore plus démunies lorsqu'elles se retrouvent chefs de famille. De plus, l'accès au marché de l'emploi dépend des possibilités d'accès aux services de réadaptation; on note cependant aux États-Unis que seulement 12 % des femmes occupent un emploi après la réadaptation, contre 46 % des hommes. De plus, 30 % des femmes handicapées exercent des occupations non rémunérées, contre 4 % des hommes. Elles se retrouvent également très souvent dans des mini-ghettos, et même parfois, ironie du sort, dans des programmes spéciaux d'accès à l'égalité, où on a beau jeu de les compter dans les statistiques des employeurs.

Travail et ethnicité

Après 1970, les immigrants proviennent surtout du Tiers-Monde, des Antilles ou des pays limitrophes de l'Europe. Les femmes arrivent au Québec avec une faible scolarité, tout au plus une formation comme couturière ou domestique, pour constater que leur nouvelle vie n'est guère plus facile ici. D'autres, formées comme professionnelles et techniciennes, se trouvent souvent soumises au monopole des corporations, qui ne reconnaissent pas leurs diplômes. Elles doivent alors soit reprendre leurs études, soit accepter des emplois qui ne correspondent pas à leurs qualifications. Plusieurs ne trouveront un emploi que comme gardiennes dans un foyer, ou dans les usines qui emploient une main-d'œuvre à bon marché. Comme certains employeurs ne respectent guère la législation ouvrière, la seule façon d'échapper à des conditions de travail misérables consiste souvent à changer d'emploi.

La condition des domestiques immigrantes est souvent scandaleuse. Paradoxalement, la participation des femmes des classes moyennes au marché du travail s'appuie souvent sur l'existence d'une main-d'œuvre peu coûteuse pour s'occuper des enfants et de la maison. Plusieurs femmes de carrière, astreintes à des heures de travail qui dépassent celles de l'ouverture des garderies, comptent sur l'indispensable domestique pour les seconder. Le vieux «problème domestique» qui avait hanté les débats des premières féministes, et qui semblait être jugulé depuis la Deuxième Guerre mondiale, réapparaît sous une nouvelle forme!

En effet, puisque ces domestiques travaillent dans les maisons privées, leurs conditions de travail sont peu réglementées, leurs heures plus longues et leurs salaires plus bas qu'ailleurs. Parfois, elles sont virtuellement tenues prisonnières, travaillant sept jours sur sept sans permission de sortir. Toutefois, l'emploi comme domestique permet d'éviter la longue attente pour l'obtention d'un permis d'immigrante, et d'avoir accès plus rapidement au statut de résidente permanente. Pour les femmes des Antilles, d'Haïti surtout, du Portugal ou des Philippines, c'est une étape qu'elles espèrent dépasser pour accéder un jour au niveau de vie supérieur des gens d'ici.

Leur famille, qu'elle vive au Québec ou dans leur pays d'origine, compte sur leur salaire. Privées du réseau communautaire d'entraide qu'elles connaissaient dans leur pays d'origine, celles qui ont des enfants souffrent des doubles journées de travail, car les habitudes des hommes face au travail ménager ne se modifient pas du jour au lendemain. Malgré leur solitude, malgré la nostalgie et les bas salaires, elles veulent demeurer ici pour créer ce qu'elles espèrent être un meilleur avenir pour leurs enfants.

Lorsque les femmes immigrantes, surtout celles qui ne sont pas d'origine européenne, cherchent des emplois, elles se heurtent souvent aux préjugés et à la discrimination. Parfois, dans l'industrie du vêtement, les contremaîtresses ne veulent embaucher que les gens de leur propre groupe ethnique.

Devenues citoyennes à part entière, les néo-Québécoises viennent grossir les rangs de la main-d'œuvre. En 1986, selon une étude de Aleyda Lamotte, elles constituaient 4 % des effectifs québécois. Elles sont soit peu scolarisées, soit très scolarisées, 20 % d'entre elles ayant fait des études universitaires.

Par ailleurs, durant la période 1965-1990, on assiste à la consécration du français comme langue du travail, en 1974. Cette mesure législative provoque une restructuration du marché de l'emploi selon les affiliations linguistiques, ce qui a eu des effets positifs sur la majorité des Québécoises, car elle leur a permis d'avoir accès à des emplois autrefois réservés aux anglophones. Il n'est plus obligatoire pour les francophones d'être bilingues pour être engagées comme vendeuses, serveuses ou secrétaires. Cependant, les femmes néo-québécoises vivent de façon plus aiguë cette restructuration linguistique, car seulement 26 % d'entre elles parlent le français, dont 39 % possèdent le français et l'anglais. Cependant, les cours de français sont encore offerts en nombre insuffisant, ce qui rend leur insertion au travail plus difficile et accentue parfois l'existence des ghettos de travail.

De plus, cette législation modifie radicalement les règles du jeu pour les travailleuses de langue anglaise. Celles qui ne manient pas convenablement le français, ou qui sont incapables d'améliorer rapidement leurs connaissances linguistiques, voient leurs possibilités d'emploi se réduire de façon significative. Même les emplois autrefois disponibles à la communauté anglophone, tels que ceux d'enseignantes, se font plus rares. Ce rétrécissement du marché de l'emploi, conjugué aux occasions qui existent ailleurs, provoque le départ de travailleuses de tous les âges, poursuivant le mouvement d'exode de la main-d'œuvre de langue anglaise, déjà amorcé au milieu du dernier siècle selon l'historien Ronald Rudin. De plus, plusieurs femmes suivent, avec de jeunes familles, leurs époux qui vont occuper des emplois à Toronto ou dans les grandes villes anglophones.

Quand le cœur et la tête sont en affaires

Les femmes mariées ont elles aussi fait des gains sur le marché du travail. Et souvent grâce à leur ténacité! Les femmes collaboratrices sont de celles-là. En 1975, l'AFEAS entreprenait une étude sur la situation des femmes collaboratrices de leur mari dans une entreprise à but lucratif, puis remettait son rapport en 1976. Elle marquait de ce fait l'urgence de reconnaître dans cette catégorie un élément important de la main-d'œuvre féminine, qui apporte une contribution substantielle à l'économie québécoise. Définies dans l'étude de l'AFEAS comme toute épouse, légalement et actuellement mariée, qui vit et qui travaille avec son mari dans une entreprise à but lucratif, ces femmes faisaient l'objet d'injustice et de discrimination. Mais comme leurs revendications devaient être faites auprès de leur conjoint, plusieurs d'entre elles se montraient réticentes à réclamer certains droits. La première demande, pilotée par l'AFEAS, sera donc celle de modifier le régime fiscal afin de permettre la déduction, comme dépense d'exploitation, du salaire versé à une conjointe qui travaille dans une entreprise non incorporée appartenant au contribuable. En 1980, au Québec, puis en 1981 au Canada, le salaire d'une femme collaboratrice est considéré comme dépense d'entreprise au même titre que n'importe quel autre salaire. Cette reconnaissance marque une victoire importante. Ce travail, ainsi que celui de l'Association des femmes collaboratrices, fondée en 1980, allait contribuer à une meilleure connaissance de la situation et des besoins de cette catégorie de femmes.

En 1985, en vue d'alimenter un colloque sur le sujet, Ruth Rose-Lizée publiait un rapport visant à mettre à jour le portrait type de ces femmes et à faire état de l'évolution de leur statut légal ainsi que des conséquences économiques de ce statut.

Portrait de la femme collaboratrice de son mari

«Elle est âgée de quarante et un ans, mariée depuis dix-huit ans sous le régime de la séparation de biens (54,6 %), elle a quatre enfants. Elle travaille 23 heures par semaine dans l'entreprise qui appartient au mari seulement (84,1 %) depuis dix ans. Elle agit le plus souvent comme secrétaire (48 %), elle est toujours consultée lors des décisions importantes et son opinion est prise en considération (72 %). Elle ne reçoit aucun salaire (85 %) et possède des études de niveau secondaire (76 %).»

Source: Ruth Rose-Lizée, *Portrait des femmes collaboratrices du Québec, 1984*, Saint-Laurent, AFEAS, 1985, p. 14.

Elle souligne la difficulté d'obtenir des données statistiques sur les femmes collaboratrices. Elle évalue leur nombre au Québec entre 94 000 et 150 000, et la valeur annuelle de leur contribution à l'économie canadienne à neuf milliards de dollars. Cette étude amène l'auteure à conclure que des progrès ont été accomplis tant dans les mentalités que dans la scolarisation et dans les lois fiscales et matrimoniales. Cependant, le statut de la femme collaboratrice a encore des progrès à faire pour être pleinement reconnu, tant sur le plan législatif que sur le plan de l'exercice par les femmes de droits déjà reconnus.

Les agricultrices: aller aux champs à part entière

Alors que la main-d'œuvre féminine québécoise dans l'agriculture baissait en matière de répartition globale, passant de 2,6 % en 1951 à 1,8 % en 1987, le taux de féminité augmentait passant de 5,4 % à 28,9 % entre 1951 et 1987. Au début de l'année 1991, il y avait 27 728 agricultrices inscrites au Fichier d'enregistrement du ministère de l'Agriculture, des Pêcheries et de l'Alimentation. De ce nombre, on en retrouvait 10 414 (20 % du nombre total de propriétaires) qui déclaraient posséder des titres de propriété, alors qu'elles n'étaient que 2205 en 1981 (4 %). De plus, 2053 se déclaraient propriétaires uniques de l'exploitation agricole. On comptait aussi en 1991 treize syndicats d'agricultrices.

Grâce à un travail constant, elles ont fait des gains importants en obtenant que la Loi de l'impôt du Québec les considèrent comme employées et leur permette de déduire leur salaire des revenus de leur mari ainsi que d'avoir accès au Régime des rentes du Québec. Une des grandes victoires des agricultrices aura sûrement été la loi favorisant la mise en valeur des exploitations agricoles, votée en 1986. Cette loi portait à 15 000 $ la prime à l'établissement et donnait accès à cette prime aux conjoints possédant au moins 20 % des parts de l'exploitation, ce qui permit à environ 15 000 femmes de profiter de ces avantages entre 1986 et 1990.

Malgré ces progrès, les agricultrices trouvent encore qu'elles sont trop absentes des structures décisionnelles. De plus, elles font face aux changements technologiques et à l'évolution des biotechnologies aussi bien qu'à la compétitivité des marchés et à l'informatique. Leurs besoins de formation technique sont donc nombreux, et elles sont conscientes que leurs acquis sont fragiles. Il est fondamental de voir la qualité des travaux qu'elles ont réalisés pour analyser et comprendre leur situation. La sociologue Alice Barthez, qui a participé au colloque de 1986 sur les femmes en agriculture, disait, résumant en cela la pensée de plusieurs de ces femmes: «Quand les femmes se cantonnent dans leur rôle d'aide dévouée, bénévole, sans recherche de responsabilité particulière dans l'entreprise et sans se soucier d'une formation leur permettant d'affirmer leur position dans la profession agricole, elles contribuent à perpétuer la situation de couple faisant la femme au foyer, l'homme [étant] seul responsable de l'activité professionnelle, en l'occurrence de l'entreprise agricole.»

«Québec et associées»

Le profil de la femme entrepreneure

«Près des trois quarts des entrepreneures vivent avec un conjoint. De plus, elles ont en moyenne 2,3 enfants, alors que, à titre indicatif, la femme québécoise a en moyenne 1,4 enfant selon le recensement de 1981.

«La femme d'affaires typique est relativement jeune: en 1986, elle a en moyenne trente-sept ans.

«59,3 % des propriétaires-dirigeantes d'entreprises sont associées et 40,7 % sont propriétaires uniques.

«Les entreprises gérées par une femme sont relativement jeunes par rapport aux entreprises des hommes d'affaires. À ce titre, le fait que 38 % des entreprises des femmes d'affaires ont cinq ans et moins met en lumière la montée récente de l'entrepreneurship féminin.

«... dans l'ensemble, les femmes d'affaires consacrent moins d'heures par semaine à leur entreprise que les hommes d'affaires. Malgré cela, 40 % des femmes, contre 41 % des hommes, consacrent entre quarante et cinquante-neuf heures à l'entreprise. Par contre, il faut mentionner les heures hebdomadaires consacrées aux activités domestiques. Chez les hommes d'affaires seulement 11 % consacrent entre onze et trente heures par semaine aux activités domestiques, tandis que 48 % des femmes d'affaires y consacrent autant de temps.»

Source: Enquête réalisée en 1986 par Pierre Collerette et Paul G. Aubry pour le Centre de la PME de l'Université du Québec à Hull.

Autre note positive: une percée a été faite dans la gestion des entreprises! L'entrepreneurship au féminin a pris son élan dans les années 70, mais le développement le plus important s'est fait dans les années 80. En 1981, selon Statistique Canada, le nombre de femmes d'affaires avait augmenté de 122,4 % et celui des hommes de 24,9 %. En 1985-1986, 25 % des nouvelles entreprises créées au Québec l'avaient été par des femmes, surtout dans le secteur des services, soulignait la revue *Commerce*. Il semble même que les femmes aient plus de succès en affaires que les hommes, selon la même revue, qui cite une enquête torontoise soulignant que, en 1983, 25 % des entreprises dirigées par des hommes étaient encore en activité quatre ans après leur création, alors que ce taux atteignait 47 % pour les entreprises créées par des femmes. On estime que d'ici l'an 2000, 50 % des PME canadiennes seront dirigées par des femmes.

À vrai dire, il ne faut pas s'étonner de ce développement, car, on l'a vu, les femmes ont toujours été présentes dans le commerce, mais souvent d'une façon non officielle. Elles «aidaient leurs maris» et ne comptaient pas dans les statistiques. La généralisation du travail féminin a dédouané leur présence à la direction d'entreprises ainsi que leurs possibilités d'accès au crédit. Raymonde Létourneau, qui a fait un film sur le sujet, *Québec et associées*, a remarqué que les femmes plus âgées prenaient souvent la relève d'un père ou d'un époux décédé pour continuer à faire vivre l'entreprise, alors que les plus jeunes prenaient elles-mêmes la décision de démarrer une entreprise.

Mais tout n'est pas facile pour ces femmes. Une étude faite par le Conseil consultatif canadien sur la situation de la femme, *Une cage de verre: les entrepreneures au Canada*, a dénombré 200 000 entrepreneures et souligne l'isolement des femmes propriétaires d'entreprises, qui par manque de temps et de ressources ratent souvent des occasions d'avancer. De nombreux articles de revues et de journaux ont tenté de rendre compte de cette riche expérience; leurs titres en disent long sur le quotidien de ces entrepreneures: «Dames de cœur, femmes d'affaires», «Les banques discriminent les entrepreneures», «Suer au bénéfice de l'entreprise», «Le ras-le-bol des superwomen», «Une nouvelle génération de femmes d'affaires»!

Cadres, mais dans quel cadre?

Le pourcentage des femmes dans les postes de direction est passé au Canada de 8,8 % à 20 % entre 1974 et 1986. Au Québec, le taux de féminité était de 30,1 % en 1986 dans les postes liés à la direction de gérance et à l'administration.

Un certain nombre d'études se sont attachées à examiner la situation des femmes dans les postes de gestion, particulièrement dans les fonctions publiques. Dans une recherche intitulée *Jouer à l'égalité* et parue en 1988, Nicole Morgan soulignait combien la croissance des femmes dans les postes de gestion avait été lente et souvent pénible, aussi bien à cause de l'indifférence qu'à cause de multiples processus, souvent difficiles à identifier, qu'on nomme maintenant le «plafond de verre». Elle parle dans son étude des différents moyens de marginaliser les femmes en les plaçant dans des emplois rebuts ou piégés, ou encore des emplois vides, poubelles ou sabotés! Avec les années, il devient de plus en plus difficile de cerner les problèmes, et les diminutions de personnel dans les fonctions publiques entraîneront souvent des difficultés supplémentaires pour les femmes, qui sont souvent les dernières arrivées.

Un rapport sur les obstacles rencontrés par les femmes dans la fonction publique paru en 1980, *Au-delà des apparences*, a procédé à une enquête dans laquelle on demandait aux femmes et aux hommes s'il existait un «plafond de verre», obstacle infranchissable qui empêche les femmes d'avancer: 79 % des femmes gestionnaires ont répondu oui et 62 % des hommes gestionnaires ont répondu non. À la question de savoir si les femmes devraient être plus compétentes que les hommes pour être promues, 79 % des femmes gestionnaires ont répondu oui et 75 % des hommes non. S'il est facile de compter les femmes et de fixer des cibles quantitatives, il est beaucoup plus difficile de changer et de mesurer les attitudes et les mentalités!

Certaines études récentes ont mis en évidence que les femmes qui atteignent des postes supérieurs les quittent à un rythme supérieur à celui des hommes, particulièrement dans la catégorie des sciences et des professions, non pour faire plus d'argent, mais parce qu'elles rencontrent des attitudes stéréotypées qui les empêchent d'avancer, une culture de l'organisation suffocante et des difficultés d'équilibrer leur vie au travail et leurs responsabilités familiales.

Apprendre en travaillant

Le marché du travail actuel est en plein changement technologique en même temps qu'en pleine évolution des métiers. L'influence des changements technologiques sur les emplois a beaucoup été étudiée et toutes les théories ont fleuri: les positives et les négatives. Même si on ne sait pas encore clairement qui l'emportera, on peut dire que là où des améliorations sont possibles, il faut qu'il y ait des possibilités de recyclage et de formation. Or, la formation en milieu de travail est déficiente au Canada, où toutes les études ont prouvé que les employeurs n'investissaient pas assez dans la formation de leur main-d'œuvre. Pour les femmes, les possibilités de formation sont encore limitées par le fait que ces nouvelles formations nécessitent souvent des connaissances de base en mathématiques, en statistiques ou en sciences qu'elles n'ont pas. De plus, elles doivent être capables de concilier ces schémas de formation avec leur horaire domestique. Ces cours peuvent parfois être donnés le soir ou les fins de semaine, ce qui complique la vie des mères sans conjoint.

On peut donc craindre que si les femmes n'accèdent pas, par exemple, aux nouveaux emplois mieux payés dans certains services comme la finance, le développement, le génie ou la commercialisation, elles continueront de vivoter dans des emplois précaires ou des secteurs de services non payants. De plus, l'employeur étant maître à bord de la formation qui se donne dans son entreprise, il est fréquent que celle-ci reproduise la structure d'emplois et que ce soit les plus scolarisés qui y aient accès. D'ailleurs, l'enquête sur le travail non traditionnel dont nous avons déjà parlé confirme la reproduction de cette structure, on a donc constaté que l'accès au perfectionnement s'élève avec le niveau de formation; plus les répondantes sont scolarisées, plus l'employeur leur offre des possibilités de perfectionnement.

Remettre en question la hiérarchie du travail

Après 1965 se dessinent deux mouvements parallèles qui contesteront les structures du pouvoir dans le monde du travail: l'accès à toutes les catégories de métiers et de postes, d'une part, et la revendication d'une représentation proportionnelle des femmes à tous les échelons dans un milieu de travail donné. Ces mouvements se rejoignent dans la demande pour des programmes d'accès à l'égalité en emploi (PAE), reconnus durant les années 80 dans la Charte des droits et libertés du Québec et la Charte constitutionnelle du Canada, et considérés comme des réponses valables à certains constats de discrimination envers un groupe donné.

Les PAE ont deux buts. Ils visent à éliminer les obstacles à l'emploi et à la promotion que ne justifient pas strictement les exigences des tâches en question. En effet, il arrive fréquemment que le niveau du diplôme ou les connaissances techniques ne soient pas utiles pour un emploi donné, mais qu'ils reflètent plutôt l'expérience historique des hommes au travail. Ces programmes visent aussi à compenser le passé d'exclusion par des mesures visant à embaucher ou à promouvoir de préférence des femmes, à compétence égale.

Évidemment, de telles politiques menacent la mainmise masculine sur le monde du travail salarié... et la mise en application de ces programmes traîne en longueur. Patrons, syndicats, gouvernements exigent des clarifications, des statistiques supplémentaires, sinon des subventions avant de mettre en vigueur un Programme d'accès à l'égalité.

Après des siècles au cours desquels les femmes ont été officiellement et spécifiquement exclues de maints secteurs d'activité humaine, la philosophie des PAE bouleverse les habitudes. Au sein des syndicats, des militantes font face à la grogne des «camarades». Bref, en 1990, les femmes comprennent qu'il faudra probablement patienter une autre décennie avant de chiffrer les résultats concrets des PAE.

En somme, si on regarde le marché du travail au féminin, on peut conclure que les statistiques nous invitent à constater certains progrès quantitatifs, alors que l'examen plus fin de ce qui se passe nous fait comprendre qu'il reste encore un travail énorme à faire et que les attitudes sexistes et discriminatoires font encore partie du mode d'emploi des femmes.

CHAPITRE 17

De complément à sujet

Si la période 1965-1990 a été marquée par des changements majeurs dans l'activité économique des femmes, tant dans la sphère de la production que dans celle de la reproduction, des transformations tout aussi fondamentales ont remodelé le cadre de vie des femmes, et par le fait même celui des hommes. Jusqu'à la Révolution tranquille, la définition sociale était d'abord et avant tout subordonnée aux impératifs de l'institution familiale, dont le chef légalement incontesté était l'homme. L'individualité d'une femme mariée ne s'exprimait, quant à elle, que dans les balises de la soumission, tant légale et économique que sexuelle, au «chef», bien entendu pour «l'intérêt supérieur de la famille». Le droit d'être un individu à part entière ne se conjuguait qu'au masculin. Celles qui échappaient à ce que Marie Gérin-Lajoie qualifiait déjà au début du siècle de «mort légale de la femme», en parlant du mariage, prenaient la route du couvent ou devenaient des «vieilles filles», vues socialement comme perdantes ayant raté leur mission de femme, et astreintes, il va sans dire, à la virginité et à une moralité sans faille.

Durant ce dernier quart de siècle, les anciennes règles de l'encadrement juridique des femmes, de leur rapport à l'État et du contrôle de leur corps sont bouleversées. Les fondements déjà profondément vermoulus du statut inférieur des femmes éclatent, donnant lieu à l'affirmation d'une nouvelle identité et à la recherche de nouveaux rapports à la famille, à l'État et au corps.

Du «Bill 16» au patrimoine familial

En 1964, la loi sur l'abolition de l'incapacité juridique de la femme mariée a créé une large brèche dans l'ancien édifice juridique. Cette loi a été présentée par la pemière femme élue à l'Assemblée législative du Québec, Claire Kirkland-Casgrain. Paradoxalement, c'est une femme mariée, en principe soumise à son mari, qui a néanmoins eu le pouvoir de présenter et de voter pour une loi mettant un terme à cette soumission légale! C'est ainsi que s'amorce la révision des assises légales du mariage et de la famille, basés depuis plus d'un siècle sur la puissance maritale et paternelle et sur la soumission et la dépendance de l'épouse.

Quelques années plus tard, en 1968, le Parlement fédéral adopte la loi sur le divorce. Au Québec, avant cette date, le mariage était à toutes fins utiles presque indissoluble, car il fallait effectuer des démarches spéciales auprès du Parlement fédéral pour obtenir un divorce. Au cours des années qui suivent l'adoption de cette loi, les divorces connaissent une croissance vertigineuse: en 1969, on comptait 8,7 divorces pour 100 mariages, et en 1987, 44,8 divorces pour 100 mariages. Des milliers de femmes, qui s'étaient mariées pour le meilleur et pour le pire et qui, devant l'autel, avaient troqué leur autonomie contre l'assurance d'un contrat marital à vie, se retrouvent penaudes: elles n'étaient pas préparées à l'éventualité d'une rupture. Les divorces dévoilent au grand jour les inégalités économiques entre les époux et propulsent des milliers de femmes vers la pauvreté avec leurs enfants.

De 1969 à 1989, le gouvernement devra modifier plusieurs fois le Code civil, car l'abolition de l'infériorité légale de la femme mariée ne signifiait pas pour autant l'égalité des conjoints au sein du couple et de la famille. En 1969, le régime légal de la communauté de biens est remplacé par la société d'acquêts: désormais, les femmes se mariant sans contrat sont associées à la vie économique de la famille; au moment de la dissolution du régime, tout ce qu'un couple a acquis au cours d'une union est partagé entre les époux, alors que chacun conserve les biens propres possédés avant le mariage ou reçus par don, legs ou succession. En 1977, la notion de puissance paternelle disparaît du Code civil et est remplacée par celle d'autorité parentale. En 1980, une révision en profondeur du Code civil établit l'égalité juridique des conjoints au sein du mariage: désormais, chacun assume la direction morale et matérielle de la famille, chacun contribue aux charges du ménage selon ses facultés respectives et tous deux sont solidaires des dettes du ménage.

Cette même vision confirme, par ailleurs, ce que notre droit avait toujours reconnu, à savoir que le nom légal d'une femme demeure celui qu'elle reçoit à sa naissance. Par tradition, les femmes mariées prenaient le nom du mari. Le Conseil du statut de la femme, dans son rapport *Pour les Québécoises: égalité et indépendance*, jugeait cette tradition comme une perte d'identité. «Ceci peut paraître symbolique, écrivait-on, mais concrétise l'absence d'identité de la femme mariée, qui passe du nom de son père à celui de son mari et qui ne transmet pas son nom à ses enfants.» À partir de 1981, même si une femme mariée peut conserver le nom de son mari dans la vie courante, l'exercice de ses droits et l'exécution de ses obligations doivent s'effectuer sous son propre nom; il lui est également possible de transmettre son nom à ses enfants.

La reconnaissance de la responsabilité égale des conjoints risquait toutefois d'avoir des effets négatifs sur les femmes, qui voyaient disparaître les mesures qui les protégeaient par le passé, telles que les clauses établissant la responsabilité du mari à l'égard de ses dettes et des besoins du ménage, ou encore les donations entre vifs. Ces clauses étaient particulièrement importantes pour les femmes mariées en séparation de biens, qui avaient passé leur vie à contribuer au ménage par leur production domestique. Pour éviter que la nouvelle loi, sous prétexte d'égalité, n'ait pour effet de les appauvrir à la rupture, le législateur a prévu une prestation compensatoire; ainsi, par cette mesure, un conjoint peut réclamer une compensation pour son apport à l'enrichissement de l'autre conjoint.

Toutefois, l'interprétation de cette mesure par les tribunaux a été fort restrictive. La cause Globensky vs Globensky confirmait en 1985 que le travail au foyer ne pouvait constituer un motif suffisant pour recevoir une prestation compensatoire. Ainsi, une femme au foyer qui avait élevé cinq enfants risquait non seulement, si elle divorçait, de n'avoir aucun bien si ceux-ci étaient inscrits au nom du mari, mais de voir annuler le montant dont son époux l'avait avantagée dans son contrat de mariage, car on considérait que son travail au foyer avait représenté sa contribution normale aux charges du ménage!

Lors du *Sommet sur la sécurité économique des Québécoises — Décisions 85*, la problématique des injustices consécutives à la fin du mariage refait surface et les associations féminines font pression pour obtenir de nouveaux amendements au Code civil. C'est à la suite de ces pressions que la loi favorisant l'égalité économique des époux, pilotée par la ministre responsable de la condition féminine, est votée par l'Assemblée nationale en 1989. Cette loi sur le patrimoine familial prévoit que, quel que soit le régime matrimonial choisi par les époux, la rupture de l'union entraîne le partage à parts égales des biens du patrimoine, à savoir résidences familiale et secondaire, meubles et véhicules affectés à l'usage de la famille et gains accumulés au cours du mariage dans un régime de retraite public ou privé.

Hautement souhaitée par de nombreuses associations féminines, dont l'AFEAS, les Cercles de fermières et le YWCA, cette loi rétablit aux yeux de la Fédération des associations des familles monoparentales la confiance dans le mariage et pourra pallier dans une certaine mesure les iniquités vécues à la rupture par les personnes mariées en séparation de biens. Par contre, elle est abondamment décriée par certains groupements, dont la Chambre des notaires, qui y voient un déni de la liberté de contracter. Des éditorialistes et des chroniqueurs, habituellement peu suspects de féminisme, font l'apologie de l'autonomie économique des femmes mariées, qui est selon eux remise en cause par cette loi qu'ils qualifient de protectionniste. Enfin, un grand nombre de femmes financièrement autonomes se désolidarisent des positions des groupes de femmes: ayant bâti leur mariage dans une perspective d'autonomie économique, elles se sentent menacées par cette loi consacrant le mariage comme un partenariat économique.

Les débats passionnés autour de l'instauration d'un patrimoine familial partageable à la rupture révèlent les difficultés d'articulation des principes d'égalité dans les situations fort différentes que vivent les femmes au sein des familles. La moitié d'entre elles vivent sous le régime de la société d'acquêts, qui prévoit un large partage, alors que l'autre moitié se trouve sous le régime de la séparation de biens. La moitié des femmes mariées sont sur le marché du travail, l'autre moitié est faite de femmes au foyer de façon plus ou moins permanente, ne jouissant pas d'autonomie financière. La transformation radicale survenue au cours de ce quart de siècle dans les rapports juridiques entre époux reflète éloquemment la modification des rapports entre les femmes et les hommes. Les demandes de réforme du Code civil ont pris près d'un siècle à se concrétiser. En 1990, le mariage ne peut plus être qualifié de «mort légale» des femmes, mais il a eu largement le temps d'être remis en question.

Et le mariage?

Pourquoi donc se marier? Les fillettes des années 50 effeuillaient la marguerite en chantonnant «j'me marie, j'me marie pas, j'fais une sœur…». Celles des années 80 fredonnent autrement la comptine: «j'me marie, j'vis toute seule, j'm'accote…»!

La popularité du mariage dégringole. Pourquoi se marier, si c'est pour divorcer plus tard? L'union de fait était par le passé un phénomène tellement marginal que les statisticiens ne l'ont pas mesuré systématiquement avant 1981. Cette année-là, 8,6 % des couples québécois vivaient en union libre et, en 1986, c'est le cas d'un couple sur huit (12,6 %). Si, au cours des années 70, le choix de l'union libre se vivait comme un mariage à l'essai ou encore comme un rejet du conformisme, les années 80 sont celles de sa normalisation. Elle apparaît de plus en plus comme un substitut au mariage. Phénomène relativement marginal chez les femmes âgées de plus de quarante-cinq ans, l'union de fait est largement répandue chez les plus jeunes: 47,6 % des quinze à vingt-quatre ans et 18,6 % des vingt-cinq à trente-quatre qui vivent en couple ne sont pas mariés.

De nombreuses autochtones ont opté pour l'union libre lorsqu'elles voulaient vivre avec un non-Indien. Avant la réforme législative de 1985, c'était pour elles la seule façon de conserver leur statut d'Indienne et de le léguer à leurs enfants. On note aussi chez les personnes divorcées une tendance à privilégier cette forme d'union plutôt que le remariage.

L'aspect le plus spectaculaire des changements d'attitude à l'égard du mariage, c'est la croissance fulgurante du nombre d'enfants nés hors mariage. Ainsi en 1963, seulement 4 % des naissances avaient lieu hors mariage, alors qu'en 1989 c'est le cas de 35,6 % des naissances. Non seulement il n'est plus nécessaire de se marier pour vivre une relation de couple, mais le mariage n'est même plus perçu, par un grand nombre, comme préalable à la fondation d'une famille. Que s'est-il donc passé? En premier lieu, il importe de préciser que la notion de naissances hors mariage couvre des réalités profondément différentes entre les années 60 et 90. Pendant les années 60, les naissances hors mariage n'étaient généralement ni planifiées ni désirées.

L'existence même du concept de «filles-mères» est le reflet de rapports entre les sexes qui, tout en tolérant la liberté sexuelle chez les hommes, faisait porter tout le fardeau des grossesses qui en résultaient par les seules femmes, qui se voyaient alors plongées dans le déshonneur et la pauvreté. Ce double standard sexuel était si fortement ancré qu'on ne s'attendait pas à ce que le père, même si son identité était connue, subvienne aux soins de l'enfant. Dans son étude sur les mères célibataires, Jacqueline C. Massé rapporte les propos du directeur du Service social de Hull, Louis Beaupré, à la Conférence canadienne de service social tenue en 1952: «En fait, les pères naturels qui contribuent au maintien de l'enfant sont peu nombreux et ils sont, en grande majorité, des pères de famille ou des jeunes gens peu intelligents et peu débrouillards…»

À la fin des années 80, la situation se présente différemment: bien que plus du tiers des enfants naissent hors mariage, le pourcentage d'enfants sans filiation paternelle demeure stable, se situant à 4,8 % en 1976 et à 4,3 % en 1989. Parmi les enfants nés hors mariage, il y a ceux, constituant probablement la majorité, qui naissent d'un couple dont les parents cohabitent, mais ont décidé de ne pas se marier ou de différer leur mariage; il y a ceux dont la mère se retrouve seule sans l'avoir nécessairement souhaité, et, dans quelques cas plus rares, on trouve des enfants nés de femmes célibataires choisissant d'élever leurs enfants seules, sans la présence d'un père. Une diversité de modèles est donc apparue, dont de nombreux facteurs expliquent l'émergence.

Dans les années 40 et 50, avoir un enfant en dehors des liens du mariage signifiait pour la mère l'étiquette de «fille-mère» et pour l'enfant celle d'«enfant illégitime», d'«enfant naturel» ou même de «bâtard». La solution pour une mère était alors la séparation d'avec son enfant, le placement en orphelinat ou la mise en adoption.

La situation évolue rapidement: en 1960, 30 % des enfants nés de mère célibataire sont gardés par leur mère, 71 % en 1974 et, dans les années 90, la mise en adoption est rarissime. Il s'agit d'ailleurs d'un phénomène généralisé dans la plupart des pays. Le terme de «fille-mère», qui était apparu au Québec vers 1870, tend à disparaître vers 1970, et la honte, l'opprobre accolés à cette épithète s'atténuent. À partir de 1969, la nouvelle Loi de l'aide sociale rend la mère célibataire admissible à des prestations, alors qu'auparavant elle ne recevait officiellement pour tout soutien que les allocations familiales. Désormais, elle peut garder son enfant, puisqu'elle en a (tout juste) les moyens. Le Québec, qui avait par le passé privilégié la mise en institution des enfants nés hors mariage, favorise désormais leur prise en charge par la mère elle-même; l'aide sociale offerte aux mères célibataires amorce en quelque sorte la désinstitutionnalisation des enfants nés hors mariage.

Par ailleurs, la notion d'enfants illégitimes disparaît en 1977; à partir de 1981, il n'existe plus aucune différence entre les droits des enfants, quelles que soient les circonstances de leur naissance. Enfin, de nombreuses lois d'assurance sociale ont reconnu les unions libres, et il devient possible aux conjoints de fait de conclure entre eux des contrats d'union, même si ces ententes de vie commune ne peuvent reprendre certaines dispositions qui ne sont autorisées qu'en cas de mariage. Ces divers facteurs, en contribuant à diminuer les différences entre le mariage et l'union libre, ont favorisé la croissance des naissances hors mariage.

Être seule et mère

En même temps que s'est fissurée l'image de la mère au foyer, l'album des photos de familles ne se ressemble plus. En 1951, 7,6 % des familles avec des enfants de moins de vingt-cinq ans étaient monoparentales et les chefs de ces familles étaient majoritairement des veuves. En 1986, le pourcentage de ces familles passe à 20,8 %; les chefs en sont toujours majoritairement des femmes (87 %), mais elles portent moins souvent les vêtements de deuil, car, dans la plupart des cas, le père des enfants vit encore, mais ailleurs. Dans bien des cas, il ne contribue plus aux charges du ménage: dans 42,4 % des ménages avec enfants pour lesquels des jugements de divorce ou de séparation de corps ont été prononcés, il n'y a pas d'ordonnance de pension alimentaire. Et quand le versement d'une pension est prévu, le montant n'est pas indexé dans la plupart des cas (69 %), et la pension n'est touchée entièrement que dans 63,5 % des cas. Faut-il dès lors s'étonner que 60 % de celles que la sociologue Renée Dandurand appelle les «mères sans alliance» vivent sous le seuil de la pauvreté? La pauvreté des familles monoparentales constitue la nouvelle forme de pauvreté, qui s'est d'ailleurs accrue au cours de la dernière décennie. De plus en plus de femmes sont pauvres. Une étude récente intitulée *Vivre ou survivre? Les femmes, le travail et la pauvreté*, par le Conseil consultatif canadien sur la situation de la femme, fournit à cet égard des données intéressantes. On y démontre que la pauvreté frappe plus les femmes que les hommes, car elles gagnent de petits salaires et ont des emplois instables. Cette pauvreté est aussi liée à de nombreux autres facteurs, notamment le travail non rémunéré qu'elles effectuent au foyer auprès des enfants.

Pauvreté des femmes chefs de famille du quartier Centre-Sud de Montréal

85 % des familles monoparentales sont dirigées par une femme; près de la moitié d'entre elles ont moins de trente-quatre ans et ont plus d'un enfant;
37 % sont célibataires;
près de 50 % ont moins d'une neuvième année et environ 90 % n'ont pas poursuivi leurs études au-delà du secondaire;
66 % vivent des prestations de l'État.

Source: Le Groupe de recherche auprès de femmes chefs de famille, *Des mères seules, seules, seules,* cité par Johanne Lessard, «Prisonnières de leur pauvreté» dans *La vie en rose,* janvier 1987, p. 16.

En 1986, le Canada comptait 2,8 millions d'adultes économiquement faibles, soit 13,9 % de la population adulte. Constituant 52,1 % de la population adulte, les femmes représentent 58,7 % des personnes économiquement faibles. On peut dire que 16 % des femmes sont pauvres, contre 11,7 % des hommes. De 1971 à 1986, le nombre des femmes qui vivent en dessous du seuil de pauvreté a progressé de 110,3 % et le nombre d'hommes de 23,8 %.

Plusieurs parlent désormais de féminisation de la pauvreté. N'est-ce pas paradoxal à une époque où c'est dans une proportion sans précédent que les femmes exercent une activité économique rémunérée? Dans les faits, nous assistons vraisemblablement à une plus grande visibilité de la pauvreté des femmes. Par le passé, les femmes trop pauvres pour garder leurs enfants les plaçaient à l'orphelinat; les femmes malades ou âgées étaient prises en charge par des femmes de leur famille. La rupture des mariages a révélé la pauvreté des femmes qui ne peuvent concilier un travail rémunéré à faible salaire avec le soin des enfants; pour reprendre l'expression de l'économiste Anne Gauthier, des milliers de femmes sont passées de la dépendance économique vis-à-vis du mari à la dépendance vis-à-vis de l'État-mari.

Si la pauvreté individuelle des femmes pouvait se camoufler derrière le salaire d'un mari, celui-ci parti, elle éclate au grand jour. L'effritement des solidarités familiales et communautaires traditionnelles, la montée des divorces et la croissance de la monoparentalité sont autant de phénomènes qui rendent visible cette pauvreté.

Par ailleurs, ces changements ne sont pas sans créer de fortes tensions. Traditionnellement, les femmes soutenaient par leur travail familial non seulement les enfants, mais aussi les personnes âgées, les handicapés et les malades. L'extension du salariat et l'entrée massive des femmes sur le marché du travail les ont rendues moins disponibles et ont amené l'État, au cours des années 60 et 70, à compenser ce travail des femmes en instaurant l'universalité de nombreux services sociaux autrefois octroyés aux plus démunis seulement. C'est ainsi que l'État dit providence a organisé, à partir des taxes perçues sur les salaires des femmes et des hommes, un ensemble de services publics allant des centres d'accueil pour personnes âgées aux grands instituts psychiatriques, aux services de garde pour enfants et à l'aide sociale. Ces diverses mesures ont accéléré le passage de la solidarité familiale à la solidarité collective. Elles ont eu des effets significatifs sur les femmes, qui ont pu, grâce à ces programmes, cheminer vers une plus grande autonomie.

Or, la crise économique des années 80, l'endettement des gouvernements et la montée du néo-libéralisme économique ont remis en cause un grand nombre de services publics. L'État a freiné le développement des services de garde pour enfants; les ex-psychiatrisés sont sortis des institutions, et plusieurs d'entre eux grossissent le contingent des sans-abri, dont on évalue que 40 % sont des femmes; on préconise de plus en plus le maintien à domicile des personnes âgées, de même que celui des personnes handicapées, et on fait appel au soutien des proches; des resserrements substantiels à l'octroi des prestations d'aide sociale touchent durement les femmes monoparentales.

Les mouvements de retrait de l'État sont interprétés par de nombreux groupes de femmes comme une déresponsabilisation, comme un rejet des solidarités sociales issues des années 60. L'État souhaite que les familles se responsabilisent davantage; mais le peuvent-elles demandent les femmes. Ont-elles les moyens d'assumer ces fonctions, qui reposaient jadis sur le travail gratuit effectué au foyer par des centaines de milliers de ménagères et des milliers de religieuses? Et qui donc dans les familles hériterait de ce travail? La «crise de l'État-providence», si elle menace certains acquis sociaux importants pour l'ensemble de la société, a des résonnances particulières pour les femmes, qui demeurent encore les principales responsables des familles et nécessitent au contraire un engagement encore plus soutenu de la part de l'État.

L'aspect sans doute le plus percutant du cheminement des femmes des années 1965 à 1990 aura été la redéfinition du rapport à la famille. Depuis plus d'un siècle, les femmes luttaient pour devenir des «sujets» à part entière, tant dans la famille et au travail que sur les plans juridique et politique. À ce cheminement s'est ajoutée, au cours des vingt dernières années, une toute nouvelle dimension: celle de la prise de conscience que même si l'on pouvait devenir un «sujet», le corps pouvait demeurer «objet» de contrôle, de convoitise, de violence et de domination.

La libération des corps

La révolution féministe des années 70 coïncide avec la libération sexuelle que connaît l'Occident. On assiste alors à une confusion, largement entretenue par les médias, entre le mouvement de «libération» des femmes et celui de «libération sexuelle». L'image mille fois rappelée d'une célèbre manifestation à Atlantic City survenue à la fin des années 60, où des féministes contestant un concours de beauté auraient brûlé des soutiens-gorge, a fortement contribué à cette association. Même si, dans les faits, on ne brûla aucun soutien-gorge ce jour-là, féministes et brûleuses de soutiens-gorge se retrouvent dès lors dans le même sac. Une femme sans soutien-gorge sera soupçonnée d'être une «femme libérée» donc une féministe. On lorgne la poitrine des féministes: en portent-elles ou pas? Ce phénomène de réduction du nouveau féminisme au port des dessous féminins ressemble étrangement à l'histoire des féministes du début du siècle, qui ont connu la même rengaine: les jupes courtes, la coupe de cheveux à la garçon, l'amour libre avaient été associés à l'époque à un certain relâchement moral et au féminisme. Était-ce une façon de réduire et de ridiculiser une remise en cause qui menaçait d'être très profonde?

De sujet tabou, sinon honteux qu'elle était, la vie sexuelle de toutes, tous et chacun s'étale au grand jour. Finies les cachettes, envolés les chaperons, le corps se libère et on prononce les anciens mots interdits: plaisir, jouissance, orgasme. Jeunes ou moins jeunes, mariés ou pas, dans tous les milieux un vent de libération passe. La vie sexuelle n'est plus le territoire privilégié du mariage. Si les femmes des générations passées tentaient de demeurer vierges jusqu'à leur nuit de noces, celles des années 70 troquent l'hymen contre les pilules anovulantes. On parle d'elles comme de femmes «libérées»... Bien que les nouveaux époux se jurent encore fidélité, ils entendent les nouveaux sexologues leur parler des bienfaits (!) du mariage *open*; chasteté et fidélité semblent être des mots tombés en désuétude. Dans le cadre de cette nouvelle libération sexuelle, les femmes s'autorisent aussi à afficher librement leur désir de demeurer célibataires, de vivre avec d'autres femmes et, pour certaines, d'aimer des femmes. Certaines femmes affichent même ouvertement leur lesbianisme, lui donnant une connotation politique en ce sens qu'elles veulent signaler par là leur rejet du «pouvoir mâle» et du patriarcat. Ce courant s'est particulièrement exprimé dans la littérature, la poésie et les arts visuels. Il a aussi servi d'inspiration à de nombreuses femmes non lesbiennes qui ont découvert ainsi de nouvelles sources d'expression.

La publication en 1968 par le pape Paul VI de l'encyclique *Humanæ Vitæ* condamnant spécifiquement l'usage de la «pilule», cristallise une rupture déjà amorcée entre l'Église et la morale. Bien des catholiques, bouleversés, refusent d'obéir aux prescriptions pontificales. Parmi les remous suscités par cet événement, l'un est particulièrement significatif. L'analyse des résultats d'une enquête, présentée par Radio-Canada dans le cadre de l'émission 5D, révèle que l'Église a perdu le contrôle qu'elle exerçait sur la fécondité des couples. Seulement 12 %

Manifestation à Québec du regroupement des garderies, 1981.
Photo: Louise De Grosbois

des répondants «se considèrent obligés en conscience de se soumettre aux conclusions de l'encyclique *Humanæ Vitæ*». À peine 1,5 % des personnes mariées ont abandonné toute pratique contraceptive et 3,6 % ont changé de méthode. L'enquête révèle également qu'à peine 15 % des gens mariés et 6 % des célibataires consultent un prêtre pour les questions de contraception.

Ces changements sont fondamentaux. Les catholiques apprennent à se déculpabiliser face à la planification familiale. Dans une lettre pastorale, les évêques canadiens se distancent quelque peu de la position pontificale; considérant que la contraception relève de la conscience individuelle, ils ne s'opposent pas à sa légalisation, ce qui facilitera sans doute en 1969 le retrait du Code criminel des articles prohibant la publicité et la vente de produits contraceptifs ou la diffusion d'informations sur la contraception.

La généralisation de moyens contraceptifs fiables modifie profondément le rapport à la sexualité. Avec les nouvelles méthodes, on peut espérer éviter les «accidents» si fréquents des méthodes du calendrier, du thermomètre ou du coït interrompu, et surtout, les femmes elles-mêmes peuvent maintenant décider de contrôler les naissances sans avoir à demander à leur partenaire d'être prudent. Par ailleurs, au cours des années 60, l'efficacité croissante des antibiotiques dans le traitement des maladies transmises sexuellement (MTS) fait tomber de nombreuses inhibitions. La sexualité peut désormais se vivre sans la peur d'une grossesse non désirée et sans la hantise d'une MTS indésirable ou même incurable. Ces facteurs contribuent à dissocier de plus en plus les rapports sexuels du mariage et de la procréation; ils modifient radicalement les comportements des jeunes, qui n'attendent plus leur nuit de noces pour vivre leur sexualité. La surveillance étroite qu'on exerçait sur les jeunes filles se relâche peu à peu; on discute plus librement de relations pré-maritales et de mariage à l'essai. Les parents apprennent à vivre avec l'idée que leur fille ne sera pas vierge le jour de son mariage; les filles, quant à elles, découvrent une nouvelle liberté qui était interdite aux générations passées.

Loin d'être une tendance passagère des années 70, la libéralisation de la sexualité chez les jeunes se poursuit: en 1988, une enquête Gallup révèle que 46 % des Canadiens de vingt-cinq à trente-quatre ans déclarent avoir eu leur première relation sexuelle avant l'âge de dix-huit ans, alors que c'est le cas de 70 % des dix-huit à vingt-quatre ans! Ce mouvement se retrouve dans l'ensemble du pays: tant à Rimouski qu'à Montréal, on évalue que 40 % des jeunes du 3e, du 4e et du 5e secondaire ont déjà eu une première relation sexuelle. Ces femmes, qui auront vingt-cinq ans en l'an 2000, auront déjà une vie bien différente derrière elles.

Pendant ce temps, les comportements des aînées connaissent des fluctuations. En 1976, on évalue que trois femmes sur cinq ont déjà utilisé des contraceptifs oraux. L'engouement est cependant de courte durée. Ces méthodes contraceptives, qui ont permis une liberté sexuelle inconnue des générations précédentes, commencent à poser des problèmes. Des milliers de femmes, dans tous les milieux, éprouvent des effets secondaires, parfois très graves. Elles commencent aussi à se demander pourquoi ce sont elles qui doivent porter seules le fardeau de la contraception. Si les méthodes contraceptives maintenant en usage permettent aux femmes de décider seules, elles entraînent aussi une déresponsabilisation des hommes. Comme le note Maria de Koninck, la contraception assure la disponibilité sexuelle des femmes, qui «reflète l'inégalité des rapports entre les sexes tout en poursuivant un objectif, louable en soi, de plus grande autonomie».

La consommation de contraceptifs oraux baisse et se stabilise dans les années 80 à environ 20 %; cependant, 45 % des jeunes femmes de vingt à vingt-quatre ans continuent à l'utiliser. Les femmes recherchent d'autres méthodes: certaines se tournent vers la contraception douce, d'autres optent pour la stérilisation. Même si les contraceptifs oraux se sont améliorés et entraînent moins d'effets secondaires que par le passé, la recherche de nouvelles méthodes piétine, et encore plus du côté de la contraception masculine. D'après l'enquête Santé-Québec, les deux tiers des femmes de trente-cinq à trente-neuf ans sont stérilisées ou ont un conjoint stérilisé. Au cours des ans, on note un certain mouvement vers un partage de la responsabilité de la contraception: si, en 1976, il se pratiquait six fois plus d'hystérectomies et de ligatures des trompes que de vasectomies, dix ans plus tard, le rapport est de deux à un. Changement notable même si la balance penche toujours du même côté.

Enfin, au cœur de cette révolution sexuelle, les peurs du passé renaissent. La pénicilline ne règle pas tout: on constate une recrudescence des MTS. La fin des années 80 est marquée par l'apparition du sida qui, pour le moment, fait encore mourir plus d'hommes que de femmes, mais qui ébranle les nouvelles morales sexuelles de tout le monde.

Moins d'enfants

Les femmes ont de moins en moins d'enfants. L'indice synthétique de fécondité poursuit la chute amorcée au XIXᵉ siècle: il passe de 3,07 enfants par femme en 1965 à 1,58 en 1989. La famille moyenne est désormais composée de deux enfants, et les familles de trois marmots sont vues comme de grosses familles. Ce comportement moyen camoufle cependant des réalités différentes; ainsi, les néo-Québécoises ont un indice synthétique de fécondité plus élevé que la moyenne, soit de 1,96 enfant par femme en 1986; il en est de même pour les autochtones, qui ont davantage d'enfants.

Un fait qui peut sembler paradoxal à une époque de faible natalité, c'est que la maternité fait maintenant partie de la vie d'une plus grande proportion de femmes que par le passé. La démographe Madeleine Rochon, rappelant que, dans la génération des femmes nées en 1911-1916, 26 % des femmes n'ont pas eu d'enfants, note ensuite que seulement 12 % de celles qui sont nées en 1944-1945 n'en ont pas eu! Ces enfants, on les a aussi de plus en plus tardivement: les femmes nées immédiatement après la guerre ont leur premier enfant au début de la vingtaine (vingt et un ou vingt-deux ans), alors que celles nées vers 1962 l'ont à vingt-six ans. Cependant, on remarque une évolution à la hausse du taux de grossesse chez les jeunes: 14,6 % des femmes de la génération de 1965-1966 auront été enceintes avant l'âge de vingt ans.

Globalement, les années 1965-1990 auront connu une chute constante de la fécondité, amorçant toutefois une certaine reprise à partir de 1987. Faisant le bilan, Madeleine Rochon note qu'à l'instar de la majorité des pays occidentaux, qui connaissent une croissance nulle ou une décroissance de leur fécondité, le Québec aura à faire face au vieillissement de sa population, quel que soit son taux de fécondité.

Les questions démographiques ont pris une importance considérable durant les années 80: le vieillissement de la population et la diminution du poids démographique du Québec dans l'ensemble canadien ont particulièrement retenu l'attention du gouvernement, qui préconise une augmentation de la natalité et de l'immigration. Ces préoccupations ont trouvé un écho dans les médias, et un documentaire-choc controversé de Lise Payette, intitulé *Disparaître*, a pris pour sujet ce que d'aucuns appellent la «crise démographique».

Parmi les mesures de redressement démographique mises en place, certaines visent spécifiquement la natalité. Le gouvernement québécois a instauré des primes à la naissance: en 1989, il accorde 500 $

à la naissance du premier enfant, 1000 $ pour le deuxième et 4500 $ pour le troisième et pour chaque enfant suivant. Fier des effets supposés de sa politique, même si la fécondité avait déjà commencé à remonter avant son annonce, le ministre des Finances augmente à chaque budget sa mesure pour le troisième enfant, qui «vaut» 7500 $ en 1991... Ces primes à la naissance, qualifiées de «bébé-boni», sont regardées avec scepticisme par les groupes de femmes, qui y voient une volonté gouvernementale d'opter pour une politique nataliste plutôt que pour une politique familiale, misant davantage sur la quantité plutôt que sur un véritable soutien à long terme pour celles qui ont les enfants.

Lassées d'être la cible des recherches et des interrogations des penseurs, qui ont pour effet de rendre les femmes responsables de la chute de la natalité, des chercheuses et des groupes féministes posent de nouvelles questions: Qu'en est-il de la paternité? Pourquoi ne remet-on pas en doute le fait que les hommes soient si nombreux à l'éviter? Pourquoi y a-t-il si peu de soutien social et économique aux familles? Pourquoi est-ce si difficile d'harmoniser travail et famille? De façon plus fondamentale, la «survie» du Québec passe-t-elle inévitablement par la solution nataliste?

Nous aurons les enfants que nous voulons!

Puisque les femmes peuvent désormais contrôler leur fécondité grâce à une contraception plus efficace, on aurait pu croire qu'elles pourraient aussi ne porter que les enfants qu'elles désirent, donc qu'il leur serait possible de mettre facilement un terme à une grossesse non désirée. Autant la législation sur le contrôle des naissances paraît désuète dans les années 60, alors que 50 millions de contraceptifs se vendent annuellement au Canada, autant la législation sur l'avortement semble anachronique. Le Code criminel édicté en 1892 considère que l'avortement est un crime passible d'emprisonnement à perpétuité: or, dans les années 60, il se pratique chaque année au Canada, estime-t-on, entre 50 000 et 100 000 avortements.

Dès 1960, le Conseil de l'Église unie du Canada, puis l'Association médicale canadienne réclament des assouplissements à la loi. Le Conseil national des femmes juge en 1964 la loi canadienne «confuse, conflictuelle, dépassée et dans certains cas injuste».

À la faveur de la réforme du Code criminel, l'État tente de dissocier morale et législation. «L'État, proclame Pierre Elliott Trudeau, alors ministre de la Justice, n'a rien à voir dans les chambres à coucher de la nation.» S'ensuit en 1969 le retrait de la contraception et de l'homosexualité de la liste des crimes. Mais l'avortement, lui, demeure un crime: par mesure d'exception, les avortements pourront être pratiqués dans un hôpital sur autorisation d'un «comité thérapeutique» formé d'au moins trois médecins. Certes, l'État se retire de la chambre à coucher, mais il semble bien décidé à en contrôler les éventuels produits... Comme le souligne l'historien Angus McLaren, le maintien de la criminalisation, qu'on a pourtant appelé libéralisation, servira de déclencheur au débat sur l'accès à l'avortement.

En 1970, le rapport de la Commission royale d'enquête sur la situation de la femme au Canada (rapport Bird) dénonce les problèmes d'accessibilité et de délais qu'entraîne la nouvelle législation. Considérant qu'une loi ayant davantage d'effets négatifs que positifs est une mauvaise loi, la majorité des commissaires propose à ce moment de rendre l'avortement accessible sur demande lors du premier trimestre et de ramener la nécessité de l'autorisation à un seul médecin, si la santé physique et mentale de la femme le requiert, pour une interruption de grossesse au-delà de la 12e semaine de gestation.

Au sein de la commission, les avis sont toutefois partagés, signe annonciateur des débats des décennies suivantes. Ainsi, dans son opinion minoritaire exprimée en annexe du rapport Bird, le démographe

Marche pour la libéralisation de l'avortement au printemps de 1979.
Collection privée — Claudine Kurtzman

Jacques Henripin, se fondant sur le respect de la vie, ne souhaite pas de libéralisation de la loi. La commissaire Elsie Gregory MacGill, quant à elle, trouve la position du rapport trop timorée; selon elle, l'avortement étant une question privée entre une femme et son médecin, on doit le retirer du Code criminel. À défaut d'un tel retrait, dit-elle, on risque de traîner durant une ou deux décennies, des interdits qui pénaliseront les femmes. Paroles prémonitoires s'il en est!

En 1970, le médecin Henry Morgentaler ouvre, rue Sainte-Famille, à Montréal, une clinique où il pratique des avortements. Parce qu'il exerce dans une clinique et non à l'hôpital et qu'il ne se soumet pas à l'obligation du Comité thérapeutique prévu au Code criminel, sa pratique est considérée illégale. Commence alors la longue saga juridique de ce médecin, qui défiera durant vingt ans partout au Canada les diverses législations visant à restreindre l'accessibilité à l'avortement.

L'arrestation, le procès et l'emprisonnement du Dr Henry Morgentaler donneront aux forces féministes et progressistes l'occasion de se regrouper. L'influence qu'exerce le mouvement féministe dans la campagne de soutien au Dr Morgentaler facilitera la diffusion des problématiques féministes concernant le corps des femmes. Le Comité de lutte pour l'avortement et la contraception libres et gratuits, formé de représentantes de la Corporation des enseignants du Québec (CEQ), de l'Association pour la défense des droits sociaux (ADDS) et du Centre des femmes, voit la contestation des lois limitant la pratique de l'avortement comme une étape dans une lutte à long terme. Ce comité publie le manifeste *Nous aurons les enfants que nous voulons*, en annexe de la pièce de la troupe féministe du Théâtre des cuisines en 1974, puis, en 1975, un Dossier spécial sur l'avortement et la contraception libres et gratuits.

La plupart des groupes de femmes au Québec, sauf ceux affiliés à l'Église catholique, soutiennent l'action du Dr Morgentaler. Défilés, spectacles, ventes de macarons se succèdent. La presse est largement sympathique à la cause du Dr Morgentaler. Ses procès démontrent la difficulté qu'éprouvent les femmes du Québec à se procurer des avortements thérapeutiques. Ainsi, dans les hôpitaux catholiques, les médecins refusent de mettre sur pied des comités thérapeutiques ou donnent rarement leur approbation. Six ans après l'entrée en vigueur de la loi, 90 % des hôpitaux québécois n'ont pas de comité thérapeutique, ce qui signifie qu'on ne peut y pratiquer l'avortement.

Un jury de citoyens reconnaît le Dr Morgentaler innocent, mais la Cour d'appel du Québec renverse ce verdict, décision entérinée par la

Cour suprême du Canada. L'opinion publique se soulève devant l'arrogance des juges qui condamnent celui qui a été acquitté par un jury. Devant ces protestations, on fait amender le Code criminel pour éliminer à l'avenir de tels jugements, mais le Dr Morgentaler purge une peine de prison avant de pouvoir continuer sa pratique à Montréal.

L'arrivée au pouvoir en 1976 du Parti québécois, dont bon nombre de militantes sont des féministes engagées, modifie la dynamique. N'ayant aucun pouvoir en matière de législation criminelle, le Québec fait porter son intervention sur l'accessibilité. En 1978, on crée des cliniques de planning des naissances dotées de services d'avortement appelées «cliniques Lazure», du nom du ministre de la Santé d'alors.

Si le mouvement des femmes marque des points, la réplique se fait par ailleurs fort virulente. Aux États-Unis et au Canada, des mouvements néo-conservateurs d'inspiration fondamentaliste s'opposent à la liberté de choix des femmes et se font de plus en plus visibles. Se donnant le titre de «pro-vie», ils mènent une propagande active et tentent de faire interdire les avortements, tant par des manifestations que par des poursuites judiciaires. On verra au Québec ces militants maintenir de fortes pressions pour empêcher la mise sur pied de comités thérapeutiques dans les hôpitaux; cherchant à faire interdire la pratique d'avortements dans les CLSC, ils y réussissent d'ailleurs à Sainte-Thérèse en 1985; ils entament des poursuites contre des médecins, notamment à Chicoutimi. Cependant, le gouvernement libéral de retour au pouvoir en 1985 maintient la conduite du gouvernement antérieur, et le ministre de la Justice, Herbert Marx, abandonne ces nouvelles poursuites.

Cette guérilla judiciaire prend un tournant majeur en 1988, lorsque, dans le jugement Morgentaler, la Cour suprême du Canada déclare inconstitutionnel l'article 251 du Code criminel: l'avortement n'est donc plus un crime au Canada. Dans le jugement, la juge Bertha Wilson écrit: «Je conclus donc que le droit à la liberté énoncé à l'article 7 (de la Charte constitutionnelle du Canada) garantit à chaque individu une marge d'autonomie personnelle sur ses décisions importantes touchant intimement à sa vie privée (…) Le droit de se reproduire ou de ne pas se reproduire, qui est en cause en l'espèce, est l'un de ces droits et c'est à raison qu'on le considère comme faisant partie intégrante de la lutte contemporaine de la femme pour affirmer sa dignité et sa valeur en tant qu'être humain.» Ce texte, qui émane de la plus haute instance judiciaire du pays, est accueilli par le mouvement des femmes comme une immense victoire.

Mais l'histoire ne s'arrête pas là: nouveau rebondissement à l'été 1989. Un amant éconduit pour cause de violence conjugale conteste le droit de son ex-amie de se faire avorter et obtient à cet effet une injonction. Cette affaire, connue sous le nom de Daigle-Tremblay, soulève la question des droits du fœtus, de la mère et du père. Cette injonction crée des remous considérables et une large mobilisation des femmes. Des jeunes qui ne s'étaient jamais mobilisées, qui ne se disaient même pas féministes, descendent dans la rue. Jean-Guy Tremblay, par sa requête, tente de créer un nouveau droit, celui du fœtus et du père s'inscrivant en contrepoids de celui d'une femme. Dans la nouvelle trilogie père-mère-fœtus, la femme ne possédera-t-elle que le tiers des voix? La Cour suprême rejette les prétentions de Jean-Guy Tremblay et finit par autoriser alors l'avortement (il est à noter que Chantale Daigle n'a pas attendu le résultat des délibérations…). Le jugement conclut que le Code civil du Québec ne confère pas au fœtus la personnalité juridique et statue qu'aucune base juridique ne permet à un tiers, fût-il le père présumé, de s'opposer à la décision d'une femme d'interrompre sa grossesse. Cette décision vient dissiper le climat d'incertitude créé par cette affaire et confirmer le principe de l'autonomie reproductive des femmes.

Parallèlement à cette saga judiciaire, les élus au Parlement fédéral discutent ferme, répondant au vœu de la Cour suprême, qui, dans le jugement Morgentaler, enjoignait le Parlement de formuler une nouvelle loi.

Pour combler ce que plusieurs se plaisent à qualifier de «vide juridique», le gouvernement dépose en mai 1988 à la Chambre des communes un projet sur les orientations à privilégier dans une éventuelle loi. Des milliers de femmes s'opposent à cette démarche de recriminalisation lors de la Journée nationale pour le droit à l'avortement libre et gratuit. Si une intervention doit avoir lieu, affirment-elles, c'est par une loi qui assurera l'égalité d'accès aux services d'interruption de grossesse. Fin juillet la motion gouvernementale est battue. Cette victoire par défaut des tenants de la liberté de choix donne néanmoins un portrait peu rassurant: 47 % des députés votants avaient une position «pro-vie». Fait nouveau, cependant, le vote libre, sans obligation de respect de lignes de parti, a dévoilé les positions des femmes députées. Qu'elles soient conservatrices, libérales ou néo-démocrates, note la journaliste Manon Cornellier dans *Le devoir*, c'est avec une rare unanimité que toutes celles qui se sont exprimées se sont prononcées pour le libre choix en début de grossesse, quand ce n'était pas pour toute sa durée; elles ont toutes rejeté la criminalisation de l'avortement. Même la députée Gabrielle Bertrand, personnellement opposée à l'avortement, affirme: «Chaque femme a sa conscience, chaque femme a sa liberté. Qui suis-je pour juger comme criminelle cette femme qui, pour des raisons personnelles et différentes, se décide à interrompre une grossesse?» Mais dans ce débat, tous les porte-parole «pro-vie» étaient des hommes... et ce Parlement est composé à 90 % d'hommes.

En 1990, le gouvernement revient à la charge. Cette fois-ci, ne prenant pas de risque avec les femmes de son parti, il exige des membres du cabinet la solidarité ministérielle et c'est la nouvelle ministre de la Justice, Kim Campbell, qui pilote le projet de loi. Adoptée au Parlement par une faible marge de dix voix, la loi est cependant rejetée par le Sénat, pour de multiples motifs ayant peu à voir ou totalement opposés à ceux du mouvement pro-choix. Après ces deux échecs, la ministre de la Justice annonce que le gouvernement n'a pas l'intention de présenter une nouvelle législation.

Au terme de vingt ans de débats et de mobilisation du mouvement des femmes, l'avortement n'est plus un crime et le gouvernement renonce à le criminaliser. Mais sera-t-il considéré par les provinces au même titre que tout acte médical régi par des principes d'accessibilité et d'universalité? C'est un nouveau chapitre de l'histoire du droit des femmes au contrôle de leur corps qui s'ouvre. Si la conquête du droit de vote a marqué le féminisme de la première moitié du siècle, souligne la politicologue Diane Lamoureux, celui de la fin du siècle passera probablement à l'histoire comme le féminisme de la conquête du droit à l'avortement.

Lorsque l'enfant ne paraît pas

Le déclin de la natalité continue à marquer l'Occident de la fin du XXe siècle. L'enfant se fait rare et devient objet d'un désir planifié. Mais qu'arrive-t-il lorsqu'il se fait attendre, lorsque l'infertilité est diagnostiquée?

C'est en Angleterre, il y a deux siècles, qu'était expérimentée la première insémination artificielle. Cette possibilité de séparer la reproduction humaine d'un rapport sexuel entre un homme et une femme ne devait se développer qu'au cours des années 60. On entend alors parler çà et là de donneurs de sperme et de femmes inséminées qui auront un enfant grâce à cette technique. Si certaines voix s'élèvent pour dénoncer cette pratique, d'ailleurs interdite dans certains pays, le sujet soulève peu de débats au Canada et au Québec.

Mais voilà qu'en 1978 naît en Angleterre Louise Brown, le premier bébé-éprouvette. Le Québec emboîte le pas, et un garçon, Benjamin-Pierre (dont fut tu le nom de famille), naît en 1985. Les «bébés-éprouvettes» sont arrivés. C'est le triomphe! Les exploits biomédicaux font la une des médias. On peut désormais concevoir un enfant en dehors du corps humain. Le mariage en éprouvette peut remplacer la rencontre sexuelle ou amoureuse. La fécondation *in vitro* aura fait naître en l'espace d'une décennie environ 3000 enfants dans le monde entier, sans compter les milliers qui voient le jour grâce aux diverses techniques de procréation médicalement assistée.

En une décennie, dans la plupart des pays occidentaux, des centres offrant la fécondation *in vitro*, le transfert d'embryon et l'insémination artificielle sont mis sur pied. En 1990, on dénombre au Québec cinq de ces cliniques. Parallèlement se développe la maternité par substitution, qu'on a appelée à tort le phénomène de la «mère porteuse».

Le taux de succès de l'insémination artificielle est de 4,7 % alors que celui de la fécondation *in vitro* se situe entre 0 et 5 %. Malgré ce faible taux de réussite, des femmes s'engagent dans un processus encore à un stade expérimental où les interventions sont lourdes et éprouvantes. Elles doivent souvent laisser leur emploi pour être disponible pour les traitements. Si la grossesse se rend à terme, les chances sont fortes d'avoir des naissances multiples et des bébés de petit poids. Par ailleurs, on assiste à un recours de plus en plus fréquent au diagnostic prénatal: la science propose l'enfant parfait sans tares congénitales, l'enfant à la carte...

Ces fulgurants développements scientifiques, appuyés dans un premier temps par un engouement médiatique, suscitent peu à peu de lourdes interrogations. Des femmes remettent en question ces pratiques et soulèvent les problèmes éthiques qui y sont reliés. Le Conseil du statut de la femme du Québec en a fait une priorité de recherche et a lancé le débat dans une perspective d'un féminisme humaniste où sont abordées les problématiques de l'intégrité de la maternité et du contrôle de la fécondité. Dans la foulée du Forum international sur les nouvelles technologies de la reproduction organisé par le Conseil en 1987, de nombreuses associations féminines et différents groupes de juristes ou de déontologues sont intervenus dans le débat.

À la suite de pressions exercées notamment par des féministes partout au pays, le gouvernement fédéral met sur pied en 1989 une Commission royale d'enquête dont l'un des mandats est de suggérer un futur cadre législatif. Le Québec, quant à lui, inscrit un encadrement de certaines pratiques dans son projet de révision du Code civil. En l'espace de quelques années, sous couvert de secourir les couples infertiles, nous assistons à la création du besoin de l'enfant à tout prix, coûte que coûte. Le lien biologique devient plus important que l'enfant comme être social. Au cours des audiences de la Commission royale d'enquête sur les nouvelles technologies de reproduction, des femmes autochtones donnent un son de cloche différent: l'enfant peut appartenir à la communauté, et point n'est besoin d'être la mère biologique pour vivre un rapport avec l'enfant qui soit gratifiant.

Accoucher dans la douleur?

L'avènement de ces nouvelles technologies de la reproduction ne fait que renforcer un phénomène qui se dessinait depuis quelques décennies, à savoir la médicalisation de la naissance. La parole biblique «tu enfanteras dans la douleur», on en convient, n'est guère inspirante. La médecine venait combler le rêve séculaire de l'accouchement facile et sans douleur. Anesthésies, épidurales, épisiotomies, césariennes, toutes destinées à réduire la douleur de l'enfantement, deviennent des gestes de routine. Ainsi, l'accouchement, autrefois acte naturel et affaire de femmes, est devenu un acte médical comme un autre, où la «patiente» a peu à dire dans un traitement qu'on lui impose «pour son bien». Dans les années 60, le développement des services de santé modifie aussi les accouchements chez les femmes autochtones. Certaines sont envoyées par avion, quelques semaines avant l'accouchement, dans les hôpitaux du sud où elles se retrouvent seules, d'autres accouchent désormais au dispensaire de la réserve, alors que certaines continuent d'accoucher avec l'aide d'une sage-femme ou d'une infirmière, ce qui devient toutefois de plus en plus difficile. Les femmes commencent à refuser ces accouchements surmédicalisés et quelques hôpitaux à l'écoute de ces critiques tentent de rendre l'accouchement moins dépersonnalisant en ouvrant notamment des chambres de naissance.

Ces réformes n'arrivent toutefois pas assez vite et ne vont pas assez loin pour celles qui veulent reprendre en main leurs accouchements ou se faire assister par des sages-femmes à domicile. La pratique des sages-femmes, on le sait, n'est pas autorisée par la loi, et le puissant lobby de la profession médicale est farouchement opposé à toute tentative d'enlever aux médecins le contrôle de l'accouchement. Le torchon brûle entre médecins et féministes. De plus en plus de sages-femmes pratiquent malgré les interdits. À cause des conséquences, encore plus lourdes pour elles, de l'accouchement à l'hôpital, des femmes autochtones résistent: à Manouane, des femmes falsifient la date de leurs dernières règles pour rester à la réserve et y accoucher, soit avec l'infirmière, soit avec une sage-femme. D'autres se «sauvent» du foyer d'hébergement pour les Amérindiens à Joliette pour retourner accoucher chez elles. Partout au Canada, la reconnaissance de la pratique des sages-femmes devient le symbole de la réappropriation de l'accouchement et d'une approche globale de la naissance.

Enfin, en 1990, le gouvernement du Québec, malgré l'opposition du corps médical, permet la pratique des sages-femmes par l'implantation de projets-pilotes. Ce début de légalisation annonce une nouvelle ère pleine de promesses pour les femmes; paradoxalement, il coïncide avec la volonté de réduire les dépenses publiques au chapitre de la santé. Combien de sages-femmes pourra-t-on payer avec les économies réalisées sur les traitements des gynécologues-obstétriciens?

À notre santé

La santé semblait autrefois être l'un des royaumes des femmes; n'étaient-elles pas mères soignantes, infirmières, aides-malades et même propriétaires d'hôpitaux? Depuis près d'un siècle, le système médical est progressivement dirigé par les médecins, et de nombreux aspects de la vie biologique des femmes ont été pris en charge par les experts médicaux. Puberté, ménopause, maternité, périnatalité, contraception, fécondité se sont peu à peu médicalisées.

Femmes itinérantes

«Tracer un portrait-robot de *la* femme itinérante est infaisable. Évidemment, ce sont des femmes en difficulté, sans adresse permanente, sans lien affectif stable, aux prises avec des problèmes d'argent, de santé, de logement, de violence familiale, souvent intoxiquées. Mais de plus en plus d'itinérantes jeunes — bénéficiaires de l'aide sociale de moins de trente ans, souvent prostituées — s'ajoutent aux vieilles femmes expulsées de leur logement, aux autochtones "déculturées" et aux femmes alcooliques.

«Grâce à la désinstitutionnalisation des services de santé, des centaines de patientes d'hôpitaux psychiatriques se retrouvent maintenant dans le circuit de l'itinérance, aux côtés de femmes violentées fuyant leur mari ou leur agresseur. Enfin, autre phénomène nouveau, les intervenantes des maisons d'hébergement remarquent une augmentation du nombre de femmes récemment immigrées au Québec, souvent illettrées, abandonnées par des maris mieux intégrés et à la recherche d'épouses plus "modernes".

«Alors qu'à Montréal seulement on évalue leur nombre à près de 3000, il n'y a que sept lits disponibles dans les cinq maisons d'hébergement qui leur sont spécifiquement réservées... En un an, on a dû refuser 3729 demandes d'admission.»

Source: Françoise Guénette, «Sous les ponts de Montréal» dans *La vie en rose*, avril 1987, p. 24.

Vers le milieu des années 70 s'amorcent de nouvelles réflexions sur la santé. À la suite de la remise en cause du «pouvoir médical» par Ivan Illich, les analyses foisonnent. Des chercheuses décortiquent les données statistiques et découvrent qu'après l'âge de quinze ans les femmes constituent la majorité de la clientèle des services médicaux. Si certains en ont conclu un peu rapidement que les femmes étaient plus malades que les hommes, des études plus raffinées expliquent ultérieurement cette sur-représentation, notamment par le fait de leur plus grande longévité et par l'ensemble des actes médicaux liés à la reproduction. D'autres études identifient clairement les différences entre les femmes selon qu'elles sont jeunes, âgées, pauvres, monoparentales ou membres de communautés culturelles. Des praticiennes développent des pratiques de rechange en santé et en auto-santé, d'autres révèlent le sexisme en santé mentale, d'autres encore fondent des centres de santé des femmes, élaborent des thérapies féministes, ouvrent des services de référence dans les centres des femmes qui poussent un peu partout au Québec.

Non seulement les femmes vivent plus longtemps que les hommes, mais l'espérance de vie des Québécoises est l'une des plus élevées du monde. Cette endurance des femmes face à la vie et leur habitude de vivre plus longtemps que l'autre sexe ont sûrement contribué à faire taire les vieux arguments «scientifiques» sur l'infériorité biologique du «sexe faible». Hommes et femmes vivent en moyenne treize ans de plus qu'en 1941, mais ce sont les femmes qui ont fait les gains les plus importants en longévité. Entre 1941 et 1981, l'écart d'espérance de vie des hommes et des femmes est passé de 1,4 année à 7,7 années. Qui oserait encore prétendre qu'on puisse vivre en moyenne sept ans de plus que les hommes et être en même temps des êtres faibles?

Néanmoins, cette conquête d'années de vie ne se traduit pas nécessairement par une belle vie. On calcule que, en moyenne, les femmes connaîtront dans leur vie près de onze années de maladie et de perte d'autonomie. L'étude de Louise Guyon fondée sur l'enquête Santé-Québec a mis en lumière l'association entre pauvreté et mauvaise santé. Les femmes plus âgées sont plus nombreuses à être pauvres; elles se déclarent davantage en mauvaise santé que les hommes. Au moment de l'enquête, 73 % des femmes de soixante-cinq à soixante-quatorze ans et 83 % des plus âgées consommaient au moins un médicament; parmi ceux-ci, les psychotropes occupent la première place. Si les femmes se voient prescrire deux fois plus de tranquillisants que les hommes, le phénomène est encore plus marqué chez les femmes âgées, où l'on constate que le quart d'entre elles a reçu au moins une prescription de tranquillisants.

Les femmes chefs de famille monoparentale sont, pour les deux tiers d'entre elles, défavorisées économiquement, et présentent davantage de problèmes de santé que celles de famille biparentale, de même qu'un niveau de détresse psychologique plus élevé. À nouveau, la corrélation entre situation socio-économique et santé se dévoile. Les données mettent aussi en lumière que plus la monoparentalité dure longtemps, plus la perception qu'on est en mauvaise santé augmente, signe, comme le note Guyon, que l'on ne s'adapte pas à la monoparentalité.

Les femmes des communautés culturelles, quant à elles, déclarent un état de santé similaire à celui des Québécoises d'origine. Dans l'ensemble, elles subissent moins de tests préventifs;

cependant, les femmes plus jeunes auraient des comportements à l'égard de la santé plus semblables à ceux de l'ensemble des Québécoises.

La jeunesse n'est, par contre, pas toujours un gage de santé. Ainsi, plus du tiers des adolescentes présentent des niveaux de détresse psychologique élevés alors que c'est le cas de 16 % des garçons. La détresse atteint plus de la moitié des jeunes femmes provenant de milieux très pauvres. À cela, s'ajoutent des comportements différents chez les jeunes femmes par rapport à celles des époques précédentes. Alors que, dans l'ensemble de la population du Québec, on consomme moins d'alcool que par le passé, chez les jeunes, il y a augmentation, notamment chez les jeunes femmes. La consommation d'alcool chez les femmes, jadis si réprouvée, devient plus visible. Elles n'ont plus besoin de se cacher pour boire et les lieux publics leur sont ouverts. Aller prendre une bière n'est plus l'apanage des hommes: l'alcoolisme non plus.

La cigarette a longtemps été vue comme une prérogative masculine, et de nombreuses générations de jeunes femmes se sont fait interdire ou reprocher de fumer. Elles commencent à fumer vers les années 20, mais c'est au cours de la guerre de 39-45 qu'elles deviennent elles aussi des fumeuses. Associée à l'idée de libération et d'autonomie ainsi qu'à celle de sociabilité, la cigarette les recrute de plus en plus: ainsi, depuis trente ans, les femmes continuent à augmenter leur consommation de tabac, alors que celle des hommes diminue. Selon le Conseil des affaires sociales, le comportement des femmes suivrait celui des hommes avec trente ans de retard. Les femmes de 1980 fument, dit-on, comme les hommes de 1950.

Les campagnes anti-tabac des dernières décennies, dont les modes d'intervention ne sont pas sans rappeler les campagnes de tempérance du début du siècle et la prohibition, ont convaincu un bon nombre de Québécois d'abandonner la cigarette. Cependant, les jeunes femmes sont moins perméables à ce mouvement; en 1987, chez les jeunes, on trouve plus de fumeuses que de fumeurs...

Les femmes, qui s'étaient toujours occupées de la santé des autres, ont effectué un virage majeur: elles se sont penchées sur leur propre santé. Dans cette démarche, le mouvement en santé mentale des femmes a été déterminant. La réflexion des intervenantes a permis de dévoiler que les «psy» de tout genre basaient leurs interventions sur une lecture essentiellement culturelle des comportements féminins; tant leurs théories que leurs traitements s'inspiraient d'un modèle de femme destinée à la sphère domestique. Des colloques tels que celui portant sur les femmes et la folie en 1980, puis de multiples actions de recherche et de formation des soignants et des soignantes, ont produit de nouveaux concepts et de nouvelles thérapies. Certes, des femmes recherchent toujours de l'aide, mais, envers elles, le paysage de la santé mentale s'est modifié. Celle qui demande de l'aide n'est plus vue nécessairement comme une folle à qui on administre une petite pilule pour les nerfs.

Quand le diable bat sa femme...

Battre sa femme a été longtemps permis et toléré. Battre sa femme a aussi fait l'objet de maintes plaisanteries. Qui n'a pas prononcé ou entendu l'adage populaire qui dit que lorsqu'il pleut et qu'il fait soleil en même temps, le diable bat sa femme? Et tout le monde britannique connaît les personnages de Punch and Judy, marionnettes d'origine médiévale qui font rire les assistances avec leurs querelles, leurs coups et l'inévitable raclée finale que Punch administre à Judy. Battre sa femme a longtemps été vu comme un droit de l'homme; les chrétiens se firent longtemps lire le célèbre verset de la lettre de saint Paul aux Éphésiens recommandant «que les femmes soient soumises en tout à leurs maris» (Ép. 5, 24). Qu'arrivait-il donc aux insoumises?

La violence conjugale

«Le Centre national d'information sur la violence dans la famille énumère trois sortes de violence à l'égard des épouses: une *violence grave* dont les manifestations sont, entre autres, les coups de poing et les coups de pied; une *violence moins grave* qui se manifeste surtout par les poussées et les gifles; puis les *abus sur le plan psychologique.*

«Au Québec, quand on parle de "femmes battues" et qu'on estime leur nombre à 258 661 (dont 150 000 à Montréal seulement) — soit environ 10 % des femmes de plus de quinze ans vivant en union —, on parle de *violence grave.* On estime aussi que dans le tiers des cas il en résulte des blessures qui nécessitent des soins hospitaliers, et 95 fois sur 100, ce sont les femmes qui auront été blessées.»

Source: Renée B. Dandurand et Lise Saint-Jean, *Des mères sans alliance — monoparentalité et désunions conjugales,* Québec, Institut québécois de recherche sur la culture, 1988, p. 161-162.

Les Femmeuses 91. Expo-vente des femmes peintres.

Ce n'est qu'en 1968 que la loi fédérale sur le divorce reconnaît que la cruauté physique et mentale est un motif de divorce. Qui plus est, les tribunaux rejetaient jusqu'en 1983 les plaintes de viol portées par une femme contre son mari, cautionnant de la sorte un droit de propriété que le mariage accorderait à l'homme sur le corps de sa femme sous le couvert du «devoir conjugal»; des modifications au Code criminel reconnaissent alors la notion de viol entre époux. Enfin, le ministère de la Justice émet une directive selon laquelle les policiers, en cas d'infraction grave, sont tenus de procéder à l'arrestation d'un conjoint violent ainsi qu'à porter plainte.

Mais pourquoi donc la violence conjugale sort-elle du secret des maisons? D'abord parce que les femmes victimes commencent à avoir les moyens de sortir de leur maison: autant les modifications au régime de prestations d'aide sociale que la Loi de l'aide juridique (1972) rendent possibles la survie en dehors de la dépendance envers l'époux violent. Mais aussi parce que des femmes brisent le silence et expliquent ce qu'elles vivent; des groupes mettent également sur pied des maisons d'accueil et d'hébergement. Des maisons qu'on nommait par le passé des «refuges» existaient depuis longtemps et plusieurs d'entre elles étaient tenues par les communautés religieuses; on y accueillait les femmes, mais, la plupart du temps, on les incitait à la patience et au pardon. Les nouvelles maisons qui s'établissent partout à la fin des années 70 s'inspirent d'une approche différente. On ne vise plus à maintenir à tout prix l'unité d'une famille, mais on privilégie davantage un support aux femmes en tant que personnes ayant un droit fondamental à vivre avec leurs enfants dans un contexte non violent. Ces maisons ont aussi largement contribué à sensibiliser la population en général, ainsi que divers milieux, au phénomène de la violence conjugale. Leur nombre a quadruplé au Canada entre 1979 et 1987, passant de 71 à 267. Au Québec, on en dénombrait 14 en 1978; en 1990, on en compte plus de 70. Parallèlement, l'État s'est engagé progressivement dans le soutien financier à ces institutions. En 1978, les subventions du ministère des Affaires sociales étaient de 100 000 $. En 1989, elles étaient de plus de 12 millions de dollars; l'État finance par ailleurs un programme spécial conçu et géré par l'Association des femmes autochtones du Québec pour lutter avec les femmes autochtones dans leur milieu contre le problème de la violence; diverses associations de femmes des communautés culturelles œuvrant dans le secteur sont également subventionnées.

Témoignage d'une femme violentée

«Toutes les autres femmes valaient mieux que moi, affirme Marie. Quand tu quittes, t'es finie. Faut se refaire au complet. Quand on se fait traiter d'épaisse tous les jours, on finit par le devenir. Des claques sur la gueule, ça a l'air effrayant mais ça finit par disparaître — la violence psychologique, elle, s'enfonce et reste en dedans.

«À sept mois de grossesse, c'était l'enfer. Il me faisait des menaces et devenait de plus en plus agressif. Il me secouait fort. Il me disait de me dépêcher d'accoucher, parce qu'il voulait s'enfuir avec l'enfant.

«Au début, je pensais que c'était de ma faute, que j'avais parlé trop fort ou que j'étais trop exigeante. Je me disais aussi qu'il allait changer à la naissance de l'enfant. Je gardais toujours espoir de le changer.

«Je ne pouvais pas le dire à ma mère. Je ne voulais pas lui faire de peine. Et puis en plus, quand tu restes avec un conjoint violent, c'est toi qui passes pour une niaiseuse. Je ne voulais pas éclabousser personne et je voulais prouver qu'il était correct, que j'avais raison de rester.»

Source: Pierrette Bédard, «Amour et violence» dans *Notaires d'aujourd'hui*, vol. 4, nº 2, mars/avril 1990, p. 18-19.

Si, au chapitre du financement, les années 80 ont été marquées par une nette participation de l'État, les responsables des maisons d'hébergement constatent qu'elles ne répondent qu'à la moitié des besoins et qu'elles doivent constamment refuser des femmes requérant leur soutien.

Bien que les interventions aient lieu principalement en période de crise, on tente de plus en plus de mettre au point des actions préventives, car sortir une femme et ses enfants de leur milieu ne suffit pas. Professionnels de la santé, policiers, éducateurs reçoivent une formation portant sur le dépistage de la violence. De larges campagnes médiatiques ont lieu, et même des téléromans très populaires, tels *Des dames de cœur* et *Un signe de feu*, abordent ouvertement le problème. Le Comité des Affaires sociales de l'Assemblée des évêques du Québec publie, pour sa part, *Violence en héritage*, conçu à l'intention du clergé et du personnel pastoral pour l'aider à intervenir plus efficacement auprès des victimes et des agresseurs.

En même temps, des thérapies destinées aux hommes violents sont expérimentées; une douzaine de groupes s'y consacrent. Des femmes œuvrant dans le domaine regardent avec scepticisme certaines de ces thérapies où l'on apprend aux hommes à contrôler leur violence physique sans remettre en cause leur désir de domination sur leurs conjointes: si la violence physique devient un comportement inacceptable, elle se transforme souvent en violence psychologique ou verbale. D'autres scrutent avec inquiétude certaines politiques gouvernementales, où l'on parle désormais de «violence familiale» et, où sous le couvert d'une approche intégrée et globale, on joint ainsi aux femmes les personnes âgées, les hommes et les enfants victimes de violence. Les femmes battues ne seront-elles plus que le quart de la «clientèle» des victimes de violence?

Si, dans le rapport Bird de 1970, il n'était pas question de violence conjugale, vingt ans plus tard, une telle omission serait impensable. La prise de conscience s'est produite à une vitesse prodigieuse, conduisant à l'érosion d'un tabou, au dévoilement d'un secret multiséculaire douloureusement gardé dans les familles. Mais la publication en 1990 d'un pamphlet vigoureusement antiféministe, *Le manifeste d'un salaud*, dans lequel est dénoncée la trop grande place que les femmes et les médias accordent à cette violence, est révélatrice de l'émergence d'un mouvement d'opposition qui tente à tout prix de minimiser et même d'occulter la violence envers les femmes.

Non, c'est non...

À la différence toutefois de la violence conjugale, le rapport Bird faisait état de la problématique du viol et des agressions à caractère sexuel. Au cours des années 70, ces questions deviennent centrales. Les féministes exhortent les autres femmes à ne plus accepter de vivre dans une société où le viol constitue une des métaphores les plus répandues du pouvoir. Des femmes n'acceptent plus que celles qui sortent seules la nuit ou fréquentent certains quartiers soient à blâmer de ce qui pourrait leur arriver. Chaque automne, des manifestations nocturnes proclament que la nuit aussi doit appartenir aux femmes.

Des femmes ont peur de se faire attaquer dans des situations qui font partie de leur routine quotidienne: prendre l'ascenseur, traverser un stationnement désert, sortir tard du bureau ou se faire suivre dans la rue. Ainsi, les questions d'agression sexuelle attirent une variété de regroupements allant des féministes radicales aux associations d'avocates. Les cours d'autodéfense et d'arts martiaux deviennent de plus en plus populaires. On met sur pied des centres d'aide et de lutte contre les agressions à caractère sexuel (CALACS).

Le travail d'accompagnement et de soutien des victimes, tout comme la sensibilisation du public, est fait principalement par les centres d'aide. Une vingtaine de ces centres reçoivent du financement de la part de l'État et, en 1979, ils forment un regroupement national. Certains centres seront aussi à l'origine de projets en milieu scolaire, les projets Espace, où sont notamment abordées avec les jeunes les questions de violence et d'inceste. Afin de faciliter la constitution d'une preuve contre l'agresseur, une trousse médico-légale est conçue et utilisée dans les salles d'urgence. Les policiers et le personnel hospitalier, de même que les procureurs, reçoivent une formation; des mécanismes de concertation entre les intervenants voient le jour dans toutes les régions. Dans tout le Québec se tiennent des colloques sur la violence. Peu à peu, les attitudes traditionnelles du système médico-légal se transforment: on a moins tendance à culpabiliser, voire à accuser la victime, comme on le faisait par le passé.

Comme de nombreuses questions, le viol n'a pas échappé aux débats portant sur sa définition et son sens. Si le mot viol est synonyme d'une grande violence et inspire automatiquement l'horreur, le concept d'agression sexuelle est quant à lui porteur de nuances. Ainsi, dans la majorité des viols, la femme connaît son agresseur, qui est soit ami, époux, connaissance ou collègue de travail. Bon nombre de viols sont ce que les Américaines nomment le *date rape*, dont la violence diffère du viol de rue, du viol par un étranger ou du viol collectif. Où mèneront ces différences? Les femmes pourront-elles faire comprendre qu'un non c'est un non, qu'un viol, quel qu'il soit, demeure l'expression d'un pouvoir et d'une violence sur les femmes? Pourront-elles en faire saisir la permanence des séquelles, cette peur qui ne quitte plus celles qui l'ont vécu?

En 1990, le regroupement québécois des CALACS faisait ce constat: «La violence aux femmes a été dénoncée depuis quelques années. Elle est donc devenue moins acceptée socialement. Nous avons sensibilisé la population aux causes et aux effets de la violence. Nous avons remis la responsabilité aux agresseurs. Nous avons brisé l'isolement et le silence.»

Et la porno?

Est-ce à dire qu'après toutes ces années il y a moins de violence envers les femmes? L'environnement culturel des dernières décennies est demeuré violent et reproduit des modèles de domination-soumission, notamment en ce qui concerne la pornographie. Des groupes anti-pornographie et certaines des grandes associations féminines dénoncent le caractère dégradant de l'image des femmes véhiculée dans la pornographie et les comportements de subordination ou de violence qu'on y retrouve. Ils gagnent quelques batailles: en 1981, la pornographie mettant en scène des mineurs est interdite; en 1984, ces groupes font échouer le projet de création d'un réseau de salles de cinéma de classe «X» projetant des films pornographiques ou très violents. En principe, la projection publique de films encourageant ou soutenant la violence sexuelle n'est plus autorisée. Soixante-quinze municipalités parmi les plus populeuses, sur les 1500 de la province, édictent des mesures restreignant l'étalage de revues et de journaux à caractère pornographique. Restrictions publiques, mais en même temps floraison de productions en visionnement privé par vidéo: dans les années 70, les magnétoscopes font leur apparition dans la plupart des foyers et on peut se procurer des vidéos partout. Le contrôle public devient de plus en plus difficile, ce qui amène des amendements à la loi du cinéma en 1991 pour permettre désormais la classification des vidéos au même titre que les films. Malgré cela, la pornographie foisonne et se retrouve dans les magazines, les films et les vidéos, dans des clubs de danseuses et de danseurs nus. Au droit à la dignité et au respect de l'intégrité physique de la personne humaine revendiqué par les femmes, certains opposent la liberté d'expression d'une industrie qui fait encore des affaires d'or.

Les femmes ont réussi tant bien que mal à faire admettre théoriquement que le concept d'intégrité physique prévu aux chartes des droits n'est pas uniquement un droit de l'homme, mais aussi un droit de femmes. Mais dans la «vraie vie», elles évoluent dans un monde où des milliers d'images, de gestes et de paroles leur rappellent que cette vision est loin de faire l'objet d'un consensus chez les hommes. Cette époque a amené un contrôle sans précédent de la fécondité et de nouveaux rapports à la sexualité. Quel bilan les femmes en tirent-elles? La libération sexuelle a-t-elle amené pour elles un plus grand contrôle de leur sexualité et de leur corps? Les hommes ont-ils modifié leurs attitudes? Les barrières traditionnelles abolies, le corps des femmes n'est-il pas devenu disponible en tout temps? Les prétextes historiques des femmes pour refuser de se «donner» ou d'être «prises» désormais envolés, comment bâtir des relations égalitaires reposant sur le consentement mutuel et le désir commun? Comment dire non? Pourquoi dire non? Comment faire comprendre que «non» est vraiment un «non»? Et plus globalement, le rapport entre les sexes ne se fondant plus uniquement sur la famille et la reproduction, sur quelles bases peut-il se redéfinir?

La réflexion des femmes sur l'intégrité physique conduit au cœur des relations entre les femmes et les hommes. Elle constitue l'originalité et la spécificité du mouvement des femmes par rapport aux autres mouvements sociaux contemporains. C'est la réflexion sur la problématique du corps qui a amené la création d'un mouvement de santé des femmes, d'une écriture féministe. Si le mouvement des femmes des années 80 semble prendre un certain virage individualiste, c'est non seulement parce qu'il est tributaire du vaste courant d'individualisme qui a balayé l'Occident depuis une décennie, mais c'est aussi parce que le cheminement des femmes les amène à redéfinir leurs rapports privés avec l'homme-individu.

CHAPITRE 18

Et la femme créa

Depuis le début des années 50, plusieurs femmes ont fait leur marque sur le devant de la scène. Plusieurs vedettes de la littérature, des arts, des médias étaient des femmes, et l'ensemble de leurs réalisations contribuait de manière éclatante à démontrer que, lorsqu'on leur en donnait la possibilité, les femmes pouvaient produire des chefs-d'œuvre et qu'elles avaient des choses importantes à dire. Seules les poètes s'étaient tues durant cette brève période, qui va de 1950 à 1965. Ce silence lui-même était sans doute le signe qu'une nouvelle parole était en gestation.

L'apparition des mouvements de femmes va donner un souffle considérable à cet ensemble de créations. En effet, une dialectique subtile pourra désormais se créer entre les écrivaines, les artistes, les cinéastes, les journalistes et, plus tard, les chercheuses, d'une part, et les réflexions et les analyses du mouvement des femmes, d'autre part. Autrement dit, après avoir pris la parole en respectant les canons des définisseurs de l'art et de la littérature, les femmes en viendront de plus en plus à imposer une spécificité à leur démarche. C'est donc à travers les nuances de cette modulation qu'il convient d'examiner cette prise de parole des femmes durant le dernier quart de siècle.

Dans un premier temps, les femmes prennent la parole à titre individuel et expriment leur réalité de femmes. Puis, avec l'apparition du militantisme féministe, un certain nombre d'entre elles participent à une sorte de prise de parole collective. Comme le proclament si bien une série de films produits à ce moment-là, elles s'expriment «en tant que femmes». On discute interminablement de la spécificité de l'écriture des femmes, et des interrogations inédites viennent troubler les certitudes des définisseurs de l'art et de la littérature. Entre 1974 et 1980, une sorte de tourbillon caractérise la parole des femmes. Livres, spectacles, poèmes, expositions, monologues, films, vidéos, chansons proclament un message trop longtemps contenu. Parfois même, cette parole fait scandale. Et alors que le sens de ces mots nouveaux et de ces images inédites crève les yeux, certains maîtres à penser les taxent d'insignifiance. Il est vrai que certaines paroles sont dures à entendre...

Mais après quelques années, cette remise en question perd de son acuité alors que la présence des femmes dans toutes les sphères de l'expression se fait de plus en plus importante et manifeste. Certes, quelques-unes se demandent: «Suffit-il de parler? Sommes-nous vraiment entendues?» Mais la grande majorité estime ouverte la voie du dialogue, puisque les femmes ont désormais trouvé «les mots pour le dire». Or, dans l'atmosphère de cette fin de siècle et de millénaire, la tentation est grande de penser que l'ensemble de la planète est à un tournant majeur. Le post-structuralisme et la post-modernité proclament la disparition du sujet et celle de tout projet politique. On évoque le post-communisme et, bien sûr, le post-féminisme. Dans cette espèce d'attente exacerbée par les menaces d'une troisième guerre mondiale ou de la disparition de la couche d'ozone, il devient plus que jamais pertinent de se demander si la parole des femmes est différente et si l'imaginaire des femmes dépasse le niveau de référence symbolique.

«Écrire dans la maison du père»

Quand on jette un coup d'œil sur les répertoires de la production littéraire parue depuis vingt-cinq ans, force nous est de constater que les romancières et les poètes sont nombreuses à figurer à tous les palmarès. Les grandes vedettes de la période précédente continuent d'écrire et de nouvelles venues étonnent par la hardiesse de leur inspiration. *Une saison dans la vie d'Emmanuel*, écrit par Marie-Claire Blais en 1965, soulève autant d'enthousiasme que *Ces enfants de ma vie*, écrit par Gabrielle Roy, en 1977. Des prix littéraires mérités à Paris viennent confirmer la réputation déjà assurée d'Anne Hébert et révéler celle de l'Acadienne Antonine Maillet avec *Pélagie-la-Charrette*, en 1979. En 1976, une petite bombe explose dans les milieux littéraires: *L'euguélionne*, de Louky Bersianik, suscite mille éclats de rire par sa satire féroce des rapports entre les hommes et les femmes. Les romans de Margaret Atwood, notamment *The Handmaid's Tale*, qui raconte la vie d'une esclave de la reproduction dans une société totalitaire futuriste, expriment de manière magistrale les interrogations fondamentales des femmes. Monique Bosco, romancière d'origine française, s'impose comme écrivaine et comme professeure de création littéraire. Enfin, quelques années plus tard, Francine Ouellette, Francine Noël et Arlette Cousture publient des best-sellers dont les tirages stupéfient encore les éditeurs. Plusieurs se demandent, incrédules, comment tant de lectrices peuvent s'intéresser à la vie mouvementée d'Émilie Bordeleau. Transformé, le roman historique revient en force et propose une nouvelle lecture des destins de femmes.

Du côté de la poésie, même foisonnement. Des revues spécialisées ne semblent survivre que grâce à l'écriture des femmes; *Les herbes rouges* ou *La nouvelle barre du Jour*. On assiste à l'émergence de l'intertextualité féminine et féministe. «D'une part, dirigée vers les hommes, une adresse qui oscille entre la revendication, l'insulte, la doléance et la déclaration d'amour, malgré tout; d'autre part, une parole tournée vers les femmes où l'interlocutrice prendra les traits multiples de la mère, la sœur, la fille, et de l'autre femme, amie ou amante.»

Par trois fois, les poètes du Québec s'expriment dans une «Nuit de la Poésie». À chaque circonstance, c'est une femme qui polarise l'attention: Michèle Lalonde avec «Speak White» en 1970; la voix fragile de Marie Uguay en 1980 et les appels lointains de Marie-Claire Blais, en 1991. Des textes-chocs sont publiés, qui confèrent à l'expérience intérieure et intime des femmes une intensité brûlante. *Cyprine* de Denise Boucher, *L'amer* de Nicole Brossard, *Retailles* de Madeleine Gagnon et Denise Boucher, *Bloody Mary* de France Théoret. Au début des années 80, la photographe des écrivains, Kèro, publie un album de photos splendides sur les figures de proue de la littérature au féminin. Anne-Marie Alonzo suscite un dynamisme communicatif à publier les poèmes écrits par des femmes venues d'ailleurs.

Car il n'est plus question de parler de littérature féminine: ce concept désuet ne saurait s'appliquer aux textes qui jaillissent de la plume des femmes. Si l'enthousiasme des années 70 se ralentit quelque peu durant la décennie suivante, la production, elle, se maintient constamment, comme en témoigne l'*Anthologie de la poésie des femmes au Québec* rassemblée en 1991 par Nicole Brossard et Lisette Girouard.

En 1975, à la suggestion de la première, la rencontre internationale des écrivains est consacrée au thème «La femme et l'écriture», dont les textes sont publiés par la toute masculine revue *Liberté*. Les écrivaines québécoises multiplient les contacts avec leurs sœurs européennes et américaines. Dès lors, cette problématique s'impose comme centrale dans les études littéraires. Les thèses se multiplient dans les départements universitaires et la réflexion collective établit la notoriété de la littérature d'inspiration féministe du Québec, réputation qui atteint même la France et les États-Unis. En 1988, la publication de *Écrire dans la maison du père*, de Patricia Smart, jette un regard pénétrant sur les contraintes inconscientes qui conditionnent l'écriture des femmes.

Les écrivaines sont toutefois les championnes incontestées de la littérature de jeunesse, qui peut réellement être considérée comme un de leurs bastions. Est-il besoin de préciser que ce genre littéraire est considéré comme un genre mineur?

Toutefois, en dépit de réalisations si multiples, si constantes et si spectaculaires, l'institution et le marché de la littérature continuent de fonctionner dans un monde essentiellement masculin. Les femmes, on le sait, sont d'avides lectrices: le quart d'entre elles avouent la lecture comme leur activité favorite, ce qui n'est le cas que pour 7 % des hommes. Les femmes constituent 65 % de la clientèle des Salons du livre et des bibliothèques publiques. Mais elles sont marginales dans le monde de l'édition. Ce qui explique la création, en 1976, de deux maisons d'édition spécialisées dans l'écriture des femmes: les Éditions de la Pleine Lune, la «maison littéraire des femmes du Québec», et les Éditions du remue-ménage, dont le catalogue présente un éventail bien fourni de textes de création et d'études variées, pour ne pas mentionner leur célèbre *Agenda*, indispensable à tant de femmes.

Les femmes sont également minoritaires dans les jurys de subventions, dans les conseils d'administration et dans les associations liées aux livres. Bien sûr, elles sont également minoritaires au sein des autres jurys et parmi les récipiendaires de prix. Entre 1959 et 1986, 16 femmes sur 68 récipiendaires ont reçu le prix du Gouverneur général du Canada. Le *Répertoire des prix littéraires* publié par le ministère des Affaires culturelles du Québec précise que 27 % des récipiendaires sont des femmes.

Une image à soi

On retrouve des avatars semblables dans les nombreux secteurs des arts. Dans le domaine des arts visuels, nombreuses sont les femmes qui profitent de la nouvelle liberté qui leur est offerte dans les années 60, pour faire leur marque dans les galeries et les expositions. Un repérage attentif en dénombrerait des centaines qui se risquent dans la jungle touffue de la création. Ce qui frappe le plus, cependant, c'est la réflexion collective qui caractérise les créatrices et les spécialistes à l'égard du rapport entre l'art et la femme. Comme le dit Rose-Marie Arbour: «L'acceptation, par un grand nombre de femmes artistes, de parler et de produire à partir de leur propre vécu et non exclusivement à partir des seules problématiques formelles et plastiques propres aux médiums utilisés, est de plus en plus fréquente et pourrait être vue comme propre à un comportement anti-hiérarchique où la triade art-vécu-inconscient est indissociable.»

Aussi ne faut-il pas s'étonner si quelques-unes des expositions les plus marquantes des dernières années sont proposées sous le signe de cette réflexion. L'exposition *Art et féminisme* de 1982 pose, dans un premier temps, les données de la question. Puis *La chambre nuptiale* de Francine Larrivée suscite l'attention des médias. Au même moment, l'exposition itinérante de l'artiste américaine Judy Chicago, *The Dinner Party*, attire des milliers de visiteurs au Musée d'art contemporain de Montréal. Pour cette occasion, des femmes de tous les coins de la province confectionnent une immense courtepointe que les visiteurs peuvent contempler à loisir pendant la longue file d'attente. Une artiste suisse, Francine Simonin, s'installe au Québec à cause du climat de liberté qu'elle y décèle. Elle devient rapidement une figure fascinante parmi les femmes artistes.

La Galerie Powerhouse

«La Galerie Powerhouse est le premier centre d'exposition multidisciplinaire pour les femmes qui est apparu au Canada, le second en Amérique du Nord, le seul au Québec. C'est en 1973 que neuf femmes se regroupent en collectif pour former la Galerie, un lieu d'expositions, d'échanges et de discussions entre les artistes de la communaué des arts de Montréal. En tant qu'organisme sans but lucratif dont la coordination et l'administration sont assumées par des femmes, la galerie s'est donné, dès sa fondation, un mandat précis: pallier une situation jugée inégale en offrant un lieu où les femmes pouvaient bénéficier d'expériences professionnelles en tant qu'artistes et où elles pouvaient exposer leurs œuvres.

«La Galerie Powerhouse veille à stimuler le discours artistique de multiples façons. Le centre encourage l'exploration, voire l'expérimentation; il ouvre ses portes à des manifestations qui témoignent de l'engagement des femmes dans les domaines de la vidéo, de la performance, de la musique expérimentale, de la littérature et de la théorie ainsi que de l'histore de l'art.»

Source: Communiqu'Elles, vol 17, n° 4, juillet 1990, p. 11.

Cependant, en 1987, une exposition du Musée du Québec, *Femmes forces*, vient proposer un message différent. «Refaire une exposition comme *Art et féminisme*, ce serait impossible, avoue le conservateur. La production a changé, la problématique a changé, le féminisme demeure mais les préoccupations sont différentes. (...) Il n'y a pas d'art féminin.» Affirmation que plusieurs contestent cependant... Sans doute, des spécialistes osent prétendre que les femmes sont en train de dominer le monde des musées, de la critique d'art et du marché de l'art. Malgré tout, on peut se demander pourquoi tant d'artistes signent leurs toiles d'un simple nom de famille, stratégie qui occulte le signe du prénom? Pourquoi les contrats associés au programme gouvernemental d'intégration des arts à l'architecture sont-ils très majoritairement accordés à des hommes? Pourquoi les œuvres de femmes sont-elles moins bien cotées dans les catalogues des experts? Néanmoins, l'association femmes-artistes-féminisme trouve bien des moyens de s'exprimer. Depuis 1986, l'exposition annuelle *Les femmeuses*, organisée par la firme Pratt & Whitney, propose au public une vente d'œuvres de femmes peintres dont les profits vont au soutien des centres d'accueil pour femmes victimes de violence conjugale. Cette initiative inédite se trouve à rassembler dans un projet collectif le mécénat industriel, la création des femmes et la dénonciation collective de la violence.

Dans la foulée de la contestation des années 70 et surtout de l'exaltation du patrimoine québécois, les métiers d'art prennent soudain une expansion et une diversification exceptionnelles. Les femmes se révèlent rapidement des créatrices audacieuses. Elles soutiennent que les artisanats traditionnels peuvent prétendre au statut d'«art public» et contribuent de la sorte à faire éclater les canons traditionnels de l'art. C'est la démarche qui anime Micheline de Passillé avec ses tapisseries et Marcelle Ferron avec son travail sur les verrières. En même temps, d'autres redécouvrent et remettent à l'honneur des artisanats qui semblaient oubliés: la courtepointe, la dentelle, le macramé. Une subtile hiérarchie s'établit toutefois entre tous les médiums. Le plus valorisé des métiers d'art, la joaillerie, reste ainsi peu pratiqué par les femmes.

Quant au théâtre, les femmes savent, là aussi, y prendre leur place, et surtout proposer des thèmes différents. Françoise Loranger représente la dramaturge incontestée des années 60 par sa production régulière. L'arrivée de *La sagouine*, en 1971, marque une étape nouvelle. Et bientôt, des créations collectives viennent bouleverser les scènes québécoises. Le Théâtre des cuisines fait un malheur avec *Môman travaille pas, a trop d'ouvrage!* Au même moment, un genre nouveau fait son apparition et des monologuistes envahissent la scène avec leur galerie de personnages familiers qui touchent et font rire à la fois. Qui pourrait oublier Clémence Desrochers, *La môman* de Jacqueline Barrette, ou tous les «one woman show» qui ont suivi?

Qui peut oublier *La nef des sorcières* (1976), *Les fées ont soif* (1978), *La saga des poules mouillées* (1981)? Montées par le prestigieux Théâtre du Nouveau Monde, ces trois créations remportent un éclatant succès. On se rappellera que *Les fées ont soif* a suscité la censure d'un organisme subventionnaire et que les milieux très catholiques voulaient en faire interdire les représentations. L'auteure, Denise Boucher, a appris à ses dépens qu'on ne s'attaque pas impunément aux archétypes de l'idéologie patriarcale et que la figure de la Sainte Vierge figure toujours au centre de l'aliénation des femmes. Qui dira surtout le malaise des auditoires devant les sujets nouveaux proposés par les femmes; *Un reel ben beau, ben triste*, de Jeanne-Mance Delisle, sur le thème de l'inceste, ou *C'était avant la guerre à l'Anse à Gilles*, de Marie Laberge, sur le thème des aspirations brisées des femmes.

Môman travaille pas, a trop d'ouvrage!
Les Éditions du remue-ménage

Mais, en 1982, une enquête canadienne sur la condition des femmes dans le monde du théâtre révèle à quel point cet univers demeure masculin quant aux bourses et aux subventions demandées ou reçues, tout comme quant aux responsabilités. On n'est pas surpris d'apprendre qu'au Québec les directrices artistiques forment 18 % de l'ensemble, les auteures un petit 12 %, et les metteures en scène un bien maigre 16 %.

Après 1965, la musique ne peut plus être considérée comme un art d'agrément pour les femmes. Elle est devenue une carrière et un puissant moyen d'expression. La composition musicale, continuent pourtant d'affirmer musicologues et critiques, reste un bastion masculin. C'est du moins ce que déclare tout un chacun à la mort de Micheline Coulombe-Saint-Marcoux en 1985, présumément la seule étoile féminine au firmament de la création musicale. Et pourtant, la musique écrite par les femmes existe; elle se retrouve même dans tous les modes d'expression. Les recherches de Marie-Thérèse Lefebvre et de Cécile Tremblay-Matte démontrent l'importance et la variété de cette musique. Elles en révèlent même l'ancienneté, qui avait échappé aux autres musicologues. C'est par centaines qu'on découvre en ce moment des partitions écrites par des femmes, partitions restées secrètes dans les armoires des couvents ou les tiroirs d'archives familiales.

Cette occultation marque même les chansons populaires. Plusieurs chanteuses écrivent des chansons, mais cette facette de leur talent reste mystérieusement cachée. On persiste à ne voir en elles que des interprètes. «J'ai le plus grand mal, confie Louise Forestier, à persuader les critiques que j'écris moi-même mes chansons.»

Quant aux interprètes, formées par centaines dans les écoles de musique et les conservatoires, elles prennent progressivement leur place dans les orchestres, les ensembles et l'industrie du disque classique. De plus en plus, il leur est possible de faire carrière à mesure que s'évapore la théorie des «arts d'agrément». Au fond, ces musiciennes continuent autrement la tradition de leurs mères, si nombreuses à prendre des leçons de piano… Et après tout, c'est dans ce domaine de l'art qu'existe de manière spécifique une demande pour des femmes: ne faut-il pas des femmes pour les voix de soprano, d'alto et de contralto? Or, confrontées à une concurrence internationale féroce, ces jeunes femmes ressentent encore les effets de l'ancienne discrimination. Les nombreux orchestres de jeunes sont composés à plus de 70 % de musi-

Femmes cinéastes: l'équipe rigolote de *L'humeur à l'humour*.
Zoom sur elles, ONF/NFB, hiver 1990

ciennes. «Mais plus tu avances, moins il y a de filles», soulignent de jeunes instrumentistes.

Que dire alors de la difficulté des femmes à se faire reconnaître comme cinéaste? Les femmes de l'ONF entreprennent de sortir de l'ombre des salles de montage et des postes d'assistantes. Elles lancent en 1974 la série «En tant que femmes»: des films sur les garderies, les stéréotypes, l'avortement, les femmes au foyer. Du jamais vu sur les écrans québécois... et sur les plateaux de tournage. Une comédienne raconte que, durant une scène émouvante du film *Le temps de l'avant*, qui porte sur le thème de l'avortement, les deux filles perchistes pleuraient, alors qu'un gars de l'équipe lisait *Tintin*! En 1980, le film d'Anne-Claire Poirier *Mourir à tue-tête* traverse le Québec comme un cri lancinant et contribue véritablement à poser clairement la problématique de la violence faite aux femmes.

En 1989, pour le cinquantenaire de l'ONF, Anne-Claire Poirier entreprend de rechercher l'image des femmes qui se dégage à travers la production de l'organisme. Il en résulte un immense collage, *Il y a longtemps que je t'aime*, où elle montre le silence des hommes et la douleur des femmes... «Je n'aime pas faire un cinéma de réponses, précise la cinéaste. J'essaie plutôt de poser les bonnes questions.»

Il y a mieux. Les Québécoises font surtout leur marque comme productrices de longs métrages. «Il y en aurait environ vingt-cinq (bien plus que la moyenne canadienne ou européenne) contre une quarantaine d'hommes. Un drôle de métier, qui exige plusieurs types de compétences: gérer les ressources humaines, pressentir le public, aider à remanier le scénario, apprécier les ressources techniques, sans oublier

Anne-Claire Poirier, cinéaste, et son équipe.
Zoom sur elles

de savoir convaincre et donner son appui, dans le meilleur intérêt de la création en cours.» «Inutile de vous dire, remarque la productrice Suzanne Hénault, que nous ne correspondons pas au cliché du producteur de cinéma bedonnant et chauve, administrateur sans cœur et sans goût, qui porte la zibeline et se déplace en Cadillac.» Métier sous-estimé sans lequel le cinéma ne pourrait exister.

Quelques cinéastes se rangent parmi les grands noms du cinéma québécois. On pense à Léa Pool, à Louise Carré, à Diane Létourneau. Après une petite période d'euphorie, au tournant des années 80, le cinéma des femmes marque le pas. Les coûts de production ont monté de façon vertigineuse. Les producteurs ne veulent plus prendre de risques, se font dire les réalisatrices. Les productrices ont beau être nombreuses, ce ne sont pas toujours elles qui prennent les décisions.

Durant la même période, la vidéo vient proposer un médium plus accessible à toutes celles qui veulent, elles aussi, s'exprimer par les images. Les cinéastes de l'avenir font leurs gammes avec les caméras vidéos. En 1976, *Vidéo-Femmes* fournit aux réalisatrices les instruments essentiels de diffusion et de production. Les catalogues des productions illustrent à quel point les réalisatrices demeurent proches des préoccupations et des revendications des femmes. Mais le médium est condamné, pour ainsi dire, à une distribution souvent confidentielle. Instrument de conscientisation efficace, la vidéo semble parfois l'opposé didactique, voire utopique, de son versant masculin, le vidéoclip, de réputation notoirement sexiste, assuré, lui, de la diffusion permanente de *Musique-Plus*.

Impossible de terminer ce rapide survol sans mentionner pour le moins le rôle remarquable des femmes dans la danse, plusieurs artistes ayant découvert là un médium exceptionnel pour exprimer les émotions des femmes. La danse, en effet, exprime de multiples manières la libération du corps des femmes et sa transfiguration de l'état d'objet à une source d'énergies corporelles autonomes. Jeanne Renaud, Ginette Laurin, Françoise Graham, Marie Chouinard se sont illustrées successivement, et quelques danseuses québécoises ont même conquis une notoriété internationale. On n'est pas près d'oublier les chorégraphies athlétiques de *La La La Human Steps*, ni les inspirations de Margie Gillis. Quels cris, quelles paroles, quelles incantations ont passé la rampe à travers tous ces gestes nouveaux?

De la page féminine à l'éditorial

C'est dans les médias que les femmes de la génération précédente, celle des années de l'après-guerre, avaient le plus fermement fait leur marque. Elles avaient transformé la presse dite féminine, et pénétré dans toutes les rubriques des quotidiens, sauf les sacro-saintes pages sportives, et surtout, elles étaient nombreuses à s'exprimer à la radio et à la télévision.

Après 1965, c'est par dizaines qu'elles font leur marque à la radio, à la télévision et dans la presse. Il est malaisé de saisir le mouvement qui anime cette participation polyvalente, compte tenu de l'expansion colossale qui caractérise l'ensemble des médias, surtout après 1970: multiplication des magazines, apparition de la radio FM et de nouvelles chaînes de télévision, et par-dessus tout, importance grandissante de la médiatisation des événements de tous genres dans la vie quotidienne. L'ambiguïté reste entière devant cette production foisonnante où les pages glacées des magazines à gros tirage disputent la faveur aux multiples journaux à potins qui tiennent en haleine les lectrices au sujet de la vie privée de leurs vedettes préférées ou de leurs régimes amaigrissants. Toujours pareille à elle-même, cette presse dite féminine se reproduit sans cesse, chaque nouvelle directrice de magazine (car ce sont souvent des directrices) se cherchant frénétiquement un créneau, qui la mode, qui la décoration, qui l'adolescence, qui la coiffure, qui le bricolage, qui la cuisine, qui la femme dite libérée, et quoi encore? «Mais ce ne sont pas des femmes qui créent ces publications, et les hommes d'affaires qui les lancent ne les créent pas pour les femmes, mais pour tirer le plus d'argent possible des annonces publicitaires de produits alimentaires et comestibles.»

Dans cet ensemble, *Châtelaine* représente certainement un cas particulier. Au milieu des années 70, sous la direction de Francine Montpetit, le magazine entreprend un virage ouvertement féministe et propose à ses lectrices une lecture différente de la réalité, interprétation le plus souvent en contradiction notoire avec le message des publicités qui inondent ses pages: autonomie économique des femmes, critique de la famille, de la médecine destinée aux femmes, dénonciation des modèles traditionnels, informations sur les revendications féministes. Mais au bout de quelques années, les directives arrivent de Toronto: *Châtelaine* doit retrouver le ton de naguère. La mort dans l'âme, les rédactrices se soumettent aux diktats des bailleurs de fonds publicitaires. Et depuis 1985, *Châtelaine*, tout en se maintenant un cran au-dessus des autres magazines, ne se distingue plus guère d'une certaine presse féminine traditionnelle et essentiellement mercantile.

Mais depuis vingt-cinq ans, les médias sont polarisés par la radio et la télévision. C'est par l'humour et l'information que les émissions destinées aux femmes se transforment: *Interdit aux hommes*, puis *Place aux femmes*, animées par Lise Payette, et plus tard *La vie quotidienne*, animée par Lizette Gervais et Andréanne Lafond, à la radio, et *Femmes d'aujourd'hui*, animée par Aline Desjardins à la télévision de 1966 à 1981, marquent des étapes importantes dans ce processus. Ces journalistes restent toutefois, en dépit de leur professionnalisme, cantonnées dans ces secteurs. Quelque temps avant sa mort, Lizette Gervais confie: «Le grand reproche que je serais tentée d'adresser à ceux qui dirigent l'information, c'est qu'ils s'acharnent à vouloir faire de l'information désincarnée. On tient dur comme fer à ce qu'elle soit vide d'émotion. Dès que je parle d'émotion, je sais que je vais passer comme une vraie femme dans le sens le plus péjoratif du terme.»

Aline Desjardins observe en 1991 que contrairement à ce qu'elle avait prévu, les informations concernant les femmes n'ont pas éclaté dans les différents secteurs après la disparition de *Femmes d'aujourd'hui*. En effet, avec les années 80, le concept même d'émissions destinées aux femmes semble disparaître. Le public visé devient de moins en moins nombreux, puisque la majorité des femmes de vingt à cinquante ans se retrouvent sur le marché du travail. C'est peut-être aussi que les femmes ont accédé en grand nombre à de nouvelles responsabilités: elles deviennent réalisatrices après avoir été si longtemps confinées aux postes de script-assistantes, scénaristes de téléromans ou même animatrices-vedettes d'émissions d'information ou de culture. Elles ne veulent plus que les femmes soient cantonnées à des «émissions de femmes».

Dans cet ensemble, deux personnes occupent une place de premier plan, tout en exprimant ouvertement un message spécifiquement orienté vers les femmes. Lise Payette, après une brève carrière politique, choisit de créer des personnages de téléromans qui incarnent les nouvelles aspirations des femmes. Elle est d'ailleurs convaincue qu'elle contribue davantage, de la sorte, à la transformation des mentalités. C'est à voir. Quant à Janette Bertrand, elle abolit tous les tabous avec ses invités de *Parler pour parler* et explore toutes les facettes de l'amour dans ses dramatiques *Avec un grand A*. Elle demeure incontestablement la grande pasionaria, à la fois adulée et critiquée, de la cause des femmes.

Lisette Gervais et Andréanne Lafond, 1979
Archives de Radio-Canada

Judith Jasmin, 1970
Archives de Radio-Canada

Aline Desjardins, 1991
Archives de Radio-Canada

Lise Payette
Archives nationales du Québec

La radio et la télévision au féminin.

Pendant ce temps, les journalistes se taillent progressivement une place de plus en plus importante dans les émissions d'affaires publiques et dans les quotidiens. Des femmes deviennent correspondantes de guerre, éditorialistes, rédactrices en chef, «columnists», lectrices de nouvelles; elles franchissent en 1974 les portes des salles de rédaction des pages sportives, et même celles des vestiaires des joueurs au début des années 90, suscitant un petit scandale puritain. La nomination de Lise Bissonnette comme directrice du *Devoir* constitue à n'en pas douter une première, surtout quand on se rappelle les opinions antiféministes de son fondateur.

Mais «90 % des recherchistes et des documentalistes sont des femmes et elles sont concentrées dans les médias électroniques». À la salle des nouvelles de Radio-Canada, en 1985, les femmes ne constituent que 22 % des journalistes. Certes, on se souvient de Louise Arcand, lectrice de nouvelles remplacée à quarante ans «pour rajeunir l'émission» en 1984. Pendant ce temps-là, la population est censée observer avec attendrissement les rides successives de Bernard Derome.

Colette Beauchamp a magistralement illustré les modalités de la discrimination subtile qui s'exerce contre les femmes dans son ouvrage *Le silence des médias* (1987). En 1981, cependant, un colloque rassemble pour la première fois les femmes journalistes: *Les femmes et l'information.* Huit cents participantes, journalistes pigistes, recherchistes, militantes, brisent le mur du silence. «Mais les journalistes ont rejeté les mesures d'action positive proposées au colloque et, au nom de leurs critères professionnels, elles ont refusé toute association éventuelle avec les groupes de femmes pour étudier plus avant le rapport des femmes à l'information et établir des tables de concertation. Le comité de condition féminine, dont l'assemblée générale de la FPJQ vota la création (...) n'a jamais vu le jour.» Les femmes journalistes manqueraient-elles de solidarité? Sans doute n'ont-elles pas réalisé que la solidarité des hommes se nomme «objectivité» et «vérité», et qu'elles contribuent à maintenir des valeurs androcentriques en y souscrivant par conscience professionnelle. Comment expliquer qu'une journaliste connue considère comme un fleuron prestigieux de sa carrière d'avoir été correspondante de guerre? Cet aveu en dit long sur les valeurs qui régissent les responsables du quatrième pouvoir.

La presse féministe

On conçoit que, dans une telle conjoncture, il n'a pas été facile pour les femmes de mettre sur pied une presse alimentée spécifiquement par la réflexion féministe. Malgré tout, de petites et grandes entreprises ont réussi contre vents et marées à publier, dans des conditions souvent précaires, des revues ou des journaux à la longévité variable. On aurait tort de sous-estimer l'importance de ces publications. Les exemples sont nombreux, dans la brève histoire des revues québécoises, de ces journaux d'opinions, qui ont porté quelques années une revendication ou une analyse. Les universitaires se penchent avec délectation sur ces écrits et en examinent avec dévotion les courants nuancés. Leur caractère éphémère n'est que rarement souligné.

Le nouveau vocabulaire des féministes radicales

Groupes de prise de conscience (Consciousness-raising groups): rencontres de sensibilisation dans lesquelles les femmes se rendent compte de l'étendue de leur oppression et des possibilités de changement. Les hommes sont habituellement exclus de ces groupes.
Chauvinisme mâle: attitude culturelle de supériorité chez les hommes; équivalent sexuel du racisme.
Sexisme: infériorisation systématique d'un groupe par un autre, basée sur l'identité sexuelle.
Phallocrate: homme qui fait preuve de chauvinisme mâle et de sexisme.

La presse féministe est porteuse de la même signification et de la même importance. Aussi convient-il de souligner l'apport central et énergétique qu'ont constitué ces tentatives, dont plusieurs, au demeurant, continuent de poursuivre aujourd'hui leurs téméraires objectifs.

Lorsque le premier numéro de *Québécoises deboutte!* paraît, en 1972, on assiste à l'émergence d'une authentique presse de revendication féministe. Pendant deux années, rejoignant plus de 2000 lectrices, ce journal au titre flamboyant se situe au cœur de la lutte des femmes, et surtout au cœur des débats idéologiques qui opposent cette lutte avec l'extrême gauche québécoise. L'année suivante, Marcelle Dolment lance à Québec la revue du Réseau d'action et d'information pour les femmes (RAIF), qu'on devine sortie d'une antique Gestetner. Cette publication s'est maintenue jusqu'à maintenant, améliorée par les capacités du micro-ordinateur, et continue de proposer une analyse politique acérée et vigilante de l'actualité des femmes. L'année 1973 marque également les débuts de *Communiqu'elles*, publication du Centre de références et d'information des femmes de Montréal. De facture tout aussi modeste, cette revue bilingue suit l'actualité de près et s'intéresse de plus en plus aux femmes immigrantes. Mais la TPS a eu raison d'elle en 1991.

La fin de *Québécoises deboutte!*, en 1974, est ressentie par plusieurs militantes comme une perte irréparable. L'énergie suscitée par l'année internationale des femmes, perçue par plusieurs comme une tentative de récupération, entraîne la formation d'un nouveau collectif, qui lance en 1976 *Les têtes de pioche*. «Les» pour l'entreprise collective. «Têtes», parce que, dans cette entreprise, le cœur ne suffit pas. «Pioches» pour leur entêtement. Format tabloïd, papier journal, cette publication marque l'émergence du radicalisme dans les revendications féministes: elle illustre la volonté des militantes de transformer leur combat en lutte autonome et de ne plus être à la solde d'une certaine gauche marxiste. Ce sont des divergences sur l'orientation de la revue, sans oublier les problèmes matériels, qui auront raison de ce collectif en 1981. Mais *au moment même* où la publication cesse, un autre périodique a vu le jour. Issu de l'artisanale *Plurielles*, *Des rires et des luttes de femmes* propose un produit différent, plus professionnel en quelque sorte, bénéficiant d'une subvention gouvernementale. Durant trois ans (1978-1981), de solides numéros thématiques sont publiés et rejoignent un public de plus en plus averti.

En 1979, le Conseil du statut de la femme prend la décision de lancer une publication gratuite. On lui donne comme titre le nom d'un journal féministe français du XIXe siècle: *La gazette des femmes*. Assurée d'une distribution massive puisque gratuite, cette publication constitue rapidement un point d'ancrage important pour tous les groupes de femmes du Québec. Une journaliste trop tôt disparue, Catherine Lord, rescapée de l'aventure de *Châtelaine*, lui a donné une impulsion significative. Gloria Escomel, journaliste latino-américaine, se signale par la rigueur de ses reportages.

À la fin des années 70, la contestation sociale commence à s'essouffler. *Le temps fou* représente une des dernières aventures de la presse subversive. En 1980, un encart insolite y est publié: *La vie en rose*. Après quatre numéros clandestins, pourrait-on dire, ce nouveau

Pages frontispices des trois premières revues à présenter le féminisme radical au Québec.

magazine féministe prend son essor avec de jeunes journalistes qui viennent de découvrir le féminisme. *La vie en rose* (1982-1988) constitue certainement le point fort de la presse féministe au Québec. Avec un tirage de 25 000 exemplaires et un ton nouveau qui n'hésite pas à recourir à l'humour (on pense à l'impayable «Chronique délinquante» d'Hélène Pedneault), une affirmation tranquille est proposée: faire de l'information de qualité et résolument féministe. *La vie en rose* «était le produit d'une nouvelle décennie féministe, presque d'une autre génération, et exprimait ce besoin que nous avons d'en mener plus large, de s'étendre, de prendre le pouvoir. En deux mots: de réussir», écrit Francine Pelletier, l'une des membres de l'équipe. En dépit d'une souscription populaire, l'entreprise n'a pu résister au virage de la commercialisation.

Depuis 1987, un nouveau journal a pris la relève: *La parole métèque*, qui publie surtout les analyses des féministes des communautés culturelles. De la sorte, la parole féministe continue de s'exprimer. À côté de ces titres «historiques», en quelque sorte, la presse féministe s'identifie à travers des dizaines de publications reliées aux multiples groupes et associations qui rassemblent les femmes depuis deux décennies. Production éclatée multiforme, qu'il est impossible de recenser dans son intégralité tant le mouvement des femmes s'est glissé dans tous les interstices de la transformation sociale.

La recherche féministe

L'une des retombées les plus originales de l'augmentation du nombre des femmes dans les universités a été le développement de l'enseignement et de la recherche sur les femmes. Cette pratique a été empruntée aux pays anglo-saxons qui avaient popularisé les *Women's studies* au début des années 70. C'est à l'Université du Québec à Montréal, en 1972, que plusieurs professeures, avec la collaboration de chargées de cours, ont mis au point le premier cours multidisciplinaire sur la situation des femmes. Cette entorse au savoir universitaire avait été obtenue par une stratégie intéressante: les chargées de cours avaient été payées à même les salaires des professeures à plein temps, qui, pour mener l'expérience à terme, avaient accepté une diminution de salaire! L'idée d'un tel cours était fortement liée à la critique du savoir issue du mouvement féministe dans l'ensemble de l'Occident. Non seulement les femmes se rendaient compte qu'elles vivaient dans un monde pensé par et pour les hommes, mais elles décidaient de remettre en question des savoirs fondés presque exclusivement sur l'expérience des hommes.

Bientôt, des centres organisés sont apparus dans la majorité des universités québécoises. L'institut Simone-de-Beauvoir, créé en 1976 à l'Université Concordia, qui fut le premier, fut rapidement suivi par le McGill Center for Women's studies en 1978 et par celui de l'Université Bishop's de Lennoxville, en 1982, qui ont mis sur pied à leur tour des programmes de «Women's studies». Les universités francophones, de leur côté, se sont mises à jongler avec les initiales des mots clés de ce processus: groupe, interdisciplinarité, femmes, et c'est ainsi qu'on vit apparaître le GIERF à l'UQAM (1978), le GREMF à l'Université Laval (1980), le GIRFUS à l'Université de Sherbrooke (1984), le GRAIF à l'Université du Québec à Trois-Rivières (1987). Études féministes, études sur la condition féminine, études sur les femmes, études sur les rapports de sexes, recherches non sexistes, la variété des appellations reflète à la fois l'évolution et le pluralisme des approches. Dans l'ensemble, cependant, une trame commune se dégage: le besoin de produire des savoirs intégrant et traduisant l'expérience des femmes en tant que sujets.

L'apport majeur de cette initiative a été de mettre en forme une connaissance plus appropriée et davantage scientifique de la réalité, d'où découle le constat que l'être humain masculin ne peut plus prétendre au titre de référent universel. Toute recherche à prétention scientifique se doit dès lors de cerner la différence entre les femmes et les hommes, et surtout de mettre en évidence la nature culturelle des différences observées, au lieu de les attribuer rapidement à un phénomène de nature.

En 1990, plus de deux cents cours distincts étaient institués dans les universités francophones. De plus, les chercheuses avaient fondé des revues destinées à diffuser les résultats de leurs travaux, dont la plus importante, *Recherches féministes*, est publiée par le GREMF. Dans le même ordre d'idées, un important chantier intitulé «Les conditions féminine et masculine; les générations; la famille» était mis en place à l'Institut québécois de recherche sur la culture. Des colloques importants ont eu lieu à l'UQAM en 1979 et à l'Université Laval en 1985. En 1989, la prestigieuse Association canadienne-française pour l'avancement des sciences (ACFAS) acceptait de créer une section «Études féministes» à ses congrès annuels. À l'UQAM et à l'Université Laval, on explore en ce moment la possibilité de mettre sur pied des études de deuxième et de troisième cycle. À Sherbrooke, depuis 1990, les étudiantes peuvent s'inscrire à un programme d'Études sur les femmes. Enfin, depuis 1985, le gouvernement fédéral finance une Chaire d'Études sur les femmes dans un réseau de cinq institutions à travers le Canada. Au Québec, cette chaire a été attribuée à l'Université Laval. Depuis 1976, par ailleurs, les chercheuses canadiennes sont réunies dans un Institut de recherche sur les femmes (ICREF/CRIAW) qui tient chaque année un important colloque. Depuis 1990, les chercheuses québécoises sont réunies dans un réseau. Cette reconnaissance officielle de la recherche féministe ne doit pas dissimuler sa situation encore marginale. Car toutes ces initiatives ne sont pas toujours vues d'un très bon œil. Une juriste, par exemple, est convoquée par son vice-doyen, qui lui signifie que l'université n'est pas un endroit approprié pour un enseignement jugé polémique. Elle venait de mettre sur pied un cours intitulé *Perspective féministe sur le droit*. Dans un autre département, les professeurs s'insurgent parce que des professeures veulent créer un «second» cours d'histoire des femmes. Surtout, les résistances sont grandes devant l'entreprise de procéder à la féminisation des textes et des titres, de faire accepter les principes reconnus pour la recherche non sexiste ou de prendre en compte les recherches des femmes dans les autres secteurs de la recherche traditionnelle.

Au bout du compte, on peut penser que l'expression de la parole des femmes n'a pas encore vraiment réussi à entamer le credo universel. Mais au moins, les femmes qui ont pris la parole éprouvent une grande satisfaction: elles savent dorénavant qu'elles dérangent et que leur apport à la société ne peut plus être passé sous silence. Auraient-elles acquis un peu de pouvoir?

CHAPITRE 19

Pouvoir être

La plus récente mutation du mouvement féministe, celle des années 60, survient dans un monde où la revendication du pouvoir pour les personnes, à titre individuel ou collectif, s'appuie sur les valeurs de la démocratie libérale qui présente le droit à l'égalité comme principe fondamental de la vie en société. Le mouvement international des droits de la personne, les revendications des minorités, comme celles des Noirs des États-Unis dans les années 70 ou des autochtones du Canada dans les années 80, répandent l'idée que l'accès au pouvoir de tous les individus et de tous les groupes est une fin en soi. Selon la nouvelle articulation de l'égalité démocratique, lorsqu'une société est constituée de personnes et de groupes différents, ceux-ci devraient participer dans toutes les institutions politiques et bénéficier également des opportunités et des avantages de la société où ils vivent. Comme toute la société, les femmes s'interrogent sur le sens du pouvoir.

Pour les femmes, finie l'époque où leur participation aux activités politiques devait se justifier par l'instinct maternel, par leur soi-disant supériorité morale, par leur appui au progrès social, au pacifisme ou à toute autre bonne cause. Cette participation se justifie de plus en plus comme une tentative de façonner le monde selon leurs besoins et en fonction de leurs idées. Atténuée aussi, l'obligatoire solidarité des femmes. Certes, les femmes partagent des caractéristiques communes: l'exclusion historique des hauts lieux de l'économie, de la justice ou du savoir, la tendance générale à être moins nanties que les hommes, l'inégal traitement qui maintient une infériorisation par un système complexe de lois aux conséquences insidieuses. Mais ces phénomènes ne touchent pas toutes les femmes de la même façon: il y a des riches et des pauvres, jouissant d'une autorité personnelle incontestée ou impuissants, des femmes qui savent éviter ou composer avec les lois et celles qui s'en trouvent être les victimes. Les femmes au Québec sont aussi les héritières de traditions culturelles et ethniques diverses et de classes sociales souvent antagonistes. Les manifestations du pouvoir sont très diverses à la fin du XXe siècle: du pouvoir officiel des lois au pouvoir officieux des manifestations populaires, du pouvoir des intellectuels au pouvoir des médias, du pouvoir des mouvements organisés au pouvoir affectif qui s'exprime dans les rapports de couple ou au sein de la famille. La représentation sociale du rôle des sexes — le genre — traverse toutes ces instances pour se manifester de façon très variée selon le temps et les lieux. Les rapports de pouvoir et les hiérarchies, souvent basés implicitement sur l'exclusion ou la domination des femmes, se modifient en cette fin de siècle pour se reconstituer autrement.

Ce qui suit est le récit d'une partie de cette redéfinition du genre et de la redéfinition des pouvoirs. Le pouvoir le plus visible est le pouvoir politique que détiennent les élus du peuple. Mais les lieux du pouvoir

Trois femmes juges à la Cour suprême du Canada: l'honorable Bertha Wilson, l'honorable Beverley McLachlin et l'honorable Claire L'Heureux-Dubé.
Couvrette Photographe, Ottawa

sont multiples: au sein des grandes entreprises et des sociétés d'État, à la tête de mouvements populaires de revendication, dans les médias écrits et électroniques qui sont omniprésents dans le quotidien et chez la magistrature, appelée de plus en plus à trancher les débats de société.

Au cours de la période 1965-1990, les femmes accèdent parfois au pouvoir à cause d'une motivation personnelle qui puise sa justification dans les revendications du féminisme. Elles deviennent leaders syndicales, ministres ou hautes fonctionnaires pour veiller à la réalisation d'objectifs sociaux qui comprennent la promotion des femmes. Mais le plus souvent, si le pouvoir commence à se trouver à la portée des mains féminines, c'est parce que les femmes se heurtent à de moins en moins de barrières dans le monde extérieur, dans la vie familiale et dans les attentes de la société. Elles prennent place dans tous les mouvements politiques, dans tous les partis, pour ou contre toutes les grandes questions de ce quart de siècle. En 1990, elles sont présentes, parfois en petit nombre, dans toutes les institutions où s'exerce le pouvoir: fauteuils de ministres, églises, haute magistrature, partis politiques, salles de rédaction et antennes publiques. Leurs opinions sont aussi diversifiées que celles de leurs concitoyens. Leurs réseaux d'entraide et d'influence, qui existent depuis toujours dans le privé, au sein de la parenté et du voisinage, se retissent graduellement dans les sphères politiques et dans le monde du pouvoir.

Malgré leur diversité d'opinions, elles projettent néanmoins une nouvelle dimension dans l'histoire des femmes: le pouvoir intellectuel, politique ou juridique peut aussi s'exercer par les femmes et d'un point de vue de femmes. Ce constat, accueilli avec enthousiasme ou accepté avec passivité par la plupart des hommes, menace ou heurte de front certains d'entre eux. Le passage au pouvoir est donc marqué par une certaine violence contre les femmes, violence verbale le plus souvent, mais qui déborde à l'occasion en violence physique.

De colleuse de timbres à ministre

En 1940, les femmes ont obtenu le droit de vote au niveau provincial. En 1965, en pleine Révolution tranquille, elles sont prêtes à jouer un rôle important au sein des partis politiques. En 1990, certaines sont ministres au gouvernement du jour, à Ottawa comme à Québec, et titulaires des portefeuilles les plus importants. Voyons les points saillants de cette lente odyssée politique.

Faire de la politique nécessite plusieurs atouts: une grande disponibilité, des sources de financement, l'appui des militants du parti qui dirigent le processus de mise en candidature et... une peau de rhinocéros. La taille des familles québécoises est en constante diminution et les femmes qui ont des enfants ne se culpabilisent plus de les quitter de temps en temps. Parfois, elles passent une partie de la responsabilité aux pères, dont le rôle s'étend dorénavant à assumer une partie des soins quotidiens. Les femmes sont donc disponibles pour l'engagement politique.

L'engagement politique le plus facile à concilier avec une vie de famille est celui qui se fait dans son quartier. C'est à partir de leur participation à des groupes communautaires, à des comités de parents ou à une commission scolaire que plusieurs femmes se découvrent un intérêt pour la politique. Dans la politique municipale, les femmes deviennent davantage présentes dans les années 80. Toutefois, elles se heurtent, surtout dans les petites et moyennes municipalités, à des réseaux de pouvoir dont elles sont traditionnellement exclues.

Les Consœurs du Souvenir

Onze novembre 1983: une mystérieuse dame en noir provoque un émoi en déposant, pendant la cérémonie du Souvenir, au Carré Dominion à Montréal, une couronne de fleurs: «Pour toutes les femmes violées en temps de guerre/For every woman raped in war».

Onze novembre 1984: Dana Zwonok réitère son acte symbolique. Accompagnée cette fois d'une quarantaine de femmes, d'hommes et d'enfants, elle veut rendre hommage à la mémoire de «toutes les femmes victimes des guerres».

Désirant respecter la douleur de ceux et celles que les guerres ont fait souffrir, les Consœurs du Souvenir ont attendu la fin de la cérémonie officielle pour tenir la leur dans le calme et la dignité. Il est vrai que cette attitude pacifiste n'a pas été payée de retour par les militaires présents. L'épouse d'un légionnaire raconta même qu'ayant exprimé le désir de se joindre aux Consœurs, son mari lui rétorqua: «Si tu y vas, j'te tire.»

Source: Josette Giguère, «Les Consœurs du Souvenir» dans *La vie en rose*, février 1985, p. 13.

Dans les grandes villes, cependant, les partis sont moins structurés qu'au fédéral ou au provincial, et l'accès à la mise en candidature est donc plus facile. Les campagnes électorales sont moins coûteuses et la plupart des postes de conseillers sont à temps partiel. En 1990, à Montréal, Léa Cousineau devient présidente du Comité exécutif. À Québec, presque la moitié du conseil municipal est constitué de femmes.

La démocratisation du financement des partis politiques favorise au cours de cette période la participation des femmes. En effet, lorsque tous les revenus et les dépenses des partis sont soumis à la comptabilité publique et qu'il y a une limite sur les contributions des personnes morales (les églises, les compagnies privées et les syndicats, par exemple), l'influence de quelques hommes haut placés dans ces puissantes institutions diminue quelque peu en faveur de celle des militantes. Le réseau masculin qui relie ceux qui siègent dans les grandes salles de conseil à ceux qui dirigent les programmes et les candidatures s'affaiblit et se fait graduellement remplacer par un processus de délibération à l'intérieur du parti et par la sollicitation individuelle des fonds.

Au début de cette période, les femmes militent à la base, préparent les réunions, font du porte à porte, préparent le café, répondent au

Élue à la Chambre des Communes en 1972, Monique Bégin fait ses preuves au ministère du Revenu durant l'année 1975-1976. C'est cependant comme ministre de la Santé nationale et du Bien-être social qu'elle se fera surtout connaître de 1976 à 1984. Elle défendra alors la cause de l'assurance-santé, de même que celles du crédit d'impôt-enfant, des allocations familiales et des pensions de vieillesse.

Source: *Revenu Canada* et *Santé-Bien-être*

téléphone. Vers le milieu des années 70, on assiste à une véritable révolte des militantes, qui cherchent une distribution des tâches moins sexuée et une pleine voix au chapitre en ce qui concerne l'élaboration du programme et la mise en nomination des candidats. Car l'un des obstacles majeurs auxquels se heurte la femme qui veut faire de la politique est la résistance qui provient de l'intérieur même de son parti. C'est sans doute pour faire échec à cette résistance que la Fédération des femmes du Parti libéral du Québec a exigé en 1971 que des quotas réservés aux femmes soient établis dans les structures du parti, au moment où ses membres ont pris la décision d'intégrer leurs propres fédérations aux structures du parti. Cette stratégie n'a pas été adoptée par les militantes du Parti québécois, qui ont plutôt choisi de mettre sur pied un Comité d'action politique des femmes ayant pour objectif de défendre les dossiers liés à la condition des femmes et de promouvoir la présence de celles-ci dans les hautes sphères politiques. Le Parti libéral a endossé cette stratégie à la fin des années 80.

Quant aux élues, elles sont reléguées aux places d'arrière-banc ou, dans un premier temps, aux portefeuilles de peu de conséquence. Plus tard on cherche des femmes vedettes, réputées ministrables immédiatement. Le passage de Monique Bégin au fédéral (1972-1984) et de Lise Payette au provincial (1976-1981) brise la glace ministérielle pour leurs successeures. Ce ne sont pas les premières femmes à être ministres, mais on dirait que, après elles, la participation des femmes au conseil des ministres fait partie du paysage politique. En 1990, à Ottawa, des femmes sont ministres de la Justice et de l'Emploi et l'Immigration, entre autres, deux des portefeuilles les plus importants. Au Québec, à la même date, Lise Bacon couronne vingt ans de vie politique en assumant le poste de vice-première-ministre, après avoir assumé les portefeuilles de l'Environnement, du Transport, de l'Énergie et des Ressources naturelles. Jeanne Sauvé, ancienne journaliste, ministre fédérale et orateure de la Chambre des communes, devient la première femme gouverneure générale, poste qui incarne à l'égard du pouvoir démocratique le pouvoir symbolique et de plus en plus cérémonial de la monarchie britannique, féminisée selon les aléas de la succession héréditaire.

Les préjugés s'effritent graduellement devant les performances des pionnières en politique. Le poste suprême de chef du parti est désormais à la portée des femmes. En 1978, Flora MacDonald est candidate à la direction du Parti conservateur. En 1984, Pauline Marois arrive deuxième dans la course à la direction du Parti québécois. Celle-ci a d'ailleurs déclaré: «Être deuxième dans cette course c'est une première.» En 1989, Audrey McLaughlin devient la leader du Nouveau Parti démocratique, et, au cours de sondages d'opinions quant aux intentions des électeurs canadiens, recueille parfois une majorité des voix. Enfin, Sheila Copps se place troisième à la direction libérale fédérale en 1990. Dans l'opinion publique, le sexe ne semble plus un critère pertinent pour décider sur quelle personne porter son choix. Les élections québécoises de 1985 et 1989 sont éloquentes à cet égard: la proportion de Québécoises élues équivaut à la proportion de candidates de tous les partis. Si les Québécoises ne forment en 1989 que 20 % de la députation de la province, c'est parce qu'elles ne constituent que 20 % des candidates. Les appareils des partis politiques seraient-ils moins ouverts à la participation des Québécoises que l'électorat lui-même?

Cependant, ces développements ne veulent pas dire que les femmes soient représentées dans les partis ou les législatures dans une proportion qui reflète leur nombre dans la population. Et dans les partis bien établis et bien nantis, les *bagmen* qui recueillent les fonds et les «éminences grises» qui élaborent les politiques ne sont pas des femmes.

Trois générations de députées: Christiane Pelchat, Lise Bacon, Pauline Marois.
Photo: Louise Bilodeau

La culture politique, elle aussi, demeure insensible à bien des réalités féminines. Si les images de fumée de cigare et des multiples verres qui facilitaient les prises de décision à l'ère de Duplessis et de Saint-Laurent ne sont plus de mise, du moins publiquement, d'autres aspects d'une culture presque machiste ne disparaissent pas aussi vite. Ainsi, en 1982, lorsqu'une députée à la Chambre des communes pose une question sur les épouses battues, la formulation même de sa phrase fait éclater de rire ses collègues. En 1985, le premier ministre du Canada se permet encore de donner des tapes sur les fesses de ses ministres féminines.

Les opinions des femmes en politique reflètent l'idéologie de leurs formations politiques. Inutile donc de chercher l'unanimité féminine… Mais l'on retrouve un consensus autour de quelques questions fondamentales telles que l'avortement ou la réforme des régimes matrimoniaux. Ainsi, dans le débat parlementaire sur l'avortement en 1988, les députées de tous les partis rejettent ou s'abstiennent d'appuyer le projet de loi qui imposerait aux femmes la sanction obligatoire de la profession médicale quant au contrôle de la fertilité. Cet épisode donne lieu à un intense lobby féminin. Pourrait-on penser que, maintenant, des décisions importantes peuvent même se prendre dans les toilettes pour femmes?

Même réaction des femmes au cours de la grande réforme des régimes matrimoniaux du Québec, la même année. Au-delà et à travers les lignes de parti, les députées s'entendent sur une nouvelle règle de partage de biens entre les époux. Malgré les différences politiques, il y a des expériences féminines qui sont universellement ressenties et qui évoquent, à quelques grandes exceptions, les mêmes réactions profondes.

Lois et égalité

La période 1965-1990 marque dans l'histoire des femmes un moment singulier où leurs aspirations, personnelles et collectives, se fixent sur les lois, souvent à l'exclusion d'autres institutions naguère si importantes, telles que la famille élargie, le voisinage ou la religion.

Les règles du jeu et donc les rapports de pouvoir public, par exemple la fixation des salaires des femmes à travers la Loi sur les normes du travail, et de pouvoir privé, par exemple les sanctions prévues pour ceux qui battent leurs conjointes, sont concrétisés dans les lois.

L'effritement des autres structures d'autorité qu'étaient la religion institutionnalisée et la famille donnent à ces lois une toute nouvelle importance dans la réglementation des rapports sociaux en général, et des rapport des femmes avec les hommes en particulier. Au Québec, où l'on privilégie le changement social par des modifications législatives, le carcan législatif devient rapidement le point de mire des féministes. Elles sont appuyées en ceci par un grand nombre de femmes qui ne militent pas mais qui ressentent vivement leur infériorisation légale telle qu'elle a été révélée dans le rapport Bird en 1970. Par exemple, une des critiques les plus virulentes de la législation patriarcale concerne le contenu et l'application de la loi dans les cas de viols.

Au début des années 70, celles qui ont porté plainte pour viol doivent elles-mêmes subir un interrogatoire serré qui traduit la méfiance profonde de la loi envers les femmes qui protestent contre la domination exercée par les hommes sur leur sexualité et leur autonomie physique.

Un penchant pour l'égalité. Dessin d'Andrée Brochu.
Fédération des Femmes du Québec

Ainsi, la parole de la femme violée ne peut pas être retenue en l'absence de toute corroboration. Son passé sentimental et sexuel doit être justifié, car une certaine histoire d'activité sexuelle peut indiquer sa disponibilité implicite pour tout homme en tout temps. L'accusé n'a pas besoin de se justifier sur ces questions et peut même plaider qu'il était dans l'impossibilité de s'apercevoir de l'absence de consentement de la femme, par exemple s'il était en état d'ébriété.

Malgré certaines réformes apportées au Code criminel en 1983, qui introduisent la notion d'agression sexuelle de différents degrés de gravité, et malgré certains assouplissements au régime de preuve applicable, les procès pour agression sexuelle qui ont lieu à la fin des années 80 témoignent encore trop souvent de la tolérance historique de la loi à l'égard de la violence sexuelle contre les femmes. Même ces acquis sont remis en cause par des contestations judiciaires portées par des citoyens accusés de viol.

La critique des lois et de leur application par les juges et les officiers de la justice en tranquille possession de la vérité... masculine est dévastatrice. Des féministes osent mettre en doute les assises théoriques de la loi et la légitimité même du système de justice. Le monde archi-conservateur de la loi reste impénétrable pendant une décennie devant ces nouvelles idées. Mais, petit à petit, les choses se mettent à changer de l'intérieur. Ces mêmes critiques scandalisent moins et sont prises au sérieux lorsqu'elles sont présentées par des avocates, dans un langage technique et un vocabulaire caractéristique du monde juridique. Ainsi, la réforme des lois deviendra à la fois un objectif en soi et une stratégie pour accéder au cœur du pouvoir. Cette stratégie est elle-même irréprochable, puisqu'elle relève du fonctionnement même d'une démocratie libérale. La lenteur du processus de réforme parlementaire, le formalisme qui entoure l'interprétation des lois par les tribunaux, le système d'appels des jugements jusqu'au faîte de la pyramide judiciaire: voilà des éléments qui apaisent les appréhensions de ceux qui craignent le transfert du pouvoir dans des mains féminines! Dans une société qui forme ses femmes depuis des siècles à être silencieuses et agréables, toute visée du pouvoir qui est trop directe, trop bruyante et revendicatrice, qui dérange sans avertissement, risque de rencontrer une fin de non-recevoir. Mais ce changement, qui passe par des arguments raisonnés, par la référence aux grands principes de la dignité et de l'égalité, surtout lorsqu'il est formulé dans le langage hermétique des hommes de loi, paraît acceptable et même souhaitable.

Dès la fin des années 70, les femmes sortent des facultés de droit en assez grand nombre pour créer une masse critique à l'intérieur du monde juridique. Elles jouent un rôle central dans la prise du pouvoir par les femmes, par les critiques qu'elles avancent du droit qui était jusqu'ici pensé et administré au masculin et par les nouvelles interprétations qu'elles réclament des tribunaux.

Le harcèlement sexuel

Le phénomène du harcèlement sexuel, fait qui a été littéralement découvert pour la première fois à cette époque par l'appareil judiciaire, illustre la lente transformation des lois pour tenir compte de la réalité féminine.

Le harcèlement sexuel existe depuis fort longtemps sans que l'on ose le nommer. Dans des époques plus puritaines, la ségrégation et la protection que l'on réclamait pour les ouvrières visaient de façon pratique à les abriter du harcèlement au travail. Dans les années 60, la glorification de la sexualité sous toutes ses formes transmet aux femmes le message que celles qui ne sont pas disponibles en tout temps, pour toutes les aventures sexuelles, sont démodées et vraisemblablement frigides.

C'est l'ouvrage de la juriste américaine Catharine MacKinnon, publié en 1979, qui décrit le harcèlement comme une sorte de discrimination envers les femmes. En 1983, la Commission canadienne des droits de la personne demande aux femmes de tout le Canada si elles ont déjà été victimes de harcèlement sexuel. À la grande surprise de plusieurs, la moitié répondent oui. Il devient de plus en plus impossible de nier ce phénomène ou d'associer cette pratique à quelque chose qui plaît aux femmes. Mais si celles-ci savent intuitivement que le harcèlement sexuel est un acte discriminatoire qui nie leur droit à l'égalité, les tribunaux ne sont pas aussi rapides à se rallier à cette opinion. La saga de Bonnie Robichaud en témoigne.

Bonnie Robichaud travaille au service d'entretien d'une base militaire du ministère de la Défense. Lorsque son superviseur lui fait des avances au cours de sa période de probation, elle consent à entretenir des relations sexuelles avec lui pendant un certain temps. Toutefois, quand elle veut mettre fin à leur relation, celui-ci n'est pas d'accord et menace de la faire congédier si elle ne continue pas leurs relations sexuelles. Ses conditions de travail se détériorent. Elle porte plainte à la Commission canadienne en 1981, pour se faire dire par les tribunaux qu'elle n'est pas crédible parce qu'elle a déjà consenti à certains actes sexuels et que de plus, son employeur, le ministère, n'est pas responsable des actes de son employé, le présumé harceleur. Des groupes de femmes de tout le Canada, notamment le Comité national d'action pour les femmes, organisme parapluie pancanadien auquel est affiliée la Fédération des femmes du Québec, viennent à sa rescousse à l'aide de levées de fonds pour les frais judiciaires et la publicité.

Entre-temps, d'autres victimes de harcèlement sexuel ont autant de problèmes à se faire dédommager que Bonnie Robichaud. Parfois, les tribunaux refusent d'admettre que le harcèlement est une forme de pratique discriminatoire qui vise à dominer les femmes en tant que groupe. C'est pourquoi le législateur québécois ajoute en 1982 un nouvel article à la Charte des droits et libertés de la personne pour indiquer que le harcèlement discriminatoire enfreint le droit à l'égalité. Parfois, les tribunaux retiennent l'explication de la partie intimée, qui, en règle générale, nie tout et explique le congédiement ou d'autres conséquences du refus de la victime par sa propre incompétence. Parfois, les femmes abandonnent leurs plaintes devant la lenteur du processus, l'incertitude du résultat et le stress d'être obligée de continuer à se batailler avec le harceleur.

Les tribunaux ne constituent pas le seul moyen pour combattre le harcèlement sexuel. Les syndicats s'éveillent à leurs responsabilités et entreprennent la tâche délicate de faire l'éducation de leurs membres à ce sujet. En 1985, le Code canadien du travail défend spécifiquement le harcèlement sexuel au travail et prévoit le recours aux mécanismes existants d'adjudication pour les victimes. De plus en plus de conventions collectives contiennent des clauses qui défendent le harcèlement et d'autre formes de discrimination. Mais le problème n'est pas clos. Beaucoup de travailleurs font la sourde oreille aux nouveaux messages sur l'égalité des travailleuses au cours du dépôt d'un grief pour harcèlement par une syndiquée. Qui le syndicat doit-il défendre?

Enfin, en 1987, Bonnie Robichaud reçoit le jugement de la Cour suprême du Canada, qui, du poids de tous ses juges, lui donne raison en insistant sur la responsabilité de l'employeur pour les actes de harcèlement de ses employés. Dorénavant, les employeurs comprennent que le harcèlement des femmes n'est pas une affaire entre deux individus, mais une pratique illégale pour laquelle ils sont tenus responsables, même en absence de connaissance des événements.

Parallèlement, les concepts d'égalité sont discutés chez les avocates et les théoriciennes du pouvoir. Pendant les années 70, on se rend compte des limites du concept d'égalité officielle. Souvent, un droit identique et un traitement égal ne changent rien dans la vie des femmes.

Une véritable croisade s'organise au Canada anglais pour l'inclusion de l'égalité des sexes comme principe fondamental de toute révision constitutionnelle. Les Québécoises sont peu présentes dans ce mouvement, ce qui reflète la méfiance de la province à l'égard des débats constitutionnels. L'élaboration des clauses 15 (l'égalité) et 28 (l'interprétation non sexiste de la loi) de la Charte constitutionnelle est néanmoins ressentie partout comme une victoire pour les femmes. La clause 15 semble entériner plusieurs concepts d'égalité, faisant place aux nouveaux concepts d'égalité de résultats et de traitement préférentiel pour venir en aide aux groupes défavorisés tels que les femmes.

Pour atteindre l'égalité de fait, il faut donner aux femmes une longueur d'avance. Sinon, des générations et des siècles défileront sans qu'il ne se produise aucune modification significative. Voilà ce qu'avancent de plus en plus fréquemment certaines spécialistes du monde du travail. Mais l'idée de donner la préférence aux femmes n'est très populaire ni chez les travailleurs, ni chez les employeurs, ni chez une partie de l'intelligentsia qui y voit de «la discrimination à rebours».

Un groupe de femmes montréalaises, Action travail des femmes (ATF), réussit néanmoins à faire imposer un programme d'accès à l'égalité à la puissante corporation de la couronne Canadien National. Puisque le salaire attaché aux postes traditionnellement occupés par des femmes demeure apparemment inférieur de 40 % à celui versé pour des métiers «d'hommes», l'entrée dans les métiers traditionnellement masculins, cheminot par exemple, assure un revenu de travail nettement plus élevé. Mais l'entrée et la progression dans ces métiers sont ralenties dans les années 70 et 80 par des pratiques de discrimination systémique: administration de tests d'admission non nécessaires à l'emploi, mais qui mettent en valeur les connaissances acquises par les hommes plutôt que par les femmes, assignation des recrues aux tâches les plus difficiles sans formation adéquate, blagues sexistes et affiches pornographiques dans les lieux de travail, absence de toilettes pour les femmes, incidents mystérieux aux cours desquels les outils des ouvrières se perdent ou leurs salopettes se couvrent de graisses. Voilà de quoi empêcher la plupart des femmes de poursuivre ce choix de métier. Lorsqu'en 1987 l'action portée par ATF contre CN au nom d'un groupe de travailleuses qui avaient fait les frais de telles pratiques se solde par la reconnaissance par la Cour suprême de l'imposition d'un programme d'accès à l'égalité pour les femmes, on reconnaît la légitimité de la pratique de traiter les femmes différemment ou même mieux afin d'atteindre l'égalité de fait.

Mais à la fin de la période, lorsqu'on fait le bilan de tous les litiges, surtout en matière constitutionnelle, on se rend compte que la redéfinition de la réalité des femmes est longue, sinueuse et surtout coûteuse. Souvent, les femmes se retrouvent sur la défensive, obligées de se battre pour préserver leurs acquis. Une étude menée par le Conseil consultatif canadien sur la situation de la femme démontre que 80 % des causes ayant invoqué l'article 15 de la Charte des droits ont été instaurées par des hommes, parfois pour attaquer avec succès des lois ou des programmes conçus pour améliorer la situation des femmes. Les obstacles qui empêchent les femmes de recourir aux tribunaux sont encore nombreux. Devant les incertitudes et les délais, par exemple dans les questions d'époux violents, plusieurs concluent que l'appareil de la justice n'est certes pas un allié fidèle pour les intérêts des femmes.

Le manque d'enthousiasme des Québécoises à l'égard du processus légal s'illustre dans la ronde suivante des débats constitutionnels, qui portent sur les accords du Lac Meech à la toute fin des années 80. Juristes et groupes de femmes venant d'ailleurs au Canada s'alarment devant la possible utilisation par le gouvernement du Québec de la clause de la société distincte pour faire échec aux garanties constitutionnelles d'égalité sexuelle — en limitant le droit à la contraception et à l'avortement pour pallier le déclin démographique, par exemple. De tels scénarios alarmistes ne semblent guère possibles aux francophones du Québec, plus confiantes dans leur pouvoir d'influencer leur État provincial plutôt que l'État fédéral.

En 1990, lorsque les femmes font le bilan de leur rôle dans l'appareil judiciaire et l'administration des lois, elles retrouvent des femmes dans la haute magistrature et la police, ainsi que des avocates et des notaires. Le principe de l'interprétation non sexiste des lois est universellement admis, mais sa pratique se vérifie difficilement et les attitudes des hommes de loi ne se modifient que lentement. Et l'accès à la justice est surtout une option praticable pour les très riches, les regroupements et organismes publics ainsi que les femmes les plus démunies, qui bénéficient de l'aide juridique. Quant à Madame Tout-le-monde, elle doit régler ses problèmes toute seule.

Les femmes et la bureaucratie

Pendant que les juristes examinent à la loupe l'héritage légal d'une société patriarcale, d'autres femmes se concentrent sur le nouvel État moderne, issu de la Révolution tranquille. Pour la plupart des militantes, le pouvoir de l'État, au service d'un statu quo inacceptable pour les femmes de 1965, devient à la fois une arène des débats et un outil au service du changement. La quasi-absence des femmes des lieux décisionnels du gouvernement en 1965, elles qui sont pourtant si présentes dans les postes de cols roses, reflète l'absence plus généralisée des femmes des leviers de pouvoir partout dans le monde.

Liste de quelques «premières» dans le domaine juridique (extraits)

Élizabeth C. Monk, Suzanne Raymond-Filion, Constance Garnet-Short et Marcelle Hémond: premières avocates admises au barreau du Québec-1942.

Alice Desjardins: première professeure de droit au Québec et au Canada et première juge de la Cour d'appel fédérale-1987.

Sylviane Borenstein: première bâtonnière du barreau du Québec-1990.

Marie-Claire Kirkland-Casgrain: première juge à la Cour provinciale-1973.

Hon. Réjane Laberge-Colas: première juge de nomination fédérale au Québec, au Canada et au Commonwealth-1969.

Hon. Claire L'Heureux-Dubé: première juge féminine du Québec à la Cour suprême du Canada-1987.

Thérèse Rousseau-Houle: première doyenne d'une faculté de droit au Québec (Université Laval)-1985.

Source: Le journal du barreau, 15 juin 1991.

Au chapitre 14, on a vu la création, en 1973, du Conseil consultatif canadien de la situation de la femme, et au Québec, du Conseil du statut de la femme, également en 1973. Essentiellement des organismes de recherche et d'analyse des politiques gouvernementales, ces Conseils maintiennent au cours des années leur réputation de produire des analyses critiques et fouillées qui jouissent universellement d'une grande crédibilité. Le CSF comme le CCCSF subventionnent recherches et mémoires, et ce dernier a joué un rôle important dans le perfectionnement des clauses d'égalité dans la Charte canadienne.

Les critiques qui craignaient que la création de tels organismes, assortis d'un Secrétariat à la condition féminine et de bureaux de la condition des femmes dans les principaux ministères, ne fasse dévier le véritable objet, celui de l'intégration des préoccupations communes aux femmes, sont rassurées. Car les projets de réforme des groupes de femmes — la formation professionnelle, la libéralisation des mesures d'assurance-chômage et d'assistance sociale — coïncident avec les priorités d'une société en évolution rapide. La création des centres locaux de services communautaires (CLSC) au début de la décennie 70 vise à améliorer l'accessibilité des soins de santé par quartier et par région, et à fournir de l'information et des services pour des problèmes reliés à la contraception, à l'avortement, à l'accouchement et à la ménopause. Lors des réformes législatives, les avis et les mémoires de ces organismes-conseils et les diverses instances de la condition féminine sont recherchés par le législateur qui veut tenir compte de la réalité des femmes.

La bureaucratie qui repose depuis longtemps sur le travail des cols roses a dû absorber une certaine proportion de femmes professionnelles, voire cadres, au cours de ce quart de siècle, ne serait-ce qu'à cause de la présence des femmes sur le marché du travail. Celles-ci prêtent une oreille plus attentive aux demandes des groupes de femmes et créent un climat plus propice pour l'élaboration des programmes et des politiques, notamment la décision du gouvernement québécois de ne pas poursuivre les médecins pratiquant l'avortement en clinique privée, malgré le Code criminel. Un autre programme sur lequel veillent les femmes hautes fonctionnaires est le service de recouvrement de pensions alimentaires, qui est créé dans les palais de justice de la province au début des années 80.

Toutefois, en vingt-cinq ans la place des femmes au sein du pouvoir étatique demeure marginale, ainsi que le démontre Nicole Morgan dans son analyse de la bureaucratie fédérale. Cette persistance de la marginalité est sûrement une des causes expliquant la stagnation d'autres dossiers aux mains de gouvernements successifs. Les déductions fiscales et les crédits d'impôt, conjugués aux augmentations d'allocations familiales et aux subventions aux garderies, ne comblent qu'une partie des besoins des parents de jeunes enfants. Mais, malgré des études, aucun gouvernement ne se laisse persuader de construire un nouveau réseau de garderies publiques dans chaque quartier. Et malgré la reconnaissance de la discrimination salariale envers les femmes, on hésite à réformer des mécanismes d'application des lois fédérales et provinciales en la matière. En pratique, seuls les syndicats puissants savent tirer avantage des lois sur l'équivalence salariale.

Un pouvoir parallèle: les syndicats au féminin

La force mais aussi la fragilité du nouveau pouvoir des femmes sont reflétées dans l'histoire des syndicats au Québec depuis 1965, surtout des syndicats du vaste secteur public. Bien que seulement un tiers de la main-d'œuvre au Québec soit syndiquée, la très grande centralisation du mouvement syndical et sa tradition d'activisme politique en font un acteur redoutable sur la scène politique. Lorsque les infirmières, les préposées aux bénéficiaires, les enseignantes de tous les niveaux, les secrétaires au gouvernement et les agentes aux bureaux municipaux sont syndiquées et regroupées dans des organisations centrales, l'expression des priorités féminines peut cheminer à partir des travailleuses de la base jusqu'aux tables où se négocient les conventions collectives. Le nombre de femmes syndiquées dans le secteur public crée à l'intérieur du syndicat une force politique que les chefs ignorent dorénavant à leurs risques et périls. En 1972, on demande et on obtient un revenu minimum de 100 $ par semaine, mesure qui touche surtout les travailleuses. En 1978, les femmes du secteur public obtiennent le congé de maternité payé. Dans les années 80, c'est la question de l'équivalence salariale qui est posée, question pénible qui implique la comparaison des salaires des travailleurs aux salaires de leurs collègues féminines qui accomplissent des tâches similaires et qui nécessite donc l'appui ou, du moins, le consentement passif des hommes du syndicat.

Ces questions ne sont inscrites dans les plans d'actions syndicaux qu'après des années ou même des décennies de sensibilisation par les travailleuses. La formation des comités féminins dans les années 70, à l'instar de la CEQ qui l'appelle d'abord le Comité Laure-Gaudreault, répond à de multiples objectifs: favoriser la participation des femmes aux instances décisionnelles du syndicat, faire porter les revendications syndicales sur les questions favorisant l'égalité au travail (programmes d'accès à l'égalité, politiques contre le harcèlement, congés parentaux, répercussion des changements technologiques, travail à mi-temps). Selon l'analyse d'Hélène Paré, le bilan du travail de ces comités est plutôt positif et les solidarités intersyndicales ainsi cultivées préparent la voie pour la concertation de quatre femmes: Monique Simard (CSN), Diane Lavallée (FIIQ), Lorraine Pagé (CEQ) et Catherine Loumède (FAS) au cours des négociations du secteur public à l'automne 1990.

Mais il n'est pas plus facile de militer au syndicat que dans un parti politique. La sociologue Évelyne Tardy a relevé quelques-unes des embûches qui se présentaient au début des années 80: responsabilités familiales qui sapent l'énergie et la disponibilité, habitudes de travail syndicales qui présument que les soirées et les fins de semaine sont toujours libres, difficulté d'écouter les opinions des femmes et traditions de fonctionnement qui flattent les ego masculins, mais qui lais-

Monique Simard à la CSN
Photo: Louise Bilodeau

sent les femmes impatientes devant leur longueur et leur inefficacité. À travers ces obstacles émergent un nouveau syndicalisme et un nouveau leadership au féminin. Monique Simard, élue la première vice-présidente de la CSN en 1982, symbolise ce nouveau pouvoir féminin en étant la première femme dans un poste d'influence à appuyer ouvertement un programme d'action féministe: dénonciation du harcèlement sexuel, instauration des programmes d'accès à l'égalité, meilleures conditions pour les travailleuses enceintes, rajustement des salaires fixés pour les postes typiquement féminins.

Les infirmières se radicalisent au cours de cette période. Les traditions de service et d'appui aux médecins s'effritent graduellement sous l'influence de la pensée féministe. On remet en question les heures de travail brisées, les salaires modestes en comparaison avec les responsabilités pour la souffrance, la vie et la mort d'êtres humains et la subordination professionnelle aux médecins, profession à héritage masculin. En 1988, elles font la grève et défient la législation spéciale qui les incite au travail. Jeanne Mance et Marguerite d'Youville regardent d'en haut et ne reconnaissent plus leurs héritières... Une dirigeante syndicale, Lorraine Pagé, élue à la présidence de la CEQ en 1988 quelque cinquante ans après Laure Gaudreault, n'hésite pas à entrer dans tous les débats de société sur le féminisme.

Le pouvoir des femmes dans le monde du travail et surtout dans le secteur public s'est reconstitué à nouveau après le balayage des religieuses dans les années 60. Le Québec vit toujours les effets d'une Révolution tranquille au masculin.

Des organigrammes masculins

Depuis plus d'un siècle, la société québécoise s'était appuyée sur le travail et la compétence des femmes pour faire fonctionner plusieurs de ses institutions fondamentales. On leur permettait même d'y exercer de grandes responsabilités. En 1965, on compte au Québec des milliers de religieuses en service actif dans les diverses institutions. Plusieurs d'entre elles occupent des postes de gestion et d'intendance et, souvent, ont obtenu les diplômes requis pour exercer ces fonctions. En 1962, les religieuses du Québec détiennent 71 doctorats, 1165 licences et 285 maîtrises. De 1964 à 1968, on voit apparaître sur les campus des milliers d'étudiantes aux coiffes variées qui viennent compléter une formation supérieure.

C'est alors que s'amorcent, surtout après la Loi de l'assurance-hospitalisation et la création des ministères de l'Éducation et des Affaires sociales, les grands bouleversements attribués à la Révolution tranquille: laïcisation, mixité, syndicalisation et bureaucratisation.

En se constituant, les nouveaux organigrammes présentent tous des modèles uniformes. Le jeu bureaucratique propulse les hommes aux échelons supérieurs pendant que des femmes remplissent les tâches subalternes. Le poste de directeur général semble bien être une fonction essentiellement masculine. Des femmes avaient fait fonctionner pendant des décennies des bibliothèques, des réseaux scolaires, des hôpitaux, des institutions colossales, mais elles ne réussissent pas à se maintenir dans les postes de direction.

Au fond, le phénomène de laïcisation a occulté un phénomène beaucoup plus profond, celui de la masculinisation de la gestion. L'exemple le plus flagrant nous est offert par le secteur de l'enseignement à tous les niveaux. Alors que les religieuses détenaient plus de 50 % de la direction des écoles au début des années 60, elles ont été progressivement éliminées de tous ces postes. De plus, les études de Claudine Baudoux ont démontré que ce processus continue de se produire et que, à tous les niveaux, le nombre de femmes gestionnaires persiste à décroître, longtemps après l'élimination des religieuses. Des études ont démontré de quelle manière la laïcisation et la bureaucratisation ont provoqué une masculinisation décisive de l'enseignement secondaire et collégial et surtout celle de sa gestion. Handicapées par leurs diplômes dévalués, les seuls auxquels elles avaient droit, les enseignantes ont été jugées incompétentes. Surtout, les seules femmes qui enseignaient à ce niveau, les religieuses, se sont trouvées éliminées. Les seules qui y sont demeurées ont dû subir tant d'humiliations qu'on a peine à croire qu'il s'en trouve encore quelques centaines dans le réseau. Quant aux postes de gestion, il a semblé tout naturel d'en exclure les femmes, du moment que la fonction exigeait de diriger des élèves et des enseignants de sexe masculin. Tant qu'elle était invisible, anonyme et surtout gratuite, la compétence féminine était très bien tolérée. On accepte mal, semble-t-il, qu'elle soit assortie à un salaire de cadre.

Des processus similaires se sont produits dans tout le secteur des services sociaux et de la santé. Une étude a démontré que de 1940 à 1980, dans les écoles de service social, les candidats ont proposé des thèses sur la gestion et l'organisation des services sociaux alors que les candidates se sont plutôt tournées sur l'examen des services et des interventions offerts aux différentes clientèles. Faut-il se surprendre que dans tous ces services ce soient les femmes qui interviennent et les hommes qui décident? Ces phénomènes ne sont pas étrangers aux transformations qui ont modifié le statut de l'Église catholique dans notre société. Mais qu'en est-il du statut des femmes dans l'ensemble des Églises?

Oser discuter le sexe de Dieu

En effet, parmi les institutions détentrices d'un pouvoir singulièrement masculin se dressent encore, à la fin du XXe siècle, les Églises en général et tout particulièrement l'Église catholique. Certes, vers 1985, l'Église du Québec n'est plus cette imposante institution qui avait constitué l'un des piliers de la société québécoise. Dans la foulée des discussions fondamentales suscitées par le Concile de Vatican II, de nombreuses transformations se produisent, dont la moindre n'est pas la baisse de la pratique religieuse. Les femmes deviennent de plus en plus majoritaires dans les assemblées de fidèles. Mais les prêtres ont beau ajouter maintenant, après chaque «Mes bien chers frères«, un «Mes bien chères sœurs» qui s'était fait longtemps attendre, l'Église continue d'être réfractaire à l'idée de confier des responsabilités aux femmes. Pourtant, les femmes deviennent de plus en plus nombreuses dans les facultés de théologie. Et surtout, les transformations qui affectent les différentes confessions protestantes imposent un nouveau modèle de femmes dans l'univers religieux. Les femmes n'y sont-elles pas ministres du culte et même évêques?

Au printemps 1968, les religieuses du Québec prennent la décision de discuter collectivement de leur nouveau rôle et de leur nouvelle réalité. Après tout, elles sont maintenant transformées: elles ont modifié leur coiffe et leur robe; de plus en plus instruites, elles s'apprêtent à exercer de nouvelles responsabilités dans les nouvelles structures de la société québécoise. Réunies à l'aréna Maurice-Richard, elles sont plus de 6000 à échanger leurs idées et à écouter ce que les élites ont à leur dire.

Mais cette spectaculaire manifestation arrive sans doute trop tard. Depuis quelques années, en effet, un processus est à l'œuvre qui a pour effet d'éliminer les religieuses de tous les postes de responsabilité qu'elles détenaient dans l'organisation sociale. Comme on l'a vu plus haut, leurs réseaux éducatifs ont été éliminés. D'autre part, la Loi sur l'assurance-hospitalisation a entraîné le démantèlement de leur réseau hospitalier. Les services sociaux qu'elles avaient mis sur pied et gérés durant tant de décennies cessent de fonctionner. Dans l'esprit du public, la gestion des religieuses est assimilée à une conception rétrograde et anachronique. Dans l'esprit des jeunes fonctionnaires, frais émoulus des universités et fraîchement installés dans les organismes gouvernementaux, les religieuses sont des indésirables qu'ils ont vite fait de pousser à la marge ou... à la retraite.

Car les religieuses vieillissent. Les vocations diminuent, et pour la première fois depuis le milieu du XIXe siècle, le nombre total de religieuses dans chaque congrégation se met à diminuer. Mais cette fois, la baisse des vocations n'est pas la seule à expliquer le processus. On assiste dans les couvents à une véritable hémorragie: le départ des religieuses professes, celles qui avaient prononcé leurs vœux perpétuels. On estime que de 1968 à 1972, dix religieuses quittent leur maison chaque semaine. La saignée est catastrophique, car ce sont habituellement les plus jeunes, les plus instruites et les plus modernes qui partent. En 1965, on peut estimer le nombre de religieuses du Québec à 41 250. En 1973, la baisse des vocations et les départs avaient réduit ce nombre à 32 137. En 1989, le nombre total de religieuses québécoises est de 21 761, dont le tiers environ exercent une fonction active hors de leur communauté.

L'équipe organisatrice du congrès CND, 1988.
C.N.D.

Dans chaque congrégation, on traverse donc une période de douloureuse remise en question: on procède, selon les directives romaines, à la révision et à la reformulation des constitutions. Mais au bout du compte, cette phase d'*aggiornamento* ne produit pas les effets escomptés. Les congrégations poursuivent leur lancinante interrogation collective et semblent à la recherche de leur charisme perdu. Quelques congrégations procèdent à des consultations extraordinaires et entreprennent de véritables virages idéologiques, proclamant leur option préférentielle pour les pauvres, et mettent sur pied de nouveaux services, pour la plupart destinés aux femmes. En 1988, les sœurs de la congrégation Notre-Dame réunissent durant quatre jours toute leur congrégation, qui compte plus de 1500 religieuses actives, au Palais des Congrès de Montréal. Elles débattent ensemble de la nouvelle mission qu'elles veulent se donner. «Oser la Visitation» proclame le programme. Autrement dit, oser sortir des sentiers battus et prendre les risques de nouveaux défis. Après la célébration du dernier soir, elles se retrouvent par centaines, foule compacte et bruissante de dames aux cheveux gris, sur les quais de la station du métro Place-d'Armes. Les personnes présentes ne sont pas prêtes d'oublier avec quelle ferveur elles ont alors entonné le cantique à la fondatrice.

Mais ces initiatives ne peuvent masquer le déclin démographique inexorable qui frappe l'ensemble des congrégations. En 1987, 59 % des religieuses québécoises ont plus de soixante-cinq ans et on ne trouve que 234 religieuses âgées de moins de trente-quatre ans, 0,7 % de l'ensemble. Même la canonisation de leurs fondatrices, Marguerite Bourgeoys, en 1984, et Marguerite d'Youville en 1990, ne réussit pas à enrayer le mouvement. Et pourtant, on note au même moment au Québec, dans la foulée des nouveaux mouvements religieux, la naissance de nouvelles congrégations qui attirent les jeunes. L'une d'elles, Myriam-Béthamie, est une congrégation mixte fondée par une femme, en 1979, et vouée à l'évangélisation par les techniques contemporaines des médias. Elle a attiré plus de cent personnes en dix ans!

Pendant ce temps, les femmes catholiques, qui avaient manifesté tant d'obéissance, de piété apparente et d'énergie, entreprennent à leur tour un virage significatif. Une crise importante secoue les principaux mouvements d'action catholique au début des années 60 et les militantes se retrouvent bientôt au service de causes bien différentes.

En 1962, devant la désaffection qui menace tous les anciens mouvements de piété populaire, Dames de Sainte-Anne, Enfants de Marie, etc., l'Église procède à une importante réorganisation et met sur pied les Femmes chrétiennes. Au même moment, le mouvement charismatique commence à recruter des adeptes dans les paroisses et les femmes se retrouvent majoritaires dans ces importants rassemblements. L'Église surveille de loin ces assemblées qui dérangent, où les fidèles «parlent en langues» et sont visités par l'Esprit et où une nouvelle liturgie vient s'imposer. Il semble que c'est devant la crainte de la prise en main du mouvement par les femmes que la hiérarchie procède en 1979 à la mise au pas du mouvement charismatique.

Comme on l'a dit plus haut, les femmes pénètrent dans les facultés de théologie et commencent à accéder à des responsabilités de pastorale et d'animation paroissiale. L'influence de la théologie de la libération contribue à faire pénétrer dans les cercles religieux de nouvelles problématiques, et les chrétiennes actives sont assez rapides à appliquer pour elles-mêmes les schémas théoriques de domination et de subordination. Mais ces réflexions se produisent en marge des réflexions analogues qui frappent alors les mouvements de femmes. Pendant une dizaine d'années, les chrétiennes et les féministes s'ignorent. Mieux, les féministes ne comprennent rien à l'entêtement de certaines femmes à vouloir demeurer dans une Église si misogyne.

Après l'année internationale de la femme en 1975, un mouvement nouveau se dessine dans l'Église. À Rimouski, en 1976, un groupe de théologiennes et de chrétiennes se réunissent et fondent un collectif, *L'Autre Parole*, qui veut justement tenter de proposer une autre interprétation de la parole évangélique. De ce petit noyau allait sortir des interrogations percutantes sur l'Église du Québec.

En 1977, à la Conférence religieuse canadienne, les Supérieures majeures décident de mettre sur pied un comité de la promotion des femmes. Ce comité procède au repérage des œuvres mises en place par les congrégations au service des femmes. Ce *Répertoire des contributions à la promotion de la femme de la part des communautés religieuses francophones au Canada* est lancé à Ottawa en 1980 au Festival chrétien, grand rassemblement œcuménique où toutes les religions fraternisent. À cette occasion circule clandestinement l'information suivante: deux dossiers seulement retardent le rapprochement des églises anglicane et catholique, celui des revenus épiscopaux et celui du statut des femmes dans l'Église.

En 1978, les chrétiennes du Québec envoient un télégramme d'appui à Sister Theresa Kane qui avait interpellé le pape Jean-Paul II pour demander l'accès aux ministères pour les femmes. En 1980, sœur Gisèle Turcot, sœur du Bon Conseil, devient Secrétaire générale de l'Assemblée des évêques du Québec. C'est la plus haute fonction administrative à laquelle une femme soit parvenue dans toute l'Église catholique. En 1982, se forme le groupe Femmes et ministère, qui a pour objectif de «travailler à améliorer le statut collectif des femmes en Église; à promouvoir l'éducation et la recherche théologique et pastorale concernant le rôle et la place de la femme dans l'institution ecclésiale; à sensibiliser le public en général sur la situation des femmes en Église, sur leurs rôles et responsabilités». La même année, l'Assemblée des évêques du Québec prend l'initiative de nommer dans chaque diocèse une répondante à la condition des femmes.

En 1984, la Conférence religieuse canadienne entreprend son congrès annuel sous le thème *Femmes pour quel monde et dans quelle Église?* En 1984 également, le pape se rend au Québec et dans le Canada. Soigneusement orchestrée, sa visite suscite un mouvement de piété populaire indescriptible. Mais le tout retombe bien rapidement, comme un immense ballon de baudruche. Les femmes sont les chrétiennes les plus critiques à cette occasion: plusieurs annoncent publiquement leur apostasie.

En 1986, l'Assemblée des évêques du Québec décide à son tour de réfléchir sur la situation des femmes dans l'Église. Réunis en congrès avec une centaine de femmes, ils sont confrontés durant deux jours aux analyses féministes les plus récentes sur la famille, le pouvoir, le travail, le langage, la sexualité et la violence. Aucune dissimulation dans les propos. À la célébration eucharistique, les évêques communient de la main d'une femme, doivent écouter l'homélie prononcée par une femme et ne manquent pas d'entendre une voix subversive prononcer les paroles de la consécration en même temps que le célébrant. L'Assemblée se termine par des revendications précises sur le statut des femmes dans l'Église.

En 1989 paraît l'étude *Les soutanes roses*, qui expose les conditions des femmes au travail dans l'Église. Depuis plusieurs années, des paroisses sont confiées à des femmes, à qui, bien sûr, on ne confie aucun ministère. Le paradoxe est entier. Dans l'Église catholique, les évêques du Québec forment une avant-garde qui semble menaçante: quelques-uns réclament l'ordination des femmes. Ils publient en 1989 le document *La violence en héritage*, qui expose une position inédite de l'Église devant le phénomène de la violence conjugale. En 1990, ils font publiquement amende honorable pour s'être opposés si longtemps au vote des femmes.

Il semble bien que l'Église du Québec veut présenter une image d'avant-garde dans l'ensemble de la chrétienté. Mais d'un autre côté, l'Église de Rome continue de tenir publiquement un discours officiel très traditionnel sur toutes les questions relatives au corps des femmes et sur la question des magistères. Dans ces circonstances, l'avant-gardisme des évêques québécois ne porte pas tellement à conséquence. Le conservatisme notoire du pape n'est-il pas là pour bloquer toute mesure qui pourrait modifier réellement le statut des femmes dans l'Église?

Pendant ce temps, dans les différentes confessions protestantes, les mêmes revendications obtiennent plus de succès. Des femmes accèdent aux différents ministères et quelques-unes sont même nommées évêques. Des échanges de plus en plus nombreux entre théologiennes protestantes et catholiques nourrissent une réflexion inédite en théologie et sur la Bible. La publication d'une Bible où le langage traditionnel a fait place à un texte non sexiste suscite bien des commentaires. Le même constat doit se faire du côté des femmes juives,

Ministre protestante célébrant la messe, 1991.
Collection privée — Jennifer Stoddart

qui se retrouvent le plus souvent à l'avant-garde des revendications des femmes et obtiennent de jouer un rôle plus officiel dans les assemblées. Bien sûr, le phénomène ne rejoint pas tous les groupes et la minorité si visible des juifs Hassidiques se caractérise par une conception ultra-conservatrice des rôles féminins.

De même, on voit également certaines sectes protestantes gagner en popularité. Dans ces groupes, on privilégie une conception traditionnelle, voire rétrograde du rôle des femmes. En même temps, l'immigration modifie le paysage religieux du Québec. L'Islam devient une réalité de la société québécoise et vient renforcer les images de domination masculine qu'on associe si facilement avec toutes les Églises. «Dieu est-il misogyne?» devient une question brûlante d'actualité. Mais si Dieu était une femme? objectent certaines féministes.

Pouvoir être... différentes

Le Québec d'après 1965 est une société de plus en plus multiculturelle. Aux communautés amérindiennes, aux populations d'origine européenne et surtout française et britannique, à ses anciennes communautés noire, juive et chinoise s'ajoutent dorénavant de nouveaux visages. Des femmes des Antilles, de l'Amérique du Sud, du Moyen-Orient et de l'Asie s'établissent au Québec avec leurs familles. Chaque communauté ethnique tisse ou retisse ses liens sociaux et politiques. Minorités sur le plan démographique, elles apprennent à exercer par les médias et les débats publics, un pouvoir politique considérable.

Ancrées dans la réalité de communautés ethniques diverses, les femmes participent à la promotion de leurs groupes et aux plus vastes débats de société.

Ainsi, Mary Two-Axe-Early, Mohawk de Kahnawake, milite pendant les années 70 pour la réforme des dispositions de la Loi sur les Indiens, qui crée un double standard pour les autochtones qui épousent des Blancs et leurs enfants, les dépossédant de leur identité autochtone et des droits et bénéfices qui en découlent. Même si la réforme de cette loi en 1985 (Loi C-31) ne fait pas l'unanimité de toutes les femmes autochtones du Québec, 1555 femmes et 6974 de leurs enfants ont tout de même obtenu leur reconnaissance de statut. Les femmes des nations autochtones se préoccupent de leur place et de leurs droits au sein de leurs communautés ainsi que de différentes questions économiques et sociales associées à une plus grande autonomie pour leur

Manifestation des autochtones contre la loi C-31 à Ottawa.
Rencontre, vol. 12, n° 4, juin 1991

peuple. Les traditions politiques des femmes autochtones, mises en veilleuse par le patriarcat européen, reprennent leur place. De cette manière, les téléspectateurs de l'été 1990 ont fait la connaissance d'Ellen Gabriel, porte-parole jeune et médiatique des Mohawks de Kanesatake.

Les femmes de l'ancienne communauté noire anglophone apprennent à incorporer les nouveaux membres de leur communauté arrivés des Antilles. De nouvelles associations d'entraide et de promotion se forment afin de faciliter l'intégration des nouvelles venues dans une société où elles sont souvent confrontées à des attitudes racistes. Née à Montréal, diplômée en droit des universités de Montréal et de Paris, Juanita Westmoreland-Traoré est la première avocate noire au Québec et une porte-parole prestigieuse pour les préoccupations de sa communauté. De 1985 à 1990, elle est présidente du Conseil des communautés culturelles et de l'Immigration, où elle fait la promotion d'une société libre de xénophonie et de racisme.

Les femmes de la communauté haïtienne amènent avec elles au Québec un héritage commun qui facilite la reconstitution de réseaux communautaires. Les Haïtiennes sont sur-représentées dans les occupations mal rémunérées. Mais la fuite de l'intelligentsia d'Haïti amène au Québec des familles scolarisées dont les filles grossissent bientôt les rangs des professionnelles: infirmières, enseignantes, quelques médecins, journalistes, ingénieures et avocates. Petit à petit, elles démontrent que le visage du pouvoir est en train de se modifier.

La forte tradition d'entraide existante chez les Juifs se concrétise dans la création et dans le maintien des services communautaires pour les membres de cette communauté. Les Juives d'une certaine bourgeoisie font du bénévolat une véritable carrière, acquérant une vaste expérience dans l'organisation et la levée de fonds. Lorsqu'elles mettent ces talents au service d'un parti politique, les résultats peuvent être impressionnants. En 1984, Sheila Finestone devient la première Juive du Québec à siéger à la Chambre des communes. Phyllis Bronfman Lambert, architecte et urbaniste, se dévoue à la préservation et à la mise en valeur de l'héritage architectural de Montréal. Peu de décisions dans ce domaine se font sans l'écouter. C'est en 1989, grâce à son initiative et à sa générosité financière, que s'ouvre le Centre canadien d'architecture, un bijou du design contemporain.

Mais ces percées, souvent spectaculaires, de la part de femmes de tous les milieux et dans tous les lieux du pouvoir, ne peuvent dissimuler le fait qu'à l'aube de l'an 2000 les enjeux sont encore nombreux pour les femmes.

CHAPITRE 20

Enjeux

En 1895, dans une chronique portant sur l'accès des femmes à l'université, la journaliste Robertine Barry écrit: «Patience, pourtant, cela viendra. Je rêve mieux encore, je rêve, tout bas, que les générations futures voient un jour, dans ce XXe siècle qu'on a déjà nommé «le "siècle de la femme", qu'elles voient, dis-je, des chaires universitaires occupées par des femmes.» Le rêve de Robertine Barry s'est matérialisé à certains égards. Mais, ce siècle aura-t-il rempli toutes ses promesses, aura-t-il permis aux femmes de vivre autrement? Que reste-t-il à rêver?

À la veille de l'an 2000, les principes de l'égalité et du droit à la participation des femmes dans toutes les activités sociales sont acquis. La présence du féminin dans le langage officiel ou encore la nomination de femmes juges à la Cour suprême, amènent de nouvelles images, reflètent la polyvalence de la contribution des femmes ainsi que l'autorité qu'elles peuvent exercer dans une gamme de fonctions différentes. Toutefois, cette participation au pouvoir, encore symbolique à bien des égards, est loin de se traduire par un pouvoir d'exercice proportionnel à leur poids numérique dans la population. Certes, quelques femmes juges ou ministres peuvent exercer des pressions discrètes et proposer leur vision. Cependant, les traditions, les valeurs et les canaux d'influence dans les univers puissants de la politique, de la magistrature, des universités, de l'administration publique et de la haute finance portent toujours l'empreinte d'un monopole sexué depuis des siècles. Les tensions et les contradictions font partie du quotidien de celles qui évoluent dans des structures de pouvoir encore largement définies et orientées à partir de l'expérience masculine: en fait, ces femmes sont parfois obligées de cautionner le statu quo.

À l'arrière-plan des percées d'une minorité de femmes dans les lieux de pouvoir grouille un fond de violence et de contraintes. La menace de la violence physique au sein de la famille, dans le couple, au travail ou, de façon anonyme, dans les lieux publics ou chez soi, force les femmes à des stratégies d'évitement ou de compensation. Les agresseurs sont des hommes: époux, frère, père, collègue de travail ou inconnu. N'y a-t-il pas là une perpétuation de mécanismes séculaires pour dominer les femmes, pour maintenir la crainte, pour les empêcher de s'échapper résolument vers l'autonomie? Sans cette menace latente, les femmes ne risqueraient-elles pas de quitter la vie de couple, de refuser les rapports sexuels indésirés ou de vivre seules? L'ampleur de cette violence est difficile à évaluer à cause du tabou qui l'entourait jusqu'à tout récemment.

À côté de cela, la démystification de la sexualité depuis les années 60 a entraîné la banalisation des rapports sexuels et accru, par le fait même, la tendance à transformer les femmes en objets. Dans la culture populaire, des chanteuses comme Monique Leyrac et Nana Mouskouri sont remplacées par les Mitsou, Madonna et autres nouvelles découvertes qui font fureur largement à cause de leur corps et dont les attributs sexuels ont souvent plus d'importance que la voix. Dans les dépanneurs, à côté des litres de lait, foisonnent des revues où les images de femmes sont réduites à des seins ou à des orifices; les vidéoclips et les films associant violence et sexualité sont monnaie courante. Cette culture populaire, qui profite en Amérique du Nord à des industries qui récoltent des milliards de dollars par année, est un signe explicite que la société n'est pas encore prête à renoncer à l'appropriation collective de la sexualité féminine.

Devant ces violences, les yeux des femmes font semblant de ne pas voir, leur parole s'éraille ou devient à peine audible; leur liberté de circuler seule sans danger s'arrête devant la soi-disant liberté d'expression d'un certain imaginaire masculin qui les confine dans un rapport de domination où elles sont perdantes. Comme si c'était le prix à payer ou le compromis à faire pour bénéficier des libertés acquises pendant ce siècle...

À la fin du XXe siècle, les femmes forment presque la moitié de la main-d'œuvre. Le marché du travail doit dorénavant s'ajuster à leur présence par l'accès aux métiers naguère réservés aux hommes; par la revalorisation des emplois traditionnellement féminins, grâce à la stratégie de l'équivalence salariale; par des congés parentaux; par de nouveaux aménagements du temps de travail. Mais, globalement, en 1990, les revenus de leur travail rapportent aux femmes deux tiers des revenus des hommes. La pression exercée pour sortir de ghettos d'emplois féminins, pour contrer la précarisation du travail et pour réévaluer la valeur des tâches traditionnelles ira donc en s'accentuant. La permanence de l'insertion des femmes dans le marché du travail, ne serait-ce que pour maintenir le niveau de vie de la famille en tenant compte de la présence des enfants, laisse prédire que c'est à travers la réorganisation du monde du travail salarié que se feront les plus grands changements dans la vie des femmes. Quelles habiletés professionnelles doivent posséder les femmes pour réussir; auront-elles la formation requise? Est-ce qu'une nouvelle génération de femmes va réussir à briser le plafond de verre dans les grandes entreprises parce qu'elles seront mieux acceptées par la nouvelle génération d'hommes? Le monde du travail organisé depuis la révolution industrielle du XIXᵉ siècle en fonction du modèle de l'homme-pourvoyeur et de la femme-ménagère saura-t-il s'ajuster au profil contemporain de la main-d'œuvre, formée pour moitié-moitié de femmes et d'hommes?

Un des paradoxes du tournant actuel dans l'histoire des femmes est qu'elles doivent gagner leur vie en dehors de la famille, tout en demeurant quotidiennement les principales responsables de celle-ci. Le culte de l'individualisme qui caractérise la société occidentale dans la deuxième moitié du XXᵉ siècle facilite la fuite des pères devant les obligations familiales. Selon diverses études, l'époux typique de la femme qui travaille à l'extérieur consacre à peine plus de temps au soin des enfants et au travail ménager que celui dont l'épouse est ménagère à temps plein. Alors qu'un mariage sur trois se termine par le divorce, la sécurité économique de l'épouse et des enfants est difficilement assurée après la rupture. La difficulté de s'occuper des enfants et d'exercer en même temps un emploi à temps plein, la faible reconnaissance par les tribunaux des coûts associés à l'éducation des enfants pour fixer les pensions alimentaires, les retards ou les refus de l'ex-époux de verser ces pensions acculent beaucoup de femmes à vivre sous le seuil de la pauvreté. Les mères célibataires adolescentes élèvent leurs enfants, mais où sont les pères? La croissance de la monoparentalité féminine amène au grand jour la persistance de la pauvreté où mères célibataires et divorcées émergent comme une nouvelle sous-classe de pauvres. La responsabilité parentale devra se fonder sur de nouvelles bases de partage. Dans cette transformation, la lenteur des hommes à assumer la parentalité pose un défi à la patience des femmes... Enfin, pour certaines, la vie en solo apparaît désormais comme une solution de rechange à la vie de couple. L'éclatement du trio historique sexualité-mariage-maternité permet aux femmes de faire des choix nouveaux sans subir les contraintes familiales d'autrefois.

La longévité des femmes est l'un des moteurs de la redéfinition des cycles de vie féminine. Dorénavant, le temps d'une vie consacrée aux grossesses et aux enfants sera de plus en plus court. En Nouvelle-France, le temps des enfants déterminait le rythme de la vie relativement courte d'une épouse; près de quatre siècles plus tard, la vie de celle qui ne mourra qu'à soixante-dix-huit ans après avoir donné naissance à un ou deux enfants sera remplie de nombreuses autres expériences. Non seulement la maternité est-elle devenue compatible avec d'autres rythmes de vie, mais les trente années entre la ménopause et la mort permettent dorénavant aux femmes de se livrer à une multitude d'activités en dehors du cercle familial.

L'autonomie économique grandissante des femmes modifiera le profil des femmes âgées de demain; la dépendance obligatoire envers les membres des familles, qui était le lot des générations passées, s'atténuera. En contrepartie, l'éclatement des réseaux familiaux traditionnels risque d'accroître l'isolement des femmes âgées. Signe de ces mutations, s'effritent déjà certaines images négatives de la vieillesse au féminin, symbolisée au cours des siècles par la sorcière, la marâtre des contes de fées ou la belle-mère acariâtre. Les espoirs d'une vieillesse différente se dessinent, et l'image nouvelle de femmes autonomes organisant seules leur vie et se tissant divers réseaux de sociabilité tente de s'affirmer.

Les femmes sont-elles différentes des hommes, appareil reproductif mis à part? Ont-elles un langage différent à cause d'attributs intrinsèques? Ou encore le genre n'est-il pas au fond qu'une construction sociale, fruit de siècles d'une culture qui a insisté sur la différence en la présentant souvent comme source d'infériorité? Quelle est la «vraie nature» des femmes? Le débat continue à susciter des controverses, tant dans le grand public que chez les spécialistes. Les résultats de l'éducation des filles, chez elles, à l'école, dans les cégeps et les universités, seront des indicateurs des modifications du processus par lequel, selon Simone de Beauvoir, on ne naît pas femme, mais on le devient. La scolarisation deviendra, encore plus qu'elle ne l'est déjà, la voie de l'autonomie et la voie de sortie de la pauvreté pour les femmes. Les filles d'immigrantes formées par le système scolaire québécois absorberont de nouvelles valeurs d'individualisme et d'autonomie personnelle liées à des rôles sociaux plus asexués, valeurs qui risquent de les placer en opposition par rapport à leur famille d'origine.

Les projets de vie des garçons et des filles devront tenir compte des modifications survenues dans le monde du travail. Est-il nécessaire d'éliminer les différences occupationnelles entre les sexes, ou ne doit-on pas tout simplement les évaluer différemment? Doit-on encourager à tout prix la formation d'électriciennes ou ne doit-on pas aussi mieux payer les emplois de secrétaire? L'égalité ne peut-elle pas se vivre dans la différence? La différence pourrait-elle s'exprimer sans que surgissent la discrimination et l'exclusion?

Dans une société occidentale où le pouvoir des médias et des productions culturelles, ainsi que la primauté accordée à la circulation des idées, sont des déterminants, la prise de parole des femmes risque d'être un canal privilégié des changements à venir dans la condition féminine. Dans les médias autant français, anglais, qu'ethniques, les femmes expriment leurs opinions dans des reportages, des éditoriaux et des émissions d'affaires publiques qui portent sur les grands débats de société ainsi que sur des questions d'un intérêt particulier pour les femmes. Le jour où elles ne seront plus minoritaires, modifieront-elles les codes de la presse écrite et électronique?

Écrivaines, artistes et intellectuelles expriment ce que les autres vivent: les multiples réalités des femmes. Beaucoup d'entre elles articulent une existence qui se vit avec et en comparaison avec les hommes. D'autres font part d'une expérience de vie qui se situe dans la continuité de la féminitude. D'autres encore se réfèrent à l'universalité de l'existence humaine et à la similitude des êtres.

La réalité des femmes est en pleine mutation et les femmes parlent dorénavant avec des voix multiples. La fragmentation de l'existence féminine rendra à l'avenir plus difficile la solidarité née d'une exclusion commune. À court terme, les unes seront puissantes alors que bien d'autres demeureront pauvres et sans voix. L'expérience de la maternité restera toujours au centre de la vie d'une majorité de femmes, mais de plus en plus de femmes s'en passeront volontiers. Certaines jeunes connaîtront à peine le sexisme; elles croient que désormais le monde se présente au neutre, et après l'expression de gratitude quasi obligatoire envers les pionnières qui se sont battues pour la quête de l'égalité, elles se lancent à la conquête d'un monde où toutes les portes leur semblent ouvertes. Les combats ne sont plus nécessaires, croient-elles, et peut-être ne devront-elles pas en livrer... Par contre, d'autres se heurteront rapidement au sexisme ordinaire, continueront d'en subir les vestiges de plus en plus camouflés et tenteront à nouveau de modifier les règles du jeu.

Pour la majorité des femmes du Québec, celles d'origine canadienne-française, leur rôle fut partie intégrante de l'identité nationale. Encadrées entre le Code civil et le chef de famille, mères de famille nombreuse ou encore religieuses, ces femmes incarnaient, selon la mythologie nationaliste, les valeurs de ce qu'on appelait «la race canadienne-française». La Révolution tranquille et le mouvement des femmes ont balayé ces points de repère en l'espace d'une génération. Les nouvelles populations immigrantes s'intègrent désormais à la majorité francophone et déplacent certains ancrages culturels, laissant des intellectuels angoissés devant un avenir national qui doit se construire autrement. Cependant, ces événements historiques importants ont mis en place d'autres référents socio-économiques. Ils ont rendu possible un imaginaire différent de l'imaginaire traditionnel et ont fait surgir de nouveaux modèles de comportements collectifs et individuels. Reste à savoir si la différence pourra désormais s'exprimer et se vivre sans problème, si l'avenir pourra se construire sur la base d'une égalité ne reposant pas sur une seule façon d'être au monde.

VI
L'éclatement et l'affirmation
Orientations bibliographiques

Pour cette dernière section, il est impossible de mentionner ici toutes les publications des dix dernières années. L'ouvrage de Denise Lemieux et Lucie Mercier, *La recherche sur les femmes au Québec: bilan et bibliographie* (Québec, Institut québécois de recherche sur la culture, 1982, 366 p.) doit être réédité prochainement dans une édition augmentée: il constitue une référence fondamentale.

Nous tenons aussi à souligner que des études nombreuses et variées ont été publiées par le Conseil du statut de la femme (Québec), le Conseil consultatif canadien sur la situation de la femme (Ottawa), l'Institut canadien de recherche sur les femmes (Ottawa), le Groupe de recherche multidisciplinaire sur les femmes (Université Laval), et l'Institut de recherches féministes (Université du Québec à Montréal [anciennement le GIERF]).

De même, il faut rappeler les principales revues de recherche féministe. *Atlantis, A Women's Studies Journal/Revue d'études sur la femme, *Canadian Woman Studies/Les cahiers de la femme, *Documentation sur la recherche féministe/Resources for Feminist Research, *Recherches féministes.

À moins que ces textes ne soient cités dans la section précédente, ils ne figurent pas dans la bibliographie qui suit. Enfin, nous avons pris le parti de ne mentionner aucun des ouvrages régionaux qui ont paru au cours de la dernière décennie.

Textes fondamentaux du féminisme québécois

DE SÈVE, MICHELINE, *Pour un féminisme libertaire*, Montréal, Éd. Boréal Express, 1985, 152 p.

Manifeste des femmes québécoises, 2e éd., Québec, Éd. La Maison, 1971, 58 p.

O'LEARY, VÉRONIQUE et TOUPIN, LOUISE, *Québécoises deboutte!*, Tomes I et II, Montréal, Les Éditions du remue-ménage, 1982 et 1983, 212 p.

Pour les Québécoises, égalité et indépendance, Québec, 1978.

Rapport de la Commission royale d'enquête sur la situation de la femme au Canada, Ottawa, 1970, 540 p.

SAINT-JEAN, ARMANDE, *Pour en finir avec le patriarcat*, Montréal, Éd. Primeur, 1983, 330 p.

Les têtes de pioche, Journal des femmes, Montréal, Les Éditions du remue-ménage, 1980, 207 p.

Écrits sur le mouvement des femmes au Québec

BRODEUR, VIOLETTE et al., *Le mouvement des femmes au Québec, étude des groupes montréalais et nationaux*, Montréal, Éd. Centre de formation populaire, 1982, 77 p.

FEMMES EN TÊTE, *De travail et d'espoir: des groupes de femmes racontent le féminisme*, Montréal, Les Éditions du remue-ménage, 1990, 200 p.

JEAN, MICHÈLE et LAPOINTE, HUGUETTE, «Historique de la Fédération des femmes du Québec» dans *Bulletin de la Fédération des femmes du Québec*, vol. 6, n° 4, p. 5-12.

LAMOUREUX, DIANE, *Fragments et collages, essai sur le féminisme québécois des années 70*, Montréal, Les Éditions du remue-ménage, 1986, 168 p.

MALETTE, LOUISE et CHALOUH, MARIE, (dir.) *Polytechnique 6 décembre*, Montréal, Les Éditions du remue-ménage, 1990, 190 p.

MORRIS, CERISE, «Determination and Throughness: the Movement for a Royal Commission on the Status of Women in Canada» dans *Atlantis*, vol. 5, n° 2, printemps 1980, p. 1-21.

OUELLETTE, FRANÇOISE-ROMAINE, *Les groupes de femmes du Québec, en 1985: champs d'intervention, structures et moyens d'action*, Québec, Conseil du statut de la femme, 1986, 314 p.

ROY, CAROLLE, *Les lesbiennes et le féminisme*, Montréal, Éd. Saint-Martin, 1985, 140 p.

Éducation

COLLIN, JOHANNE, «La dynamique des rapports de sexe à l'Université 1940-1980: une étude de cas» dans *Histoire sociale/Social History*, novembre 1986, p. 365-385.

DESCARRIES-BÉLANGER, FRANCINE, *L'école rose... et les cols roses*, Montréal, Éd. coopératives Albert Saint-Martin, 1980, 128 p.

DUNNIGAN, LISE, *Analyse des stéréotypes masculins et féminins dans les manuels scolaires au Québec*, Québec, Conseil du statut de la femme, 1976, 188 p.

L'Université Laval au féminin, Rapport du comité d'étude sur la condition féminine à l'Université Laval, Québec, Université Laval, 1980, 297 p.

Travail

Au-delà des mythes: les hauts et les bas des travailleuses non traditionnelles, Québec, 1989.

DION, SUZANNE, *Les femmes dans l'agriculture au Québec*, Longueuil, Éd. La Terre de Chez-Nous, 1983, 165 p.

GAGNON, NATHALY, *Un vol organisé, la discrimination des femmes*, Hull, Éd. Asticon, 1989, 221 p.

GROUPE DE RECHERCHE EN ÉCONOMIE ET POLITIQUE AGRICOLE, *Changer l'agriculture ou s'intégrer. Rapport du colloque sur les femmes en agriculture*, Québec, Université Laval, 1988, 194 p.

GROUPE DE TRAVAIL SUR LES OBSTACLES RENCONTRÉS PAR LES FEMMES DANS LA FONCTION PUBLIQUE, *Au-delà des apparences*, Ottawa, 1990, 4 vol.

GUNDERSON, MORLEY et al., *Vivre ou survivre? Les femmes, le travail et la pauvreté*, Ottawa, Conseil consultatif canadien sur la situation de la femme, 1990, 29 p.

Jouer à l'égalité. Les femmes et la fonction publique fédérale (1908-1987), Ottawa, 1988, 76 p.

LABELLE, MICHELINE et al., *Histoire d'immigrées. Itinéraires d'ouvrières colombiennes, grecques, haïtiennes et portugaises au Québec*, Montréal, Éd. Boréal, 1987, 275 p.

LIZÉE, RUTH-ROSE, *Portrait de femmes collaboratrices du Québec*, Éd. réalisée par l'Association des femmes collaboratrices en collaboration avec l'Imprimerie Gagné ltée, 1985, 154 p.

MINISTÈRE DE LA MAIN-D'ŒUVRE ET DE LA SÉCURITÉ DU REVENU, *La PME au Québec. Une manifestation de dynamisme économique*, Québec, mai 1988, 66 p.

OFFICE DES PERSONNES HANDICAPÉES DU QUÉBEC, *Femmes et handicaps*, Québec, 1985, 86 p.

PAQUETTE, LOUISE, *La situation socio-économique des femmes*, Québec, Les publications du Québec, 1989, 165 p.

VANDELAC, LOUISE et al., *Du travail et de l'amour, les dessous de la production domestique*, Montréal, Éd. Saint-Martin, 1985, 416 p.

Famille et corps

BEAUDRY, MICHELINE, *Les maisons de femmes battues au Québec*, Groupe d'analyse des politiques sociales, Montréal, Éd. Saint-Martin, 1984, 110 p.

CARMEL, MARLÈNE, *Ces femmes qui n'en veulent pas. Enquête sur la non-maternité volontaire au Québec*, Montréal, Éd. Saint-Martin, 1990, 159 p.

COLLINS, ANNE, *L'avortement au Canada, l'inéluctable question*, Montréal, Les éditions du remue-ménage, 1987, 319 p.

CONSEIL DU STATUT DE LA FEMME, *Femmes et questions démographiques, un nouveau regard*, Québec, Publications du Québec, 1991, 236 p.

CORBEIL, CHRISTINE et al., *L'intervention féministe, l'alternative des femmes au sexisme en thérapie*, Montréal, Éd. coopératives Albert Saint-Martin, 1983, 188 p.

DANDURAND, RENÉE B., *Couples et parents des années quatre-vingt*, Québec, Institut québécois de recherche sur la culture, 1987, 284 p.

DANDURAND, RENÉE B. et SAINT-JEAN, LISE, *Des mères sans alliance. Monoparentalité et désunions conjugales*, Québec, Institut québécois de recherche sur la culture, 1988, 297 p.

DANDURAND, RENÉE, B., *Le mariage en question*, Québec, Institut québécois de recherche sur la culture, 1988, 188 p.

DE KONINCK, MARIA *et al.*, *Essai sur la santé des femmes*, Québec, Conseil du statut de la femme, 1983, 293 p.

GUYON, LOUISE *et al.*, «*Va te faire soigner, t'es malade!*», Montréal, Éd. Stanké, 1981, 158 p.

GUYON, LOUISE, *Quand les femmes parlent de leur santé*, Québec, Publications du Québec, 1990, 185 p.

La pornographie et la prostitution au Canada, Rapport du comité spécial d'étude de la pornographie et de la prostitution, 2 vol., Ottawa, 1985.

Santé mentale au Québec, Les Québécoises: dix ans plus tard, vol. XV, n° 1, 1990 (numéro spécial coordonné par Louise Guyon et Louise Nadeau).

Parole

ARBOUR, ROSE MARIE *et al.*, *Art et féminisme*, Québec, Ministère des Affaires culturelles, 1982, 213 p.

BEAUCHAMP, COLETTE, *Le silence des médias*, Montréal, Les Éditions du remue-ménage, 1987, 281 p.

CARRIÈRE, LOUISE *et al.*, *Femmes et cinéma québécois*, Montréal, Éd. Boréal Express, 1983, 282 p.

Interface, vol. II, n° 5, septembre-octobre 1990 (numéro spécial consacré à la recherche féministe).

SMART, PATRICIA, *Écrire dans la maison du père, l'émergence du féminin dans la tradition littéraire du Québec*, Montréal, éd. Québec/Amérique, 1990, 347 p.

TREMBLAY-MATTE, CÉCILE, *Chansons écrites au féminin, de Madeleine de Verchères à Mitsou*, Montréal, Éditions Trois, 1991.

Zoom sur elles, ONF, hiver 1990, 60 p.

Pouvoir

CARON, ANITA, *Femmes et pouvoir dans l'Église*, Montréal, VLB, 1991.

COHEN, YOLANDE *et al.*, *Femmes et politique*, Montréal, Éd. Le Jour, 1981, 227 p.

D'ALLAIRE, MICHELINE, *Vingt ans de crise chez les religieuses du Québec, 1960-1980*, Montréal, Éd. Bergeron, 1983, 564 p.

DRAPEAU, MAURICE, *Le harcèlement sexuel*, Cowansville, Éd. Y. Blais, 1990.

MAILLÉ, CHANTAL, *Les Québécoises à la conquête du pouvoir politique*, Montréal, Éd. Saint-Martin, 1990, 194 p.

ROY, MARIE-ANDRÉE et DUMAIS, MONIQUE, *Souffle de femmes. Lectures féministes de la religion*, Montréal, Éd. Pauline, 1989, 239 p.

Statistiques des congrégations religieuses du Canada, Conférence religieuse canadienne, Ottawa, 1973-1989.

TARDY, ÉVELYNE *et al.*, *Sexes et militantisme*, Montréal, Éd. du Cidihca, 1989, 256 p.

Témoignages

GAGNON, LYSIANE, *Vivre avec les hommes. Un nouveau partage*, Montréal, Éditions Québec/Amérique, 1983, 308 p.

GILL, PAULINE, *Les enfants de Duplessis*, Montréal, Éditions Libre Expression, 1991, 271 p.

LANCTÔT, LOUISE, *Une sorcière comme les autres*, Montréal, Éditions Québec/Amérique, 1981.

PAYETTE, LISE, *Le pouvoir, connais pas!*, Montréal, Éditions Québec/Amérique, 1982.

RECHERCHES AMÉRINDIENNES AU QUÉBEC, *Être née femme et autochtone*, vol. 14, n° 3, 1984 (numéro spécial coordonné par Marie-France Labrecque).

Index

Les noms sans mention réfèrent à des personnages historiques, même récents. Les noms accompagnés d'une mention (historien, sociologue, etc.) réfèrent à un ou une auteur mentionné dans le texte qui sert de fondement à nos affirmations. Les auteurs cités dans la bibliographie ne figurent pas nécessairement dans l'index.

Famille, 31, 65, 68, 80, 85-86, 112, 123, 126, 144-145, 161, 170, 173, 189-192, 197-201, 265, 283-285, 348, 353, 406-409, 415-416, 417, 423, 457, 491, 497, 500, 505, 506, 507, 518, 523, 527, 528, 533-534, 535, 540, 541, 554, 584, 590, 615, 616

Famille monoparentale, 482, 533-536, 551, 615

Faribault (veuve), 108

Fécondité, 25, 30, 64 (*voir* Natalité)

Fédération catholique des institutrices rurales, 318

Fédération des agricultrices du Québec, 483

Fédération des Associations des familles monoparentales, 530

Fédération des femmes du Québec, 390, 464, 465, 466, 467, 468, 476, 477, 478, 483, 594

Fédération des ouvriers du textile, 314

Fédération des travailleuses et des travailleurs du Québec (FTQ), 431

Fédération nationale Saint-Jean-Baptiste (FNSJB), 276, 292, 299, 312, 326, 346, 347, 348, 349, 351, 388, 391, 398, 399, 464

Female Benevolent Society, 140

Female Compassionate Society, 140

Fémina (émission de radio), 468

Féminisme, 142, 157, 164, 245, 247, 257, 258, 281, 292, 340, 342-348, 351, 364, 432, 433-434, 438, 456, 459, 461-486, 490, 494, 503, 505, 516, 536, 541, 543, 547-548, 549, 551, 556, 558, 559, 561, 564, 566, 572, 576, 577-581, 583, 585, 590, 601, 606, 607

Femme alibi, 441

Femmes collaboratrices, 197-201, 324, 327-329, 477, 483, 519-520

Femmes d'aujourd'hui (émission de télévision), 468, 573

Femmes du Canada, 183, 218

Femmes en tête, 485

Femmes et Pouvoir, 486

Femmes rurales, 438

Femmes universitaires (*voir* Association des femmes diplômées des universités)

Femmeuses, 554, 566

Fernet-Martel, Florence, 389, 463

Ferron, Marcelle, 567

Feuiltault-Dion, Yvonne, 310

Filles du roy, 60, 61, 62, 63

Filles-mères (*voir* Mères célibataires)

Finestone, Sheila, 611

Firestone, Shulamith, 474, 477

Fizbach-Roy, veuve, 232-234

Fleury-Deschambault, Marie-Catherine, 92

FLQ, 455

Fondatrices, 45-48, 50, 232-234, 237, 238, 278-280

Forestier, Louise, 569

Forestier, Marie, 48

Forestier, Marie-Amable, 232, 233

Forrester, Maureen, 437

Fournier, Francine, politicologue, 471

Fournier, Marcel, sociologue, 274, 342

Françoise (Robertine Barry), 224, 245, 308, 339, 613

FRAPPE (Femmes regroupées pour l'accessibilité au pouvoir politique et économique), 486

Fréchette, Louis, 243, 244

Frémont, Gabrielle, 309

Fréquentations, 90, 94, 177, 178, 179, 259-260, 383

Freud, Sigmund, 439

Friedan, Betty, 438

Fuhrer, Charlotte, 182

G

Gabriel, Ellen, 610

Gaffield, Chad, historien, 171

Gagnon, Madeleine, 563

Gamelin, veuve (*voir* Tavernier-Gamelin)

Garderies, 191, 388-389, 400, 430, 464, 471, 489-490, 506, 517, 570

Garnet-Short, Constance, 597

Gaudet-Smet, Françoise, 363

Gaudreau, Germaine, 468

Table des matières

Achevé   Imprimerie
d'imprimer Gagné Ltée
au Canada Louiseville